中国金属学会 冶金科普丛书

实用高炉炼铁技术

主 编 由文泉
副主编 赵民革

U0319313

北 京

冶 金 工 业 出 版 社

2013

内 容 简 介

　　本书为中国金属学会组织编写的冶金科普丛书之一。全书共分 11 章,主要内容包括:炼铁原、燃料,高炉工艺主要系统的设备、操作、事故处理,炼铁烟气治理,小高炉及特殊矿冶炼等。书后附录给出了常用计算公式、炉渣碱度校核、高炉炼铁有关技术标准、高炉用主要燃料参考发热值、影响燃耗和产量的因素与数值等。

　　本书突出操作实践和实例,尽可能将近年来的实践经验和技术进步写入书中,因此本书是一本炼铁生产实用参考书,可供炼铁工人和技术人员学习和参考。

图书在版编目(CIP)数据

实用高炉炼铁技术/由文泉主编 . —北京:冶金工业出版社,2002.6 (2013.7 重印)

(冶金科普丛书)

ISBN 978-7-5024-3041-2

Ⅰ. 实… Ⅱ. 由… Ⅲ. 高炉炼铁—普及读物 Ⅳ. TF579

中国版本图书馆 CIP 数据核字(2002) 第 034436 号

出 版 人　谭学余
地　　址　北京北河沿大街嵩祝院北巷 39 号,邮编 100009
电　　话　(010)64027926　电子信箱　yjcbs@cnmip.com.cn
责任编辑　李培禄　王雪涛　刘小峰　美术编辑　李　新
责任校对　栾雅谦　责任印制　牛晓波
ISBN 978-7-5024-3041-2
冶金工业出版社出版发行;各地新华书店经销;北京印刷一厂印刷
2002 年 6 月第 1 版,2013 年 7 月第 7 次印刷
850mm×1168mm　1/32;14.875 印张;397 千字;460 页
29.00 元

冶金工业出版社投稿电话:(010)64027932　投稿信箱:tougao@cnmip.com.cn
冶金工业出版社发行部　电话:(010)64044283　传真:(010)64027893
冶金书店　地址:北京东四西大街 46 号(100010)　电话:(010)65289081(兼传真)
　　　　　(本书如有印装质量问题,本社发行部负责退换)

《实用高炉炼铁技术》
编辑委员会

序

　　我国是世界上最早掌握炼铁技术的国家之一,其历史可以追溯到公元前5世纪。但是19世纪中叶以来,由于众所周知的原因,在很长一个历史时期内,我国炼铁技术处在被动落后的状态。1949年新中国成立后,中国炼铁工业经过50多年的发展,面貌焕然一新,取得了重大进步。自1994年以来我国生铁产量一直位居世界第一,2001年,全国铁产量达到1.5亿t,部分高炉的技术经济指标达到、接近世界领先或世界先进水平,这是新中国几代炼铁工作者脚踏实地、努力奋斗的结果。

　　为了总结近几年来高炉炼铁科技成果,特别是高炉生产技术进步的经验,中国金属学会组织力量,编写了本教材,希望能为提高炼铁工作者技术水平、为开展技术培训及继续教育提供帮助。同时希望广大炼铁工作者继续坚持创新,不断吸取新知识,学习新技术,总结新经验,为我国钢铁工业的发展做出更大的贡献。

中国金属学会理事长　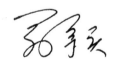
2002年5月

前　　言

为了进一步推动我国炼铁技术的发展,在中国金属学会的组织下,由首钢及攀钢、包钢、马钢的有关人员编写了这本书,供高炉炼铁培训班及从事高炉炼铁生产的工程技术人员、管理人员及工人参考。

本书依据炼铁技术的基本原理,在总结我国不同炼铁厂生产实践经验的基础上,对高炉炼铁工艺的操作进行了阐述,对主要设备和工艺做了介绍,并尽可能地将一些近年来的科技进步成果写入书中。为了突出实用性还列举了一些实例供读者参考。

本书共分11章,主要内容包括:炼铁原、燃料,高炉工艺主要系统的设备、操作、事故处理,小高炉及特殊矿冶炼,烟尘治理等。考虑到实际操作中的需要,在附录中列举了一些常用公式和数据。由于编者水平和知识面有限,实践经验不足,书中如有错误、疏漏之处,恳请读者批评指正。

本书在编写过程中选用了有关专著和论文的资料及数据,在此表示感谢。另外本书得到了中国金属学会、首钢(集团)总公司、马鞍山钢铁股份有限公司、包头钢铁(集团)公司及攀枝花钢铁(集团)公司多位领导和专家的指导和支持,在此一并表示感谢。

编　者
2002 年 4 月

目　　录

1 炼铁原、燃料

1.1 高炉原料

高炉原料是铁矿石,此外,还包括生产冶炼过程需要的辅助原料和熔剂。

1.1.1 铁矿石质量评价

决定铁矿石质量的主要因素是化学成分、物理性质及其冶金性能。优质铁矿石应具备如下条件:含铁量高,脉石少,有害杂质少,化学成分稳定,粒度合适、均匀,一定的机械强度和良好的高温冶金性能。

1.1.1.1 矿石品位

矿石品位即含铁量,是衡量铁矿石质量的主要指标。矿石有无开采价值,开采后能否直接入炉及其冶炼价值高低,主要取决于含铁量。含铁量(质量分数)的工业开采范围在 23% ~ 70% 之间。

一般地说,品位较高,适合直接入炉冶炼的叫做富矿;由于含铁量较低,不应直接入炉冶炼的叫贫矿。贫矿直接入炉冶炼在经济上、技术上都是不合理的,需经选矿处理,提高品位后,再经烧结或球团工艺制成人造富矿后入炉冶炼。这样不但能合理利用资源,又能改善高炉技术经济指标并取得较好经济效益。

铁矿石直接入炉冶炼的最低品位,没有固定标准,它主要取决于矿石类型和脉石成分。如褐铁矿和菱铁矿的含铁量要求可以降低,因为它们在炉内烧损较大,其结晶水和 CO_2 分解放出后,铁分相应提高。

铁矿石最低开采品位不仅决定于含铁量,还应考虑矿石的自然经济条件,如交通运输、水电供应等;露天或井下开采方式;矿石储量,可选性和综合利用;市场情况和经济效益等因素。

我国矿石平均品位 33% 左右,低于世界铁矿石平均品位 11%。入选原矿品位一般为 30%~31%,已探明铁矿石储量的 97.5% 是需要选矿加工的贫铁矿。我国铁精矿粉品位为 51.6% ~68%,平均 62.35%,精矿粉 SiO_2 含量(质量分数)为 8%~10%。

首钢总公司(以下简称首钢)迁安铁矿石品位为 26% 左右,铁精粉品位视矿石可选性变化,保持在 67.1%~68.3% 水平,精矿粉 SiO_2 含量(质量分数)4%~5.5%。

1.1.1.2　脉石成分

铁矿石的脉石成分绝大多数以酸性为主,含量最高、最应重视的是 SiO_2,因为铁矿石中 SiO_2 含量的增加,必然需要加入等量以上的 CaO,引起高炉渣量成双倍以上的增加,所以,要求铁矿石中含 SiO_2 少些。反之,脉石含 CaO 较多的矿石,由于相应减少了外加 CaO 量,具有较高的冶炼价值。至于 MgO 和 Al_2O_3,考虑各自对高炉冶炼过程的影响,一般来说,希望 MgO 多些,Al_2O_3 少些。只要不是烧结主要配料,由于含量范围和配比有限,适当注意高低搭配,通常不会给高炉生产造成困难。

我国铁矿石中 SiO_2 含量普遍较高,与主要进口铁矿石差距较大。由于脉石成分的影响,相同品位铁矿石的冶金价值产生差异,有时甚至很大。因此,多年来对成品块矿(包括天然和人造矿)有"扣 CaO 品位"和"不扣 CaO 品位"之分,实质是成品块矿冶金价值的简单体现。

同理,对于铁矿粉,则应引入"理论单烧品位"概念,以简单、直观地体现铁矿粉对烧结矿品位的影响。理论单烧品位用下式计算:

铁矿粉理论单烧品位＝铁矿粉含铁品位÷[100＋(铁矿粉 SiO_2 含量
　　　　×规定烧结生产碱度－铁矿粉 CaO 含量)]

我国精矿粉平均状况和首钢精矿粉与主要进口矿粉比较结果如表 1-1 所示。

表 1-1 铁矿粉的理论单烧品位(烧结矿碱度 1.6),%

产地	澳大利亚富粉	印度富粉	南非富粉	巴西富粉	我国精粉平均	首钢迁安精粉
矿粉铁含量(质量分数)	63.50	66.00	65.00	67.50	62.50	68.00
矿粉 SiO_2 含量(质量分数)	3.50	1.70	4.20	0.65	9.00	4.00
理论单烧品位	60.13	64.25	60.91	66.81	54.63	63.91

由表可见,烧结矿碱度相同时,由于矿粉 SiO_2 含量影响,低品位矿粉(印度粉)的单烧品位反而超过高品位矿粉(首钢迁安精粉)的单烧品位。等量替代时,烧结矿品位提高,SiO_2 含量降低。

理论单烧品位同矿粉的水分、烧损无关,因为扣除水分和烧损,品位变化的同时,其他成分(包括 CaO、SiO_2)也同向、同比变化,不会改变理论单烧品位的判断结论。评价褐铁矿粉时需注意此点。

1.1.1.3 有害杂质和有益元素含量

对高炉冶炼过程而言,矿石中的有害杂质通常是硫、磷、碱金属,个别情况下也有铅、锌、砷。铜有时为害,有时有益。

考虑有害杂质时应注意以下两点:

(1) 根据冶炼规定的允许值,在配料中做到高、低搭配。

(2) 经高炉冶炼过程之后,有害元素各自的残存率大不一样。如矿石中的磷,在选矿和烧结过程中不易除去,入炉以后又 100% 进入铁水。而硫在烧结过程中可去除 80% 以上,高炉冶炼过程可去除原料和燃料中带入硫量的 90% 以上。以首钢为例,1997~1999 年秘鲁粗精粉(硫的质量分数 0.3%)在烧结原料中配比保持在 20% 的水平,但成品烧结矿硫的质量分数依旧是 0.02%~0.03%,铁水硫的质量分数更未因此而升高。

1.1.1.4 粒度和气孔度

铁矿石粒度对高炉冶炼过程影响很大。粒度不均匀或过小时,高炉内料柱透气性差,煤气上升阻力增大。粒度过大会减小煤气和铁矿石的接触面积,使矿石中心部分不易还原。因此,规定粒度小于5mm矿粉应在入炉前尽可能筛除,其粒度上限则与矿石本身的还原性有关,难还原的磁铁矿粒度不大于40mm,较易还原的赤铁矿及褐铁矿粒度不大于50mm。目前中小高炉铁矿石粒度常常小于25~35mm,对于炼铁指标的改善很有成效。缩小铁矿石粒度的同时还应使粒度均匀,粒度分布范围较大的矿石应分级入炉。

铁矿石气孔度愈大,透气性愈好,愈容易还原。气孔度又分为体积气孔度和面积气孔度,体积气孔度是指矿石孔隙所占体积相当于矿石总体积的百分比。面积气孔度是指单位矿石体积气孔表面积的绝对值。气孔有开口和闭口两种,显然,有利于还原的是开口气孔度,这也是烧结矿还原性能普遍较好的原因。

1.1.1.5 机械强度

铁矿石的强度是指耐冲击、耐摩擦、耐挤压的强弱程度。随着高炉容积不断扩大,入炉铁矿石的强度也要相应提高,铁矿石强度低,转运过程产生大量粉末,使入炉成本上升;入炉后产生大量粉末,既增加炉尘损失,又阻塞煤气通路,降低料柱透气性,使高炉操作困难。天然块矿的强度一般都比较好,球团矿次之,烧结矿较差。

应该指出,上述强度是常温下的强度,高温下机械强度的检验方法有待于进一步研究。

1.1.1.6 化学成分稳定性

铁矿石化学成分的波动会引起炉内温度场、炉渣碱度和生铁质量的波动,从而影响高炉炉况稳定,使焦炭负荷难以在可能达到的最高水平上保持稳定,不得不以较低焦炭负荷运行,造成焦比升高,产量降低。

为了稳定化学成分,应严格控制炉料成分的波动范围。对于富矿应在矿石破碎筛分后混匀处理;人造富矿要对铁矿粉实施混匀,并准确配料。

1.1.2　铁矿石质量检验

综上所述,为全面地衡量铁矿石的性能和质量,应从化学成分、冷态物理力学性能、热态及还原条件下的物理力学性能、冶金性能和矿相鉴定等方面加以检验。矿粉、块矿(包括天然块矿、烧结矿和球团矿)的检查项目不尽相同。

高炉工作者应全面了解铁矿石质量检验项目的内容和方法,熟知其物理意义,并通过实践掌握不同生产条件、不同矿种的合理指标值,以便根据检验结果提供的数据,正确判断被检矿种对高炉冶炼可能产生的影响。

1.1.2.1　冷态力学性能

冷强度能间接地表现热强度大小。根据矿石经受的破坏作用形态,冷强度用下列三种方法检验:

(1) 落下试验检验烧结矿耐跌落性能。我国现行方法是将粒度为 $10\sim40$mm 的烧结矿试样(20 ± 0.2)kg,从 2m 高度落下 4 次,落击钢板厚度大于 20mm,落下产物筛分后取大于 10mm 部分的百分数作为落下强度指标。一般要求大于 80%。

(2) 耐压试验检验球团矿的抗压强度。试验采用类似材料试验中压溃强度的测定方法。我国现行方法为(详见 GB/T14201—93 铁矿球团抗压强度测定方法):随机取样大约 1kg,每一次试验应取直径 $-12.5\sim+10.0$mm 成品球 60 个(大于 60 个时可由供需双方商定),逐个在压力机上加压(压下速度恒定在 $10\sim20$ mm/min 之间某一速度,推荐 15 ± 1mm/min),以 60 个球破裂时最大压力值的算术平均值为抗压强度指标,其结果至少精确到小数一位。

(3) 转鼓试验检验造块成品的耐磨性能和碰撞性能。这是最重要的冷强度指标,因为耐磨性能代表了矿石形成粉末的倾向。世界各国采用的试验方法尚未统一,但我国已参考国际标准(ISO3271—1975)作为现行国家标准方法(详见 GB8209—87 烧结矿和球团矿—转鼓强度的测定方法):转鼓内径 1000mm,宽

500mm,内挡板 2 条(高度 50mm,二者成 180°对称配置),转速(25±1)r/min,连续 200 转。试验程序是:烧结矿的转鼓试样由粒度为 40.0～25.0mm、25.0～16.0mm、16.0～10mm 三级试样按筛分比例配制而成,球团矿取 -40.0～10mm,两种矿石试样至少 60kg 以上,制备 4 个试样,各为(15±0.15)kg,入鼓后经 200 转后筛分试样,以大于 6.3mm、6.3～0.5mm 和小于 0.5mm 的质量分别计算出转鼓强度(T)和抗磨强度(A):

$$T = (>6.3mm\ 的质量/试样质量) \times 100\%$$
$$A = (<0.5mm\ 的质量/试样质量) \times 100\%$$

误差规定为入鼓试样质量和鼓后筛分出三部分质量总和的差不大于 1.0%,双试样允许两次检验结果的绝对值差 $\Delta T \leqslant 1.4\%$,$\Delta A \leqslant 0.8\%$。

1.1.2.2　热态及还原条件下的物理化学性能——高温冶金性能

接近冶炼条件下的矿石物理化学性能检验,除在一定温度下进行外,有些试验还要求模拟高炉中的还原气氛。

A　热强度

冶炼条件下矿石可能由于以下两种因素而减弱强度:物理吸附水或化学结晶水的蒸发使矿石破裂;矿石结构发生变化,强度变弱或产生裂缝。一般检查项目有:

(1)热爆裂性。目前尚无统一的检验方法,通常是把具有一定粒度的冷块矿加入预热到一定温度的容器中,按照爆裂成碎片的比例来衡量,或者按一定升温速度下的爆裂程度来衡量。

(2)低温还原粉化率。铁矿石还原过程中,在 400～600℃ 和 800～1000℃ 两个温度区间会产生爆裂或强度下降。在 400～600℃ 是因为 Fe_2O_3 还原到 Fe_3O_4 或 FeO 有晶格变化和 CO 的析碳反应,在铁矿石中形成裂缝,乃至粉化。在 800～1000℃ 则是因为矿石软熔。常采用低温还原粉化和荷重软化两种检验方法来测定。低温还原粉化测定有静态和动态两种方式(见表 1-2)。

表 1-2 低温还原粉化率测定方法及主要参数

项目	静态法	动态法
装置	反应管 ϕ75mm,高 800mm	热转鼓 ϕ130mm × 200mm,沿轴线均布 4 块提升板(长 200mm、高 20mm、厚 5mm)
试样	粒度 10～12.5mm,重 500g,在 105℃ 干燥	同静态法
还原气体	20%CO + 20% CO_2 + 60% N_2(体积分数),15L/min	同静态法
还原温度	500℃	500℃
还原时间	60min	转动 60min,10r/min
预热及冷却	200℃ 以下放入试样,N_2 保护达指定温度后,保持 30min 然后通还原气体。还原 1h 后,改 N_2 气保护,冷却至 100℃ 以下	转鼓加热至 500℃ 恒温 30min,加入试样通 N_2 恒温 15min,然后通还原气体 1h 后,改 N_2 气下冷至 100℃ 以下
还原后试样处理	在 ϕ130mm×200mm、厚 5mm 内有两块挡板的小转鼓中转 300 转,转速 30r/min	取出筛分
试验结果评价	$RDI_{+6.3} = (m_1/m_0) \times 100\%$ $RDI_{+3.15} = [(m_1 + m_2)/m_0] \times 100\%$ $RDI_{-0.5} = \{[m_0 - (m_1 + m_2 + m_3)]/m_0\} \times 100\%$ 式中,m_0 为还原后试样总质量,g;m_1、m_2、m_3 分别为 >6.3mm、6.3～3.15mm、3.15～0.5mm 的质量,g	同静态法

　　经国内外研究者对两种测定结果的对比分析,发现两组结果有很好的相关关系,因此,无论采用静态法还是动态法都是可以的。ISO 推荐静态法。

　　我国目前静态法和动态法在试验中都有使用。但是通过研究和讨论,大部分研究者和生产企业也倾向于采用静态法还原粉化指标,而且把静态法作为国家标准(详见 GB/T13242—91 铁矿石低温粉化试验静态还原后使用冷转鼓的方法):试验条件、设备及方法见上表。还原粉化指数 RDI 分别用 $RDI_{+6.3}$、$RDI_{+3.15}$ 和

$RDI_{-0.5}$ 三个代号来表达。

(3) 热膨胀性。矿石加热后体积膨胀,尤其球团矿最为突出,某些球团矿的热还原膨胀可达原体积的 300%。一般认为,体积膨胀率在 20% 以上的球团矿就不宜在高炉或直接还原竖炉中大量使用,因为有可能造成悬料。我国球团矿的还原膨胀率大多在 15% 以下,只有少数球团矿因含钾、钠碱金属(例如包钢),还原膨胀率高达 40% 以上,严重影响高炉操作。

矿石体积膨胀率 RSI 按下式计算(详见 GB/T13240—91 铁矿球团相对自由膨胀指数的测定方法):

$$RSI = (V_1 - V_0)/V_0 \times 100\%$$

式中 V_1、V_0——分别为膨胀后体积和原始体积。

由于体积膨胀率与煤气成分及还原程度有关,一般的检测方法都是用近似于高炉的煤气成分 $\varphi(CO) = 30\% \pm 0.5\%$,$\varphi(N_2) = 70\% \pm 0.5\%$)在升温过程中还原矿石,同时用减重法连续测定还原度,用油浸法或水浸法测定体积变化,对照还原与体积膨胀的关系,得出最大膨胀率及其对应还原度。

B 还原性

铁矿石的还原性是指铁矿石被还原气体 CO 或 H_2 还原的难易程度,还原性好,有利于降低焦比。因此,还原性是评价铁矿石质量的重要指标之一。

影响铁矿石还原性的因素主要有矿物组成、矿石结构的致密程度、粒度和气孔率等。一般磁铁矿因结构致密,最难还原。赤铁矿有中等的气孔率,比较容易还原。褐铁矿和菱铁矿容易还原,是因为这两种矿石在高炉内失去结晶水和去掉 CO_2 后气孔率增加所致。总体来说,球团矿的还原性一般比天然矿的还原性好,烧结矿的最好。

还原性测定现在还很难模拟高炉条件进行试验,也很难应用还原试验数据推算高炉生产指标,不过通过还原性测定还是可以提供相对比较数值。在目前广泛采用热天平减重法测定还原性时,其指标有两种表示方法(详见 GB/T13241—91 铁矿石还原性

8

的测定方法）：

还原度指数 $RI = \{[(W_0 - W_t)/(W_1 \times 0.43w(\text{T Fe}))]$
$\times 100 + 0.11w(\text{FeO})/0.43w(\text{T Fe})\} \times 100$

还原速率指数 $RVI = \mathrm{d}R/\mathrm{d}t$

式中 RVI——还原速率指数,%/min;

$\qquad W_0$——还原开始前试样质量,g;

$\qquad W_t$——还原结束时试样质量,g;

$\qquad W_1$——装入还原反应管的试样净质量,g;

$w(\text{TFe})$——还原前试样的全铁质量分数,%;

$w(\text{FeO})$——还原前试样的氧化亚铁质量分数,%。

我国目前采用流量为 15L/min、$\varphi(\text{CO}) = 30\%$、$\varphi(\text{N}_2) = 70\%$ 的混合气体,在 900℃ 还原,矿样粒度范围 10.0～12.5 mm,每次检验至少要进行两次试验,每次试验的试样质量为 (500 ± 1)g,还原 180min 后测定还原度。还原试验用反应管与前面还原粉化的相同。还原度的一般值为:天然块矿 $R < 60\%$;球团矿 $R = 60\%$ ～70%;烧结矿 $R = 65\%$ ～75%。

C 软化性

铁矿石的软化性包括开始软化温度和软化区间两个方面。开始软化温度是指铁矿石在一定荷重下加热的开始变形温度;软化区间是指铁矿石软化开始到软化终了的温度范围。通常矿石的开始软化温度高,则软化区间较窄;反之,则软化区间较宽。

高炉冶炼要求铁矿石具有较高的开始软化温度和较窄的软化区间,以使炉内不会过早地形成初渣,即成渣位置低,软熔区小,有助于改善料柱透气性。反之,初渣形成过早,初渣中 FeO 含量高,使炉内透气性变坏,并增加炉缸热负荷,严重影响冶炼过程的正常进行。

铁矿石不是纯物质的晶体,因此没有一定的熔点,而具有一定范围的软熔区间。检验是测定软化开始和终了温度,通常将矿石在荷重还原条件下收缩率为 4% 时的温度定为软化开始温度,收缩率为 40% 时的温度定为软化终了温度。我国软化性能测定尚无统一标准,一般采用升温法,荷重在 50～100kPa 之间,在 $\varphi(\text{CO}) = 30\%$、

$\varphi(N_2) = 70\%$ 的气流中还原 $150\sim240\text{min}$(或还原度到 80%)。

D 熔滴性

矿石软化后,在高炉内继续下行,被进一步加热和还原,并开始熔融。在熔渣和金属达到自由流动、积聚成滴前,软熔层透气性极差,出现很大的压力降。生产高炉软熔带压力降约占高炉料柱总压力降的 60%。人们对矿石在模拟高炉冶炼条件下的熔滴过程进行研究,并测定其滴落开始温度、终了温度及过程压力降作为评价矿石熔滴性能的依据。

矿石熔滴性能指标及其测定方法尚未标准化。一般是将规定质量和粒度的矿样,或不经预还原,或经预还原到规定程度(达到高炉内矿石进入软熔带时的还原度),放入底部有孔的石墨坩埚内,试样上下均铺有一定厚度的焦炭以模拟软熔带中的焦窗。试样上面荷重 $50\sim100\text{kPa}$,由下部通入规定成分和流量的还原性气体,并以一定的速度将温度升到 $1500\sim1600\text{℃}$ 进行测定。国内普遍采用压差陡升温度表示矿石开始熔化温度,第一滴液滴下落温度表示滴落温度,以开始熔化和开始滴下的温度差为熔滴温度区间,以最高压差 Δp_{max} 表明熔滴区的透气性状况。高炉操作要求熔滴温度高些、区间窄些、Δp_{max} 低些为好。

1.1.3 烧结矿

20 世纪 50 年代以来,烧结矿就是我国炼铁高炉的主要原料,提高烧结矿质量自然成为高炉精料的主攻方向。

烧结生产历经 20 世纪 50 年代酸性或低碱度烧结矿、60 年代自熔性烧结矿到 80 年代高碱度烧结矿工艺三个阶段,结合低碳厚料层烧结、球团烧结和小球烧结技术的推广应用,烧结矿质量明显提高,集中表现在碱度提高的同时,烧结矿品位和强度提高,粒度组成和高温冶金性能改善。可以说,烧结矿质量提高、高碱度烧结工艺的成熟和普及,为调整和改进高炉炉料结构提供了可行性和广阔前景。

1.1.3.1 我国烧结矿质量现状

2000 年我国有代表性的烧结矿成分及指标如表 1-3 所示[3~5]。

表 1-3 2000 年典型烧结矿主要质量指标

碱度范围	<1.5		1.5~2.0				>2.0	高、低碱度搭配				参考
								鞍钢		酒钢	钢	
生产企业	包钢	凌钢	宝钢	马钢三烧	梅山	龙岩	杭钢	炼铁总厂	东鞍山	普通烧结	酸性球团烧结矿	芬兰罗德洛基
产量/万 t	635.0	39.6	1379.4	290.1	323.1	27.8	86.1	1156.5	290.0	274.9	102.1	270
$w(TFe)/\%$	56.97	51.75	59.09	57.33	56.90	44.51	55.78	52.68	55.57	48.39	53.97	61
$w(FeO)/\%$	10.43	12.50	7.35	7.82	9.91	9.96	10.64	9.34	13.19	10.98	12.44	9~10
$w(SiO_2)/\%$	5.96		4.47	5.03	5.34	9.84	4.91	8.04		8.94	10.79	4.2
$m(CaO)/m(SiO_2)$	1.38	1.23	1.80	1.93	1.71	1.74	2.48	1.82	0.66	1.78	0.44	1.6~1.7
转鼓强度(JIS)/%	65.49	65.0	75.54	78.05	80.46		85.32	79.01	79.32	80.11	81.18	≥68 +6.3mm

其中,包钢和凌钢的烧结矿为较低碱度烧结矿,包钢的烧结矿品位较高,凌钢的烧结矿品位较低,共同特点是强度不高。宝钢烧结矿就成分而言,为我国最高水平,但转鼓强度再高些更好。马钢三烧与梅山的烧结矿品位都较高,但马钢三烧的碱度更高,SiO_2含量也较低。龙岩烧结矿品位全国最低,SiO_2含量高。杭钢烧结矿碱度全国最高,SiO_2含量低,品位也不低,强度高。鞍钢和酒钢都是高、低碱度烧结矿搭配入炉,由于原料条件所限,其烧结矿品位都不高,SiO_2含量高,由于避开了对烧结矿强度不利的"中等碱度区",转鼓强度都比较高。

在中国金属学会 2001 年 5 月公布的《2000 年全国钢铁企业技术经济指标要览》所列的 59 个生产烧结矿企业中:

(1) 有 4 个企业生产高、低两种碱度烧结矿,搭配使用。其中鞍钢($1.82+0.66$)和酒钢($1.78+0.44$)的低碱度烧结矿均由小球烧结工艺生产。

在生产一种碱度烧结矿的 55 个企业中,碱度:<1.50 的有 6 个企业;$1.50\sim1.75$ 的有 22 个企业;$1.76\sim2.00$ 的有 19 个企业;>2.00 的有 8 个企业。碱度最高 2.43(凌钢),最低 1.21(略阳)。

(2) 品位最高 59.2%(江苏淮钢),最低 44.51%(龙岩)。

(3) $w(FeO)$最高 12.29%(新兴铸管),最低 6.75%(柳钢)。

(4) $w(SiO_2)$最低 4.47%(宝钢),最高 11.02(酒钢)。

可见,由于原燃料种类、质量和准备情况、烧结工艺、装备水平、操作技术水平不一致,烧结矿成品质量差异较大。除宝钢以外,综合质量与世界先进水平差距不小,主要体现在含铁品位普遍不高、而 SiO_2 含量普遍较高,是我国高炉渣铁比居高不下的主要原因。因此,生产高品位、低 SiO_2 含量烧结矿已成为我国烧结工艺技术的发展趋势。而烧结矿品位提高、SiO_2 含量降低,又将推动烧结矿碱度的进一步提高。

1.1.3.2 烧结矿"扣 CaO 品位"的修正

鉴于烧结矿 SiO_2 含量对高炉渣铁比的重要影响,长期以来普遍采用的"扣 CaO 品位"则完全没有予以考虑。特别是 20 世纪 90

年代后半期以来,随着进口矿粉的普遍采用,品种和配比的不同,造成烧结矿 SiO_2 含量的巨大差异。如表 1-3 所列,2000 年我国烧结矿 SiO_2 含量(质量分数)最高值 10.79%(酒钢)和最低值 4.47%(宝钢)相差 6.32 个百分点。因此,SiO_2 含量成为除 CaO 之外,评价烧结矿品位影响时不能不考虑的另一重要因素。

为此,对"扣 CaO 品位"加以修正,引入"扣有效 CaO 品位"概念。所谓"有效 CaO",与熔剂的"有效 CaO"概念相似,即烧结矿扣除与自身所含 SiO_2 造渣需要之后,剩余的、可供高炉冶炼需要的 CaO 量,计算方法为:

$$烧结矿有效 CaO = 烧结矿 CaO 含量 - (烧结矿 SiO_2 含量 \times 高炉规定炉渣碱度)$$

而

$$"扣有效 CaO 品位" = 烧结矿品位 \div (1 - 烧结矿有效 CaO 含量 \div 100)$$

由表 1-4 可见,"扣 CaO 品位"和"扣有效 CaO 品位"的评价结论不但有较大差异(宝钢—鞍钢),有时甚至会产生相反结论(首钢总公司—首钢矿业公司)。

表 1-4　烧结矿"扣 CaO 品位"和"扣有效 CaO 品位"比较,%

企业	烧　结　矿				扣 CaO 品位		扣有效 CaO 品位[①]	
	碱度	$w(SiO_2)$	$w(CaO)$	$w(TFe)$	计算值	差值	计算值	差值
宝钢	1.80	4.47	8.05	59.05	64.22		60.72	
鞍钢炼铁总厂	1.82	9.04	16.45	52.68	63.05	-1.21	55.81	-4.91
首钢总公司	1.65	5.00	8.25	57.50	62.67		58.97	
首钢矿业公司	1.65	6.00	9.90	57.50	63.82	+1.15	58.85	-0.12

①高炉规定炉渣碱度 1.20。

就首钢总公司与首钢矿业公司而言,相同品位和相同碱度,但首钢矿业公司烧结矿就因为 SiO_2 含量高,只考虑 CaO 含量影响的"扣 CaO 品位"反而比总公司烧结矿高 1.15%,扭曲了事实。而既考虑 CaO 含量、又考虑 SiO_2 含量影响的"扣有效 CaO 品位",则比总公司烧结矿低 0.12%。显然,"扣有效 CaO 品位"的结论更接近高炉生产过程。

1.1.4 球团矿

球团矿由于品位高("扣 CaO 品位"依然较烧结矿高)、强度好,高温冶金性能通常介于天然块矿和烧结矿之间,我国球团矿产量和在高炉炉料中的配比都逐年增加,并可能于近二三年内出现突破性增长。

2000 年国内典型球团矿和主要进口球团矿部分指标列于表1-5。根据文献[2]所列 19 个企业加上未包括在内的首钢矿业公司和密云铁矿共计 21 个生产单位总产量 1273.1 万 t。其中,采用带式焙烧工艺的鞍钢和包钢,产量 342.5 万 t,占 26.93%;采用链算机—回转窑焙烧工艺的首钢矿业公司和承钢,产量 98.4 万 t,占7.73%;其余 17 个厂采用竖炉焙烧工艺,产量 822.2 万 t,占65.37%,属主体工艺。其中济钢球团矿品位仅次于首钢,SiO_2 含量最低,抗压强度最高。八一钢铁公司球团矿碱度最高。杭钢的虽然品位最低,但却是全国惟一加 MgO(质量分数为 3.37%)的球团矿,强度高、还原性好、开始软化温度高的优点明显。承钢球团矿尽管皂土配比最高,抗压强度仍属全国最低。首钢矿业公司球团厂截窑改造后的球团矿综合质量应属国内领先,但抗压强度有待提高。

由表 1-5 可见,我国球团矿与国外相比,主要差距在品位低、SiO_2 含量高和品种单一。品位低和 SiO_2 含量高的原因是相互关联的:一是磁铁矿本身 SiO_2 含量高;二是选矿技术和装备所限,精矿粉粒度普遍达不到球团精粉的要求,品位不高、SiO_2 含量降得不多;三是因精矿粉粒度粗,为保强度,就增加膨润土配比;四是燃料和膨润土的质量不精。

在品种方面,我国还是以酸性球团为主。随着生产技术的发展,对于那些使用酸性球团已不能适应合理炉料结构要求以及需要对球团品种有多种选择的企业,应在生产熔剂性球团、扩大品种方面有所突破,以适应炼铁技术发展的需要。

表 1-5　2000 年国内外典型球团矿指标

| 项目 | 国内企业 | | | | | | | | 主要进口球团 | | | | | |
| | 竖炉焙烧 | | | 带式焙烧 | | | 链篦机—回转窑 | | 巴西 | | 秘鲁 | 印度 | | 瑞典 |
	济钢	新疆八一	杭钢	鞍钢	包钢	承钢	首钢矿业	首钢矿业①	CVRD		马尔康纳	KIOLC	MANDOV	LKAB
产量/万t	88.4	37.2	43.5	232.0	110.5	37.0	61.4	54.8						
$w(\text{TFe})$ /%	64.18	62.35	58.26	63.19	62.59	56.05	64.84	65.56	65.87	66.11	65.40	65.00	64.00	67.5
$w(\text{FeO})$ /%	0.61	1.29	0.79	0.58	2.11		3.76	0.86	0.57	0.23	1.30	0.50	0.50	0.40
$w(\text{SiO}_2)$ /%	4.98	6.52	7.02	8.13	7.87	7.26	5.5	4.8	2.46	3.01	3.83	3.50	2.20	0.95
$m(\text{CaO})$ /$m(\text{SiO}_2)$	0.19	0.37	0.26	0.05	0.1	0.11	0.05	0.05	1.04	0.29	0.12	0.03	1.18	1.10
每个球的抗压强度/N	3410	2170	3021	2412		1546	1809	2035	3339	2800	2275	2246	2387	2283
皂土消耗	24.8	44.8	25.9	14	15.2	85.7	26.7	23.3						
RSI/%							17.64		13.0	13.0	15.68			14.9
RI/%			71.9				63.99		70.0	68.0	61.78			66.7
$RDI_{-3.15}$/%							22.21		10.0	7.0	9.33			

15

项目	国内企业							主要进口球团				
生产工艺	竖炉焙烧			带式焙烧			链箅机—回转窑	巴西	秘鲁	印度		瑞典
生产企业	济钢	新疆八一	杭钢	鞍钢	包钢	承钢	首钢矿业①	CVRD	马尔康纳	KIOLC	MANDOV	LKAB
$T_{10\%}$/℃			1092	855			1015	889	1033			1085
ΔT_1/℃			133	317			97	307	169			115
T_s/℃			1308	1470			1212	1350	1398			1315
ΔT_2/℃			142	14			180	21	16			100
Δp_m/Pa			1803				3430	1579	3528			2350

① 首钢矿业公司球团厂 2000 年四季度实施藏窑改造工程，2001 年 4 月改用钠化膨润土，质量明显改善。表中数据为 2001 年下半年统计值。

注：表中瑞典 LKAB 高温冶金性能数据，巴西 CVRD 高温冶金性能数据为 CVRD 公司提供，RDI 为 $RDI_{-2.83}$。

RSI：体膨胀率；T_s：开始熔化温度；RI：还原度指数；RDI：还原粉化指数；Δp_m：熔滴过程中最大压差；

$T_{10\%}$：软化过程中位移收缩 10% 时的温度；ΔT_1：软化过程中位移收缩 40% 与收缩 10% 之间温差；T_s：开始滴落温度与开始熔化温度之间温差；ΔT_2：开始滴落温度与收缩 10% 之间温差。

1.1.5 天然块矿

我国天然块矿不但质量差、品位低、SiO_2 和有害杂质含量高，而且资源分散，能在全国范围内普遍应用的只有海南块矿一种。

20 世纪 80 年代后期及 90 年代初期，进口块矿在我国高炉生产中的应用逐步推广，由于品位高、杂质少、相对国内块矿的优良高温冶金性能和稳定的质量，特别是有助于降低炼铁成本等优点，再通过生产实践，掌握了进口块矿的生产操作特点和合适配比，用量逐年稳步增长，并成为提高高炉精料水平和改善炉料结构的重要技术措施之一。

海南块矿和我国主要进口块矿质量指标列于表 1-6。

表 1-6 海南块矿及主要进口块矿质量指标

指标	海南矿	南非矿	哈默斯利	纽曼山矿	果阿矿	卡拉加斯	依塔贝拉
$w(\text{TFe})$ /%	53.75	66.17	65.40	65.00	63.07	66.90	66.50
$w(\text{SiO}_2)$ /%	17.59	3.80	2.45	3.40	2.15	0.85	1.50
$w(\text{Al}_2\text{O}_3)$ /%	0.99	0.74	1.77	1.45	2.46	1.10	1.10
特点	品位低，SiO_2 含量高，$w(\text{S})$ $=0.4\%$，还原性好，熔融性差	熔融性差，低温还原粉化率低	熔融性差，Al_2O_3 含量高，SiO_2 含量较低，还原性好	Al_2O_3 含量高，SiO_2 含量高	品位较低，SiO_2 含量较低，Al_2O_3 含量最高	品位高，SiO_2 含量低，还原性好	品位高，SiO_2 含量低，还原性差
RI /%	65.74	62.11	69.48		58.5	66.94	51.50
$RDI_{-3.15}$ /%	12.68	11.58	24.95			21.31	26.50
爆裂指数（<5mm） /%	0.2		3.84	5.8	1.0		1.0
$T_{10\%}$ /℃	1167	1082	1012	1110	970	1103	970
ΔT_1 /℃	69	127	109	160	220	255	220
T_s /℃	1183	1182	1084	1395	1540	1211	1540

17

指标	海南矿	南非矿	哈默斯利	纽曼山矿	果阿矿	卡拉加斯	依塔贝拉
ΔT_2/℃	319	228	340	105	20	267	20
Δp_m /9.8Pa	900	780	760	635	270	205	261
S/kPa·℃	2813.6	1742.8	2435.5	653.4	52.92	536.4	51.2

注：纽曼山矿、果阿矿为宝钢数据，依塔贝拉矿为 CVRD 公司数据，其中 $RDI_{-3.15}$ 为 $RDI_{-2.83}$。RI：还原度指数；T_s：开始熔化温度；RDI：还原粉化指数；ΔT_2：开始滴落温度与开始熔化温度差值；$T_{10\%}$：软化过程中位移收缩 10% 时的温度；ΔT_1：软化过程中位移收缩 40% 与收缩 10% 之间的温差；Δp_m：熔滴过程中最大压差；S：熔滴特性值，即 $\Delta p_m \times \Delta T_2 \times 9.8$Pa。

海南块矿目前越来越多被用于代替硅石，来实现高炉炉渣碱度的微量调节。

高炉使用进口块矿比较一致的经验是，配比保持在 15% 以下，只要入炉前筛除粉末（小于 5mm 粉末含量低于 5%），对于高炉炉况基本无影响。但春、秋季节天气条件较好时或容积较小高炉，块矿配比可适当高些，目前有的厂已达到 20% 左右；反之，配比应适当下调，以保证生产稳定顺行。

1.1.6　熔剂

熔剂包括石灰石、白云石和硅石。随着高碱度烧结矿加酸性炉料（球团矿、天然块矿和酸性烧结矿）的炉料结构在我国普遍形成，在正常生产操作情况下，熔剂直接加入高炉的可能性越来越少。

但有时为了保持烧结矿碱度和基本炉料结构不变，以确保高炉炉况的稳定，需要通过微量调节使高炉炉渣碱度不发生变化。当下调碱度时，越来越多的企业不用硅石，而用 SiO_2 含量较高的天然块矿（如海南块矿）代替，由于加入量比硅石多，易于控制，避免了炉渣碱度的剧烈波动；加入 SiO_2 的同时，也带入了铁元素，有助于减少高炉渣量。当上调碱度时，也可用转炉钢渣块代替石灰石和白云石直接入炉。国内外过去和现在都不乏这样的实例。钢渣是熟料，强度高，熔化温度也高，同时还带入铁量，替代石灰石、

18

白云石直接入炉的效果是显而易见的。我国柳州钢铁公司高炉现在钢渣用量约为吨铁 $25\sim30kg$。美国高炉普遍使用钢渣(美钢联用量吨铁 $100\sim130kg$)。首钢试验高炉($23.5m^3$)1992 年在 100% 使用土烧球团冶炼铸造铁情况下,以吨铁 618kg 钢渣块代替 570kg 石灰石入炉后,产量提高 20.8%,吨铁焦比降低 137kg,吨铁成本降低 200 元以上,但生铁含磷量(质量分数)由 0.047% 升高到 0.155%。

1.1.7 辅助原料

辅助原料包括辅助含铁原料、洗炉剂料和护炉含钛物。

辅助含铁原料包括各种碎铁、铁罐残铁和大修开炉送风时高炉为增加渣铁比而临时配入的高 SiO_2 含量的天然块矿。

洗炉剂料包括轧钢皮、均热炉渣、锰矿和萤石等。

高炉加含钛物护炉技术已在我国普遍推广。国内使用的护炉含钛物有以下几种:钛精粉配入烧结矿或球团、钛渣和含钛块矿。

首钢高炉从 20 世纪 80 年代初期开始加含钛物护炉,历经承钢钛渣、外购钛球团两个阶段后,1996 年开始加承德地区钛块矿至今。1999 年曾试用过密云铁矿 $8m^2$ 竖炉生产的加钛精粉球团,钛球质量和冶炼效果均无问题,因炼铁成本比钛块矿升高而没有实施。首钢曾用过的含钛物主要成分列于表 1-7。钛精矿配入烧结矿后,烧结矿低温粉化率上升,产量也受到影响,除非不得已,通常不宜采用。

表 1-7　含钛物主要成分(质量分数),%

含 钛 物	TFe	FeO	SiO$_2$	Al$_2$O$_3$	S	MgO	CaO	TiO$_2$
承钢钛渣								16.36
外购钛球团	32~34		5.7		0.5	1.5	1.7	33~42
承德钛块矿	>48	30	5~6	6.2	0.25	2.4	0.9	>12
密云竖炉钛球团	55	2.2	6.6				0.9	10.1

19

1.2 高炉炉料结构和精料

精料就是高炉原燃料质量的优化,具体内容被概括为"高、熟、净、匀、小、稳"6个方面,再加上原料高温冶金性能和焦炭的高温性能。而炉料结构是指高炉原料构成中,烧结矿、球团矿和天然块矿的配比组合,再加上对这种配比产生的综合炉料性能评价。

1.2.1 炉料结构与精料的关系

以上工作内容和生产实践都清楚地表明:精料是炉料结构的物质基础,精料技术是炉料结构的理论基础,精料技术发展推动了炉料结构合理化,这是精料基础作用的又一表现。反过来,追求炉料结构合理化不断对原燃料品质提出更新、更高的要求,促进了精料技术进步。此外,两者还具有如下一致性:

(1) 主要工作目标。精料和炉料结构合理,最低限度应当保证以下目标的实现:

1) 高炉生产的稳定、顺行;

2) 铁前系统综合经济效益;

3) 资源的合理配置和环保效应。

(2) 结果的相对合理性。精料和炉料结构的合理性只能是相对的、暂时的。即使在本企业,生产技术条件照旧,随着资源市场和生产技术指导方针的改变,原有综合平衡被打破,精料和炉料结构就要相应调整。企业内部尚且如此,对于不同企业、不同的生产技术条件、千变万化的市场环境,就更不存在理想的、一劳永逸的精料和炉料结构。

(3) 工作效果的依存性。精料和炉料结构不但互相促进,也是互相依存的。只抓精料,而不注意炉料结构是否合理,精料的效果就要受影响;反之,只重视炉料结构合理与否,而不相应改善精料,高炉技术经济指标也难以持续提高。

1.2.2 精料目标

原国家冶金工业局提出的"十五"期间炼铁系统生产主要目标

中,有关 2005 年高炉原燃料质量指标如表 1-8、表 1-9 和表 1-10 所示。

表 1-8　焦炭指标

项　目	灰分/%	M_{40}/%	M_{10}/%	CRI/%	CSR/%
平均	≤11.5	≥85	≤6	暂无	
先进	≤11.0	≥90	≤6	要求	

表 1-9　烧结矿指标

项　目	化学成分			成分波动		粒度分布/%			高温冶金性能
	$w(TFe)$/%	$w(SiO_2)$/%	$w(FeO)$/%	$w(TFe)$/%	R/倍	>50mm	<10mm	<5mm	
平均	≥56.0	≤7.0	≤9.0	≤±0.1	±0.03	≤10	≤40	≤5	暂无要求
先进	≥57.0	≤5.0	≤7.0	≤±0.5	±0.03	≤10	≤30	≤3	

表 1-10　球团矿指标

项　目	$w(TFe)$/%	$w(SiO_2)$/%	$w(FeO)$/%	每个球的抗压强度/N	>6.3mm转鼓指数/%	冶金性能
平均	≥65.0	≤4.0	<1.0	>2250	>95	暂无要求
先进	≥66.0	≤3.0	<1.0	≥2500	>95	

1.2.3　高炉炉料结构现状

由主要资源条件和技术经济因素造成的世界高炉炉料结构多样化,以趋于稳态。

亚洲主要钢铁大国中、日、韩铁矿资源不足或几乎没有,主要进口产地澳大利亚、南美和南非等铁矿资源以富矿粉为主,促成亚洲以烧结矿为主体的炉料结构占统治地位。多数高炉的炉料结构中,高碱度烧结矿约占 80%,其余为天然块矿和球团矿。

北美铁矿资源为低品位铁燧岩,为使铁矿物与脉石单体分离,需要细磨至 0.036mm 以下。精矿粉粒度适合造球,所以高炉炉料结构以球团矿为主,高碱度烧结矿为辅。

欧洲和南美洲炉料结构介于亚洲和北美之间。

欧美代表性企业高炉炉料结构及相关操作指标列于表 1-11。我国宝钢则是亚洲的代表性企业(表 1-12)。生产实践表明,尽管炉料结构各异,甚至差别很大,高炉都能获得良好的冶炼效果,取得世界一流的技术经济指标。

表 1-11 欧美代表性企业高炉炉料结构及相关操作指标

企 业	炉 料 配 比/%			操 作 指 标			
	烧结矿	球团矿	块矿	利用系数/t·m^{-3}·d^{-1}	燃料比/kg·t^{-1}	入炉品位/%	渣铁比/kg·t^{-1}
瑞典瑞钢	0.5	97.2	2.3[1]	3.0[1]	457	66	146
美国美钢联	15~20	80~85					
德国不来梅	48.3	46.2	5.7[1]				184
德国企业 1998 年平均	60.3	28.5	11.2	2.11	466.2	60	252
加拿大多法斯科		100					194
荷兰霍戈文	46.9	50.7	2.4[1]				205
芬兰罗德洛基	75	25		2.9	439	62.5	203
比利时西德玛	85	13	2[1]				259
英国雷德卡 1BF	62	[1]	31	2.32	470	59.5	284

①雷德卡 1BF 高炉炉料结构中还包括 6%筛下物和 1%钢屑;瑞钢高炉利用系数由原数据中"工作容积"换算成"有效容积"值;块矿比由原数据中 kg/t 值按 15.5kg/t=1%换算成百分比,相应扣除原数据中烧结矿和球团矿配比,总和为 100%。

1.2.4 我国高炉炉料结构

表 1-12 为我国具有代表性炉料结构和高炉相关操作指标。除表中所列企业,入炉品位超过 59.0%的还有济南、青岛、广州、南昌、国丰 5 个企业;渣铁比低于 300kg/t 的还有广州钢铁公司。

宝钢高炉炉料结构是典型的亚洲式结构,高炉操作指标国内遥遥领先,属世界一流水平。其特点是重视成本和降低渣量而适度放低了熟料比。

表 1-12 我国高炉典型炉料结构和相关操作指标

项目		炉料结构			烧结矿			高炉操作指标						
		烧结矿/%	球团矿/%	块矿/%	$w(TFe)$/%	$w(SiO_2)$/%	碱度	利用系数/t·m⁻³·d⁻¹	焦比/kg·t⁻¹	煤比/kg·t⁻¹	入炉品位/%	渣铁比/kg·t⁻¹	炉渣碱度	η_{CO}/%
宝钢		约75.2	约8	16.78	59.09	4.47	1.8	2.254	294.0	203.0	60.35	243.2	1.23	50.79
高熟料比	三明	约84	约16		58.28	5.12	1.64	3.238	409	119.7	59.54	292	1.18	44.35
	包钢	约85①	约15①		56.97	5.96	1.38	1.813	421.8	132.7	57.96	430.0	0.98	40.99
	南京	约73①	约22①	5.04	57.41	5.44	1.63	2.889	421.0	116.4	58.85	290.4	1.06	39.88
	杭州	约47.2①	约51①	1.80	55.78	4.91	2.48	3.086	419.0	104.7	59.27	263.0	1.15	40.00
高天然块矿比	梅山	81.99		18.01	56.90	4.47	1.71	2.102	402.0	103.0	58.22	322.0	1.16	47.17
	苏州	81.30		18.70	53.64	6.62	1.74	2.522	544.0	86.0	54.55	483.0	1.11	40.00
	湘潭	约63①	约14.4①	22.60	52.18	5.80	2.38	2.084	463	94.0	56.84	429.0	1.17	39.78
两种碱度烧结矿	石家庄	98.20		1.8	57.97 / 57.21	5.50	1.21 / 1.77	2.940	385	120	57.74	360.0	1.10	40.03
	鞍钢	约73①	约25①	1.86	55.57 / 52.68	/ 8.04	0.66 / 1.82	1.887	432.0	133.0	54.79	470	1.11	42.61
全国平均	重点企业							2.059	412.1	125.7	55.94	403	1.11	42.37
	地方骨干企业							2.526	465.1	92.3	57.02	362.3	1.11	38.77

① 无准确数据，根据有关资料推算值。

23

三明、包头、南京和杭州钢铁公司的高炉炉料结构属高熟料比炉料结构。三明和包头均为 100%，炉料结构几乎一样，但包头烧结矿 SiO_2 含量高，碱度相对较低，虽然入炉品位不低，但渣铁比高达 430kg/t，高炉操作指标受到影响。杭州高炉球团矿配比为 51%，酸性炉料配比全国最高，烧结矿碱度也最高。由于入炉品位高，烧结矿 SiO_2 含量又低，渣铁比为 263kg/t，国内仅稍高于宝钢。

梅山、苏州和湘潭均为高天然块矿配比，梅山烧结矿品位不高，但 SiO_2 含量低，天然块矿全为进口，入炉品位高，操作指标较好。湘潭同杭州类似，酸性炉料配比高，烧结矿碱度也高达 2.38。入炉品位不低，但渣量高，操作指标受到影响。

石家庄和鞍钢均为高低两种碱度烧结矿搭配型炉料结构，此外还有酒泉和昆明钢铁公司。对于远离港口，进口高品位天然块矿和球团矿运费太高而又具备相当烧结能力的企业，这种炉料结构是结合本企业特点和技术创新求得的较合理出路。

总体来看，我国高炉炉料结构的基本形式是"烧结矿＋酸性炉料"，主体烧结矿以高碱度为主，酸性炉料中，球团矿和天然块矿约为各半，但球团矿有超过天然块矿之势。与世界各国一样，各种炉料结构高炉都可能取得良好的技术指标，但也都有指标差的情况存在，决定因素还是矿石入炉品位。有什么样的"入炉品位"，就有什么"等级"的高炉操作指标。炉料结构只能在"等级"范围内起调节作用而非决定性因素。

还应当指出，目前得到迅速推广的球团烧结工艺和小球团烧结工艺，其生产工艺、造块机理仍属烧结工艺范畴，产品充其量只是一种改良烧结矿，现有炉料结构构架概念不因此而发生变化。

1.2.5　生产高炉炉料结构

制定生产高炉炉料结构时，必须考虑以下三个因素：高炉生产指导方针、企业自产高炉原料产量及品种、铁矿石资源及市场，但最终起决定性作用的还是铁前系统综合经济效益，即炼铁成本。

以首钢 1986 年以来，高炉炉料结构和操作指标变化过程为例进行分析说明。首钢高炉炉料结构及相关数据见表 1-13。

表1-13 首钢高炉炉料结构及相关操作指标

年度	烧结矿 w(TFe)/%	烧结矿 w(FeO)/%	烧结矿 w(SiO$_2$)/%	碱度/倍	炉料结构 烧结矿百分比/%	球团矿百分比/%	块矿百分比/%	产量/万t	利用系数/t·m^{-3}·d^{-1}	焦比/kg·t^{-1}	煤比/kg·t^{-1}	入炉品位/%	焦炭灰分/%	焦炭硫分/%	渣铁比/kg·t^{-1}	炉渣碱度/倍
1986	58.30	10.55	5.77	1.45	99.09		0.91	314.5	2.18	390.3	139.3	58.19	13.15	0.77	362	1.10
1987	58.45	10.65	5.81	1.46	99.94		0.06	327.2	2.25	396.1	138.0	58.36	12.58	0.77	382	1.12
1988	58.05	11.07	5.95	1.46	99.80		0.20	333.9	2.23	412.2	130.9	58.05	12.91	0.82	390	1.12
1989	57.70	11.22	5.85	1.50	99.11		0.89	321.7	2.17	441.8	120.7	57.73	13.35	0.76	414	1.08
1990	57.76	10.84	5.70	1.58	94.45	4.72	0.83	355.5	2.41	455.3	106.1	57.97	12.42	0.69	390	1.13
1991	56.79	10.74	5.78	1.62	91.35	8.14	0.51	386.8	2.55	447.7	106.6	57.05	12.61	0.66	391	1.15
1992	56.16	10.52	5.68	1.74	87.97	9.09	2.94	433.0	2.43	477.0	76.8	57.55	12.26	0.63	397	1.13
1993	56.16	10.47	5.80	1.80	82.93	12.40	4.67	554.6	2.27	515.9	48.8	57.66	12.43	0.64	380	1.13
1994	55.44	10.37	6.19	1.84	77.11	22.07	0.82	695.9	2.28	488.9	47.2	56.45	12.63	0.64	382	1.14
1995	54.19	10.17	6.65	1.78	76.89	20.17	2.94	720.0	2.02	498.5	50.7	56.57	12.54	0.66	410	1.14
1996	54.36	9.88	6.64	1.75	70.85	19.80	9.35	730.9	2.01	466.3	79.6	57.03	12.62	0.65	376	1.12
1997	55.14	9.69	6.55	1.67	73.86	11.15	14.99	746.5	2.06	435.2	100.1	57.29	12.54	0.65	374	1.11
1998	56.34	10.03	6.13	1.61	77.50	7.94	14.56	751.5	2.09	417.3	103.5	57.54	12.35	0.60	349	1.12
1999	56.94	9.98	5.71	1.60	76.51	9.40	14.09	717.6	2.14	398.8	114.6	58.60	12.27	0.58	320	1.03
2000	56.98	9.70	5.72	1.60	76.86	7.99	15.15	772.6	2.15	387.5	116.6	58.33	12.15	0.57	329	1.03
2001	57.57	9.31	5.31	1.65	77.83	9.07	13.10	781.0	2.15	377.7	127.0	59.01	11.99	0.59	315	1.03

高炉操作指标

1.2.5.1 高炉生产指导方针

1987年以前,首钢遵循"高产、优质、低耗"的生产指导方针,高炉产量和技术指标都有较大进步,多项指标国内领先。

1988年开始,由于钢材市场导向变化,高炉生产以增加产量为主,其中1988～1991年主要依靠提高冶炼强度;1991～1994年则是依靠高炉增容,1991年2号高炉由$1327m^3$扩至$1726\ m^3$,1992年4号高炉由$1200\ m^3$扩至$2100\ m^3$,1993年新增3号高炉$2536\ m^3$(原3号高炉改称5号高炉),1994年1号高炉易地扩容由$576\ m^3$扩至$2536\ m^3$,4年之间高炉总容积由$4139\ m^3$增加到$9934\ m^3$,扩大了1.4倍,产量由355.5万t(1990年)增加到720.0万t(1995年)。与此同时,供料是第一需要,精料已无从谈起,高炉操作指标急剧恶化。均以1987年与1995年相比,入炉品位由58.36%变为56.57%,渣铁比由382kg/t变为410kg/t,焦比由396.1kg/t变为498.5kg/t,煤比由138.0kg/t变为50.7kg/t,外购焦炭平均灰分高达14.5%,最高20%以上。

1995年以后,高炉的生产指导方针调整为"优质、高产、低耗、长寿",步入产量提高和消耗降低的良性阶段,特别是1996年以后,强化成本意识,炉料结构中的酸性炉料由以"球团为主"改为以"天然块矿为主"。

1.2.5.2 自产原料和资源市场

1990年以前,炉料结构长期保持99%～100%、碱度为1.45～1.50烧结矿。天然块矿不到1%,另有少量废铁。

1990年开始自产酸性球团矿,炉料结构100%烧结矿的历史从此结束。虽然1992年迁安烧结厂投产,但自产原料产量增长仍跟不上高炉炼铁产量的增长,1992年和1993年分别开始使用进口块矿(澳矿、南非矿)和秘鲁球团矿。烧结矿配比最低70.85%(1996年)。烧结矿配比下降的同时,碱度升高,最高为1.84(1994年)。由于忽视了精料,烧结矿品位最低54.19%(1995年),入炉品位56.45%,分别比1987年下降4.16%和1.74%。渣铁比也升高到400kg/t的水平。

1997 年二季度,总公司烧结厂二烧车间 4 号机(90m²)投产,迁安烧结厂通过与钢铁研究总院合作,成功实施了小球团烧结工艺,烧结矿产量提高,质量改善。为降低炼铁成本(当时吨矿价差约 100 元),1996 年下半年又开始实施高炉增加天然块矿配比,减少秘鲁球团矿配比措施,使天然块矿保持 15% 的配比,秘鲁球团矿于 1998 年停止配用。由于进口块矿 SiO_2 含量较低和高炉炉渣碱度下调,烧结碱度稳定下降到 1.70 以下。自此,首钢高炉新的炉料结构形成并稳定下来,即"77% 自产烧结矿 + 8% ~ 9% 自产酸性球团 + 14% ~ 15% 进口天然块矿"。由于高炉生产指导方针的改变和炉料结构的稳定,精料受到重视,自产烧结矿和酸性球团矿品位明显提高,高炉入炉品位于 1999 年达到 58.60%,超过了 1987 年,2001 年更达到 59.01%。同时,自产和外购焦炭灰分下降、高炉燃耗下降和烧结矿 SiO_2 含量下降等因素,使高炉渣铁比降到 320kg/t,比 1986 年还低 40kg/t。

2000 年下半年,对迁安球团厂实施截窑改造后,球团矿产量由 65 万 t 提高到 110 万 t。目前正在实施二期工程,2003 年上半年投产后,球团矿生产能力将达 310 万 t,加上密云 8m² 竖炉,在铁水产量 600 万 t 情况下,高炉炉料中,球团矿配比将提高到 30% ~ 35%,块矿比保持 15%,则烧结矿配比下降到 50% ~ 55%,这就是 2003 年以后,首钢高炉炉料的新结构。由于酸性炉料配比接近 50%,如果高炉渣碱平衡完全由烧结矿来承担,则烧结矿碱度将达 2.3 以上水平。而首钢 1995 年烧结矿碱度系列试验表明,碱度为 1.7~1.9 是比较理想的范围,烧结矿碱度上限的高炉操作实践也仅限于此。但高炉渣碱平衡如果由烧结矿和球团矿共同承担,初步设想球团矿碱度为 1.0 左右,烧结矿碱度为 1.7~1.9,自产烧结矿和球团矿质量就都能得到改善。当然,最终碱度选定值需通过球团矿和烧结矿各自碱度系列试验以及综合炉料冶金性能试验确定。同理,MgO 加入量也考虑由烧结矿和球团矿共同承担。目前烧结矿 MgO 含量(质量分数)2.5% ~ 3.0%,初步设想是球团矿和烧结矿 MgO 含量(质量分数)均约为 2% 水平,以使炉料配比的临时变化不致引起炉渣 MgO 含量频繁改变。当然最终选定值也需通过试验确定 。

1.2.5.3 小结

综上所述,我们可以从中得到以下几点认识:

(1) 高炉炉料结构不仅要考虑原料配比,还要考虑需造块工艺配加 CaO 和 MgO 在自产烧结矿和自产球团矿中的分配。随着炉料结构中球团矿配比的提高和加 CaO、MgO 球团工艺的成熟,这个问题的意义和必要性将越来越明显。它的分配结果不改变高炉综合入炉品位,但有助于企业自产球团矿、烧结矿和综合炉料冶金性能的改善。

(2) 生产高炉的炉料结构是企业长期生产经营实践经验结合企业自产原料数量和品质、考虑资源市场变化的结果。除非这三个因素发生重大变化,通常情况下,炉料结构都难有大的改进。

(3) 抛开其他因素,单就生产技术范畴而言,合理炉料结构除必须满足高炉生产稳定顺行和越来越高的喷煤比要求之外,还应注意以下几点:

1) 目前我国现状是以烧结矿为主体原料,烧结矿又应以高碱度烧结矿优先。球团工艺和球团矿纵然优点很多,但烧结工艺处理工业废料和提供高炉冶炼过程所需 CaO 和 MgO 能力,要好于球团工艺。此外,富矿粉无需加工就可直接用于生产也是烧结工艺的一个优势。在特殊情况下,生产两种(高、低)碱度烧结矿也是效果很好的措施。

2) 尽可能多地配用进口天然块矿。进口天然块矿品位高、SiO_2 含量低、杂质少,特别对于沿海及靠近沿海地区,运费较低。因此,对于很多企业,进口天然块矿"公斤铁元素价格"低于烧结矿和球团矿,是最经济的原料。

宝钢、武钢、首钢的长期生产实践经验表明,配比 15% 以下时,只要做到入炉前过筛,对高炉炉况基本无影响。雨季可适当降低配比(首钢最低到 10%),其他季节适当高些,小高炉也可适当高些。

28

3) 以精料为基础,结合精料合理安排炉料结构。两者相互影响,互相促进,制定计划时,需反复多次才能得到较合理结果。

1.3 高炉燃料

我国高炉燃料就是焦炭和喷吹煤,重油已于 20 世纪 70 年代后半期从高炉生产中退出。有关喷吹煤内容见第 7 章。

1.3.1 焦炭质量评价

根据焦炭在高炉冶炼过程中的作用,对于焦炭质量有以下要求。

1.3.1.1 化学成分

对焦炭化学成分的要求主要有:

(1) 固定碳和灰分是焦炭的主要组成部分,两者互为消长关系。固定碳含量高,单位焦炭提供的热量和还原剂就多,灰分含量也相应降低。焦炭灰分高,不但固定碳含量相应降低,还带来一系列不良影响:

1) 灰分成分约 80% 是 SiO_2 和 Al_2O_3,灰分增加,高炉渣量随之增加。灰分中 SiO_2 约占 45%。高炉燃料灰分每增加 1%,需补入 SiO_2 增量 1.1 倍的 CaO,高炉渣量增加数为燃料比的 1%,约合 5kg/t。

2) 灰分在炼焦过程中不能熔融,对焦炭中各种组织的黏结不利,使裂纹增多,强度降低。鞍钢 200kg 小焦炉试验结果,焦炭灰分与强度几乎呈直线关系。当灰分由 12.92% 增至 23.98% 时,M_{40} 由 72% 降至 38.8%,M_{10} 由 10% 增至 23.6%。

3) 灰分与焦质的膨胀性不同,在高炉内加热后,灰分颗粒周围产生裂纹,使焦炭碎裂、粉化。

4) 灰分中的碱金属和 Fe_2O_3 等都对焦炭气化反应起催化作用,使焦炭反应性指数增高,影响反应后强度。

由此可见,灰分不但与固定碳含量有直接关系,更对焦炭所有质量指标都带来不利影响。宝钢 1995 年以后,配合煤中强黏煤配比并未增加,且低于国内平均水平,但由于降低配合煤灰分,其黏结性能、结焦性能得到改善,焦炭质量全面提高,达到国际领先水平。

(2)高炉燃料(包括焦炭和煤粉)带入硫量约占高炉硫负荷的80%,高喷煤比只改变焦炭和煤粉数量比例,燃料总量不但不变,往往还有所增加。高喷煤比有时还伴随渣量下降,故对硫分更应注意。

(3)挥发分是焦炭成熟程度的标志。挥发分含量低,说明结焦后期热分解与热缩聚程度高,气孔壁材质致密,有利于焦炭显微硬度、耐磨强度和反应后强度的提高。因此,挥发分以低为好。

(4)焦炭水分波动引起入炉干焦量变化,即焦炭真实负荷的波动。因此,水分稳定比水分值本身更为重要。但水分过高,焦粉黏附在焦块上,不易筛除而带入高炉,也是不利的。因此,希望水分稳定在较低水平上。

(5)磷和碱金属含量也是需要控制的成分。

1.3.1.2　冷态机械强度

焦炭强度与高炉生产状态和操作指标密切相关,包括抗碎强度 M_{40} 和抗磨强度 M_{10} 两项指标。机械强度指标对因取样地点变化而引起的运输距离、跌落高度和次数差异比较敏感,指标检测值也随之变化。比较不同企业之间焦炭冷态强度指标时,应考虑此因素。

同一焦炭试样的 M_{40} 和 M_{10} 指标之间,并不一定存在良好的相关关系;冷态强度和高温性能指标(CRI 和 CSR)之间的关系也是如此。但冷态强度可以在一定程度上反映焦炭中细裂纹的多少,与风口焦炭的粒度组成、平均粒度有较强的相关关系;从整体上反映焦炭在高炉内保持粒度的能力,检测容易,需时短,作为日常生产检验指标,其重要性及参照意义仍不可忽视。

1.3.1.3　粒度

焦炭粒度要求均匀。为此,需要提高 40~80mm 中间块度部分比例,使平均粒度保持在 40~50mm 水平。具体要求应根据高炉容积、操作水平和指标水平,并以焦炭本身强度为基础来考虑。

1.3.1.4 高温性能

焦炭高温性能包括反应性 CRI 和反应后强度 CSR。反应性是衡量焦炭在高温状态下抵抗 CO_2 气化能力的化学稳定性指标。焦炭的反应性高,在高炉内被 CO_2 溶损的比例高,导致焦比升高;并使焦炭气孔增大,气孔壁变薄,强度下降过程加剧。因此,希望焦炭反应性低些。

反应后强度是衡量焦炭经受 CO_2 和碱金属侵蚀状态下,保持高温强度的能力。显然,希望焦炭高温强度高些。

鉴于 CRI 对 CSR 的重要影响,两者有较好的相关关系,如昆钢试验结果,昆钢 1998 年 2 月～6 月自产焦炭具有线性关系:

$$CSR = (105.29 - 1.45CRI)\%, r = -0.949$$

即反应性 CRI 每降低 1%,反应后强度就增加 1.45%;反之亦然。

1.3.2 焦炭质量检验

我国以国标形式颁布了适用于 4000m³ 级以下高炉冶炼用冶金焦炭技术指标,如表 1-14 所示。

表 1-14　冶金焦炭标准 GB1996—94

种　类		>40mm(大块焦)	>25mm(大中块焦)	25～40mm(中块焦)
灰分 /%	Ⅰ		不大于 12.00	
	Ⅱ		12.01～13.50	
	Ⅲ		13.51～15.00	
硫分(质量分数)/%	Ⅰ		不大于 0.60	
	Ⅱ		0.61～0.80	
	Ⅲ		0.80～1.00	
机械强度[①] M_{25}/%	Ⅰ	大于 92.0		
	Ⅱ	92.0～88.1		
	Ⅲ	88.0～83.0		按供需双方协议
M_{10}/%	Ⅰ	不大于 7.0		
	Ⅱ	不大于 8.5		
	Ⅲ	不大于 10.5		
挥发分/%			不大于 1.9	

种　类	>40mm(大块焦)	>25mm(大中块焦)	25～40mm(中块焦)
水分/%	4.0±1.0	5.0±2.0	不大于 12.0
焦末含量 (不大于)/%	4.0	5.0	12.0

①GB1996—80 规定为:

$M_{40}/\%$　　I $\geqslant$80.0　　II $\geqslant$76.0　　III $\geqslant$72.0　　IV $\geqslant$65

$M_{10}/\%$　　I $\leqslant$8.0　　　II $\leqslant$9.0　　 III $\leqslant$10.0　　IV $\leqslant$11.0

1.3.2.1　冷态机械强度(GB 2006—80)

为了模拟焦炭在高炉中的机械破损,我国统一规定采用转鼓法(米库姆转鼓)测定冷态机械强度。焦炭在转动的鼓中,不断地被提料板提起,然后落在钢板上。在此过程中,焦炭与鼓壁和焦炭之间相互产生撞击、摩擦的作用,使焦炭沿裂纹破裂以及表面被磨损,用以测定焦炭的抗碎强度和耐磨强度。鼓体是密闭的钢板制圆筒,内径(1000±5)mm,鼓内长(1000±5)mm,鼓壁厚度不小于5mm,沿鼓长方向有 4 根 100mm×50mm×10mm 的角钢,相隔90°焊于鼓内壁上。试验开始时,鼓内装入粒度大于 60mm 的试样50kg,以 25r/min 的速度旋转 4min。停转后将鼓内全部试样用直径 40mm 及 10mm 的圆孔筛处理。将焦炭分成大于 40mm、40～10mm 和小于 10mm 三级,大于 40mm 一级需进行手穿孔。筛分时,每次入筛量不得超过 15kg。将筛分后的各级焦炭称重,大于 40mm 的焦炭质量占试样总质量(50kg)百分数(记为 M_{40})为抗碎强度的指标,而小于 10mm 的碎焦质量百分数(记为 M_{10})为耐磨强度指标。

1.3.2.2　热态条件下的物理化学性能——反应性和反应后强度(GB 4000—83)

焦炭的反应性和反应后强度是同一组试验中完成的。试样是取大于 25mm 冶金焦 20kg,弃去泡焦和炉头焦,制成直径 21～25mm 的焦球 700g,分成 3 份,每份不少于 220g。试验时,将经过烘干备好的焦样(200±0.5)g 装入反应器,一起放入电炉恒温区。

当料层中心温度达到 400℃时,通入 0.8L/min 的 N_2 保护;当料层中心温度达到 1100℃时,切断 N_2 改通 CO_2,流量为 5L/min;反应 2h 后停止加热,切断 CO_2 改通 N_2,流量为 2L/min,并将反应器从炉内取出,在室温下冷却至 100℃ 以下,停止通 N_2,打开反应器,取出焦样称重,以损失的焦炭质量占反应前焦样总质量的百分数为焦炭反应性指标(记为 CRI)。将反应后焦样全部装入Ⅰ型转鼓内(鼓体为普通钢管制成,内径 130mm,长 700mm),以 20 转/min 的转速共转 30min,总转数 600 转。然后取出焦样筛分、称重,以转鼓后大于 10mm 粒级焦炭占反应后残余焦炭的质量百分数为焦炭反应后强度指标(记为 CSR)。

1.3.3 焦炭质量现状

1.3.3.1 我国焦炭质量

我国焦炭产量约占世界焦炭总产量三分之一以上,但焦炭质量与世界先进水平相比差距较大。

表 1-15 1997～2000 年全国机焦平均质量

年　度	1997	1998	1999	2000
挥发分/%	1.16	1.17	1.17	1.15
水分/%	5.76	5.34	5.48	5.25
灰分/%	13.82	13.22	12.61	12.28
硫分/%	0.71	0.64	0.58	0.57
M_{40}/%	78.6	78.7	80.4	80.7
M_{10}/%	8.09	7.77	7.45	7.35

由表 1-15 可见,1999 年以来,灰分、硫分下降和强度改善明显。在文献[2]所列全国 63 个焦化厂中,2000 年与 1999 年相比:

灰分大于 13.00% 的厂由 27.8% 降到 23.8%,小于 12.00% 的厂由 22.2% 增到 36.5%,最高值由 15.38% 降到 15.07%。

硫分大于 0.60% 的厂由 37.0% 降到 25.4%,不大于 0.50% 的厂由 24.1% 增到 33.3%,最高值由 1.00% 降到 0.95%。

1.3.3.2 国外焦炭质量

国外有代表性的焦炭质量数据如表 1-16 所示(附我国 4 大钢

铁企业 2000 年自产焦炭平均值)。

表 1-16 国外焦炭质量数据,%

厂 名	水分	灰分	硫分	M_{40}	M_{10}	CRI	CSR
瑞典乌克瑟勒松德厂	4.5	8.5	0.65	84	6.7	26	64
德国迪林根厂	2.5~3.0	8	0.81	83~84	5~5.5		
德国蒂森厂	4.7	9.2	0.59			22.7	66.3
英国雷德卡厂		10.0	0.60	87.1	5.8	24	67
意大利塔兰托厂		9.4	0.60	86.2	6.2	28.2	65.6
荷兰霍戈文厂		9.4	0.60	87.8	5.8		
美国加里厂	1.8~3.7	7.0~8.1	0.61~0.72				
美国克莱尔顿厂	1.9~2.7	7.9~8.5	0.73~0.78			25.5	63.5
鞍钢	4.9	12.54	0.56	79.15	7.32		
首钢	5.1	12.11	0.57	78.56[①]	7.86[①]	27.3[②]	64.6[②]
武钢	2.1	12.23	0.48	80.03	7.74		
宝钢	0	11.04	0.48	89.66	5.43	24.1	70.4

①M_{40}和M_{10}数据由M_{25}换算而来,为湿熄焦炭数据,干熄焦炭 2001 年分别为 85.4%和 6.0%;

②CRI 和 CSR 为湿熄焦炭数据,干熄焦炭 2001 年分别为 24.0%和 66.5%。

1.3.3.3 分析

由表 1-15 和表 1-16 比较可知,我国焦炭整体质量与世界水平相比,除硫分通过 1999 年以来的努力,已略微领先之外,灰分和冷态强度差距较大。4 大钢铁公司中,宝钢焦炭灰分虽为国内较低,与国外差距也不小,而其余指标则为世界一流。首钢焦炭灰分 2001 年平均 11.99%,虽有进步,与国外差距没有质的变化,湿熄焦炭(二、三、四、五焦炉)冷态强度差距较大,但干熄焦炭(一焦炉),除灰分以外,其他指标已全面持平。

造成以上状况的原因多种多样,就高炉生产本身而言,小高炉群体在我国还占相当比重、炼铁生产水平和技术装备水平参差不齐等等,都为劣质焦炭提供了市场。随着高炉操作水平和喷煤比不断提高,高炉工作者越来越深刻地体会到焦炭质量是高炉生产稳定顺行的基础,高喷煤比高炉尤其如此。

2000年4月,中国金属学会炼铁委员会与焦化委员会共同组织召开了炼铁与炼焦技术研讨会,高炉工作者殷切希望:以降低焦炭反应性CRI、相应提高焦炭反应后强度CSR为改善焦炭质量中心内容,同时强调降低焦炭灰分。

必要性已经明朗,目标已经明确,在市场对资源配置的指导作用下,焦炭生产通过"优胜劣汰",整体质量提高的局面将加快到来。

1.3.4　高炉高喷煤比操作对焦炭质量的要求

高炉实施喷煤技术以来,焦炭在高炉内作为燃料、还原剂和渗碳剂的作用或者减弱、或者照旧,只有料柱骨架作用,由于焦比大幅度下降,焦炭负荷由全焦冶炼时的3.0以下最高升至6.0(宝钢),一般高炉也保持4.0~5.0水平。工作条件的恶化,要求焦炭具有更高强度,以提高到达风口时保持原始粒度的能力。为此,焦炭质量应从以下方面去改善:

(1) 更好的原始强度(冷态机械强度)和更均匀的原始粒度。

(2) 更好的高温强度。需从提高焦炭在炉内的化学稳定性着手,即通过改善反应性CRI来相应提高反应后强度CSR。

(3) 鉴于焦炭灰分对高炉冶炼过程特别是对焦炭质量本身的全面影响,而我国焦炭最突出的弱点又恰恰是灰分高,因此强调降低焦炭灰分。

西欧大高炉喷煤以后,对焦炭质量的要求;宝钢在焦炭质量稳定的基础上,严把主要指标关(CRI和CSR);我国炼铁工作者对焦炭质量的新要求三项分别列于表1-17。

表1-17　高炉高喷煤比对焦炭质量新要求,%

项目	灰分	硫分	碱金属	转鼓强度		反应性	反应后强度
西欧	<10	<0.7	0.2	>50[①]	<18[①]	<25	>60
宝钢						<26	>66
中国				>83[①]	<7[①]	<28	>60

①西欧是依尔什转鼓指标,中国是米库姆转鼓指标。

参 考 文 献

1 胡永平等.采用高效选矿技术,提高和优化铁精矿品位.见:2001 中国钢铁年会论文集.北京:冶金工业出版社,2001

2 中国金属学会.2000 年全国钢铁企业焦化、炼铁、炼钢技术经济指标要览.2001,5

3 2001 年全国烧结球团技术交流年会资料.2001,6

4 Kallo S 等.罗德洛基钢厂炼铁的发展.见:1999 年钢铁年会文集.1999:124

5 许满兴.论新世纪球团矿的质量进步.烧结球团,2000;(6)

6 单泊华.浅谈首钢高炉冶炼以钢渣代替石灰石的可行性.首钢科技,1992;(5)

7 彭平等.柳钢炼铁技术进步的回顾与展望.炼铁,1998;(增刊)

8 杜鹤桂.国外高炉炼铁技术的进步.炼铁,1999;(1)

9 单亦和.以精料为基础,全面优化炼铁生产技术,节能降成本,提高经济效益.炼铁,2000;(4)

10 孔令坛.高炉炉料合理结构.见:2001 中国钢铁年会论文集.北京:冶金工业出版社,2001

11 成兰伯等.高炉炼铁工艺及计算.北京:冶金工业出版社,1991

12 吴信慈等.改善焦炭质量满足高炉大喷煤量的实践与研究.钢铁,1999;34(增刊)

13 杨杰康.昆钢炼铁焦炭的热态性能分析.炼铁,1999;(6)

14 郑文华等.中国焦炭质量现状及改善焦炭质量的措施.见:2001 中国钢铁年会论文集.北京:冶金工业出版社,2001

15 刘述临等."高炉人"对"炼焦人"讲的实话.炼铁,2000;(5)

2 高炉炉体结构及长寿

2.1 高炉炉型及各部位砖衬结构

高炉炉体结构主要由高炉内型及内衬、高炉炉体冷却设备、炉喉钢砖、风渣口及出铁口装置、炉壳、炉体钢结构及平台、高炉基础、冷却系统、高炉自动化检测装置等部分组成。

2.1.1 高炉内型

2.1.1.1 我国高炉内型尺寸

我国高炉内型尺寸表示方法见表2-1。

表2-1 我国高炉内型尺寸表示方法

符号	意 义	符号	意 义
H	全高	V_u	高炉有效容积
H_u	有效高度	d	炉缸直径
h_0	死铁层高度	D	炉腰直径
h_1	炉缸高度	d_1	炉喉直径
h_2	炉腹高度	d_0	大钟直径
h_3	炉腰高度	α	炉腹角
h_4	炉身高度	β	炉身角
h_5	炉喉高度	A	炉缸面积
h_6	炉顶钢圈法兰上表面至大钟全开位置底面高度	h_w	无钟炉顶溜槽在垂直位置下端至料线的高度
h_f	风口中心线至铁口中心线高度	h_z	渣口中心线至铁口中心线高度

此外高炉内型尺寸还有:风口、渣口、铁口个数。

我国高炉料线零位:钟式炉顶是指大钟开启位置下沿标高;无钟炉顶一般将溜槽处于垂直位置时距下端0.9m处设为料线零位(首钢无钟炉顶料线零位设定为炉喉上部钢瓦拐点处)。

日本高炉的料线零位取大钟开启位置以下1m的水平面上。

美国规定料线零位在大钟开启时底面下915mm处。

日本称料线零位至铁口通道底面之间的容积为内容积;欧美等国则把风口中心线至料线之间的容积称为工作容积,而至铁口中心线之间的容积称为内容积。

国内主要高炉炉型参数见表 2-2。

2.1.1.2　高炉内型设计

高炉内部工作空间的形状称为高炉内型。它的形状和主要尺寸必须适应炉料和煤气在炉内运动的规律。炉料在下降时受热膨胀,炉料被部分还原,初生渣及软熔带产生,使炉料透气性变差,故高炉上部的断面逐渐扩大,以保证炉料顺利下降,这也正与煤气上升过程中温度下降、体积缩小相适应。当炉料到达下部时,由于炉料中渣、铁逐渐熔化而使体积缩小,故断面也逐渐收缩。高炉内型主要与原、燃料条件和操作制度有关,合理的内型有利于高炉操作顺行、高产、低耗。

高炉内型从下往上分为炉缸、炉腹、炉腰、炉身和炉喉 5 个部分,该容积总和为它的有效容积,并且反映高炉所应具备的生产能力。

高炉内型计算方法有:

(1) 数理统计法。将已知的现代高炉内型尺寸绘制成各种图表,主要反映炉容与内型各主要尺寸的相互关系,用线性方程或指数方程来描述各函数关系,如:$D = a + bV_u$(a、b 为常数项);$D = cV_u^n$(c、n 为常数项)。

将所选定的炉容代入公式中,可以求出高炉的主要内型尺寸。

(2) 高炉内型尺寸经验公式计算法。这种方法是比较常用的方法(详见表 2-3),该方法主要确定炉缸直径,用焦炭和各种喷吹燃料在每天和每平方米面积内的燃烧强度来求出炉缸断面积,进而求出炉缸直径,再根据各部的比值,可求出其余尺寸和容积。

(3)分析比较法。对于一个富有生产经验的企业,根据以往高炉操作经验,一代炉衬的侵蚀状况,以及原燃料和生产指标的变化,可以通过适当调整高炉各部尺寸和容积达到预期的目标。

而对于一个新建厂,可以借鉴同类型高炉近似的原燃料条件和装备水平来确定或调整一个参照炉型。

38

表 2-2　国内高炉炉型参数表

项目	宝钢 3 号	宝钢 1 号	武钢 5 号	鞍钢 11 号	马钢 1 号	首钢 1,3 号	首钢 4 号	包钢 4 号	武钢 4 号
有效容积 V_u/m³	4350	4063	3200	2580	2545	2536	2100	2200	2516
炉缸直径 d/mm	14000	13400	12200	11050	11100	11560	10400	10500	11200
炉腰直径 D/mm	15000	14600	13400	12200	12000	13000	11550	11600	12200
炉喉直径 d_1/mm	10100	9500	9000	8200	8300	8200	8150	7900	8200
死铁层高度 h_0/mm	2500	1800	1900	1600	1603	2200	1600	1900	2004
炉缸高度 h_1/mm	5400	4900	4800	3700	4300	4200	4350	4600	4500
炉腹高度 h_2/mm	4000	4000	3500	3600	3400	3400	3400	3400	3400
炉腰高度 h_3/mm	2600	3100	2000	2000	1700	2900	2200	2350	1900
炉身高度 h_4/mm	17500	18100	17900	17900	18000	13500	13950	15000	17400
炉喉高度 h_5/mm	2000	2000	2400	2420	2000	1800	2000	2000	2300
有效高度 H_u/mm	31500	32100	30600	29620	29400	25800	25900	27350	29500
炉腹角 α	82°52′30″	81°28′09″	80°16′20″	80°55′30″	82°28′0″	78°2′36″	80°24′4″	80°48′40″	81°38′28″
炉身角 β	82°1′49″	81°58′50″	82°59′36″	83°37′28″	84°8′0″	79°55′10″	83°3′7″	82°58′8″	83°26′35″
高径比 H_u/D	2.1	2.2	2.283	2.428	2.450	1.985	2.242	2.358	2.418
V_u/A	28.258	28.81	27.37	26.9	26.3	24.16	24.72	25.407	25.54
D/d	1.071	1.090	1.098	1.104	1.081	1.125	1.111	1.105	1.089
h_f/mm	4770	4270	4100	3200	3700	3700	3750	3935	
h_z/mm					(2 个渣口)		2150		
风口数/个	38	36	32	30	30	30	28	28	28
铁口数/个	4	4	4	2	3	3	2	4	2

项　目	武钢 1 号	唐钢 1 号	邯钢 6 号	太钢 4 号	湘钢 2 号	邯钢 4 号	临钢 6 号	三明 2 号	杭钢 1 号	安阳 3 号
有效容积 V_u/m³	2200	1260	2000	1650	750	917	386	350	342	300
炉缸直径 d/mm	10700	8000	10500	9400	6300	7300	5200	5200	4930	4600
炉腰直径 D/mm	11700	9100	11500	10700	7300	8250	6000	5900	5730	5500
炉喉直径 d_1/mm	7800	6400	8000	6800	5300	5700	4100	3900	3900	3700
死铁层高度 h_0/mm	2000	1000	2000	1900	450	1308	900	678	450	450
炉缸高度 h_1/mm	4500	3500	4200	3800	3200	3300	2900	2900	2700	2600
炉腹高度 h_2/mm	3400	3200	3000	3400	3000	3100	3000	2900	2800	2800
炉腰高度 h_3/mm	1800	2000	1500	1850	2000	1800	1200	1100	1100	1100
炉身高度 h_4/mm	17000	15300	15000	14750	12730	12700	9500	9200	9500	9300
炉喉高度 h_5/mm	2000	1800	1800	1500	2300	1800	1800	1600	1600	1800
有效高度 H_u/mm	28700	25800	25500	25300	23530	22700	18400	17700	17700	17600
炉腹角 α	81°38′28″	80°14′51″	80°32′16″	79°10′37″	80°32′	81°17′19″	82°24′19″	83°7′6″	81°52′12″	80°52′10″
炉身角 β	83°27′23″	84°57′27″	83°20′44″	82°28′8″	85°34′	84°16′1″	84°17′22″	83°47′48″	84°15′19″ 84°53′3″	84°28′20″
高径比 H_u/D	2.453	2.835	2.217	2.364	3.22	2.752	3.067	3.00	3.089	3.200
V_u/A	24.47	25.06	23.1	23.78	24	21.91	17.89	16.48	17.92	18.05
D/d	1.093	1.138	1.1	1.138	1.159	1.130	1.154	1.135	1.162	1.196
h_f/mm		3100		3200	2800		2500	2600	2300	
h_z/mm		1500	(1 个渣口)	(1 个渣口)	1500/1400		1300/1200	1200/1200	1200	
风口数/个		20	28	20	12	18	14	14	12	12
铁口数/个	1	2	2	2	1	1	1	1	1	1

表 2-3　中国高炉内型计算方法和统计数据

项　　目	经验公式	统计数据及说明
炉缸直径 d(m)	$d = 1.13(IV_u/J)^{1/2}$；或用 V_u/A 比值计算时，先求出 A，再按下求式：$d = (4A/\pi)^{1/2}$	I——冶炼强度，$t/m^3 \cdot d$，与原燃料条件、高炉大小有关，一般在 $0.9 \sim 1.5$ 之间； J——燃烧强度，$t/m^2 \cdot d$，其值一般为 $24 \sim 40$（包括喷吹燃料）； A——炉缸截面积，m^2。 V_u/A 比值随高炉大小在 $15 \sim 30$ 之间变化，小高炉取低值
炉腰直径 D(m)	可按 D/d 比值来确定	D/d 比值如下：$V_u > 1000$ m^3 时为 $1.08 \sim 1.15$； $V_u = 300 \sim 1000$ m^3 时为 $1.15 \sim 1.20$； $V_u < 300$ m^3 时为 $1.20 \sim 1.30$
炉喉直径 d_1(m)	可按 d_1/D 比值来确定	d_1/D 比值一般在 $0.65 \sim 0.72$ 之间，小高炉取低值
大钟直径 d_0(m)	可按 $(d_1 - d_0)/2$ 确定	$(d_1 - d_0)/2$ 的值如下：$V_u > 1000$ m^3 时为 $\geqslant 0.8$； $V_u = 300 \sim 1000$ m^3 时为 $0.6 \sim 0.8$； $V_u < 300$ m^3 时为 < 0.6
有效高度 H_u(m)	按 H_u/D 确定	H_u/D 的值一般如下： $V_u \geqslant 1000 \sim 2500 m^3$ 时为 $\geqslant 2.7 \sim 2.0$ $V_u = 300 \sim 1000 m^3$ 时为 $2.7 \sim 3.2$ $V_u < 300 m^3$ 时为 > 3.2
全高 H(m)	$H = H_u + h_6$	h_6 一般为 $1.5 \sim 3.0$
死铁层高度 h_0(m)	h_0 为（$15\% \sim 20\%$）d_1	h_0 的值一般如下： $V_u \geqslant 1000 \sim 2500 m^3$ 时为 $1.5 \sim 2.2$ $V_u = 300 \sim 1000 m^3$ 时为 $1.0 \sim 1.5$ $V_u < 300$ m^3 时为 1.0
渣口高度 h_z(m)	可按 h_z/h_1 确定，有些高炉已取消渣口	$h_z/h_1 = 0.44 \sim 0.55$ 两个渣口时，上下渣口高差 $100 \sim 200mm$
风口高度 h_f(m)	$h_f = h_z + a$	a——风口与渣口中心线之间的高度，据统计，a 值如下： $V_u \geqslant 1000 \sim 2500 m^3$ 时为 > 1.25 $V_u = 300 \sim 1000 m^3$ 时为 $0.9 \sim 1.25$ $V_u < 300$ m^3 时为 < 0.9

项　　目	经验公式	统计数据及说明
炉缸高度 h_1(m)	$h_1 = h_f + b$	b——风口中心线至炉缸上沿的高度,据统计,b 值为 $0.3\sim0.7$,小高炉取低值
炉腹高度 h_2(m)	$h_2 = \tan\alpha(D - d)/2$	α 值一般为 $80°\sim83°$,h_2 的值随高炉大小在 $2.5\sim4.0$m 之间变化
炉身高度 h_4(m)	$h_4 = \tan\beta(D - d)/2$	β 值一般为 $80°\sim85°$
炉喉高度 h_5(m)	参照同级高炉数据选取	h_5 值一般为 $1.2\sim3.0$m
风口数目 f	可按 $f = \pi d/(1.1\sim1.2)$选取	风口大套法兰盘之间净空不宜小于 150mm

上述两种计算炉型方法也仍然需要用分析比较法来略微调整各部尺寸,以符合各方面的要求。

2.1.1.3　高炉炉型的发展

近 20 年来,我国炼铁技术得到迅猛发展,其主要标志是高炉大型化、高效化、长寿化。要想取得较高的经济效益,就要结合企业自身的条件,决定高炉的容积和生产座数,并在此前提下,寻求符合冶炼工艺的合理的高炉内型。

A　合理炉型

合理炉型应满足提高冶炼强度、降低燃料比、有利于炉况顺行和有益于长寿的要求。随着冶炼条件的改善,装备水平和操作水平的提高,高炉内型逐步向矮胖型(以 H_u/D 来表示)发展,见表 2-4。

表 2-4　高炉内型变化情况

高炉容积 /m³	H_u/D	
	20 世纪 70~80 年代	20 世纪 90 年代以后
1000~2000	<2.9	2.7~2.5
300~1000	2.9~3.5	2.7~3.2
<300	>3.5	>3.2

高炉炉型向矮胖型发展,受两个方面因素的影响:一是炉料与煤气运动力学方面的影响;二是炉料与煤气在炉内传质传热因素的影响。

含铁量增加,有害元素减少;熟料率提高;合理的炉料结构;冶金强度提高,粉末率减小;炉料粒度减小等等精料措施,特别有利于提高炉料在炉身上部的间接还原性能。

另外,高炉鼓风机能够提供高炉冶炼足够的风量和风压;高炉炉顶设备的改进和发展,能够满足高炉炉顶高压操作和各种布料方式的要求;高炉富氧喷吹煤粉;高风温的使用等等,为高炉大型化和炉型向矮胖型方向发展提供了有利条件。

矮胖型高炉降低了料柱高度,原燃料在下降过程中的内摩擦力以及炉墙与炉料间的摩擦力相对减小,高炉料柱阻损降低,透气性改善,有利于强化冶炼,缩小了炉料与煤气流热交换停滞区,对高炉热效率不会产生太大影响。但高径比不是越小越好,高径比过小,则炉料间接还原区变窄,且炉况不易控制,对降低燃料比会有一定影响,所以应结合本企业精料水平、操作经验,决定高炉炉型和高径比的合适范围。

B 炉缸容积

随着入炉料含铁品位的提高及高炉强化冶炼要求的提出,炉缸容积与高炉炉容的比值在增加。根据生产实践及国内专家的建议,其比值应在 16% ~18% 为宜。

炉缸容积适当增加,能缓和渣铁的冲刷力,减少在高强化冶炼条件下出现憋风的可能性。另外,增大炉缸容积,使炉缸蓄热能力提高,有利于铁水脱硫。

2.1.2 高炉炉体砖衬结构及长寿

2.1.2.1 高炉内衬破损机理

高炉在冶炼过程中,由于炉体各部位的工作条件不同,所以各部位内衬的破损机理也不尽相同。

A 炉底、炉缸

炉底、炉缸是高炉内衬破损严重的主要区域之一。高炉一代炉役的寿命也主要取决于高炉炉底、炉缸内衬的破损程度。国内外炼铁工作者通过多年的调查和研究,对炉底、炉缸内衬的破损机理得出了基本一致的结论:

(1) 铁水对炭砖的渗透侵蚀,铁水渗透到炭砖的气孔中,生成 Fe_xC 一类的脆性物质,造成炭砖热面脆化,理化性能下降;

(2) 铁水环流的机械冲刷,出铁时,铁水环流冲刷炭砖热面,造成炭砖的磨蚀,特别是渗铁后的炭砖表面,理化性能下降,加之铁水环流的冲刷,这两种破损作用是形成炉缸"象脚状"异常侵蚀的主要原因;

(3) 铁水对炭砖的侵蚀;

(4) 碱金属对炭砖的化学侵蚀;

(5) 热应力对炭砖造成的破坏;

(6) CO_2、H_2O 等氧化性气体对炭砖的氧化;

(7) 熔渣对炭砖的冲刷和化学侵蚀。

B　风口区

风口区是高炉冶炼过程中氧化反应进行得最激烈的区域。该区域温度高达 1600~2400℃。风口区的主要破损机理是:

(1) 高温产生热应力的破坏;

(2) 铁水和炉渣的化学侵蚀;

(3) 炉料的磨损;

(4) 碱金属及 CO 气体的化学侵蚀。

C　炉腹

炉腹的侵蚀机理是:

(1) 温度波动造成的热震破坏;

(2) 高温热应力对炉衬的破坏;

(3) 熔渣和铁水的侵蚀;

(4) 上升煤气流和下降炉料的冲刷磨蚀;

(5) 碱金属及 CO 气体的化学侵蚀。

D　炉腰

炉腰的侵蚀机理是:

（1）温度波动造成的热震破坏；

（2）高温热应力对炉衬的破坏；

（3）上升煤气流和下降炉料的冲刷磨蚀；

（4）碱金属及 CO、CO_2 气体的化学侵蚀。

E　炉身

炉身下部的破损机理同炉腹、炉腰的相近。炉腹至炉身下部是高炉内衬破损最严重的部位。实际上造成该部位过早破损的原因是多方面的，有热应力、化学侵蚀、机械磨蚀等多种破坏作用，只是不同的原燃料条件、操作条件使破损机理的主次顺序不同罢了。

炉身上中部的破损机理主要是：

（1）上升煤气流和下降炉料的冲刷磨蚀；

（2）碱金属及 CO、CO_2 气体的化学侵蚀；

（3）温度波动产生的热震破损。

F　炉喉

炉喉部位主要是下降炉料的冲击磨蚀。

2.1.2.2　高炉炉体结构

高炉长寿内衬结构的设计及选用，应根据原燃料条件、操作条件和炉衬各部位不同的侵蚀机理有针对性地设计选择。

A　炉底、炉缸

根据该部位的侵蚀机理，采用的炭砖应具有高导热性、高抗渗透性、抗化学侵蚀性、气孔率低、孔径小等特点。日本、欧洲、北美等在高炉长寿方面取得了突出的实绩，开发和研制出了新型优质炭砖。如日本开发的微孔炭砖（BC-7S）、超微孔炭砖（BC-8SRJ），美国开发的热压小块炭砖 NMA 和热压半石墨炭砖（NMD）等，在高炉上应用都取得了长寿的实践。以法国为代表的西欧国家，在炉缸内衬设计中，还开发了"陶瓷杯"技术，即在高导热炭砖的内侧，砌筑一个陶瓷质的杯状内衬，以保护炭砖免受铁水渗透、冲刷、热应力和化学侵蚀，以进一步延长高炉寿命。我国近 10 年间在中小高炉上大量推广应用自焙炭砖技术。由武汉钢铁设计研究总院开发、武彭公司生产的微孔模压小炭块在杭钢和昆钢的高炉上运用。典型的几种炉底炉缸内衬结构见图 2-1。

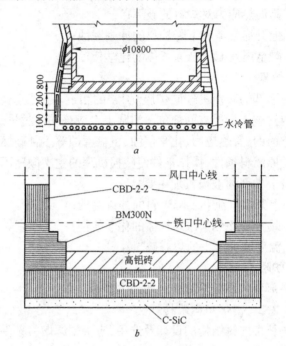

a

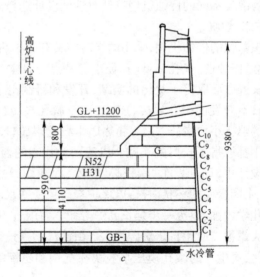

c

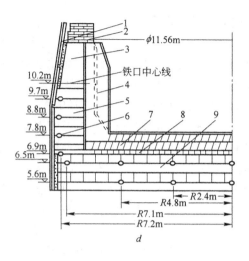

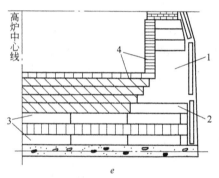

图 2-1 几种典型的炉底炉缸内衬结构

a—武钢 4 号高炉炉底结构；b—日本新日铁近年几座高炉的炉缸、炉底结构；c—宝钢 1 号高炉炉底结构；d—首钢 1 号高炉炉缸炉底结构：1—冷却壁，2—高铝砖，3—国产炭砖，4—陶瓷杯棕刚玉预制块，5—美联碳 NMA 砖，6—测温电偶，7—陶瓷杯莫来石砖，8—湘钢莫来石砖，9—国产炭砖；e—首钢 4 号炉炉缸内衬结构图：1—NMA 砖，2—国产炭砖，3—满铺炭砖，4—高炉砖

　　铁口区、风口区目前已普遍采用组合砖技术。铁口组合砖的材质有炭质、半石墨 C-SiC 质、Al_2O_3-C 质、硅线石质、莫来石-SiC 质等。实践表明，铁口组合砖材质应与炉缸壁材质相匹配，特别是材料的热膨胀性在设计中应给予足够的重视。另外铁口组合砖的材质还

要与所采用的炮泥材质相匹配。

风口组合砖的材质一般为莫来石质、碳化硅质、炭质等。用于风口区的耐火材料应具有良好的抗氧化性、耐化学侵蚀性和耐磨性等。陶瓷质和 Si_3N_4-SiC 质风口组合砖使用效果良好。

另外,改进炉底结构,根据高炉炉缸直径的大小,按一定比例决定死铁层深度,对于减少炉缸"象脚状"侵蚀具有重要意义。根据生产实践和有关科学实验证明,"象脚状"侵蚀速度与死铁层深度有一定关系,这是因为若高炉内死料柱下沉坐落在炉底耐火砖层上,出铁时铁水只能沿死料柱与炉缸砖墙之间的环形通道流动,这将对炉墙砖衬产生强烈的冲刷作用,且铁水流动不畅,不易出尽渣、铁。要是死料柱悬浮在炉缸内,出铁时铁水将在整个炉底表面流动,周边铁流速度大大降低,将会减小铁水对路墙的冲刷能力,可以大大提高砖衬使用寿命。

要是死料柱悬浮在炉缸铁水中,铁水对死料柱的浮力就应大于这部分料柱质量和上边作用在料柱上的作用力,而铁水的浮力与炉缸内死铁层深度有关。因此适当地增加死铁层深度,使死料柱上浮,对缓解炉缸侵蚀是十分有利的。一般经验值是:死铁层深度约为炉缸内径的 15%～20%。

B 炉腹至炉身下部

根据该部位的主要侵蚀机理,用于该部位的耐火材料应具有优异的抗热冲击性、抗化学侵蚀性,良好的导热性和耐磨性。

近几十年来,用于该部位的耐火材料不断改进,演变过程为黏土砖→高铝砖→硅线砖→合成莫来石砖→刚玉砖(烧成、电熔)→碳化硅砖(自结合、氮化硅结合),最近赛隆(SIALON)结合碳化硅、赛隆结合刚玉、半石墨质热压小块炭砖、烧成微孔 Al_2O_3-C 砖、半石墨炭-碳化硅砖等新型耐火材料相继在高炉炉腹至炉身下部得到推广应用。

用于高炉炉腹至炉身下部的材料应具有综合的性能。实践证明,随着耐火材料技术的进步和新型优质耐火材料的应用,该部位的内衬已可以稳定工作达到 5～8 年。精料的采用、合理的冷却结构和操作技术的进步已使该部位的内衬朝薄壁化发展。减薄炉衬厚度,采用不同材料组合砌筑结构已成为越来越多的选择。

C 炉身中上部

炉身中上部应选用具有优良抗化学侵蚀性、耐磨性的耐火材料。该部位普遍采用高密度黏土砖、高密度高铝砖、磷酸盐浸渍黏土砖等 Al_2O_3-SiO_2 系耐火材料。实践表明,该部位的破损程度不如炉腹至炉身下部严重,一般不会对高炉寿命构成威胁,传统的耐火材料即可满足要求。近年来,高炉冶炼强度提高,炉身上部材料磨损严重,特别是炉料的冲击磨损加剧,在炉身上部至炉喉钢砖采用铸铁水冷壁的结构在大型高炉上已成基本模式。即在炉身上部取消耐火材料内衬,以 2~3 段水冷壁代衬工作,实际应用效果很好。

D 炉喉

目前,炉喉已普遍采用钢砖,而不再用耐火材料内衬。近些年,有些高炉还采用了水冷钢砖,以进一步延长钢砖的寿命。

2.1.2.3 耐火材料应用实例

首钢高炉耐火材料的应用见表 2-5～表 2-11。太钢高炉耐火材料的应用见表 2-12～表 2-15。

表 2-5 耐火材料组分在高炉内发生反应的临界温度

耐火材料组分	破坏性反应	临界温度/℃
Al_2O_3、Cr_2O_3、SiO_2	熔于炉渣	1182
炭-碳化硅	熔于炉渣	1149
碳化硅	熔于碱性溶液	871
炭	碱性崩溃	800
Al_2O_3、Cr_2O_3、SiO_2	碱性崩溃	593
所有组分	CO 崩溃	482

表 2-6 首钢高炉耐火材料使用情况

炉 号	1	2	3	4
高炉有效容积/m^3	2536	1726	2536	2100
投产时间	1994 年 8 月 9 日	1991 年 5 月 15 日	1993 年 6 月 2 日	1992 年 5 月 15 日

炉 号	1	2	3	4
炉底炉缸结构	陶瓷杯	综合炉底	综合炉底	综合炉底
炉底、炉缸用耐火材料	贵阳碳块、NMA砖、莫来石砖、棕刚玉预制块	贵阳碳块、NMA砖、高铝砖（w（Al_2O_3）≥80%）	贵阳碳块、NMA砖、高铝砖（w（Al_2O_3）≥80%）	贵阳碳块、NMA砖、高铝砖（w（Al_2O_3）≥80%）
炉腹至炉身下部用耐火材料	NMD砖、Si_3N_4-SiC砖、高密度黏土砖（ZGN-42）	Si_3N_4-SiC砖、高铝砖（w（Al_2O_3）≥65%）	NMD砖、Si_3N_4-SiC砖、高密度黏土砖（ZGN-42）	Si_3N_4-SiC砖、高密度黏土砖（ZGN-42）
炉身中部用耐火材料	黏土砖（GN-42）	黏土砖（GN-42）	黏土砖（GN-42）	黏土砖（GN-42）
炉身上部用耐火材料	高铝砖（w（Al_2O_3）≥65%）	高铝砖（w（Al_2O_3）≥65%）	高铝砖（w（Al_2O_3）≥65%）	高铝砖（w（Al_2O_3）≥65%）
铁口组合砖	高级莫来石异型砖、高铝砖（w（Al_2O_3）≥80%）	高铝异型砖（w（Al_2O_3）≥65%）	高级莫来石异型砖、高铝砖（w（Al_2O_3）≥80%）	莫来石异型砖、高铝砖（w（Al_2O_3）≥80%）
风口组合砖	高级莫来石异型砖	高铝砖（w（Al_2O_3）≥65%）	高级莫来石异型砖	莫来石异型砖

表 2-7 Si_3N_4-SiC 砖理化性能

化学成分 w/%				物 理 性 能						
SiC	Si_3N_4	Fe_2O_3	f-Si	显气孔率/%	体积密度/g·cm^{-3}	高温耐压强度/MPa	常温抗折强度/MPa	高温抗折强度（1400℃）/MPa	导热系数/W·(m·K)$^{-1}$	线膨胀系数(20~1500℃)/℃$^{-1}$
>71	21~23	<2	<1	<18	<2.6	>150	>30	40	23	$4.8×10^{-6}$

50

表 2-8　美国 UCAR 公司 NMA、NMD 热压炭砖理化性能

牌号	体积密度/g·cm^{-3}	耐压强度/MPa	灰分/%	透气度/mDC	气孔率/%	重烧线变化（1000℃）/%	导热系数（20℃）/W·(m·K)$^{-1}$
NMA	1.61	33	12	11	18	±0.1	17
NMD	1.82	30	9	5	16	±0.1	60

表 2-9　NMD 砖和 SiC 砖的性能对比

材　　料		NMD	SiC
抗热冲击		最小 250℃/min	最大 50℃/min
导热系数/W·(m·K)$^{-1}$	600℃	45	21
	800℃	38	19
	1000℃	32	17
	1200℃	29	16
蒸汽下氧化临界温度/℃		800	800
CO$_2$ 下氧化临界温度/℃		900	800
抗碱侵蚀		卓越	优良

表 2-10　陶瓷杯材料的理化性能

性　　能		莫来石 MS4	棕刚玉 MONOCORAL
化学成分 w/%	Al$_2$O$_3$	70	88
	SiO$_2$		6
	TiO$_2$		3
	CaO		0.4
	Fe$_2$O$_3$	0.4	
	Na$_2$O + K$_2$O	0.6	
物理性能	体积密度/g·cm^{-3}	2.47	3.3
	气孔率/%	18.5	
	常温抗折强度/MPa	85	55
	0.2MPa 荷重软化点/℃	1650	
	永久线变化(1500℃,3h)/%	+0.5	1
	抗 CO 性级别	A	
	线膨胀系数(20~1500℃)/℃$^{-1}$	6.4×10^{-6}	
	导热系数/W·(m·K)$^{-1}$	2.2(1000℃)	4(1200℃)

表 2-11 风口、铁口组合砖理化性能

化学成分 w /%		物 理 性 能					
Al_2O_3	Fe_2O_3	体积密度 /g·cm^{-3}	显气孔率 /%	常温耐压 强度/MPa	耐火度 /℃	0.2MPa 荷重软化 点/℃	重烧线变化 (1450℃,2h) /%
65.17	0.85	2.65	16	66.95	>1790	>1720	0~0.2

表 2-12 自焙炭块理化性能

项 目	冶金部标准 YB2803—91				实际值	
	TK2-1		TK2-2			
	焙烧前	焙烧后	焙烧前	焙烧后	焙烧前	焙烧后
固定碳/%	≥85	≥93	≥82	≥90	89.34	95.54
灰分/%	≤5	≤6	≤9	≤10	3.03	3.94
体积密度/g·cm^{-3}	≥1.62	≥1.52	≥1.60	≥1.50	1.623	1.52
显气孔率/%	≤10	≤20	≤13	≤23	5.96	18.89
耐压强度/MPa	≥31	≥31	≥26	≥26	41.35	32.89
重烧收缩率 (800℃,4h)/%		≤0.05		≤0.10		0.15

表 2-13 棕刚玉碳化硅砖理化性能

项 目	设计指标	实际指标
$w(Al_2O_3)$/%	≥78	75~80
耐火度/℃	≥1790	1790
体积密度/g·cm^{-3}	≥2.9	2.9~3.0
显气孔率/%	18~20	18
耐压强度/MPa	≥80	120
重烧线变化(1400℃,2h)/%	+0.2	+0.2
荷重软化点/℃	≥1650	1680

表 2-14　铝炭砖、高铝砖和碳化硅砖技术性能比较

技术性能	铝炭砖	高铝砖	碳化硅砖
固定碳/%	12～16		
$w(SiC)/\%$	4～6		60～70
$w(Al_2O_3)/\%$	58～65	约70	
体积密度/g·cm^{-3}	2.76～2.8		2.55～2.60
显气孔率/%	3.2～3.4	>19	18～20
常温耐压强度/MPa	50.9～52.3	40	132～147
常温抗折强度/MPa	14～17.5		29～30
荷重软化温度(0.2MPa,T1)/℃	>1700	>1450～1480	
平均线膨胀系数(1000℃)/K^{-1}	2.4×10^{-6}		
导热系数/W·(m·K)$^{-1}$	10.38(900℃)		8.62(900℃)
透气度/mDC	0.363		

表 2-15　铝炭砖与炭砖性能对比

名　称	铁水熔蚀指数/%	透气度/mDC	氧化率/%	抗渣性
高炉铝炭砖试样1	2.81	0.028	0.448	优良
高炉铝炭砖试样2	0.00	0.00	0.18	优良
吉林炭砖	55.57	730	7.35	
兰州炭砖	25	609	20.63	
日本BC-78炭砖	15.79	5.95	2.58	

2.2　炉体冷却壁

高炉炉体冷却的目的是降低内衬的温度,延长砖衬寿命,保持内衬的完整,从而维持合理内型。根据高炉各部位的工作条件,选用合理的冷却方式和冷却器,是高炉长寿的重要措施。

2.2.1　炉底冷却器

炉底采用炭砖的高炉应设炉底冷却器。炉底冷却器的作用是将炉底的热量带走,使炉底1150℃等温线的位置尽可能向上推移,以延长炉底寿命。炉底冷却器一般为排管冷却,冷却介质有空气、水、油,其中水冷却为大多数高炉所采用。

2.2.2　炉缸冷却器

炉缸冷却器主要是光面冷却壁(如:灰口铸铁、铜材质冷却

53

壁),日本及欧洲一些高炉的炉缸也有的不装冷却壁,而采用炉底喷水冷却,如图2-2所示。

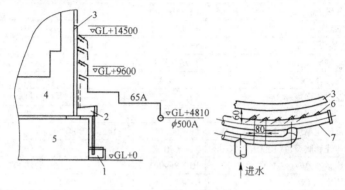

图 2-2　炉底喷水冷却示意图

1—积水坑;2—排水槽;3—炉壳;4—炭砖炉衬;
5—基础混凝土;6—喷水嘴;7—喷水环管

2.2.3　炉腹以上区域的冷却器

炉腹以上区域的冷却器主要有冷却板、冷却壁。中、小型高炉在炉身中上部还有支梁式水箱。现代大型高炉炉腹至炉身下部的高热负荷区已很少采用炉壳喷水冷却,主要是冷却板和冷却壁冷却,同时还有两种技术组合的"板壁结合"结构。从实践结果分析,这3种冷却模式都有取得高炉长寿的实绩。冷却板和冷却壁的技术优缺点见表2-16。

表 2-16　冷却板与铸铁冷却壁的对比

项目	冷　却　板	铸铁冷却壁
优点	(1)对砖衬提供高效冷却; (2)有利于支撑砖衬; (3)更换简便、快捷; (4)设计成多通道结构,提高冷却效率; (5)采用密集式布置,增强冷却效果	(1)冷却全部炉壳; (2)高炉热损失少; (3)冷却均匀,操作炉型合理; (4)炉壳开孔少,减少炉壳热应力破损; (5)双排管结构,强化凸台冷却(第三代); (6)砖壁一体化,减薄砖衬厚度,使施工安装简化(第四代)

项目	冷 却 板	铸铁冷却壁
缺 陷	(1)高炉热损大； (2)不能对炉壳提供均匀、全部冷却； (3)高温状态下易弯曲变形； (4)炉壳开孔多,炉壳设计复杂； (5)不利于形成稳定的操作炉型； (6)要求匹配高级耐火材料(如半石墨、碳化硅等)	(1)对砖衬支撑效果差； (2)不易于更换维修； (3)冷却壁边角及凸台部位易破损； (4)在超过760℃时工作会出现相变,力学性能下降； (5)水管与铸铁冷却壁体之间热阻大,传热效率低于铜冷却板

冷却板结构见图 2-3,冷却壁形式见图 2-4。

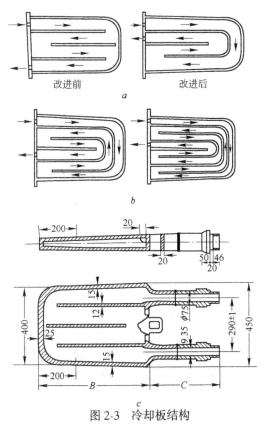

改进前　　　　　　改进后

a

b

c

图 2-3　冷却板结构

a—改进前后的四室冷却板结构；*b*—六室和八室纯铜冷却板；*c*—四室纯铜冷却板

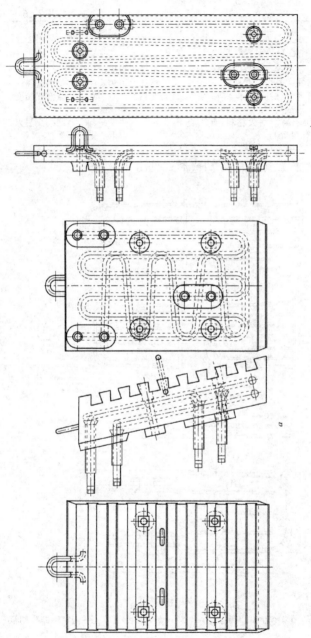

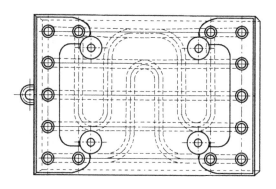

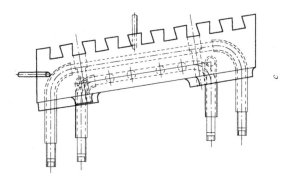

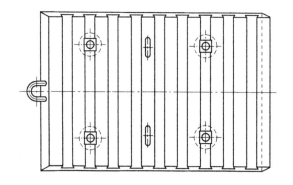

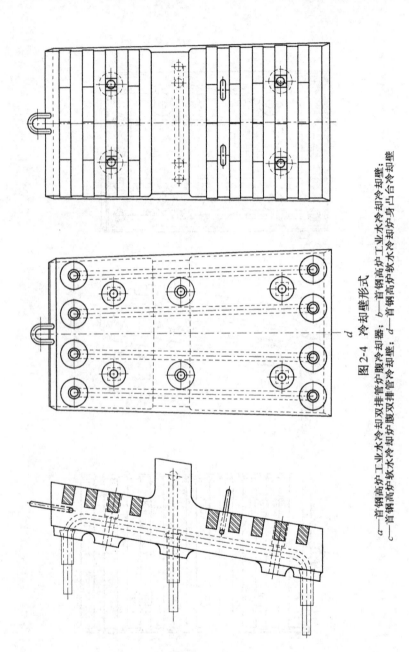

图 2-4 冷却壁形式

a—首钢高炉工业水冷却双排管炉腹冷却器；b—首钢高炉工业水冷却冷却壁；
c—首钢高炉软水冷却炉腹双排管冷却壁；d—首钢高炉软水冷却炉身凸台冷却壁

2.2.4 高炉铜冷却壁

20世纪70年代,苏联设计开发了铸铁冷却壁。铸铁冷却壁问世至今,已有30多年的演变和发展史。

随着高炉长寿技术的进步,冷却壁技术发展迅猛,已成为现代高炉冷却结构的一种主要发展模式。以日本新日铁公司为代表已将铸铁冷却壁发展到第四代,其主要技术特征是采用力学性能优良的球墨铸铁,加强了边角部位及凸台的冷却,采用独立供水的双排管冷却结构,壁体热面铸入 SiC 砖,形成砖-壁一体化。法国FORCAST公司和澳大利亚 BHP 公司对铸铁冷却壁也进行了优化和改进。采用改进后的铸铁冷却壁的高炉,在不中修的条件下,寿命已达到 10~12 年,但冷却壁破损严重。研究表明,铸铁冷却壁在高炉操作状态下,特别是热负荷和温度急剧波动的条件下,铸铁壁体的金相组织发生变化,出现热应力裂纹和龟裂。即使是第四代冷却壁也不能完全克服这些缺陷,这些因素限制了铸铁冷却壁的寿命。20世纪70年代末,德国 MAN.GHH 公司开始研制铜冷却壁,采用轧制厚铜板钻孔焊接而成,含铜量(质量分数)不小于99.95%。这种铜冷却壁于 1979 年 8 月在德国蒂森公司汉堡(Hamborn)4 号高炉(2100m³)的炉身下部试用两块。该高炉于1988 年 7 月停炉,高炉在试用铜冷却壁的 9 年内共产生铁 1422.7万 t。停炉后测试表明,铜冷却壁状态良好,而与铜冷却壁相邻的铸铁冷却壁全部开裂,冷却水管暴露或损坏。铜冷却壁热面的筋(高 60mm)仅侵蚀 0~3mm,按此测算,铜冷却壁可以使用 20 年以上。1988 年在蒂森公司鲁罗尔特(Ruhrot)6 号高炉炉腰和炉身下部各安装了一块铜冷却壁,进行工业性试验。高炉休风检查时发现,铸铁冷却壁开裂,而铜冷却壁完好如新。多次的工业性试验表明,铜冷却壁在高炉炉腹至炉身下部高热负荷区域的应用取得了令人满意的效果。近 10 年来,铜冷却壁技术在世界范围内得到了普遍的关注和认可,据不完全统计,目前世界上已有 40 多座高炉采用了铜冷却壁,这些高炉的设计寿命都大于 15 年。

目前,以欧洲为主,开发研制了以下三种不同类型的铜冷却

壁,在高炉上都有应用的实绩:

(1) 德国 MAN.GHH 公司开发研制的 SMS 铜冷却壁。这种铜冷却壁采用轧制厚铜板钻孔焊接而成,壁本体含铜量(质量分数)不小于 99.95%。这种铜冷却壁的水流通道是钻孔加工而成的,消除了间隙热阻,导热性好,是推广应用最为普遍的一种结构形式。

(2) 卢森堡 P.W 公司研制的 PW-OU 型铜冷却壁。这种铜冷却壁采用含铜量(质量分数)不小于 99.9% 的铸铜板坯制造。冷却水道为扁圆形并在连铸过程中成形。铸铜板坯未经轧制,其致密性差,但扁圆形的冷却通道使有效的冷却表面积较大,冷却效果相应提高,而且,铜冷却壁的厚度可以减薄,降低造价。

(3) 欧洲达涅利-康立斯(DCE)MTT 铸铜管铜冷却壁。这种铜冷却壁采用铸造方法铸造,并以 Monel 管作为冷却水管铸入壁本体中。由于 Monel 管与壁本体性能相近,铸造后二者能够很好地融合在一起。

首钢是我国最早设计开发、研制试用铜冷却壁的单位之一。在 1999 年 12 月,首钢 2 号高炉检修时,设计研制并安装了一块铜冷却壁,在高炉炉腰(第 7 段)进行工业性试验。在 2002 年 3 月高炉检修时,发现铜冷却壁完好如初,没有任何侵蚀。这种铜冷却壁是采用轧制无氧铜(TU_2)板钻孔而成的。

我国武钢 1 号高炉在高炉炉腰部位引进了 P.W 公司的 PW-OU 型铜冷却壁,本钢 5 号高炉也采用了这种形式的铜冷却壁。

铜的物理热学性质见表 2-17,首钢 2 号高炉试验铜冷却壁主要技术参数见表 2-18,国外开发研制的铜冷却壁的对比见表 2-19。

表 2-17　铜铸铁的物理和热学性能

项　目	铜	灰铸铁	球墨铸铁
抗拉强度 σ_b/MPa	196	160	400
屈服强度 σ_s/MPa			250

项 目	铜	灰铸铁	球墨铸铁
伸长率 δ_5/%	30	0	20
龟裂前循环次数(300~900℃)/次		30~40	203~250
密度/g·cm^{-3}	8.9	7.0	7.2
熔点/℃	1083	1150	1150
导热系数/W·(m·K)$^{-1}$	360(400℃)	62.8	30~35
比热容/J·(kg·K)$^{-1}$	383	480	544

表 2-18 首钢 2 号高炉试验铜冷却壁主要技术参数

项 目	数 值
外形尺寸(长×宽×厚)/mm×mm×mm	1970×992×145
冷却通道数量/条	5
冷却通道间距/mm	210
冷却通道直径/mm	40
燕尾槽尺寸/mm×mm	(65/75)×55
传热面积比	0.59
降填料面积比	0.53

表 2-19 国外开发研制的铜冷却壁的对比

项 目	SMS	PW-OU	MTT
本体材质	轧制铜板 $w(Cu)>99.95\%$	连铸铜板坯 $w(Cu)>99.9\%$	铸铜
冷却通道	钻孔,圆形	连铸成形,扁圆孔	铜合金管,圆形
金相组织	致密	其次	差
导热系数 /W·(m·K)$^{-1}$	约380	约300	<300
表面质量	好	易出现裂纹	易出现裂纹
应用业绩	普遍采用,成熟可靠	少量应用	未见应用

铜冷却壁的典型结构见图 2-5,首钢 2 号高炉试验用铜冷却壁结构见图 2-6。

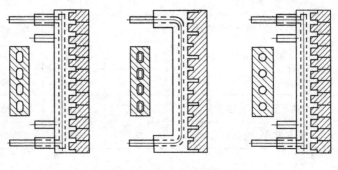

图 2-5　铜冷却壁结构

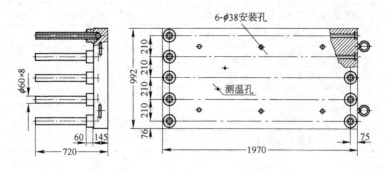

图 2-6　首钢 2 号高炉试验用铜冷却壁结构图

2.3　炉体冷却介质及操作管理

高炉冷却系统可分为:工业水冷却、软水(纯水)密闭循环冷却、汽化冷却。目前国内外有相当数量的高炉仍采用工业水冷却,但大型高炉已越来越多地采用软水(纯水)密闭循环冷却系统,并取得了高炉长寿、低能耗的显著效果。

高炉冷却水速见表 2-20。

表 2-20 高炉冷却器的推荐水速,m/s

炉容/m³	600～1000	2500～3200	4000
炉缸	1.5～2.0	1.5～1.7	1.1
风口附近	1.5～2.0	1.5～2.0	
炉腹	2.0	1.5～2.0	1.45
炉腰	2.0	1.5～2.0	1.45
炉身	1.0～1.5	1.5～2.0	1.45
风渣口大套	1.5～1.7	1.5～1.7	
风渣口中套	1.5～2.0	2.0～2.5	
风渣口小套	2.5～3.0	4.5～5.0	最大 16.9

2.3.1 工业水冷却

许多高炉的冷却系统采用的是工业水,该系统由泵站、管道、冷却壁、冷却塔、喷水池等组成,靠蒸发制冷,冷却水循环使用。该系统的特点是系统简单、一次投资低、系统运行比较稳定。缺点是工业水中的硬度、悬浮物和一些杂物,易在冷却器的冷却通道结垢和堵塞水管,直接影响高炉冷却效果,是造成冷却器过热烧损的重要原因。

硬度越高,水中钙镁离子的含量越高,在水温升高后,会失去稳定性,产生碳酸盐和其他盐类沉淀,在冷却水管内壁形成水垢,该结垢的导热系数远远低于金属的导热系数(见表 2-21)。

表 2-21 水垢、铸铁、铜导热系数比较

材 料 名 称	导 热 系 数/W·(m·K)⁻¹
碳酸盐水垢(非晶体)	0.23～1.16
铸铁	45
铜	340～385

从表 2-21 可见,水垢的导热性能只有铸铁的 1/39～1/195,和铜相比就相差更远了。很高的热阻阻碍了热量的及时导出,因而

不利于炉衬和冷却设备寿命的延长。

水中的悬浮物质颗粒直径约在 10^{-4}mm 以上,微粒肉眼可见。这些微粒主要有泥沙、黏土、藻类等。这些物质随水循环,有时会沉淀下来,随同 $CaCO_3$、$MgCO_3$ 一起形成结垢物质,有时水中也会有些粒径较大的杂物,如螺类等,这些物质进入冷却系统中会造成水管堵塞。

为了搞好高炉长寿,在采用工业水进行炉体冷却时,要了解供用水的硬度、悬浮物等性能指标,结合具体情况,采取相应的防止及处理结垢和堵塞的措施。我国主要的地表水水质见表 2-22。

表 2-22 我国地表水水质

地　区	Ca^{2+}/mg·L^{-1}	Mg^{2+}/mg·L^{-1}	HCO_3^-/mg·L^{-1}
长　江	28.9	9.6	128.9
黄　河	39.1	17.9	162.0
松花江	12.0	3.8	64.4

为了克服工业水冷却系统所带来的危害,一般采用改善水质、加药处理、控制进水温差、采用过滤器等方法,同时需定期对冷却器进行清洗,降低水垢的危害。马钢 $2500m^3$ 高炉采用工业半净化水开路循环冷却,开炉前虽对水管进行了酸洗、预膜和水质稳定等处理,投产后也定期对循环水进行灭藻等水质稳定处理,但水质并不稳定,质量波动很大。而水质的常规指标并不能准确地反映冷却水的质量,毕竟不是软水,含有一定的钙镁离子、黏泥、微生物,且灭藻后藻类尸体没有排出,随水循环,结垢仍十分严重。从割下的水管和钻取的冷却壁芯样看,水管结垢平均厚度 1.0~1.5mm 以上,管壁上有疱状垢瘤生成和蚀坑,结垢呈深黄色壳状紧附于管壁,从垢样及水垢成分判断是藻类尸体和黏泥等造成的垢下腐蚀。冷却壁清洗除垢后,提高冷却效果。1997 年对第 6、7 层炉腹冷却壁进行了清洗除垢,1998 年又对第 2、3、6、7、8、9 层炉

缸、炉腹、炉身下部冷却壁进行了清洗除垢。为了检验清洗除垢效果,对清洗前后的每根水管水流量进行了测量,1997 年清洗后水量提高了 8% 左右,1998 年清洗后水量提高了 7.34% ～9.82%。从清洗下来的垢物看,炉缸第 2、3 层冷却壁因水温差较低,冷却水管中未形成硬垢,以污泥、微生物和藻类形成的混合苔垢为主,量多,很脏;炉腹至炉身下部第 6～9 层冷却壁已在管壁形成一层硬垢,清洗下来的垢物片状、块状较多。实践表明,清洗是有效的,冷却壁损坏的增长势头得到扼制。我国宝钢 1 号高炉($4063m^3$)、梅山 2 号高炉($1250 m^3$)采用工业水冷却,一代炉役无中修的情况下,寿命分别达到了 10 年 6 个月和 10 年 8 个月,单位产量分别为 $7949t/m^3$ 和 $7022t/m^3$。

首钢高炉目前高炉局部冷却壁设备的冷却介质为工业水,为防止及处理结垢和堵塞,主要采取以下措施:

(1) 设置了电动过滤器,定期处理杂物;

(2) 进水温度夏季低于 32℃,出水不高于 45℃;

(3) 保持正常水压供水,维持合理流速;

(4) 定期酸洗,炉缸冷却壁每半年酸洗一次;

(5) 部分高炉形成工业水净循环加药处理系统。

及时检查工业水冷却器是否损坏并进行处理也是炉体维护管理的一个重要内容。检查工业水开路循环冷却系统是否漏水的具体做法是:原则上分层、分段进行,减水看水花、点煤气火和打泵试压,一般检查周围是否窜水、冒汽,出水是否"喘气"或带"白线"。必要时减水检查和点煤气火,出水管是否冒煤气。处理方法有减水,放低出水位置、通蒸汽、拆开,堵死坏水箱外部加喷水。软水密闭循环冷却支管用联管三通阀或四通阀切断坏管,通工业水或堵死灌浆,用好管连接通水。

2.3.2 软水(纯水)密闭循环系统

20 世纪 60 年代国外高炉上已采用了软水密闭循环冷却系统。我国太钢自 1987 年 5 月也在 3 号高炉($1200m^3$)炉身下部采用了软水密闭循环冷却系统。经过多年的生产实践,这种系统逐渐得到完善,获得了令人满意的效果,已成为当前国内外高炉冷却系统的发展趋势。采用软水密闭循环系统冷却取得高炉长寿的实践有武钢 5 号高炉($3200m^3$)、首钢 4 号高炉($2100m^3$)等,这些高炉都已取得了寿命 10 年以上无中修的实绩。

软化水是指将水中硬度(主要指水中 Ca^{2+}、Mg^{2+}离子)去除或降低到一定程度的水。水在软化过程中,仅硬度降低而总盐量不变。对水的软化有三种基本方法:化学软化法、离子交换软化法和热力软化法。首钢高炉使用的软化水是采用离子交换软化法制取的,即利用离子交换剂活性基因中的 Na^+ 等阳离子与水中的 Ca^{2+}、Mg^{2+}离子,达到转化的目的。这种方法和其他两种方法相比,能够比较彻底地除去水中 Ca^{2+}、Mg^{2+}离子。首钢经过二级软水处理软化水,硬度已达到 0.02mg 当量/L 以下。

2.3.2.1 软水密闭循环冷却系统的优点

与其他水冷方式比较,软水密闭循环冷却系统的优点是:

(1)采用软水(纯水)冷却,改善了水质,避免在冷却元件内因结垢而影响传热,改善了冷却效果。

(2)软水密闭循环冷却系统是一个完全与大气隔绝的密闭系统,不产生水的蒸发损失,且在循环中不受污染,损耗降低,对管道的腐蚀也减小。软水漏损很少,一般为 0.05%～0.1%。

(3)能充分利用静压头,避免了开路系统静压头损失,还能调节、控制系统的工作压力,使系统运行更加可靠。

2.3.2.2 系统设计

软水密闭循环冷却系统由冷却元件、热交换器、膨胀罐、脱气罐、稳压罐、循环泵、补水泵、氮气供应系统、软水加药装置、软水降温装置及管路附件等组成。其系统示意图见图 2-7、图 2-8。

A 供水、回水管路

为节省投资,又便于检修,供水及回水管路可以按单回路设置。可以架空、埋地或沿地下管沟敷设。如有特殊安全考虑,可按双回路供水,每根供水管通过水量为总水量的 70%。

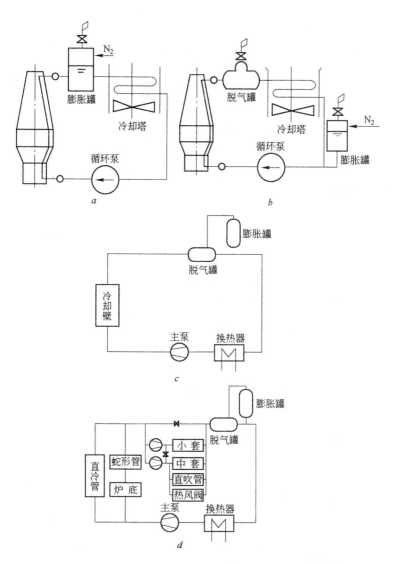

图 2-7　软水密闭循环冷却系统流程图

a—最基本的冷却系统；b—设有脱气罐的空气冷却系统；c—冷却壁软
水密闭循环冷却系统流程；d—联合软水密闭循环冷却系统流程

B 冷却元件

以首钢软水密闭循环冷却系统为例,炉腹、炉腰、炉身下部冷却壁热负荷高的部位,大型高炉冷却壁为双排管:前排管为 4 根直排管,后排管为自下而上弯曲排列的蛇行管;炉腰以上的冷却壁还设有水平排列的凸台管。

供水主管接至供水主环管,再由主环管引出 3 个支管:第一路支管供前排管,第二路支管供后排管,第三路支管供凸台管,从下至上分别串接在一起,再分别汇合成一根回水管。回水管上端与脱气罐相连。

C 膨胀水容积和膨胀罐

水具有热胀冷缩特性,水在 4℃ 时的密度最大,因此水受热膨胀量应考虑从 4℃ 开始的最大体积膨胀量 V,其值按下式计算:

$$\Delta V = V(\rho_4/\rho_t - 1)$$

式中　V——系统盛水的总体积,m^3;

　　　ρ_4——4℃ 时水的密度,kg/m^3;

　　　ρ_t——水加热到 t℃ 时的密度,水在不同温度时的密度见表 2-23。

表 2-23　不同温度时水的密度

温度/℃	4	10	20	30	40	50	60	70	80
密度/$kg \cdot m^{-3}$	1000	999.6	998.2	995.6	992.2	988	983.2	977.7	971.8

膨胀罐的总容积由三部分组成:一是膨胀水容积 ΔV;二是防止水在未膨胀前气体进入管路系统的安全水容积,此值可取 ΔV 的 20%~30%;三是膨胀罐上部的氮气容积 ΔV_N。ΔV_N 值直接影响到膨胀罐内水位波动时系统的压力波动范围。

水位波动的原因是系统出现泄露,各法兰连接点、阀门及冷却壁内部管子出现裂纹等均会造成循环水泄露。泄露使膨胀罐水位下降,气容积增大,气压降低。

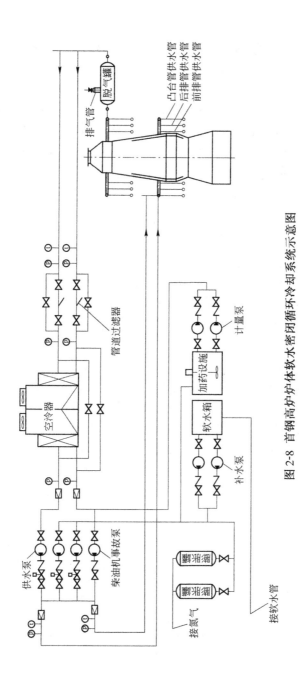

图 2-8　首钢高炉炉体软水密闭循环冷却系统示意图

当系统的氮气⽫压力采用自控时,氮气容积可取膨胀体积量 ΔV 的 30%～50%。氮压自控会出现下列情况:水位下降后补水泵向系统自动补水,充氮装置又自动向系统充氮,当氮气先达到设定值而水位后达到设定值时,会出现超压现象,超压需通过压力安全阀消除。因此,用氮气容积来稳压比用氮气自控稳压更简便可靠。

膨胀罐可布置在系统的任何部位。当布置在系统的最高处时罐内压力即为系统最高压力。当布置在系统的低处(泵房内)时罐内压力由下式计算:

$$p_N = p_2 + \rho g H - \Delta p$$

式中　　p_2——系统最高点循环水工作压力,Pa;

　　　　H——最高点到膨胀罐水面的高度,m;

　　　　g——重力加速度,等于 $9.8\mathrm{m/s^2}$;

　　　　Δp——循环水从最高点到膨胀罐入口的流动阻力,Pa。

D　脱气原理与脱气罐

水软化只是除去水中形成水垢的钙、镁离子,未除去溶解于水中的气体,其中氧气和二氧化碳对金属有腐蚀作用。

水中溶解气体量与该气体在水面上的分压力成正比,随着水温升高,水面上水蒸气分压力增大,气体的分压力相对减小,溶解气体量也相应减少。因此,一部分溶解气体随着水温升高而逸出。图 2-9 为大气压下氧气的分压和溶解量与水温的关系。

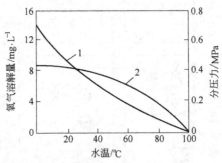

图 2-9　氧气溶解量和分压力与水温的关系

1—氧气溶解量;2—氧气分压

脱气的方法是降低循环水流速,使气体从水流中浮升到脱气罐顶部集气包内。水在管内流速一般为 $1\sim2.5\text{m/s}$,扩大断面使水流速为 $0.1\sim0.2\text{m/s}$ 即可。脱气罐应布置在系统最高处,积聚的气体可通过排气阀定期排出。

当系统兼有汽化冷却功能时,脱气罐可兼作汽包。此时脱气罐必须同时满足汽包要求,并设置必要的水位表、安全阀、汽水分离装置、给排水装置等。

E　冷却器

循环水在炉内吸收的热量必须在冷却器中全部放出才能保证正常稳定的运行。随着高炉热负荷的变化,冷却器的冷却能力也应相应变化,否则会出现循环水温度上升或下降的现象。因此,冷却器应具备多台工作、可增可减的条件。根据高炉热负荷和夏季环境温度条件选择冷却器的台数和容量。一般采用机力通风空气冷却器,可使水温下降 $8\sim10℃$,因此,循环水在炉内温升也只能限制在 $8\sim10℃$,进水温度约 $55℃$,出水温度约 $65℃$。此外,还可用水-水热交换器对软水进行冷却,以降低软水温度,提高软水的冷却能力。

F　循环水泵

循环水泵的流量根据循环水流量并留有 $5\%\sim10\%$ 的富余量确定,一般选用两台以上工作并配备一台备用泵。循环水泵扬程取决于从泵出口回到入口所经过的全系统的循环流动阻力并留有 $10\%\sim15\%$ 富余量。因是密闭循环,故系统垂直高度对泵扬程没有影响。

系统的流动阻力包括管路的摩擦力和由弯头、大小头、突扩接头、变缩接头和阀门等组成的局部阻力。阻力计算公式如下:

$$\Delta P = (L\lambda/d + k)\rho\omega^2/2$$

式中　λ——摩擦阻力系数,对于光滑金属管和紊流状态,

$\lambda = 0.32/Re^{0.25}$(Re 为雷诺数);

L、d——分别为管子长度与内径,m;

ω——管内水流速度,m/s;

k——计算管段中局部阻力系数之和。

对系统中不同管径和同一管径中的不同流速,均应分别计算并求得系统总阻力。

G 补充水泵

密闭循环系统理论上不消耗水,实际上因种种泄露因素系统有水的损失,必须使系统损失的水得到补充。泄露水量不能用理论计算确定,一般按经验选取。补水泵除了靠膨胀罐内水位指令实现正常补水外,还兼有首次向全系统充水的作用,泵流量选择过小会使充水时间过长,延误投产时间。推荐按 $6\sim 8h$ 充满系统用水选择补水泵流量。补水泵的扬程必须大于补水点的系统压力。补水泵一般选择一台工作,一台备用,必要时可两台同时运行。

H 安全供水

高炉、热风炉为不可断水用户,为保证其安全供水,设计中采用如下措施:(1)所有水泵均采用两路独立电源供电,同时各闭路循环水系统和补充水系统各有一台泵设保安电源;(2)泵站各泵组设备用泵,在工作泵发生事故时,备用泵可自动投入运行,并互为备用;(3)泵站内各循环水系统和补充水系统的泵组各设一台快速启动的柴油机泵,当几路电源同时停电时,柴油机泵可在 $3\sim 6s$ 内投入运行;(4)设事故水塔,停电时可继续向风口、热风阀等关键设备供水;(5)闭路循环水系统主干管设有两个供水管,当一路供水管发生事故时,另一路仍能保证 70% 的供水量;(6)冷却壁冷却回路在供水发生中断时,可自动转入汽化冷却。

为了更好地发挥软水密闭循环冷却系统的效果,除了要有合理的设计之外,还要加强对软水系统运行的管理,否则不利于高炉的长寿。唐钢铁厂 2 号高炉为了加强对冷却系统运行的管理,采取了如表 2-24 所示的管理措施。由表 2-24 可知,搞好唐钢 2 号高炉冷却系统管理的关键是要把水温差和热负荷控制在最佳范围之内,尤其是炉腰和炉身下部的水温差和热负荷。在日常的管理中,要做好如下几方面的工作:(1)保持稳定的系统充氮压力,提高冷却介质的欠热度和系统设备的防氧化能力;(2)要经常检查冷却壁

72

水管出口端的排气功能,防止产生"气塞";(3)严格做好"水质稳定"管理工作,以达到最佳的缓蚀和冷却效果。针对 2 号高炉炉体软水密闭循环冷却系统在运行中出现的问题,对系统进行若干改进后,加强了对冷却系统运行的管理,特别是加强了对水温差和热负荷的管理,系统运行效果良好,有力地保证了高炉的安全正常生产。

表 2-24 软水密闭循环冷却系统常见问题及防治措施

项　目	控制目标	措施内容
(1)研究冷却壁破损原因 (2)冷却系统水温差和热负荷控制范围	分析破损主要因素 热负荷不大于 50×10^6 kJ/h $\Delta t = 3 \sim 5℃$, $t_{进} \leqslant 45℃$	制定具体对策,严格控制冷却系统的工艺冷却参数大于设计值
(3)跟踪监视和调节系统运行参数	$Q_总 \geqslant 3000m^3/h$, $p \geqslant 0.60MPa$, $V_水 = 2.0 \sim 2.3m/s$, $t_{进} = 35 \sim 45℃$	使 $Q_{凸台} \geqslant 315m^3/h$,确保各冷却水管的流速大于设计值
(4)监视冷却系统的排气功能,防止冷却水管产生"气塞"现象	确保冷却系统中各个部位管路的冷却介质脱气功能正常,氮气压力稳定	掌握系统的加压氮气控制功能,检查各部位排气阀是否集气
(5)水质稳定管理	冷却水缓蚀剂量稳定,冷却系统管路腐蚀剂量稳定,冷却系统管路腐蚀率小于 0.125mm/年	坚持日分析、测定水质和缓蚀剂浓度定期挂片检测腐蚀率
(6)冷却系统安全运行管理	系统运行参数稳定率达到100%,安全运行率 100%	按规定做好系统中所有设备的正常运转

软水密闭循环冷却系统在冷却壁水管破损后,能否在短时间内准确判断漏点位置是一个生产难题。此时若要分段停水,将影响冷却壁的寿命。若不及时检查出来进行处理,又影响高炉正常生产。在这个问题上,首钢的做法是:软水密闭循环水箱支管烧坏时,首先根据系统补水量增加、补水周期缩短、膨胀罐水位下降、炉皮窜水窜汽、风眼挂渣等漏水征兆,确定漏水的方位,逐个瞬时关闭该区域支管进出口阀门,对泄压的支管点燃煤气火进行排查

判断。

2.3.3 汽化冷却

20世纪70~80年代,我国十几座大中小高炉都曾使用过汽化冷却技术,对高炉炉体及热风炉冷却设备进行冷却,积累了丰富的经验。80年代以后,一些大中型高炉相继采用了软水冷却,达到了延长炉体寿命的目标。但一些中小高炉,仍采用汽化冷却技术。

汽化冷却具有投资省、运行维护简单等优点,特别适合于一些缺水地区使用。

2.3.3.1 汽化冷却原理

汽化冷却的冷却介质是软水。软水沿汽包下端的下降管进入冷却元件,经过冷却元件逐步加热而产生蒸汽,吸收汽化潜热达到冷却的目的。该汽水混合物沿上升管进入汽包。汽水混合物在汽包内分离出饱和蒸汽及水。蒸汽可以放散或回收利用。水又作为冷却介质加以循环利用。整个系统是密闭循环的,它分为自然循环和强制循环两种。依靠介质在进入冷却器前后密度差形成的压头所造成的循环称为自然循环;依靠热水泵的机械力作用迫使介质进行的循环称为强制循环。其工作原理见图2-10。

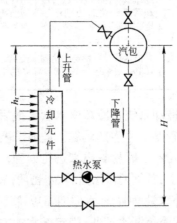

图2-10　汽化冷却原理图

由于上升管内软水中含有部分蒸汽,密度变小,小于下降管的热水密度,自然循环的压力差 Δp_z 由下式计算:

$$\Delta p_z = h_r (\gamma_0 - \gamma_h) g$$

式中 h_r——冷却元件下端至汽包中心线高度,m;

γ_0——该汽包压力下的热水密度,kg/m^3;

γ_h——汽水混合物密度,kg/m^3;

g ——重力加速度。

如果管路阻力较大,Δp_z 不足以克服下降管路、上升管路即整个系统中的阻力,就不能形成自然循环。这就需要借助热水泵的动力来克服系统阻力,迫使回路中的介质循环成为强迫循环。

2.3.3.2 系统设计与运行

高炉汽化冷却系统主要包括:软水制备及补水泵、汽包、下降管、热水循环泵、下部连管、冷却元件、上部连管、上升管、安全阀、水位计及补水控制系统等。

设计参数主要有:

(1) 热负荷。热负荷对汽化冷却的设计至关重要,特别是自然循环系统,要求尽量准确,以确保系统运行可靠。可以按水冷却时作主要依据,一般来说,汽化冷却热负荷为水冷却时的 80%。

(2) 循环流速。循环流速主要指在冷却元件中的循环水速。循环水速过小,在水平管内易产生汽水分层,在垂直管降低传热效率;水速过大,系统阻力增大。对于炉体系统:自然循环流速大于 0.2m/s,强迫循环流速大于 0.3 m/s。

(3) 循环倍率。循环倍率是循环回路中水流量与单位时间内所产生的蒸汽量的比值,即 1kg 水在循环回路中完全变成蒸汽的循环次数。它与循环压头、管路阻力以及汽包压力有关。

炉体冷却壁系统循环倍率一般设计为 40~50kg/kg。

(4) 汽包压力。通过实验表明,提高汽包压力有助于系统循环稳定。对于自然循环系统汽包压力维持在 0.3~0.5MPa。提高汽包压力可以自动调节系统因热负荷分布不均以及剧烈波动对系统稳定运行的影响;但压力过高,高炉冷却设备不能与之相适应,而且降低传热效果。另外,提高汽包压力,有利于蒸汽的综合利用。强迫循环时,汽包压力维持在 0.1~0.3MPa。

(5)补水。汽化冷却系统运行中补充汽化消耗水量和排污水量,需要向汽包补充水量。为了稳定汽化冷却运行,应设计专用补水泵自动并连续地补充水量。往汽包补给的软化水压,必须大于汽包最高的运行工作压力,并留有 0.1MPa 的剩余压力。

(6)排污量。水量的消耗,会引起循环水的含盐量逐渐增加,当达到过饱和时会有盐析出,影响系统正常运行,因此必须定时排污,一般每 8h 排一次,排污量占汽包水位量的 5%~10%。

(7)安全与检测。汽包的水位计和水位控制是系统安全运行的保证。温度和压力检测在系统各主要部位均应设置;汽包上应设置两个安全阀,超过规定压力应及时自动放散。

2.4 炉体喷涂技术及灌浆造衬技术

高炉寿命的提高,要求上下部炉衬寿命同步。炉缸寿命提高后,薄弱环节逐步向上转移,炉腹、炉腰和炉身下部寿命较低,过去采取中修办法处理,1992 年后喷补技术或灌浆造衬技术在国内很多厂被采用,保证了修炉快捷,投资回收快,有利于高炉长寿和顺稳水平的提高。

进行喷补或灌浆造衬的缘由主要有:

(1)耐火材料过早损坏;

(2)耐火材料局部损坏,影响高炉操作;

(3)冷却系统损坏,造成大量热量损失;

(4)延长炉衬寿命,以坚持到计划修补时候;

(5)采用定期喷补维修的办法,以延长高炉寿命并有利于降低燃料比。

例如:唐钢二铁厂 1 号(1260m³)高炉 1993 年 7 月以来在炉身下部实施了 4 次灌浆造衬。在灌浆造衬的同时加装了冷却器,两者有机地结合起来,使冷却器和新炉衬能互相保护。单孔造衬料压入量可达 1.0t,能在造衬孔周围 500mm 半径范围内紧贴炉皮形成 200mm 厚的致密纯造衬料层。新炉衬使用 7 个月后仍具有足够的强度。

高炉整个喷涂技术过程包括休风、清理炉墙、炉内喷涂、烘炉及送风恢复炉况。喷涂按部位分有炉喉部位的局部喷补、炉腰以上的喷涂和风口带以上的喷补。

休风:按要求料面降到预定的位置,除了风口带以上的喷涂,炉喉部位的局部喷补和炉腰以上的喷涂料面位置应该含有机器人的高度、压火料的厚度。

清理炉墙:休风后炉墙上仍有一部分黏结物,在进行喷涂前将基底清洁干净是必要的。清除方法有采用高压空气和水的混合流体进行喷射,也有用 1~3mm 的小颗粒石子来清理炉渣黏结物。

喷涂用耐火材料:所用的不定形耐火材料是骨料和结合料的混合物,具有至少 1500℃ 的熔堆比值。喷涂用耐火材料必须具备下列性能:(1)良好的强度,使其能与喷补面牢固地接为一体;(2)重烧线变化小;(3)较高耐火度和抗折强度;(4)较高的抗 CO 侵蚀性和抗磨性。

根据高炉不同部位侵蚀机理不同,选用不同的喷补材料。用于炉喉钢瓦下沿区域的材料具有良好的耐磨性和抗 CO 侵蚀性;用于炉身下部区域的材料具有较好的抗急冷急热能力和抗 CO 侵蚀性能。

目前国内市场上典型产品有美国铭德公司的喷涂料 AR,主要用于炉喉钢瓦下沿区域,此类材料具有良好的耐磨性和抗 CO 侵蚀性;喷涂料 BFA ,主要用于炉身下部区域,此种材料具有较好的抗急冷急热能力和抗 CO 侵蚀性能。

大连摩根耐火材料公司生产的喷涂料 BFS 主要用于炉身上部和中部,MS-3 喷涂料用于炉身下部和炉腹区域,最近还推出 10 种新型的 Hi-gun160 料。

北京冶金建筑材料研究院经过"八五"攻关推出一系列喷涂料,主要品种有 YPA、YPB。

各种喷涂料的化学成分见表 2-25。

表 2-25　喷涂料的化学成分(质量分数/%)

成　分	Al$_2$O$_3$	SiO$_2$	CaO	Fe$_2$O$_3$	TiO$_2$	MgO
BFS	48.2	41.4	6.2	1.0		
MS-3	62.2	28.2	3.5	0.95		
AR	56.5	36.6	4.2	0.8	1.4	0.3
BFA	55.0	39.4	2.9	0.8	1.5	0.3
YPA	62	20.2	3.5	0.95		
YPB	48.5	40.1	6.9	0.80		

复风:喷涂结束后,若能清理回弹料则应及时清理(如降到风口带可从风口将回弹料清到炉外),不能清理时应将整体回弹料破碎,如有的采取预先放木块,或预先放钢轨喷后再活动钢轨,使回弹料盖在送风时破碎。降到风口带的喷涂最好进行烘炉后送风。

不能清理回弹料的复风在回弹料下降到风口时,因其熔化,消耗风口带大量热量,易造成风口前涌渣,因此要防止烧出。

灌浆或压入造衬是高炉局部炉衬修补的方法,是将合适的耐火材料自炉外灌浆或压入到内衬损坏处,以修补炉衬。在炉体局部过热或跑煤气时,或冷却设备损坏严重时,采用这种方法有利于防止事故的扩大。使用灌浆或压入料,是以有机物与陶瓷为结合相的无水耐火材料,或是水与高铝或黏土质料的混合料,设备主要是压入机或泥浆泵。

2.5　炉缸的维护

一代高炉寿命主要取决于炉缸状况。随着高炉冶炼的强化、炉顶压力的提高和合理低硅铁的冶炼,维护炉缸的重要性和迫切性日益突出。因此,从高炉投产之日起,就应加强对炉缸的监测和维护。

2.5.1　强化冷却

炉缸的冷却主要是使铁水凝固的 1150℃ 等温面远离炉壳,防止炉缸炉底被渣铁烧穿。国内使用美国 NMA 和 NMD 砖及其他高导热炭砖,传热效果好,有利于炉缸和炉底的维护。

冷却壁水温差是冷却壁热流强度的反映。热流强度高则水温差升高(在水量不变的情况下),反之亦然。

缸冷却壁(包括铁口冷却壁)的热流强度大于某个规定值时,应通高压水冷却。

当用高压水冷却水温差仍超过规定时,应采取措施减小热流强度。

2.5.2　用热流强度监视炉缸状况

对炉缸炉底要进行监视,发现问题及时采取措施。根据经验,一般利用热流强度监视炉缸状况,并采取相应措施,例如首钢:

(1) 对于美联炭砖炉缸的高炉:

1) 热流强度$\geqslant 11.63$ kW/m^2,应加钒钛炉料护炉,保持铁中$[Ti] = 0.08\% \sim 0.10\%$;

2) 热流强度$\geqslant 13.86$ kW/m^2,应使铁中$[Ti] \geqslant 0.10\%$;

3) 热流强度$\geqslant 15.12$ kW/m^2,停风堵该温差高的水箱上方的风口;

4) 热流强度$\geqslant 17.45$ kW/m^2,停风凉炉。

(2) 对于国产炭砖炉缸的高炉:

1) 热流强度$\geqslant 9.30$ kW/m^2,铁中$[Ti] = 0.08\% \sim 0.10\%$护炉;

2) 热流强度$\geqslant 11.63$ kW/m^2,铁中$[Ti] \geqslant 0.10\%$补炉;

3) 热流强度$\geqslant 12.79$ kW/m^2,停风堵该温差高的水箱上方的风口;

4) 热流强度$\geqslant 15.12$ kW/m^2,停风凉炉。

(3) 一旦热流强度高于规定值后加入钒钛炉料护炉补炉的高炉,就坚持长期加入钒钛炉料,一般不轻易停加钒钛炉料。在炉缸热负荷较高,处于加含钛炉料护炉时,$[Ti]$应控制在比较高的水平上。如首钢使$[Ti]$在0.12%以上水平。

(4) 生铁一级品率保持在95%以上。及时调整碱度,避免连续出现$[S]$大于0.030%。使$[Si]$在控制范围上限,如首钢控制$[Si]$在大于0.4%的水平。

（5）当水温差跳跃上升时,严禁倒水源,以防短时间水量下降增加烧出危险。

（6）铁口两侧水箱热流强度或水温差升高,要加强铁口维护,保持足够的铁口深度和打泥量。如果铁口深度连续3次不合格,停风堵铁口上方风口,跑泥要做泥套,杜绝连续跑泥,连续亏渣、亏铁。

（7）某一个渣口附近炉缸水温差升高到规定值以上时,要控制此渣口放渣量或停止此渣口放渣,增加另一渣口的放渣量。

（8）当水温差呈上升势头时,需加强巡检和水温差的监测工作。当水温差上升势头较快时,工长在汇报的同时,要及时减风,降低顶压,尽快组织出铁,避免烧出事故。

（9）风渣口损坏,应及时更换,防止长时间向炉内漏水。

（10）凉炉过程中,继续测量水温差。首钢在凉炉后水温差继续上升情况下,对于使用国产炭砖炉缸的高炉,当热流强度大于16.28 kW/m² 时,辅助人员撤离现场,当热流强度大于17.45 kW/m² 时,全部人员撤离现场。当确认没有烧出危险时,再恢复测温。当凉炉后热流强度低于13.96 kW/m² 时,可恢复送风。送风后,改炼铸造铁。

（11）停风堵风口后的生产,要降低顶压,采取低冶强冶炼。热流强度正常后逐步恢复冶强。

2.5.3 炉底维护

在正常情况下,不通风冷却的炉底中心温度应低于700℃,通风冷却的应低于250℃（首钢为低于280℃）,自然通风炉底限值400℃,水冷炉底的温度低于100℃,应经常检查出水温度、水量和炉底温度,并做好记录。

当发现炉底侵蚀加剧,炉底、炉基温度过高时,应加强炉底及周围的冷却,改炼铸造铁,加钛矿护炉,降低炉顶压力,降低冶炼强度或改常压操作,降低产量。必要时要休风自然降低炉基、炉底温度。严重时要停风大修。有的厂没有炉底冷却,在炉底温度升高后,采用炉底钻孔安装冷却水管的措施,取得了好的效果,值得借鉴。

2.6 搞好高炉顺稳,保持合理的炉体热负荷

生产实践说明,长期稳定顺行的炉况,不但是高产低耗的先决条件,也是延长寿命的必要条件。各种失常炉况,在其发生、发展和治理过程中,不可避免地要带来炉体热负荷大幅度的变化,有些处理措施对炉体还有直接的破坏作用,这些都将影响高炉的长寿。

例如南京钢铁厂发现热负荷降低后采取发展边沿和集中酸洗办法。莱钢1号高炉1997年由于炉身中下部冷却强度与冶炼强度不相适应等原因,造成炉墙结瘤,采取了两次大剂量洗炉和两次炸瘤措施。包钢1983年前经常进行洗炉来处理结瘤,严重影响了高炉一代炉龄的寿命。

以上实例具体地说明了失常炉况对高炉长寿的影响。因此,从高炉长寿的要求考虑,必须搞好高炉顺稳。为了搞好高炉顺稳,要抓好精料工作,要调整好高炉基本制度,要合理地操作好高炉以及做好其他一些工作。这些在本书的其他地方已阐述。需要强调的是,为了搞好高炉顺稳,延长高炉寿命,要控制好合理的炉体热负荷。从长寿的角度考虑,炉体热负荷越低越有利于炉体维护,但从冶炼角度考虑,炉体某些部位热负荷过低后,又易发生炉墙结厚,使得高炉顺行出现问题。因此,应根据各高炉的具体条件,摸索出合理的炉体热负荷控制范围,以取得搞好高炉顺稳,延长寿命的效果。调整炉内煤气流分布是控制炉体热负荷最重要的手段,边缘煤气发展会使炉体热负荷高,反之则低。边缘过分发展不但造成炉体热负荷升高,影响高炉长寿,而且煤气利用变差,能量消耗高,同时也影响长期稳定顺行的局面。边缘煤气过重,又易造成炉体结厚、悬料等失常炉况。因此,根据具体的原燃料等条件,努力探求适当的中心煤气分布及相应合理的边缘煤气分布是一项非常重要的工作。

鞍钢在分析7号高炉炉身破损原因时认为,边缘煤气过于发展是原因之一。高炉槽下无筛分设备,使入炉的粉末达到10%～13%。同时炉顶为三钟式,布料手段单一,在操作和调剂上无法有

效抑制边缘煤气流。高炉的煤气利用率为44%,CO_2值为18%,煤气曲线形状为双峰型。而采用槽下过筛和无料钟炉顶布料的10号高炉煤气率可达49%,CO_2值为21%,煤气曲线形状为中心发展型。据测定,由于炉料入炉粉末和炉顶布料调剂手段的不同,炉身受到的热负荷增加30%。

邯钢在分析5号高炉冷却壁损坏的原因时也指出:高炉在原燃料或设备条件达不到要求时,大幅度提高冶炼强度势必影响炉身下部软熔的位置和煤气流的合理分布,影响保护性渣皮的"稳定"生成,从而影响该部位冷却壁的寿命。再者长期边缘煤气流发展,铁中[Si]偏差大,也影响渣皮形成,不利于保护冷却壁。

宝钢在分析3号高炉冷却壁损坏原因后,提出防止破损的对策中就有:第一,加强热负荷管理。根据目前3号高炉的现状,结合国内外大型高炉的实践,现将3号高炉的热负荷控制在目标范围内,当热负荷出现波动时,主要通过以下手段进行控制调节:(1)调节无料钟的挡位,首先用矿石挡位进行调节,当矿石挡位作用较弱时,再用焦炭挡位进行调节;(2)调节矿石批重,范围在120~135t/批之间;(3)鼓风动能的选择,根据不同煤比、不同冶炼强度进行相应的调节。通过采取上述措施,在炉况正常的情况下,能将3号高炉热负荷控制在目标值以内,有效地控制了冷却壁的烧损。第二,协调好顺行、煤气流分布和长寿的关系。高炉长寿的关键是炉况稳定顺行,因此无论是限产还是高煤比操作,高炉顺行应放在首位,特别是3号高炉通过1997年的攻关,已取得了操作技术上的突破,掌握了高炉的操作特点,取得了炉况长期稳定顺行的好实绩,目前煤比已突破200kg/t。但随着冶炼强度的提高,高炉操作要正确处理好增产、喷煤和长寿的关系,真正实现优质、低耗、高效、长寿的目标。保持炉况稳定是高炉长寿的必要条件,在炉况顺行的前提条件下,尽量降低边缘煤气流的发展对3号高炉的长寿具有重要意义。

首钢也把控制合理的炉体热负荷作为一项重要工作来抓,在抓精料的同时,根据首钢矮胖高炉的特点,通过上、下部调剂,取得了适宜的中心边缘煤气分布,控制炉体热负荷在一个合理的范围内,防止大幅度波动,促进了高炉长寿,取得了长期顺稳的生产局面(图 2-11 为首钢 4 号高炉炉体各部位的热流强度)。

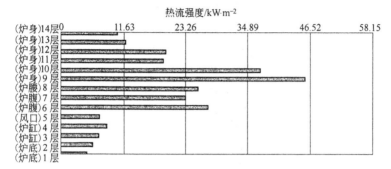

图 2-11　首钢 4 号高炉热流强度分布(2000 年 8 月)

2.7　长寿高炉实例

2.7.1　日本川崎公司千叶厂 6 号高炉

千叶厂 6 号高炉,内容积 4500m³,于 1977 年 6 月 17 日送风,于 1998 年 3 月 24 日停风,进行扩容大修。扩容后内容积为 5153m³,于 1998 年 5 月 26 日送风,开始第二代炉役生产,设计寿命为 30 年。

第一代炉役生产了 20 年零 9 个月,创造出两项世界纪录:总产铁量 6023 万 t(单位炉容产铁量 13384t/m³);累计操作天数 7586 天。

千叶厂 6 号高炉第一代炉役炉体结构见图 2-12。

2.7.2　上海宝钢 1 号高炉

宝钢 1 号高炉有效容积 4063m³,于 1985 年 9 月 15 日送风,于 1996 年 4 月 2 日停风,一代炉龄 10.5 年,累计产铁量 3229.7 万 t(单位炉容产铁量 7949t/m³),生产天数 3853 天。经大修后,于 1997 年 5 月 25 日投产,第二代设计炉龄 12~15 年。

宝钢 1 号高炉是我国第一座 4000m³ 级高炉,始建于 20 世纪 70 年代末,设计中吸收了国外大型高炉长寿的经验。炉体冷却采用铜冷却板,铜的纯度在 99.5% 以上。炉腹、炉腰及炉身下部冷

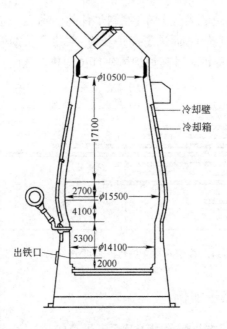

图 2-12　千叶厂 6 号高炉第一代炉役炉体结构

却板密集排列,上下间距缩短到 312mm,以提高冷却强度。炉缸采用喷水冷却方式,炉底采用纯水闭路循环冷却。

　　根据高炉各部位的工作条件和侵蚀机理选择和确定砖衬材质。炉底采用炭砖、黏土砖综合炉底,最下面一层为石墨碳化硅砖,上面铺满 5 层炭砖,周边砌一环炭砖,直到风口,中间立砌 2 层黏土砖。炭砖与炉壳间用导热性好的碳质捣打料捣实。

　　铁口、风口周围采用高铝质大块异型组合砖。炉腹、炉腰及炉身下部采用耐磨性好、抗热冲击和抗化学侵蚀能力强的刚玉砖和黏土砖综合砌筑。炉身上部采用黏土砖,但在钢砖下一定范围内,采用耐磨和耐温度变化的高铝砖。炉壳内壁喷涂一层不定形耐火材料,避免热气流与炉壳接触。宝钢 1 号高炉使用的耐火材料全部为日本进口材料。高炉设计寿命为 8 年。宝钢 1 号高炉炉体结构见图 2-13。

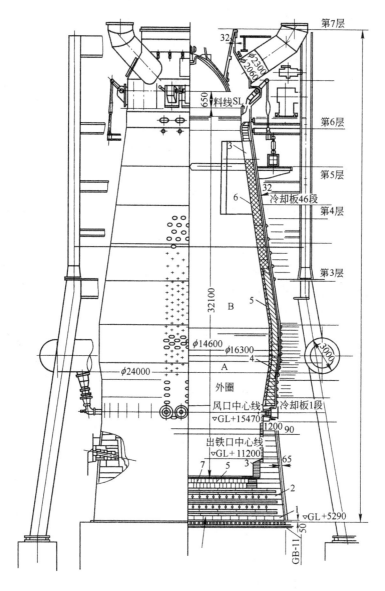

图 2-13 宝钢 1 号高炉炉体结构

85

炉体长寿经验是在生产中树立长寿目标,全面贯彻长寿方针。"长寿为了增产,增产不忘长寿",在高炉产量与寿命发生矛盾时,服从长寿的需要。具体措施是:

(1) 1号高炉共有2372块冷却板,高炉生产一段时间后,冷却板法兰出现漏煤气现象,及时进行法兰紧固工作,将冷却板漏气率降到0.5%以下。及时进行冷却板检漏和更换。

(2) 在高炉定期休风时,有计划地进行炉皮测温和炉身砖衬测厚,掌握炉衬侵蚀情况。对炉身中、下部的修补主要是压浆。采用17.4~19.0MPa的高压泵将黏稠的浆料压入炉内,使之靠近炉壳处形成一层100~200mm厚的耐火材料层,降低炉壳温度,满足高炉强化生产的要求。

炉喉钢砖下砖衬修补采用喷涂不定形耐火材料,进行热态喷补,修复内衬,每次喷补后可以维持6个月左右的寿命。为了方便操作,研制出遥控操作的喷涂设备。

(3) 加强炉缸维护,确保高炉寿命。具体方法是:

1) 在1号高炉炉底、炉缸侧壁的不同部位,共安装了70个热电偶,根据热电偶反映出温度变化,可以利用炉缸内衬侵蚀模型,推算炉缸内衬的温度分布曲线。用这一曲线来指导炉缸钒钛矿护炉作业。当炉缸侧壁温度升高时,装入 TiO_2 量相应增加(见表2-26)。

表2-26 炉缸侧壁温度管理基准

温度管理值	操作管理	作业管理	设备管理
(1)正常温度 (小于注意温度)	(1) 装入 TiO_2 量 5kg/t; (2)[S]<0.030%; (3) 适当控制边沿气流,防止产生边沿管道		(1)检查打水状况 及挡水板、水管有无堵塞; (2)炉缸铁皮定期除锈;

温度管理值	操作管理	作业管理	设备管理
(2)大于注意温度(150℃)	(1)考虑加 TiO₂ 量至 7kg/t; (2)[S]<0.025%	(1) 铁口深度大于 3.5m; (2)加强炉前作业,出尽渣铁; (3)检查炮泥质量,适当增加打泥量; (4)适当控制该铁口出铁量,使之小于 1000t/次; (5)局部增水,强化冷却	(3)定休日进行灌浆; (4)休风时调整停水时间; (5)强化冷却,温度高的部位增加打水量
(3)温度大于 178℃	(1) 装入 TiO₂ 量为 10~12kg/t; (2)[S]<0.030%; (3)定休日集中加入 TiO₂; (4)适当降低高炉产量	(1)~(5)同上; (6)温度高的方位考虑堵风口或缩小风口	
(4)温度变化值 8h 平均大于 5℃ 或瞬时大于 10℃	(1)~(4)同上; (5)指定人监视温度变化	同上	
(5)温度大于危险温度(205℃)	(1)~(5)同上; (6)休风	同上	

2) 加强铁口维护。对铁口维护的重要方面是确保铁口深度大于 3.3m;随着高炉产量的提高,增加打泥量。另外,若发生铁口冒煤气现象,采取铁口区灌浆措施,保证铁口区工作正常。

3) 对入炉原燃料中的碱金属,严格控制锌的含量,吨铁入炉碱金属少于 2kg,锌含量少于 0.15kg,以减少对砖衬的侵蚀、破坏。

2.7.3 首钢 4 号高炉

首钢 4 号高炉是在原地扩容大修改造的高炉。原炉容 1200m³,扩容至 2100m³。为缩短大修工期,采用炉体整体推移技术,推移质量 2400t,推移距离 39.5m,大修历时 60 天,于 1992 年

5月15日投产。已生产近10年，目前仍在正常运行。

根据首钢原燃料条件和多年生产经验，矮胖型高炉具有稳定性好、易于强化冶炼的特点。H_u/D 设计为2.242，相应炉腹角为 80°24′04″，较小的炉腹角将有利于在炉腹和炉腰部位形成稳定的渣皮，提高炉腹和炉腰冷却的寿命。死铁层加深到1600mm，以减轻铁水环流。设有28个风口，2个铁口，1个渣口（但并不使用）。

炉缸采用炭砖综合炉底水冷结构，3层满铺国产炭砖；上部砌4层高铝质耐火砖，在炉缸周边砌1层环形炭砖。其上部位是炉缸炉底侵蚀最严重的"象脚"侵蚀位置，采用了美国UCAR公司生产的NMA小块热压成形炭砖。NMA砖具有优异的导热性、抗渗透性和抗碱性，与国产普通大块炭砖相比，导热性是其2倍多，渗透性只有后者的5%，砖块尺寸小，能防止应力断裂，高导热性促使在热面形成保护性渣皮。

炉腹至炉腰、炉身下部位置是热流强度最大、侵蚀最严重的部位，所以在此处紧贴冷却壁的耐火材料使用了 Si_3N_4-SiC 砖，靠近炉内的部分选用高密度黏土砖。Si_3N_4-SiC 导热性好，约为23W/(m·K)，抗热震性、抗碱性和抗氧化性良好，这种砖与合理的冷却形式相结合，可形成较为稳定的保护性渣皮。

由于首钢工业水水质较硬，总硬度为320mg/L（按 $CaCO_3$ 计），易形成水垢，因此设计中，自炉腹以上的冷却壁（第5～15层），采用软水闭路循环系统，以提高冷却壁使用寿命。

炉腹以上冷却壁采用QT400-18球墨铸铁。在炉体热负荷较大区域冷却壁设计为双排管冷却，前排管4根均为单进单出，避免了因单根水管烧坏而引起整块冷却壁损坏的问题。前排管、后排管和勾头分别为独立的冷却系统。为了解决托砖问题，自炉腰以上（第8～14层），设计为中间带凸台结构，最上一层为"Ⅰ"形结构。

首钢高炉操作方针为"优质、高产、低耗、长寿"。长寿已作为一个重要课题提出，并贯穿在高炉冶炼的全过程中。具体措施是：

（1）保持合理的煤气流分布。控制煤气流在炉内的分布是保护炉衬的最重要方法。根据4号高炉矮胖型的特点，在当前首钢原燃料条件下,单通路的中心开放的煤气流,高炉稳定性差,边缘易出现过旺的煤气流,容易导致局部煤气温度过高,烧坏冷却壁;边缘发展的煤气流分布,燃料消耗高,边缘热负荷高,也不利于高炉长寿。为此,选择两条通路的煤气流分布,经长期生产实践证明,这种操作不仅能取得好的经济指标,而且有利于高炉长寿。

(2)长期稳定的钛护炉。4号高炉加钛渣护炉,在1996年6月之前,一直是根据炉缸热流强度变化时用时停,这种护炉方法不太好。在这以后,改用钛矿(钛球)护炉,在热制度方面强调铁保持足够的物理热化学热水平,树立了长期护炉思想,TiO_2负荷稳定在$5\sim7kg/t$,[Ti]$0.08\%\sim0.12\%$,以确保炉缸钛化物沉积保护层稳定,使炉缸水温差稳定,保证了炉缸的安全生产。近期,又把[Ti]的控制范围提高到不低于0.12%。图2-14为4高炉钛护炉的情况。

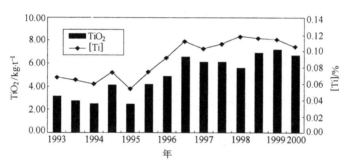

图2-14　首钢4号高炉护炉钛化物加入情况

(3)加强炉体冷却系统的管理。工业水冷却部分控制要点有:

1)从1993年10月起,将炉缸2、3层冷却壁内常压水改通高压水,以增加冷却强度;

2)设置5台电动过滤器,定期清理杂物;

3)进水温度夏季小于32℃,出水温度不大于45℃;

4)炉缸冷却壁每半年酸洗一次。

软水系统控制要点有：

1）正常生产情况下，软水出泵口温度不大于 45℃，夏季（50±2）℃；

2）水温差严格控制在 3～5℃之间；

3）正常生产情况下，软水后排管流速不小于 1.5m/s,前排管流速不小于 2m/s,凸台水管流速不小于 2.3m/s。

实测炉体各部位热流强度(图 2-11)。

（4）喷补技术的应用。4 号高炉炉喉高度只有 2m,相对较短,在高炉深尺作业时,炉喉钢砖下沿无冷却区,炉墙直接受炉料冲击和煤气流冲刷,损坏严重,导致高炉工作炉型不规则,煤气流分布不稳定,且难以控制。针对这种情况,采用了高炉热喷补技术。每次喷补之后,高炉的技术指标都有明显改善。从 1996 年开始,4 号高炉共进行了 6 次喷补。喷补厚度一般为:炉腰 200mm,炉身中下部 200～300mm,炉身上部至炉喉 300～400mm。一般每隔 9～12 个月喷补一次,有利于改善高炉技术指标及延长高炉寿命。

（5）监测技术。1996 年 5 月,借高炉休风检修之机,在第 9、11、12 层冷却壁高度安装了 12 个点,QHCZ-Ⅱ型超声波高炉炉墙厚度在线监测系统,可以对喷补炉衬的侵蚀情况进行定量实时监测。

（6）铁口区炉缸的维护。铁口区的炉缸维护目前在首钢是一个较难解决的问题。铁口区是热流强度最高部位,4 号高炉南北铁口都曾出现过 2 次铁口冷却壁烧坏的问题,威胁着高炉的安全生产。4 号高炉铁口通道的设计为异型高铝组合砖,线膨胀系数与其周围炭砖的不一样,在高炉出铁周期性冷热变化情况下产生缝隙,出铁过程中铁水从铁口通道顺砖缝钻铁烧坏铁口冷却壁。为此,每次检修都进行铁口区灌浆,加强日常维护。要想根治,还要从设计上,在结构和材质方面加以改进。

参 考 文 献

1 莫晓煜,孙金铎.鞍钢 7 号高炉炉身破损原因剖析.炼铁,2002;(6)

2 韩安建,刘竞晓.邯钢5号高炉冷却壁破损及维护实践.炼铁,2000;(5)

3 曹佳根,周俞生等.宝钢3号高炉冷却壁破损的原因及防止对策.炼铁,2000;(2)

4 金熙等.工业水处理问答及常用数据.北京:化学工业出版社,2000

5 高炉效益与长炉龄.2000年钢铁大会材料.保尔沃特(PW)冶金技术公司,Ian Carmichael

6 葵元发,何自力.马钢2500m³高炉冷却壁破损原因剖析.炼铁,1999;(3)

7 李宗奎.唐钢二铁厂2号高炉软水密闭循环冷却系统改进及管理.炼铁,1997;(2)

8 郭秀英.唐钢二铁厂1号高炉炉身下部灌浆造衬实践.炼铁,1995;(5)

9 秦勇.浅谈高炉合理操作炉型的维护.炼铁,1995;(4)

10 张卫华等.莱钢1高炉结瘤事故的处理.炼铁,1998;(1)

11 罗果萍等.包钢延长高炉寿命的实践.炼铁,1998;(6)

12 章天华,鲁世英.炼铁.北京:冶金工业出版社,1986

13 韩庆,丁汝才,赵民革,王景志.首钢4号高炉长寿技术与实践.炼铁,2001;(1)

14 杨佳龙,李怀远,李国清.武钢4号高炉采用的长寿技术.炼铁,2001;(1)

15 顾德章.高炉软水闭路循环冷却系统设计探讨.炼铁,1994;(3)

16 单泊华.首钢1号高炉陶瓷杯炉缸的应用分析.炼铁,2000;(1)

17 柳荫.现代高炉薄壁内衬技术.炼铁,2001;(3)

18 戴杰.高炉软水密闭循环冷却系统若干问题的探讨.炼铁,1996;(6)

19 刘海欣.武钢高炉炉体结构的演变.炼铁,1997;(2)

20 徐矩良.延长高炉炉缸和炉的寿命的途径.炼铁,1987;(2)

21 汤葆熙,周强,柳荫.武钢高炉长寿设计.炼铁,2001;(增刊)

22 冯富根.高炉软水冷却技术.设计通讯,1992;(4)

23 蔡祥麟,陶荣尧.宝钢1号高炉长寿经验.宝钢技术,1993;(6)

24 北京首钢设计院,张福明,刘兰菊.新型优质耐火材料在首钢高炉上的应用.炼铁,1993;(6)

25 太钢炼铁厂,赵新国.高炉用耐火材料.见:炼铁用耐火材料新进展论文集(中国金属学会主编),1994

3 渣铁系统及操作

3.1 出铁操作及设施

3.1.1 炉前工作要求及指标

炉前工作的主要任务是配合炉内操作,安全准时地出净渣铁,具体要求是:

(1) 正点率。按规定的时间打开铁口为正点出铁,如首钢在规定时间的 ±10min 范围内打开铁口,即为正点出铁。有的厂还把规定时间范围内出净渣铁也归到出铁正点中。正点出铁的次数与高炉出铁总次数之比叫正点率,即:

$$正点率 = \frac{正点出铁次数}{实际出铁次数} \times 100\%$$

若该指标不好,则易影响高炉顺行、安全生产及生产系统的生产组织和协调。

高炉有效容积与出铁时间长短的关系见表 3-1。

表 3-1 高炉有效容积与出铁时间长短的关系

高炉有效容积/m³	<600	800~1000	1800~2025	2500
正常出铁时间/min	30±5	35±5	45±5	55±5

(2) 合格率(铁口合格率)。每座高炉都要根据炉缸炉墙厚度确定合理的铁口深度,以保证高炉的正常生产。铁口深度合格的次数占总出铁次数的百分数叫铁口合格率,即:

$$铁口合格率 = \frac{铁口深度合格的次数}{总出铁次数} \times 100\%$$

合格的铁口深度是高炉正常生产的需要,有利于按时排净渣铁,给高炉顺行创造有利的条件。反之渣铁出不净,炉缸内容铁过多,直接影响高炉顺行。铁口长期不合格,铁口前泥包破坏严重,使铁口区域炉墙砖裸露,直接被渣铁侵蚀,在这种情况下,极易造成铁口自动流出或出现"跑大流"及卡焦、喷焦等事故,甚至烧坏铁口水箱和炉皮。因此,铁口合格率越高越好,说明铁口维护得好。

铁口深度与高炉有效容积的关系见表 3-2。

表 3-2　铁口深度与高炉有效容积的关系

高炉有效容积/m³	≤350	500～1000	1000～2000	2000～4000	>4000
铁口深度/m	0.7～1.5	1.5～2.0	2.0～2.5	2.5～3.2	3.0～3.5

(3) 铁量差。实际出铁量与理论出铁量的差为铁量差,即:

$$铁量差 = \frac{nT_批 - T_实}{nT_批} \times 100\%$$

式中　n——每次出铁间的下料批数,批;

　　　$T_批$——每批料的出铁量,t/批;

　　　$T_实$——本次铁实际铁量,t。

铁量差超过一定值后,即为亏铁。有的厂要求铁量差不大于 10%～15%,首钢定为超过 10% 即为亏铁。

亏铁的危害是影响炉内顺行,使高炉憋风,减少下料批数,上渣带铁,烧坏冷却设备,甚至造成冷却设备爆炸。此外使得炉门不好维护,易导致恶性事故。因此铁量差越小越好。

(4) 全风堵口率(高压堵口率)。全风堵口次数占实际出铁次数的百分比,即:

$$全风堵口率 = \frac{全风堵口次数}{实际出铁次数} \times 100\%$$

高压堵口有利于提高泥包泥质密度,有利于泥包的形成,增强出铁孔道强度及抗冲刷性能。只有保证铁口泥套及炮头的完整,堵口时炮头四周没有积渣积铁,防止铁口过浅和出铁失常,才能保证高压堵口。

以上是炉前的"四大指标",它们是衡量炉前技术操作水平和管理水平的指标。"四大指标"互相影响,互相制约,而维护好铁口则是提高"四大指标"的关键。

(5) 安全容铁量。炉缸安全容铁量是指铁口中心线至渣口中心线间炉缸容积的约60%所容的铁量。计算公式为：

$$安全容铁量 = \pi/4K_容 D^2 h_渣 \gamma_铁$$

式中　D——炉缸直径,m;

　　　$h_渣$——渣口中心线至铁口中心线的高度,m;

　　　$\gamma_铁$——铁水密度,等于$7.0t/m^3$;

　　　$K_容$——炉缸容铁系数,经验值为$0.5\sim0.7$,开炉初期取较
　　　　　小值,炉役后期取较大值。

随着精料水平的提高及高炉大型化,有的高炉已不设计有渣口,此时有的厂以风口以下某一位置为界,作为计算从铁口中心线到该位置的安全容铁量的容积。

炉内存铁不超过安全容铁量,对于高炉生产是非常重要的。及时出净渣铁有利于高炉正常生产,反之,要影响高炉顺行及安全生产。若超过安全容铁量则可能发生风口烧坏及渣口爆炸等恶性事故,并可能造成炉内失常。

3.1.2　铁口结构与设备

3.1.2.1　铁口结构

铁口是高炉铁水流出的孔道,由铁口框、保护板、泥套和铁口砖通道组成,见图3-1。

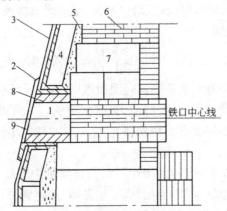

图 3-1　开炉生产前的铁口
1—铁口通道;2—铁口框架;3—炉壳;4—冷却壁;5—填料;
6—炉墙砖;7—炉缸环砌炭砖;8—砖套;9—保护板

94

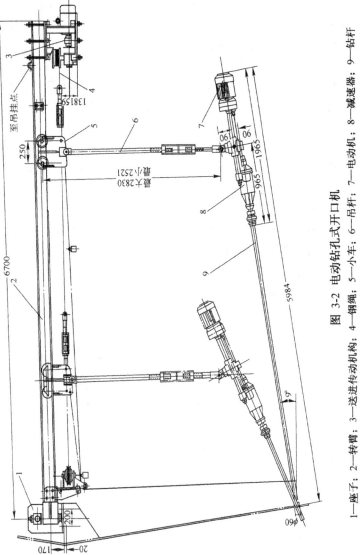

图 3-2 电动钻孔式开口机

1—座子；2—转臂；3—送进传动机构；4—钢绳；5—小车；6—吊杆；7—电动机；8—减速器；9—钻杆

95

3.1.2.2 开口机

开口机是高炉打开铁口的专用设备。目前,国内外采用的开口机主要形式有以下 5 种。

A 悬挂式电动开口机

我国目前尚有为数不少的高炉(特别是中小型高炉)仍使用简易的电动开口机(见图 3-2)。这种开口机是采用电动机构送进的钻孔机钻到铁口的赤热层,然后人工用长钢钎捅开铁口。电动开口机的钻孔悬挂在简易钢梁上,一般靠人工对位,钻机的进退靠电动卷扬机通过钢绳牵引,钻出的铁口孔道是一条弓形的倾斜孔道。电动开口机悬挂电缆容易被烧坏,整体结构的强度和刚度均较差,不能适应无水高强度炮泥。

B 全气动开口机

全气动开口机以压缩空气作为动力源,由钻机结构、导向轨梁和送进机构、提升机构、安全钩装置、旋转机构等 5 部分组成。我国宝钢 1 号高炉,从日本引进了这种悬挂式全气动开口机,见图 3-3。这种开口机的主要技术性能见表 3-3。

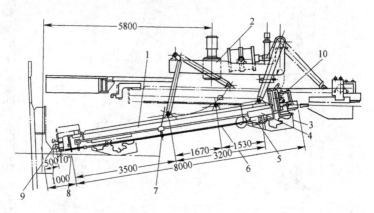

图 3-3 宝钢用全气动开口机

1—导轨;2—升降装置;3—旋转正打击机;4—滑台;5—反打击机;

6—钎杆;7—钎杆吊挂装置;8—对中装置;9—挂钩;10—送进机构

表 3-3　宝钢全气动开口机的技术性能

钻杆行程/mm	5500	逆冲打频率/Hz	27.5
开口深度/mm	4000	转臂旋转角度/(°)	145~155
钻头直径/mm	40~58	转臂旋转时间/s	35~55
钢钎直径/mm	40~60	轨梁提升时间/s	10~15
钻杆转速/r·min⁻¹	1500(最高)	压缩空气工作压力/	0.5~0.7
正冲打频率/Hz	25.8	MPa	

C　气-液复合传动式开口机

气-液复合传动的开口机以德国 DDS 公司的开口机为代表，目前用于鞍钢 11 号高炉，上钢一厂引进的英国 DAVY 公司的开口机、邯钢 2000 m³ 高炉所用的开口机也属于这种。国产的气-液复合传动的开口机应用在武钢、唐钢等。鞍钢 11 号高炉于 1990 年大修改造时，安装了 DDS 公司的 30HHI-KR 型开口机，开口机和泥炮布置在铁口的同一侧，开口机是落地式的，因此，为了不影响下方泥炮的转动，开口机设有固定臂和固定立柱，开口机的转臂绕固定臂端部的旋转轴旋转。这种开口机主要由钻冲机构、送进机构、倾动机构和旋转机构组成。其中钻冲机构和送进机构为气动，倾动机构和旋转机构为液压传动，开口机的主要性能见表 3-4、表 3-5，DDS 型开口机见图 3-4，DAVY 型开口机见图 3-5。

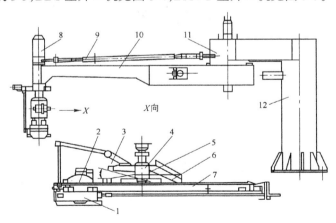

图 3-4　30HHI-KR 型开口机

1—转冲机构;2—送进机构;3—调整杆;4—保持架;5—倾动油缸;6—连接支座;7—导向
轨梁;8—高度调整装置;9—可调节的连杆;10—回转臂;11—固定臂;12—固定立柱

表 3-4　30HHI-KR 型气-液复合传动式开口机的主要技术性能

开口深度/mm	3500	开口角度/(°)	5～15
钻杆直径/mm	38	送进减速机速比	10.3
钻头直径/mm	70	倾动时间/s	2
冲打次数/次·min^{-1}	1780	旋转角度/(°)	160
钻冲机构走行速度/m·s^{-1}	1.2(最大)	旋转时间/s	15

表 3-5　DAVY 公司开口机的技术性能

最大钻杆行程/mm	3500	钻进速度/m·min^{-1}	24
钻孔的直径范围/mm	48～75	旋转角度/(°)	180
开口角度/(°)	8,12,15	旋转马达速度/r·min^{-1}	3

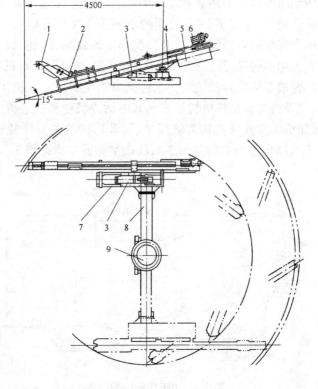

图 3-5　DAVY 型开口机

1—锚钩;2—导向轨梁;3—倾动气缸;4—三角架;5—转冲机构;
6—送进机构;7—支撑架;8—转臂;9—旋转机构

D 全电动开口机

用于武钢 3200 m³ 高炉的全电动开口机是从原苏联引进的。它和泥炮分别布置在铁口两侧,并设置在风口平台的下面。这种开口机主要由钻削机构、送进机构和旋转机构组成,没有冲打机构,其主要技术特性见表 3-6。

表 3-6　武钢用全电动开口机的技术性能

钻机工作行程/mm	3100	钻头返回速度/m·min⁻¹	300
钻孔直径/mm	60	旋转角度/(°)	120
开口倾角/(°)	6,9,12,16	旋转时间/s	9
	21800	钻削电机功率/kW	7.5(后改为
钻头最大送进力/N	388		10)
钻头转速/r·min⁻¹	771	送进电机功率/kW	7.5×2
钻头旋转力矩/N·m	2.4~3.8	旋转电机功率/kW	15
钻头进给速度/m·min⁻¹			

E 全液压开口机

首钢 1、2、3、4 号高炉全部采用了自行设计制造的 SGK 型全液压开口机。这种开口机在本钢 5 号高炉(2000m³)、太钢 4 号高炉(1650m³)、邯钢 4 号高炉(917m³)、唐钢 2560m³ 高炉上也得到推广应用。

SGK 型全液压开口机是新一代多功能开口机,其结构紧凑,体积小,工作可靠,可在 300~3000 m³ 范围的高炉上配套使用。其主要技术特性见表 3-7。

表 3-7　SGK 型全液压开口机主要规格及性能指标

规　格	适用高炉/m³	冲击功率/J	旋转扭矩/N·m	钻孔深度/mm	冲击油压/MPa	回转油压/MPa
SGK-Ⅰ	2000~3000	300	200	3800	16~19	16
SGK-Ⅱ	2000~3000	300	200	3000	16~19	16
SGK-Ⅲ	1000~2000	200	200	2800	14~16	16
SGK-Ⅳ	1000 以下	200	200	2500	14~16	16

SGK-Ⅳ型全液压开口机实现矮式刚性结构,可放置于风口平台之下,其特点是能力强、功率大、效率高,打开铁口时用时一般不超过 2min。全部操作通过三个手柄完成,操作安全、可靠,简单易

99

掌握。该设备采用航空工业先进技术,用钢铰输油管路系统取代传统的软管输油管路系统,确保高炉安全生产。

SGK型全液压开口机分为开口机设备本体和开口机液压驱动装置两大部分。设备本体由斜基础、回转机构、钻进机构三大部分及回转油缸、液压马达、液压凿岩机、三四路铰、钎杆、钻头等组成(参见图3-6)。

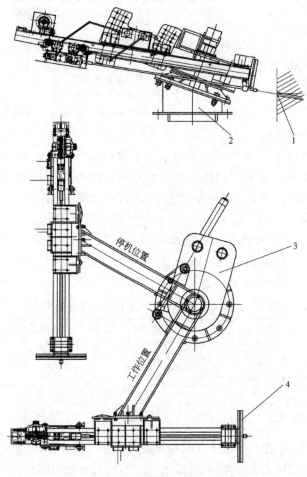

图 3-6 SGK 型液压开口机设备总图
1—铁口基准点;2—斜底座;3—回转机构;4—钻进机构

液压驱动装置由驱动泵组、油箱、阀台、操作控制台等组成。

SGK型全液压开口机的工作原理如下:开口机通过液压操纵控制系统实行远距离人工操纵。开口机工作时,开口机回转机构的回转油缸驱动大臂回转,使开口机钻进机构从停放位置回转到工作位置,钎杆准确对准高炉出铁口,然后由液压马达通过链传动机构驱动钻进小车走行,推动液压凿岩机及钎杆按调定的轨迹冲击式钻通铁口。铁口钻通后,钻进机构的钻进小车迅速退回,钎杆迅速退出铁口,回转机构迅速回转,使钻进机构迅速退离铁沟,回到停放位置。

3.1.2.3 泥炮

高炉出铁后,必须用耐火材料(炮泥)将铁口迅速堵住,堵铁口的专用设备称为泥炮。泥炮在高炉不停风的全风压条件下把泥炮压进铁口,其压力应大于炉缸内压力。

按照驱动方式的不同,泥炮分为气动式、电动式和液压式。气动泥炮由于活塞推力小以及打泥压力不稳而被淘汰。目前我国高炉上普遍采用的是液压泥炮和电动泥炮,电动泥炮主要在中小高炉上使用,而液压泥炮在大型高炉和一些装备水平较高的中小型高炉得到越来越广泛的应用。

A 电动泥炮

电动泥炮主要由打泥机构、压紧机构、回转机构和锁紧机构组成,国产电动泥炮的主要技术性能见表3-8。

随着冶炼强度和炉顶压力的提高、无水泥炮的推广,电动泥炮在生产实践中暴露出了不少缺点,主要是打泥能力不足,不能满足铁口作业要求,因此只能用于中、小型常压高炉。

B 液压泥炮

从20世纪60年代开始,国外逐渐普遍采用矮式液压泥炮。所谓矮式液压泥炮是指泥炮在堵口位置时,均处于风口平台以下,不影响风口平台的完整性。液压泥炮具有如下优点:

(1) 推力大,打泥致密,能适应高炉高压操作;

(2) 压紧机构具有稳定的压紧力,使炮嘴与泥套始终压得很紧,不易漏泥;

(3) 高度矮,结构紧凑,便于炉前操作;

(4) 液压装置不装在泥炮本体上,简化了泥炮的结构;

(5) 节省电力,耗电量约为同类型电动泥炮的 1/3 左右。

表 3-8　国产电动泥炮的技术特性

工作参数	50t	100t	160t	212t
泥缸有效容积/m³	0.3	0.3	0.5	0.4
泥缸内径/mm	550	550	650	580
活塞推力/kN	504	1080	1600~1650	2120
活塞对泥炮的压力/MPa	2.12	4.58	5.0	8.0
活塞行程/mm	1250	1220	1505	1510
活塞前进时间/s	37.5	52	78	113
炮嘴吐泥速度/m·s⁻¹	0.45	0.323	0.36	0.2
打泥机构电机功率/kW	20	32	50	40
压炮的压紧力/kN	84000	84000	120000	24800
压炮所需时间/s	11.5	11.5	9	13.3
炮身倾斜角/(°)	17	17	17	
压紧机构电机功率/kW	20	20	25	26.5
回转180°所需时间/s	10.5	10.5	14	11.3
回转机构电机功率/kW	6	6	6	6.2
锁紧机构电磁铁吸力/kN	700	700	980	
总质量/t	13.5	119.5	204.53	
适用高炉	<1000 m³ 常压高炉	≈1000 m³ 常压高炉	1300~ 1500m³ 高压高炉	1500~ 2000m³ 高压高炉

国内普遍采用的是北京科技大学研制出的 BG 型矮式液压泥炮,其技术特性见表 3-9。首钢也研制出了矮式液压泥炮,图 3-7 是由首钢开发研制的 SGXP-400 型矮式液压泥炮。

表 3-9　BG 型矮式液压泥炮的技术特性

	工作参数	BG500	BG400	BG300	BG160	BG75	BG30
打泥装置	泥缸有效容积/m³	0.27	0.28	0.28	0.21	0.13	0.05
	活塞工作推力/kN	4978	3970	3000	1650	750	380
	活塞上炉泥单位压力/MPa	19.6	15	11.89	8.6	6.25	5.3
	泥缸直径/mm	570	580	580	500	400	300
	炮嘴内径/mm	150	150	150	145	130	90
	吐泥速度/m·s⁻¹	0.2	0.21	0.21	0.21	0.175	0.21
	活塞有效行程/mm	1050	1050	1050	1050	1040	705
	油缸直径/mm	450	450	400	320	250	200
	工作油压/MPa	32	25	25	21	16	12

	工作参数	BG500	BG400	BG300	BG160	BG75	BG30
压炮装置	压炮力/kN	280	180	170	160	100	25
	压炮角度/(°)	15	16	16	15	13	13
	油缸直径/mm	180	80	80	70	63	
	工作油压/MPa	25	18	17	21	16	
旋转装置	工作转角/(°)	160	160	160	160	160	120
	旋转时间/s	12~15	12~15	12~15	12~15	10~15	12
	油缸直径/mm	200	180	180	160	125	140
	工作油压/MPa	25	25	25	21	16	12
液压装置	油泵	型号	250SC Y14-1	160SC Y14-1	160SC Y14-1	160SC Y14-1	67SC Y14-1	CBY 3050
		额定压力/MPa	32	32	32	32	32	20
		额定流量/L·min⁻¹	250	160	160	120	63	72
	电机	型号	Y280 M-6	Y280 M-6	Y280 M-6	Y225 M-6	Y160 L-4	Y132 M-4
		功率/kW	55	55	55	30	15	7.5
		转速/r·min⁻¹	980	980	980	980	1460	1440
适用高炉/m³			2500~ 3500	2500~ 3500	1000~ 2500	550~ 750	255~ 550	100

SGXP 系列液压泥炮是北京首钢设计院为 $150\sim2500$ m³ 高炉配套而研制的新一代液压泥炮。

自 1990 年以来,SGXP 系列泥炮已在 $150\sim2500$ m³ 的多座高炉上投入使用,取得了令人满意的使用效果,得到了用户的好评,其中 SGXP-400 泥炮已通过了原冶金部部级鉴定。

该设备的主要特点是:

(1) 泥炮具有较大的打泥推力,可以迅速地把致密的炮泥推入铁口,特别是在炉内高压,使用机械强度较高,也更黏硬的无水泥炮的情况下。

(2) 泥炮结构简单,体积紧凑、矮小,能适应炉前拥挤的现场环境,停放时,可躲在风口平台以下。

(3) 在炉前粉尘大、铁水喷溅大、温度高的不良环境中,泥炮具有很高的可靠性,极低的故障率,维护工作量小,大大提高了炉前的生产率。

（4）操作简单,容易,既可以手动,也可以遥控操作,只需要搬动两个手柄,即可完成全部堵口作业。

（5）采用航空工业的先进技术,实现了设备全部国产化。

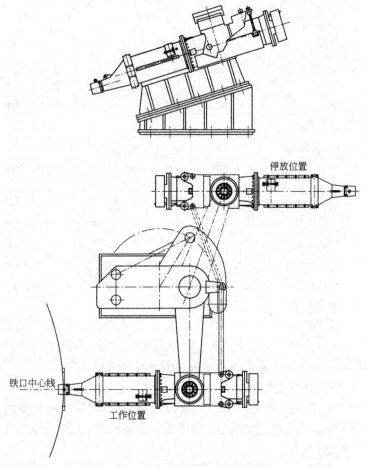

图 3-7 SGXP 型全液压泥炮总图

SGXP 矮式液压泥炮主要技术参数见表 3-10。

表 3-10　SGXP 矮式液压泥炮的技术特性

项　　目	SGXP-56	SGXP-80	SGXP-100	SGXP-180	SGXP-240	SGXP-300	SGXP-400
适应高炉容积 /m³	150~300	350~550	600~750	800~950	1000~1400	1500~2000	2100~3200
打泥推力 /kN	560	800	1000	1800	2400	3000	4000
活塞泥压 /MPa	4	5.8	6.3	11	13	16	16.9
泥缸有效容积 /m³	0.1	0.13	0.145	0.23	0.23	0.25	0.26
打泥时间 /s	45	40	40	45	57	57	57
回转时间 /s	12	12	12	15	19	19	20
压炮力 /kN	70	77	84	180	220	280	360
液压工作压力 /MPa	12	16	20	20	27	25	32
质量 /kg	8230	9000	11000	25000	27000	30000	32000

3.1.3　出铁操作

3.1.3.1　出铁前准备工作

在出铁工作之前先要对出铁前的准备工作进行检查,工作重点为:

(1) 渣(水冲渣开冲渣泵)铁锅罐对正对好;

(2) 撇渣器是否畅通,沙岗是否挡实烤干;

(3) 铁口泥套是否完整,泥炮是否装好;

(4) 开口机、泥炮、主沟沟盖机、摆动溜槽试运转正常;

(5) 大沟、铁沟、渣沟及各沟嘴是否完好;

(6) 工具及其他备品备件准备齐全。

上述各项工作检查准备无误后方能动手出铁。否则将导致严重的生产事故。

例1:1992 年 6 月 22 日首钢 4 号高炉 0:00 左右,炉门工没有在出铁前试液压炮,而在铁出来后才试炮,在转炮中液压炮失灵,溜至大沟中,炮头、炮脖子被烧坏,不能使用。停风后铁水流到铁道上。其原因是:出铁前泥炮工未对其设备全面检查,而在铁出来

105

后试炮时,又发生操作失误,在没有将回油阀门打开的情况下操作,操作中又没能及时发现,油压上升到 29.4MPa,将油管胶圈憋坏,导致液压炮失灵。

例2:1992 年 2 月 18 日首钢 2 号高炉出铁时边砸撇渣器渣盖,边开铁口,铁出来后撇渣器不过铁,被迫堵口,炉内改常压,经过三次堵口才堵上。铁水流到下渣锅,导致下渣锅烧漏,铁水流到地上。

3.1.3.2 出铁操作

出铁操作步骤如下:

(1) 出铁应按规定的时间进行,特殊时应由炉长、工长决定,并应和有关部门联系,做好出铁准备。

(2) 开口机钻铁口时,如有潮泥必须烤干,防止"放火箭"。当铁口见铁花后,拉回开口机,用圆铁将铁口捅开,防止铁口钻开后烧坏开口机或冒大烟。

(3) 当铁口难以打开时,应及时用氧气按铁口角度烧开。

(4) 出铁过程中,发现铁水流速过快时,应加高加固沙岗和主沟两侧,并及时与工长联系,炉内采取必要措施,防止渣铁外溢。

(5) 出铁见渣后,负责撇渣器的人员要及时落低沙岗,其降低的幅度要保证渣中不带铁,主沟渣铁不外溢。

(6) 渣铁罐不能放满,例如首钢规定:渣铁液面不能高于可容液面以下 300mm。

(7) 当铁口两侧的积渣妨碍堵口时,堵口前应将积渣撬开,以保证堵口不跑泥,利于铁口形成完好的泥包。

(8) 渣铁出净喷花后,应及时堵口。泥炮工的堵口操作要准确,根据铁口状况和出铁情况,控制好打泥量。

3.1.4 铁口维护及炮泥

3.1.4.1 炉前炮泥的成分及要求

炉前炮泥的成分及要求为:

(1) 炮泥的成分主要是:焦粉、沥青、黏土、绢云母、碳化硅、刚玉等。

各种成分的作用是：

黏土：黏土具有较好的可塑性和黏结性，有较高的耐火度，干燥后具有一定的强度和耐磨性。但是其干燥后收缩大并致密，易产生裂纹，炮泥中的水分不易迅速蒸发。因此炮泥中黏土的配比应适当。

焦粉：焦粉具有较高的抗渣性和耐火度，透气性良好。焦粉能促进炮泥迅速干燥，但其可塑性差。

沥青：高炉炮泥使用的沥青是高温沥青，在炮泥中起黏结作用，也可增加炮泥的可塑性。

刚玉和碳化硅：刚玉和碳化硅是两种高级耐火材料，具有软化温度高(1870℃)、质密实、高温强度好、耐磨性高、抗渣性能强等优点。

绢云母：绢云母具有中、低温强度好，干燥迅速，烧结性能好等特点，有利于提高铁口孔道的强度，稳定铁水流速。

(2)炮泥的性能对于铁口的维护有着非常重要的作用，为维护好铁口，根据铁口的工作条件，炮泥应具备有良好的性能。在首钢的条件下，对炮泥的性能要求是：1)耐火度高，大于1650℃；2)干燥后具有一定的强度和耐磨性，常温下结合强度大于0.6MPa；耐压强度大于10MPa；马夏值为0.4~0.6MPa；3)抗渣性能好；4)在常温下具有一定的可塑性，可塑指数为9~13；5)具有迅速的干燥能力，体积密度应大于1.2g/cm³，气孔率大于25%；6)受热干燥收缩性小，以保证铁口孔道不能形成大的裂纹；7)具有耐急热急冷性；8)出铁速度能保证高炉生产的需要。

(3) 高炉炮泥一般分为有水炮泥(水泥)和无水炮泥(油泥)，有水炮泥是以水为胶结剂，无水炮泥是以油或树脂为胶结剂。

水泥的主要成分为：焦粉、沥青、黏土、绢云母、刚玉、碳化硅、水。

水泥的强度比较低，这是由于水泥中的水分遇热蒸发，使得干燥的泥中有许多空隙和裂缝，因此，水泥主要适用于常压高炉或顶压不太高的高炉，它具有开口方便、好保护、易制作等特点，但抗冲刷性能不好。

无水炮泥(油泥)的主要成分为:焦粉、沥青、黏土、刚玉、绢云母、碳化硅、蒽油(为了加快炮泥的干燥有的加树脂代替蒽油)。

油泥适用于大中型高炉或顶压较高的高炉,这是由于蒽油或树脂中有机挥发物在受热挥发后,剩下的炭形成网状结构,因而它耐火度高,结合强度大,抗冲刷、抗渣铁性能好,干燥迅速并且收缩性小,不断裂,但开口比较困难,对开口机能力要求比较严格。

3.1.4.2 铁口操作

铁口操作要求如下:

(1)出铁时,开口机对准铁口中心线,按规定角度钻铁口,根据上次铁口深度和火焰情况,判断铁口是否有潮泥(一般炉门很深,铁口火焰较正常大,堵口时间短时有潮泥),若判断有潮泥,钻铁口应谨慎,遇有潮泥要边烤边钻防止钻出。

(2)为防止钻歪及防止碰坏泥套,开口时一定要对准铁口中心线,确认好后再钻铁口。如钻歪会破坏铁口孔道,造成铁口堵不上;烧坏铁口铁框及炉皮;甚至烧坏铁口水箱。

(3)铁口一旦钻漏,不得停钻停风,直到钻出。如无法钻出,要及时采取措施。首钢的一般做法是进行二次出铁:退出开口机堵上铁口,重新钻铁口。为防止发生事故,堵口前要注意以下几点工作:1)通知炉内做好减压配合准备,同时将撇渣器渣盖砸开,加高沙岗,开口机具备出铁条件;2)将铁口前积渣积铁撬开清净,争取堵口不跑泥;3)烤热炮头后堵口,打泥 20~30kg,打泥压力不大于 2MPa,保持 3~5min 拔炮;4)堵口时,必须监视铁口上方的风口有无烧出的危险,一旦有烧出征兆时应立即拔炮;5)二次出铁拔炮时很有可能跟出,要提前做好准备,检查铁口正面不能有人,主沟盖放好位置,防止喷大花伤人,冒大烟。

(4)随时检查砖套泥套是否合格完整,发现缺陷及时重新制作新泥套。

(5)铁口钻不动,及时用氧气烧铁口。

(6)铁口前1m内有积渣积铁及时清理,堵口前将铁口两侧积渣积铁撬净。

（7）检查清理炉门吸风口挂渣。

（8）打开铁口后立即盖好主沟盖，保证烟尘不外溢。

3.1.4.3 铁口深度变化及铁口维护的措施

铁口深度的确定是根据炉墙厚度而定的。首钢的经验是，正常的铁口深度应比铁口区域炉墙厚度大 1/3～1/4，要使泥包超出炉墙，这样才能经常地保护铁口区域炉墙不受侵蚀破坏。

高炉每天从铁口排出大量的铁水和炉渣，在这个过程中，铁口受到炉内炽热液态渣铁冲刷，高温煤气燃烧等影响，直接造成铁口泥包和铁口孔道的损坏。经堵口打入新泥，损坏的泥包、孔道得到补充。

炉前操作中对铁口维护是一件非常重要的工作，铁口过浅轻者出铁卡焦炭，"跑大流"，迫使高炉改常压放风，破坏炉内顺行；重则发生封不上铁口，造成渣铁水落地，烧坏铁道，铸渣铁锅等恶性事故。铁口长期过浅，或铁口孔道不正，可导致烧坏铁口水箱，发生铁口爆炸等重大恶性事故。

为了保持正常的铁口深度，除了有质量好的炮泥、性能良好的设备等条件外，一般情况下，在操作上，要做好以下几方面的工作：

（1）保持适当的堵口泥量。一般情况下，打泥量和出铁量、两次铁间隔长短、冶炼强度、炉门深度有关。应根据各厂实际经验，总结这一规律，统一各班操作。此外，要在整个出铁中，密切注意铁口情况，及时判断，确定好适当的打泥量。维护好铁口，首钢的经验是：

1）炉门较深，开口时铁口潮泥较多，出铁时间长，铁水流速小于 4t/min，堵口时打泥压力 13～15MPa 时应适当减少打泥量；

2）炉门深度达不到规定深度时，铁口好开，并没有潮泥，铁水流速大于 6t/min 时，应适量增加泥量；

3）渣铁未出净，炉门突然喷花，应适当增加泥量；

4）堵口时泥炮未压严，发生跑泥时要根据跑泥量增加泥量；

5）打泥压力降低，小于 7MPa 时，不但要分次打泥，同时也要适当增加泥量。

（2）严禁潮铁口出铁。残存在炮泥中的水分或有机挥发物，遇到灼烧的铁水,受热后急剧蒸发,产生巨大的压力,使未干的炮泥随铁水一起从铁口喷出,对铁口孔道和泥包破坏很大,直接影响铁口的维护,此外,还不利于安全生产和环境保护。因此,钻铁口时发现铁口有潮泥,要彻底烤干后出铁。

(3) 防止堵口时跑泥。首先要随时检查铁口的泥套是否符合标准要求,发现问题及时处理。如首钢高炉铁口泥套的标准为:泥套完整无损,深度为 50～100mm,铁口前 1.0m 内无积铁。其次,在开口时要防止钻坏泥套,堵前要清理开阻碍泥炮堵口的积渣、积铁等。堵口时按规定正确操作,防止跑泥。

(4) 出铁保全风堵口。炉前各岗位要做好工作,防止因出铁中的事故被迫造成炉内减压。特别是要防止出现铁口过浅现象。往往在这种情况下,为安全出铁炉内要减压适应。

(5) 维持适宜的铁口孔道角度。随着高炉使用寿命的延长,高炉炉底的侵蚀逐渐加重,炉内铁水层降低,下渣量增加,铁口不易维护。所以铁口的角度要随之增加,以适应出净渣铁的需要。一代高炉炉役铁口孔道角度如表 3-11 所示。

表3-11　一代高炉炉役铁口孔道角度

时　间	开炉	一年以内	中期	后期	停炉
铁口孔道角度/(°)	0～2	5～7	10～12	12～15	18

以上表中数据仅供参考。目前许多高炉铁口孔道角度,在设计时就有一定角度(如 10°～12°),若开炉就用 0°开铁口,则要破坏炉衬。此外,有的厂采用的开口机结构和吊挂式开口机相比,角度调整的范围也小。因而,各厂应按以上原则,结合高炉实际情况,在高炉一代炉役中调好铁口角度。

3.1.5　铁口失常及事故处理

铁口事故多种多样,要根据实际情况采取最佳的事故处理方法,铁口的失常主要有:

(1) 自动流出。没开铁口而铁水自动流出的现象属于自动流出。这种失常多发生在渣铁连续排不净、铁口维护不好、打泥量不够、打泥压力低、铁口连续过浅时发生,在出铁准备工作尚未做好的情况下,发生这种事故的危害很大。

为防止铁口自动流出,应根据铁口的实际情况,加强铁口的维护,出净每一次铁。铁口失常期间,要及时做好铁前准备工作。如果在没有做好准备工作时发生铁口自动流出,则应及时堵口,待完成准备工作后再出铁。

(2) 铁口连续过浅。铁口连续过浅是铁口维护中的严重失常,铁口连续过浅,铁口前的泥包已经遭到很大的破坏,使铁口区域的炉墙砌砖裸露,直接被铁水侵蚀,铁口连续过浅极易引起发生铁口区域水箱损坏事故及出铁时严重"跑大流"、喷焦卡焦等事故,发展下去,还可能导致炉缸损坏。

铁口连续过浅往往是在出渣出铁工作紊乱、长期不能及时出净渣铁的情况下发生。一般情况下造成铁口连续过浅的主要原因是:炉前操作失误(如堵口连续跑泥、跑渣、跑铁等),生产协调组织不好(如连续不能按时对好铁锅等),设备不正常,炮泥质量变差等。铁口过浅,出铁时,因铁流大,对铁口破坏加剧,堵口时炮泥又易漂浮,使泥包得不到很好的修补。此时再有如上所述的原因出现,而逐渐造成铁口连续过浅。有时也会因铁口上方冷却设备漏水,造成铁口连续过浅。

为防止铁口连续过浅,要防止操作失误,维护好设备,维持正常的生产秩序,保持炮泥性能质量稳定。平时要加强铁口的维护,出好每一次铁。当遇有潮泥时,坚决烤干铁口,过分潮湿时,应改用小钻头;打泥量要适当。发生炉门浅时,要及时采取措施,确保每次的渣铁排净,严禁跑泥。如已发生铁口连续过浅时,除抓好上述操作外,还应堵铁口上方风口,改常压出铁。因特殊情况如风口、水箱漏水等,应迅速切断水源。

(3) 封不住铁口,渣铁外溢。当渣铁流大进行堵口时,有时会封不住铁口,这时往往因为渣铁锅已满或撇渣器沙岗已挑开,发生渣铁外溢和下渣大量过铁,使得渣锅烧漏,水冲渣打炮等恶性事故,这类事故主要常发生如下几种情况:1)泥套破损,未能及时修补,使炮头不能与铁口紧密吻合而跑泥,在这种情况下,会烧坏炮头,不能继续封口;2)泥炮发生故障,液压泥炮油压降低,泥质过硬,不能顺利地进行打泥操作;3)铁口严重失常连续过浅,渣铁出不净,这时堵口打泥炮泥易漂浮,铁口堵得不实,此时的现象是打泥压力低;4)堵口时铁口周围有积渣积铁,使泥炮不能到位。

为防止封不住铁口,在出铁操作中,针对不同情况采取不同措施,重要的是要严格执行操作规程。

一旦发生封不住铁口,要及时与炉内联系,炉内要减压、放风直至停风,炉前要检查锅罐是否还有富余,及时联系对锅和拉锅,并根据具体情况采取相应措施。

3.1.6 铁沟、摆动沟嘴、撇渣器设施及操作、事故处理

3.1.6.1 铁沟、摆动沟嘴、撇渣器设施

A 主沟

高炉主沟的坡度一般为 10%~12%。对于高压操作的高炉,由于出铁时铁水流速高,渣铁不易充分分离,因此,除加长主沟长度外,主沟坡度可考虑缩小到 5%左右。

随着铁口出铁速度的增加,主沟的长度逐渐加长,出铁速度为 3~4t/min 的主沟长度为 10m 左右;大型高压高炉的出铁速度达 8~10 t/min 的主沟长度已逐渐加长到 14m 左右,见表 3-12。

表 3-12 主沟长度的参考数据

高炉容积/m³	50	100	250	620	1000	1500	2000	2500	4000
主沟长度/m	6	7	9	10	12	12	14	14	19

主沟断面尺寸的确定可参考下式:

$$S = \frac{KP}{T\gamma v}$$

式中 S——主沟断面积,m^2;

K——一次出铁量的不均匀系数,$K \approx 0.7 \sim 1.3$;

P——一次平均出铁量,t/次;

112

T——一次出铁时间,min;

γ——铁水密度,$\gamma = 7.0\ t/m^3$;

v——铁水在主沟中的流速,m/min。

铁水在主沟中的流速直接影响渣铁分离,日本新日铁公司和我国宝钢由下式确定铁水流速:

$$Y = 0.1375v - 0.13375$$

式中　Y——渣中带铁量占出铁量的百分比,即渣中带铁率,%;

v——铁水在主沟中的流速,m/min。

要使渣中带铁率 Y 小于 0.1%,主沟中铁水流速应低于1.7m/min。

当出铁速度为6~8 t/min 时主沟净断面积约0.7~0.9m²;大型高压高炉为使出铁时渣铁能充分分离,主沟的宽度和深度分别增加到 1300mm 和 1000mm。国内有些大型高炉为了缩短主沟和渣铁分离器的修补时间和减轻炉前劳动量,采用了活动主沟,并用炉前吊车进行整体更换。

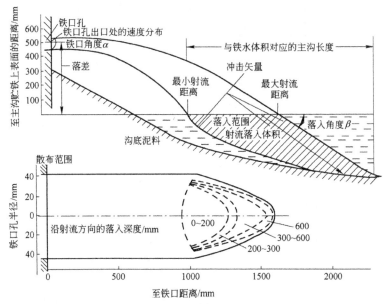

图 3-8　铁口处铁水射流及其落入贮铁式主沟的情况

113

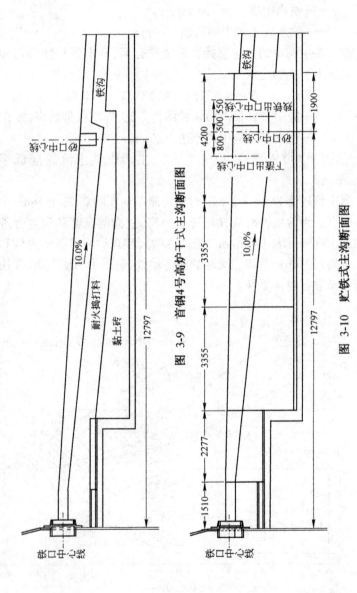

图 3-9 首钢 4 号高炉干式主沟断面图

图 3-10 贮铁式主沟断面图

高压操作的高炉出铁时,铁水呈射流状从铁口射出,落入主沟处的沟底最先损坏,修补频繁。为此大型高炉采用贮铁式主沟,沟内经常贮存一定深度的铁水,使铁水射流落入时不直接冲击沟底,其情况示意见图3-8。此外,

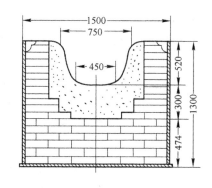

图 3-11 鞍钢 2000m³ 高炉干式主沟槽断面

贮铁式主沟内衬还避免了大幅度急冷急热的温度变化。实践证明,贮铁式主沟寿命较干式主沟长久。大型高炉主沟贮铁深度450～600mm,沟顶宽度1100～1500mm。

首钢 4 号高炉干式主沟横断面尺寸如图 3-9 所示,贮铁式主沟参考尺寸见图 3-10。鞍钢 2000 m³ 高炉干式主沟槽断面见图 3-11,宝钢 1 号高炉整体空冷主沟见图 3-12。

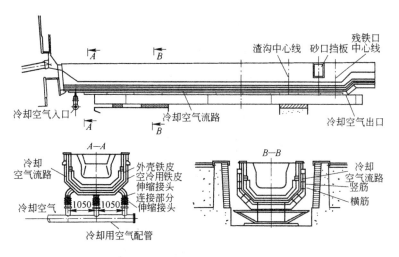

图 3-12 宝钢 1 号高炉整体空冷主沟结构

B 支沟

支沟是从撇渣器后至铁水摆动流槽或铁水流嘴的铁水沟。大型高炉支沟参考尺寸见图 3-13、图 3-14、图 3-15、表 3-13。图 3-16 是宝钢 1 号高炉支沟断面图,图 3-17 是首钢 2 号高炉支沟断面图。

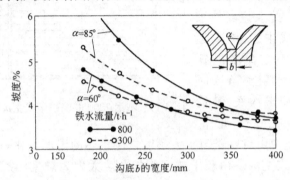

图 3-13　倒梯形断面支沟尺寸

表 3-13　大型高炉支沟与渣沟参考尺寸

炉容	支沟尺寸 /mm			渣沟尺寸 /mm		
/m³	a	b	c	a	b	c
2000~4000	600	300	350	600	300	350
>4000	800	450	550	800	450	550

注:a 为沟上口宽度;b 为沟下口宽度;c 为沟的深度。

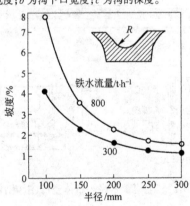

图 3-14　弧形断面支沟尺寸

116

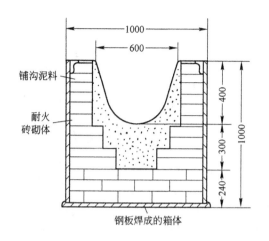

图 3-15　鞍钢 2000m³ 高炉支沟断面图

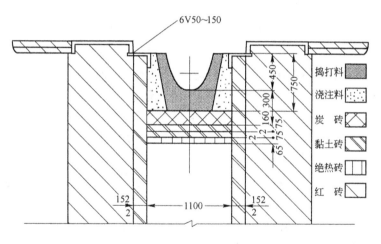

图 3-16　宝钢 1 号高炉支沟断面图

C　摆动流槽

对于大、中型高炉,出铁量增加,铁水罐增多,单线铁路长度增加,使铁沟延长,因此,采用铁水摆动流槽来缩短铁沟长度,减小出铁场面积,改善操作条件,减轻劳动强度。

铁水摆动流槽设在出铁场尽头,安装在出铁场铁水沟下面,其

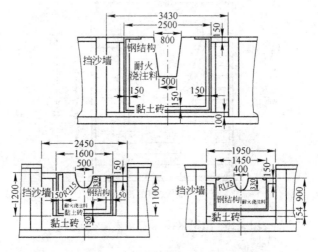

图 3-17　首钢 2 号高炉支沟断面图

作用是把经铁沟流出的铁水转换到左右任意方向,注入出铁场平台下的铁水罐车中。和以往把铁水经铁沟、流嘴直接流入各铁水罐车的铁水处理方法相比,摆动流槽具有下列优点:

(1) 缩短了铁沟长度,简化了出铁场布置;

(2) 减少了在高温、粉尘条件下转换铁水挡板的作业;

(3) 减轻了修补铁沟的作业;

(4) 提高了炉前铁水运输能力,使高炉车间和铁路布置更为简化。

首钢在 20 世纪 80 年代开发成功了电动铁水摆动流槽,其安装总图和工作性能表见图 3-18、表 3-14。宝钢采用的是气动摆动流槽。

铁水摆动流槽由流槽、支撑机构及摆动机构组成,流槽可采用铸件或钢板焊接而成,内衬以耐火泥或浇注料浇注而成。传动装置可分为电动和气动两种,用于驱动减速机,通过扇形齿轮带动固定摆槽的曲拐轴和槽体一起转动。摆槽摆动角度的大小由主令控制器进行控制,当电机失灵时,可用手动系统驱动槽体进行摆动以保证安全生产。

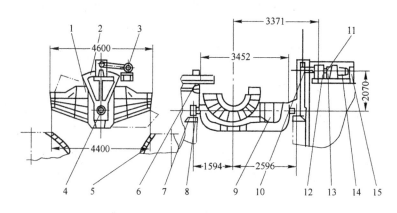

图 3-18　首钢高炉铁水摆动流槽安装总图
1—箱体;2—扇形齿轮;3—手动装置;4—耳轴;5—鱼雷罐;6—出铁嘴;7—轴
承座;8—轴承;9—开口销;10—圆柱齿轮;11—电动机;12—减速机;13—行
星齿轮联轴器;14—主令控制器;15—制动器

表 3-14　首钢高炉铁水摆动流槽工作性能表

规　格	长度 4600mm	每次过铁量	5~6万 t	制动器	TJ2-220-TH
	宽度 1900mm			主令控制器	LK4-054(1:1)
电动机	型号	YZ160-6-TH	流槽摆角		±25°
	功率	11kW	流槽摆动速度		0.3637 r/min
	转速	953 r/min	流槽摆动周期		29.32s
	负载持续率 40%		减速机 ZD10-6-II		速比 3.55
总速比	电动速比 2619.8	开式齿轮	速比 5.475		高炉容积 1000 ~4000m³
	手动速比 7178.4	差动联节	手动速比 10.714		总重 19230kg
蜗轮减速	速比 435		电动速比 1.1029		

D 撇渣器

撇渣器即渣铁分离器,位于主沟端部,其作用是利用渣铁密度不同,实现渣铁的炉外分离。鞍钢高炉撇渣器尺寸见表 3-15,首钢原 4 号高炉活动撇渣器结构见图 3-19。鞍钢高炉撇渣器结构见图 3-20。

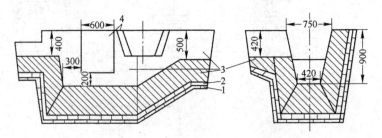

图 3-19　首钢原 4 号高炉(1200m³)活动撇渣器结构

1—35mm 厚耐火砖;2—75mm 厚耐火砖;3—白云石预制块;4—捣制料

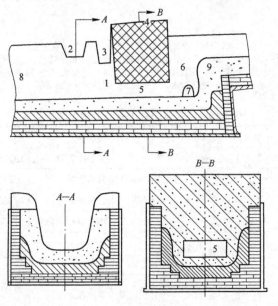

图 3-20　鞍钢高炉撇渣器结构

1—前槽;2—第一渣坝;3—第二渣坝;4—挡板;5—过道;
6—小坑;7—放残铁孔道;8—主沟;9—支沟沟头

表 3-15　鞍钢高炉撇渣器尺寸

高炉容积/m³	通道宽×高/mm×mm	小坑高/mm	小坑下口长×宽/mm×mm	小坑上口长×宽/mm×mm	第一渣坝底高于支沟/mm	第二渣坝高于支沟/mm
600～1050	350×180	500～600	350×350	450×450	50～100	0～50
>1600	400×200	600～700	400×400	500×500	100～200	50

3.1.6.2　铁沟的材质及浇注工艺

铁沟的材质主要有炭素捣打料和浇注料。由于后者寿命长,有利于减轻劳动强度和降低成本,其使用的范围正逐步扩大。以首钢为例:现在高炉主沟、支沟、撇渣器、摆动沟所用沟料是同样的浇注料,其主沟的过铁量达到 10 万 t 以上,其成分主要由刚玉、碳化硅、焦粉、矾土水泥、硅粉和添加剂组成。浇注料各种成分在铁沟料中使用的主要成分比例各单位不尽相同,首钢在 20 世纪 90年代初使用的主要成分比例大致是:焦粉 40%～50%;黏土 15%～20%;刚玉 25%;碳化硅 20%～25%。

目前,随着科学技术的进步,高炉炉前用耐火材料有了飞速的发展,各种新的材料在逐步试验及使用,使铁沟的过铁量有大幅提高并大幅降低炉前铁沟修垫的劳动强度。

现在首钢的高炉分别有一、二、三个铁口。根据高炉的生产要求,铁沟的浇注有冷浇与热浇之分。有三个铁口的高炉因施工时间长,可采取冷浇方式,有两个铁口的高炉因施工时间短,只能进行热浇,相比之下,热浇时的劳动强度大于冷浇方式。它们的施工工艺是一样的:(1)浇注前必须将旧料铲除,积渣积铁起净,要见钢结构板,清理干净不能有渣土;(2)模具定位牢固;(3)混炼浇注料,先干混 2min,加水后混炼 6min,水量 6%～7%;(4)对称布料,按一个方向震捣,时间以表面翻浆为宜,拔除震捣棒要慢,防止产生空间;(5)浇注料批间隔不大于 30min;(6)浇注料完全凝固后拔模;(7)检查合格后盖盖;(8)按养生曲线加火烤干(热浇无养生曲线,直接烘烤)。

有一个铁口的高炉,由于施工时间更短,只能使用炭素捣打

121

料,为了减少烘烤时间,在料中加入了树脂以替代加水。其主要成分是:焦粉、黏土、树脂等。

3.1.6.3 铁沟系统事故及防范措施

铁沟系统的主要事故是铁水落地。这是炉前严重的恶性事故,轻则出不净渣铁,被迫堵口,重则烧坏铁道,铸死铁锅,使高炉无法正常生产。这种事故的主要原因是铁锅放满,摆动失灵,改锅不及时等。

另外,铁沟的维护、修垫不及时,造成铁水向下渗漏,烧坏下边结构,使铁水落地。直沟嘴与铁沟之间修垫不好有裂缝,直沟嘴本身修垫不及时,都会造成铁水落地。

要防止铁水落地,就要保证正常的铁水流速和加强铁沟操作者的责任心,严格按规程办事,加强对铁沟、沟嘴、摆动沟的检查与维护,发现问题及时修垫。对摆动设备要加强巡检,铁前试车,搞好维护,按时、按量加油清扫,并将摆动沟的积铁及时清净。

3.1.6.4 撇渣器的操作及事故预防

出铁前,须将撇渣器结盖砸开,保证出铁时能过铁。出铁时要密切监视撇渣器工作情况,有过铁不畅时要及时处理,防止发生溢铁事故。另外,在铁口见下渣后,要根据铁流、渣流大小,适当降低下渣沟的沙岗,确保渣沟中不带铁水。堵口后,要将沙岗捅开推净撇渣器内的渣子,投放保温剂,防止撇渣器铸死。

撇渣器主要发生的事故有:撇渣器烧穿;撇渣器铸死导致铁水外溢,烧坏设备和流入水冲渣沟造成爆炸等。

防止发生这些事故的措施是:

(1)严格按计划修垫撇渣器。日常生产中,要经常检查撇渣器工作情况,发现漂料等侵蚀严重情况,及时修垫。

(2)严格按规定挡牢挡好下渣沟沙岗。如首钢高炉规定:沙岗底厚500mm,上部厚200mm,并高出主沟100mm。

(3)长时间停风要将撇渣器内铁水放掉,防止铁水铸死。各厂应总结出撇渣器最长存铁的时间。

(4)炉温过低,渣子黏稠时,铁后要将撇渣器内渣子推净,适

122

当盖些保温剂,必要时将铁放掉。出铁时若铁流小,应及时在撇渣器内盖好保温剂。

(5) 在钻铁口因漏铁被迫二次出铁时,在堵上铁口后,将沙岗挡牢,撇渣器结盖砸开,疏通撇渣器过眼,防止铁流大时向外溢铁。

撇渣器事故案例:

(1) 1985年2月10日首钢2号高炉13:25出铁,砸撇渣器渣盖时,凝铁黏在撇渣器外口未撬开,外口实际增高,出铁时撇渣器憋铁,负责撇渣器的人员又没有按规定挡沙岗,致使沙岗破坏,下渣大量带铁,造成冲渣沟,沟嘴烧坏,崩坏沟槽,长时间不能出铁。

(2) 1992年3月17日首钢4号高炉2:20北场出铁,因沙岗未挡牢,渣流大,出铁过程中将沙岗不断冲低,同时下渣工又没有让冲渣开第二台水泵,冲渣水压又不足,导致冲渣沟爆炸,损坏沟嘴、沟槽及沟槽支架钢结构,影响高炉56h没能正常出铁。

3.2 高炉放渣操作及设施

3.2.1 炼铁生产对放上渣的要求

炼铁生产要求及时放好上渣。许多高炉特别是中小高炉都设有渣口,及时且多放上渣有利于高炉生产,特别是在高炉入炉原料品位不太高、渣量比较大的情况下,更显得重要。首先及时放好上渣有利于改善炉缸透气性,减小炉内压差,有助于炉况顺行。此外多放上渣可减小下渣量,相应减少炉渣对铁口的侵蚀,有利于铁口维护。第三,对于仅使用渣罐的高炉,放好上渣有利于出净渣铁,因为下渣过多,易造成下渣罐在铁没出完前放满,被迫堵上铁口,使渣铁出不干净。

上渣操作指标是:

(1) 放渣时间。正常生产时放渣时间根据上次出铁情况,以及铁后下料批数来决定。及时放好上渣,有利于炉内顺行。

(2) 上渣率。多放上渣,有利于高炉顺行和铁口维护。首钢用上渣率来表示上渣量的多少:

$$上渣率 = \frac{上渣总量}{(上渣 + 下渣)总量} \times 100\%$$

有的厂则以上下渣比作为考核上渣量指标:

$$上下渣比 = \frac{上渣总量}{下渣总量}$$

影响上渣率的因素大致有:

(1) 高炉原燃料的影响。原燃料条件好,上渣好放,上下渣比高,否则,原燃料不好,原料含铁量低,渣量大,而焦炭较碎容易造成渣口卡焦炭,渣口破损增加,上渣量减少,造成上渣率降低。

(2) 炉缸侵蚀。随着高炉寿命的延长,炉缸的侵蚀逐步加重,炉缸内液面降低,放上渣时易造成渣口空喷,上渣量减少,下渣量增加,上渣率降低。

(3) 炉缸工作状态。当炉况顺行时,炉缸工作活跃,渣铁分离好,上渣好放,上渣率高。反之,炉况不顺,炉缸工作不好,渣铁分离较差,渣口带铁增加,容易造成渣口破损,影响上渣量,上渣率降低。

(4) 高炉冶炼强度。当高炉冶炼强度正常或较高时,上渣易放,上渣量增加,上渣率增加。而高炉冶炼强度较低,到放上渣时间时,渣口空喷较多,当渣面升高能够放上渣时,基本上到出铁时间,使上渣量减少,而下渣量增加,所以上渣率降低。

3.2.2 渣口设施

3.2.2.1 渣口

高炉渣口一般由 4 个水套组成,有的高炉渣口由 3 个水套组成。渣口水套一般由高压水冷却,其余各套由常压水冷却。渣口结构见图 3-21。

3.2.2.2 堵渣机

堵渣机的塞头外形尺寸应与渣口水套的孔型相配合。渣口的直径为 50～60mm,渣口水套孔道的锥度为 10%～20%。目前大中型高炉的堵渣机,已广泛采用四连杆式堵渣机,见图 3-22。堵渣机通常安装在热风围管下方的炉皮上,周围温度高,连杆机构必

124

须保证塞头在进入渣口大套后直线前进。当高炉设有高、低渣口时,堵渣机设备相同。其技术特性见表 3-16。

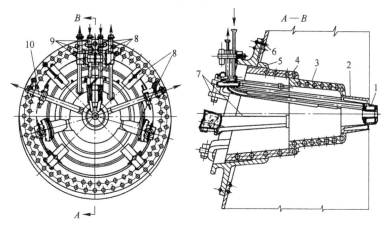

图 3-21　渣口装置

1—铜内套;2—铜冷却器;3—中间冷却器;4—大套;5—法兰盘;6—铆钉连接;
7—支撑挡块;8—冷却水进水管;9—出水管;10—铜冷却器支撑挡块

表 3-16　电动堵渣机技术特性

电　动　机			减　速		机提升力	行程	平衡重	塞头直径
型号	功率 /kW	转速 /$r \cdot min^{-1}$	型号	速比	/kN	/m	/kN	/mm
J051-4	4.5	1500	ZQ-35	32.67	11000	<3	1900	60

电动四连杆式堵渣机,由于结构简单,能满足工作要求,已得到广泛应用,但它的外形尺寸太大,操作空间位置也较大。另外一种常用的是折叠式液压堵渣机。它是一种多连杆机构,外形尺寸较小,使用的主要目的是在于为机械化更换风口创造条件,见图3-23。

3.2.2.3　渣沟

渣沟的种类主要有铸钢冷却沟、捣打料捣制沟、浇注料成形沟。

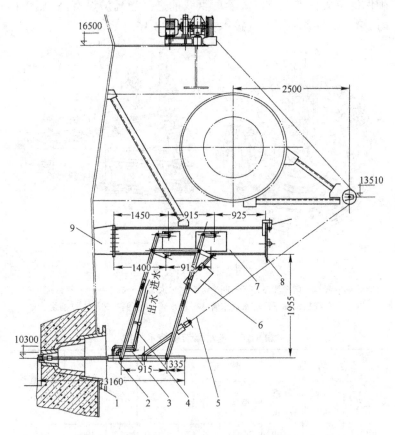

图 3-22　四连杆式堵渣口机

1—塞头；2—水平下连杆；3—吊杆；4—水管；5—钢绳；6—平衡重；7—横梁；
8—挂钩；9—座子

铸钢冷却沟:主要优点是沟不易挂渣,好清理,结构简单不用修垫。但因上渣带铁易烧坏冷却沟发生漏水,造成爆炸,不利于安全生产,且短时间内不易更换。

捣打料捣制沟:捣打料的主要成分是刚玉、碳化硅、焦粉、黏土粉、沥青、绢云母、混合油。特点是易维护,好修垫,比较耐用,但渣子黏沟不易清理。

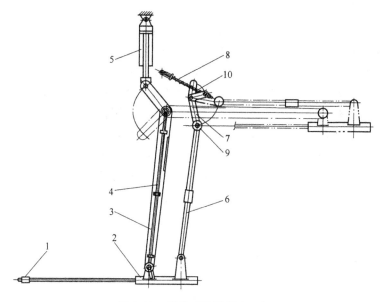

图 3-23 折叠式液压堵渣口机

1—塞头;2—水平下连杆;3—吊杆;4—水管;5—油缸;6—可调吊杆;7—曲杆;
8—压缩弹簧;9—滚轮;10—杆

浇注料成形沟:浇注料的主要成分是刚玉、碳化硅、焦粉、矾土、水泥、硅粉和添加剂。其特点是寿命长,用料少,不黏渣沟,易拆除,修补方便,可减轻垫沟劳动强度。在大型高炉上已广泛采用。

首钢高炉上渣沟主要用铸钢冷却沟。下渣沟用浇注料和捣打料。

3.2.3 上渣操作及渣口维护

上渣操作及渣口维护的要求是:

(1) 严格按规定料批和工长指示放渣,渣量过多时,两个渣口同时放渣,渣铁出不净时应提前放渣。

(2) 放渣前各种工具要准备齐全(如首钢高炉要求工具有:大锤 2 把、瓦楔 1 副、堵耙 4 把,4 米长钎 1 根)。要检查好渣罐是否对好,若水冲渣时要开启冲渣泵。

(3) 向上抬堵渣机时不能过猛,以防渣口带出,抬不起来时,应用大锤振动后再抬。

（4）打开渣口后操作人员必须看管,注意渣口变化,发现渣口烧坏要及时堵上,出铁后更换,堵不上时报告工长采取措施。一般情况下,放渣前,渣口损坏,则有水流出迹象,放渣时,渣口突然损坏,往往火焰由发蓝色变为发红色,渣流面上有黑色水线或有时有响声。发现及时一般能堵上渣口,发现不及时则往往不易堵上渣口。

（5）渣口渣流过慢时,及时用铁棍捅,禁止用堵渣机捅渣口。渣口带铁较多时,要及时堵上渣口,过段时间再放。遇有小套与三套间跑渣等异常情况发生时,须及时堵上渣口,若还跑渣时,要及时打水,不能制止时,则应立即报告工长。

（6）注意渣沟两边积渣,过多时要及时撬开。防止堵渣机堵不上渣口。

（7）使用冷却泥套时,必须做小泥套。

（8）做渣口泥套、修垫渣沟,打渣口时,必须将抬起的堵渣机用铁棍别上,防止因堵渣机突然落下,发生安全事故。

（9）做渣口泥套时要注意防止煤气中毒,要将煤气点燃,站在上风向。放渣时间内渣口正面不能站人,以防止发生喷渣等伤人事故。

（10）打渣口时,握钎子的人不能双脚站在沟内,退钎子时不能站在正面,以防渣子喷出伤人。

3.2.4　上渣事故及处理

关于上渣事故及处理在许多文章中已有叙述。此处仅用一些事例来阐述这方面的内容。

3.2.4.1　渣口烧坏

1987 年 6 月 13 日 23:25 首钢 2 号高炉南渣口放渣过程中,渣口突然烧坏,大量水渣涌出,放渣工发现后及时用堵渣机堵口,但为时已晚,在连续几次堵不上后,采用人工堵耙也未能堵上,大量水渣堆积如山并流到铁路上将渣锅铸死,高炉被迫停风 160min。

原因如下:

（1）当渣中带铁较多时,未能及时将渣口堵上。

（2）渣口烧坏后,堵口不及时。

128

防止发生这样事故的主要措施是:发现渣中带铁,尤其是有铁花从渣口喷出时应及时堵上渣口;放渣过程中,要密切注意渣口的状况,一旦发现渣口烧坏及时堵上。

3.2.4.2　渣口堵不上

1988年5月7日3:15首钢4号高炉因炉温低([Si]0.10%)渣子黏稠,当渣锅快满准备堵口时,因渣口外渣子太多,将堵渣机黏住,既没封上渣口,也抬不起来,渣子流到铁路上将渣锅铸死,堵渣机烧坏,被迫高炉放风,出铁后渣口自动封上,造成渣口8h不能放上渣。

应采取的措施为:

(1)当炉温低,渣子黏稠时,放渣前必须将冷却水套和渣沟两侧积渣清理干净。

(2)放渣过程中,准备好相应的撬棍,在堵口前及时将渣沟两侧的渣子撬净,确保一次堵口成功。

3.2.4.3　渣口未装严,渣子自动流出

1989年4月14日首钢4号高炉18:30西渣口准备放渣时,渣子从渣口和三套缸之间流出,将三套缸烧坏,高炉被迫停风80min。

应采取的措施为:

(1)换渣口前检查原渣口是否装严,如不严且差得较多,应停风处理。

(2)装新渣口时,严禁带入杂物。

(3)装上新渣口后,要检查是否装严,确认后方可送风。若不严要拉下重装。

3.2.4.4　渣口带出

1986年3月27日首钢3号高炉南渣口放渣时,堵渣机抬不起来,连续几次抬,最后将渣口带出约2cm,渣子从渣口与三套缸之间流出,烧坏三套缸,高炉被迫停风130min。

应采取的措施为:

(1)当堵渣机不好抬时,应当用大锤振动堵渣机后再抬,反复几次后,一般的可以抬起。

(2)如振动后还是无法抬起,可能是堵渣机大头和渣口被铁

粘死,这时应将堵渣机的风关死,渣口结死后,用氧气将堵渣机烧开,再做放渣准备工作。

3.2.4.5 渣口带出造成爆炸

1988年12月18日,首钢3号高炉西渣口,19:30放渣工在放渣过程中,连续几次渣口都堵不上,而且渣口喷得很厉害,经过多次用堵渣机堵口,将渣口带出。炉内马上采取放风措施,炉外组织出铁,但仍发生渣口爆炸,烧坏二、三套缸和堵渣机及其他设备。造成高炉停风886min。

应采取的措施为:

(1)堵渣机不能过多频繁地堵渣口,更不能用堵渣机憋渣口。

(2)发现渣口坏,堵不上时,或确认渣口外移应及时通知工长放风,防止烧坏三套缸。

(3)炉前及时组织出铁。

3.2.5 渣处理系统

3.2.5.1 渣罐

渣罐是用于高炉输送炉渣的设备,目前采用的电动倾翻的渣罐车的主要技术参数见表3-17。

表3-17 渣罐车的主要技术参数

渣罐车型号	ZZD-8-1	ZZD-11-1	ZZD-17-1
渣罐容积/m³	8	11	17
挂钩中心距/mm	7850	7850	7850
渣罐车轨距/mm	1435	1435	1435
轨道最小曲率半径/mm	50	75	75
负载最大运行速度/km·h⁻¹	25	30	30
渣罐最大倾翻角度/(°)	116	116	110
渣罐倾翻时间/min	1.23	1.29	1.29
倾翻电机型号	JZ41-8	JZ51-8	JZ₂51-8
倾翻电机功率/kW	11	22	22
倾翻电机转速/r·min⁻¹	685	692	692
渣罐自重/t	10	14.8	20
负载渣车总重/t	41	53	65
渣罐车高度/mm	3260	3780	3675
渣罐车宽度/mm	3119	3399	3496
渣罐车长度/mm	7850	7850	7850

目前,高炉熔渣一般在炉前冲制成水渣,渣水再经过分离,冲渣水循环使用,水渣经过过滤后可作为水泥的原料。根据水渣的过滤方式的不同,可以分为以下几种方式:

(1)过滤池过滤。有代表性的有"OCP"法和我国大部分高炉都采用的改型"OCP"法,即:沉渣池法或沉渣池加底过滤池法。

(2)脱水槽脱水。有代表性的有"RASA"法、"永田"法。

(3)机械脱水。有代表性的有"螺旋"法、"INBA"法、"图拉"法。

3.2.5.2 沉渣池法

沉渣池法是一种传统的渣处理工艺,在我国大中型高炉上已经普遍采用。它具有设备简单、生产能力高和质量好等特点。沉渣池法的处理工艺流程如图 3-24 所示。

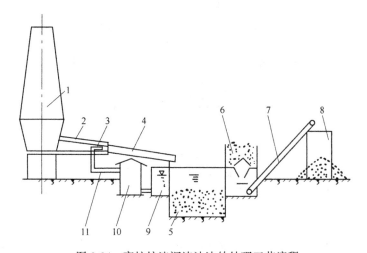

图 3-24　高炉炉渣沉渣池法的处理工艺流程

1—高炉;2—熔渣沟;3—水冲渣喷嘴;4—水冲渣沟;5—沉淀池;6—贮渣槽;
7—运输皮带;8—贮渣场;9—吸水井;10—水冲渣泵房;11—高压水管

高炉熔渣流进熔渣沟后,经冲渣喷嘴的高压水水淬成水渣,经过水渣沟流进沉渣池内进行沉淀,水渣沉淀后将水放掉,然后用抓斗起重机将沉渣送到贮渣场或火车内送走。

131

3.2.5.3 底滤法

底滤法(OCP)的工艺和沉渣池法的工艺相似。其工艺流程如图 3-25 所示。高炉熔渣经熔渣沟进入冲渣喷嘴,由高压水喷射制成水渣,渣水混合物经水渣沟流入底滤式过滤池,过滤池底部铺有滤石,水经滤石池排出,达到渣水分离的目的。水渣用抓斗起重机装入贮渣仓或火车内运走,过滤出来的水通过设在滤床底部的排水管排到贮水池内作为循环水使用,滤石要定期清洗。

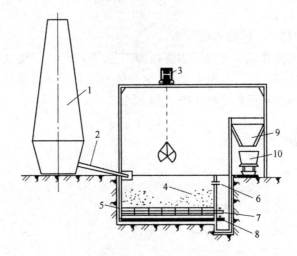

图 3-25 底滤法处理高炉熔渣的工艺流程

1—高炉;2—熔渣沟和水冲渣槽;3—抓斗起重机;4—水渣堆;5—保护钢轨;
6—溢流水口;7—冲洗空气进口;8—排出水口;9—贮渣仓;10—运渣车

3.2.5.4 沉渣池-过滤池法

这种工艺是将沉渣池法和底滤法组合在一起的工艺。高炉熔渣经熔渣沟流入冲渣喷嘴,被高压水射流水淬成水渣,渣水混合物经水渣沟流入沉渣池,水渣沉淀,水经过溢流流到配水渠中,而分配到过滤池内。过滤池结构和底滤法完全相同,水经过滤床排出,循环使用。此种工艺具有沉渣池法和底滤法的优势,首钢 1、2、3、4 号高炉都采用了这种工艺。

3.2.5.5 INBA 法

INBA 法是由卢森堡 PW 公司开发的一种炉渣处理工艺。水淬后的渣水混合物经水渣槽流入分配器,经缓冲槽落入脱水转鼓中,脱水后的水渣经过转鼓内的胶带机和转鼓外的胶带机运至成品水渣仓内,进一步脱水。滤出的水,经集水斗、热水池、热水泵站送至冷却塔冷却后进入冷却水池,冷却后的冲渣水经粒化泵站送往水渣冲制箱循环使用。其优点是可以连续滤水,环境好,占地少,工艺布置灵活,吨渣电耗低,循环水中悬浮物含量少,泵、阀门和管道的寿命长。该方法在我国宝钢 2、3 号高炉,武钢 5 号高炉,马钢 2500 m³ 高炉,鞍钢 10 号高炉等已得到应用。INBA 法的工艺流程图见图 3-26。

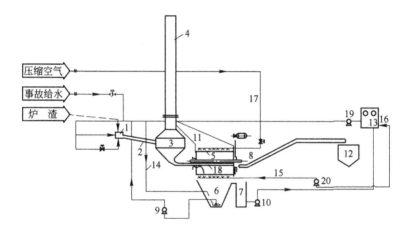

图 3-26 回转圆筒式冲渣工艺流程(INBA 法)

1—冲渣箱;2—水渣沟;3—水渣槽;4—烟囱;5—滚筒过滤;6—温水槽;7—中继槽;8—排料胶带机;9—底流泵;10—温水泵;11—盖;12—成品槽;13—冷却塔;14—搅拌水;15—洗净水;16—补给水;17—洗净空气;18—分配器;19—冲渣泵;20—清洗泵

3.2.5.6 拉萨法(RASA)

拉萨法是由英国 RASA 公司和日本钢管公司共同研究开发的。这种方法于 1967 年开始在日本的高炉上采用。拉萨法的工艺流程见图 3-27。高炉熔渣经熔渣沟进入水冲渣槽,在水冲渣槽中用水渣冲制箱的高压喷嘴进行喷射水淬成水渣,渣水混合物一起流入搅拌槽,水渣在搅拌槽内搅拌,使水渣破碎成细小颗粒(粒度为 1~3mm)与水混合成渣浆再用输渣泵送入分配槽中,分配槽将渣浆分配到各脱水槽中,分离出来的水经过脱水槽的金属网汇集到集水管流入沉降槽。在沉降槽里排除混入水中的细粒渣后,水流入循环水槽。其中一部分水用冷却泵打入冷却塔,冷却后再返回循环水槽,用循环水槽的搅拌泵将水温搅拌均匀,然后一部分水作为给水直接送给水渣冲制箱;另一部分水用搅拌槽的搅拌泵打入搅拌槽进行搅拌,用以防止水渣沉降。在沉降槽里沉淀的细粒水渣用排污泵送给脱水槽,进入再脱水处理。拉萨法在我国宝钢 1 号高炉上得到应用。

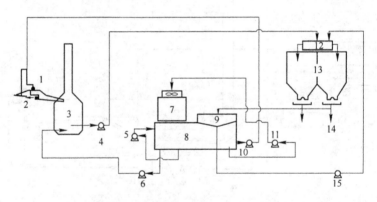

图 3-27　拉萨法处理高炉熔渣工艺流程

1—水渣槽;2—喷水口;3—搅拌槽;4—输渣泵;5—循环槽搅拌泵;6—搅拌槽搅拌泵;
7—冷却塔;8—循环水槽;9—沉降槽;10—冲渣给水泵;11—冷却泵;12—分配器;
13—脱水槽;14—汽车;15—排泥泵

3.2.5.7　图拉法(转轮法)

图拉法是由俄罗斯图拉公司开发的,其工艺流程见图 3-28。炉渣从熔渣沟流落到转轮粒化器上,粒化器由电机带动旋转,落到粒化器上的液态炉渣被快速旋转的粒化轮上的叶片击碎,并沿切

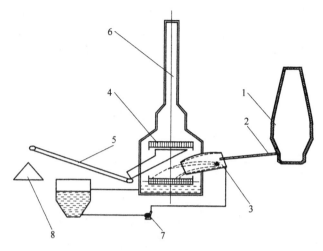

图 3-28　图拉法高炉炉渣粒化工艺系统图

1—高炉;2—熔渣沟;3—粒化器;4—脱水器;5—皮带机;6—烟囱;
7—循环水泵;8—堆渣场

线方向抛射出去,同时,受从粒化器上部喷头喷出的高压水射流的冷却与水淬作用而形成水渣。渣水混合物进入到脱水转鼓中,由于喷水只对液态熔渣起到水淬作用和对转轮粒化器的冷却作用,没有输送作用,因此,水量消耗少。转鼓上的筛网将渣水分离,过滤后的水渣落入到受料斗

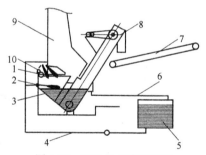

图 3-29　HK 法工艺流程图

1—粒化器;2—泡沫渣喷送管;3—二次水淬渣池;4—供水管路;5—循环水池;6—回水管路;7—皮带机;8—提升脱水器;9—集气装置;10—渣沟

中,再经胶带机输送到堆渣场或渣仓中。经过脱水转鼓过滤的水,经溢流口和回水管进入集水池或集水罐,经循环泵加压后,再打到转轮粒化器喷头上。循环水中仍含有一部分粒径小于 0.5mm 的固体颗粒,沉淀在集水池下部。这部分固体沉淀物,用气力提升泵

提升到高于脱水器筛斗上部,使其回流进行二次过滤,进一步净化循环水。图拉法在唐钢 2560 m³ 高炉上得到应用。国内嘉恒公司开发了转轮法炉渣处理工艺。唐山市华科冶金技术开发公司也开发了 HK 法(其工艺流程参见图 3-29)。

3.2.5.8　螺旋法

螺旋法水渣工艺为机械脱水工艺的一种方法(其工艺流程参见图 3-30)。它是通过螺旋机将渣、水进行分离,螺旋机呈 10°～20°倾斜角安装在水渣槽内,螺旋机随着传动机构进行旋转,水渣则通过其螺旋叶片将其从槽底部捞起并输送到水渣运输皮带机上,水则靠重力向下回流到水渣槽内,从而达到渣水分离的目的。浮渣则采用滚筒分离器进行分离(详见图 3-31),并将其输送到水渣运输皮带机上。水经过水渣槽上部溢流口溢流后,经沉淀、冷却、补充新水等处理后循环使用。该法已在日本部分钢铁厂的大中型高炉上使用。

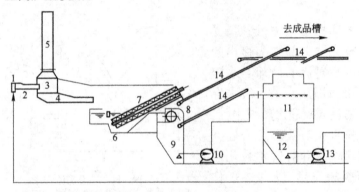

图 3-30　螺旋法工艺流程图

1—冲制箱;2—水渣沟;3—缓冲槽;4—中继槽;5—烟囱;6—水渣槽;7—螺旋输送分离机;8—滚筒分离器;9—温水槽;10—冷却泵;11—冷却塔;12—冷水槽;13—给水泵;14—皮带机

3.2.5.9　永田法

日本川崎水岛厂在 RASA 法的基础上取消了中继槽、沉淀池和脱水槽的滤网,粗粒分离槽和脱水槽滤出的水直接溢流进入热水池,形成所谓的永田法水渣工艺(其工艺流程参见图 3-32)。

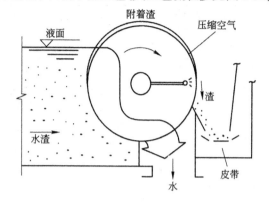

图 3-31 滚筒分离器工作原理示意图

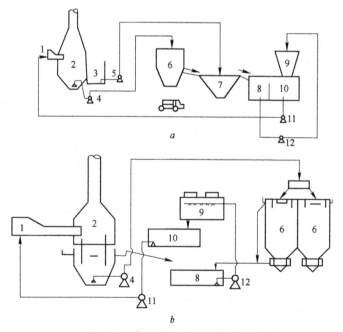

图 3-32 永田法渣处理工艺流程图
a—RASA 法工艺流程;b—永田法工艺流程
1—冲制箱及水渣沟;2—水渣槽;3—中继槽;4—水渣泵;5—中继泵;6—脱水槽;
7—沉淀池;8—温水槽;9—冷却塔;10—冷水槽;11—给水泵;12—冷却泵

137

表 3-18　各种炉渣处理工艺的优缺点比较

项　目	OCP 法	沉渣池加底过滤池	RASA 法	永田法	图拉法	INBA 法	螺旋法
系统作业率	高	高	较高	较高	高	较高	较高
动力消耗	较小	较小	大	较大	小	较大	较小
设备质量	轻	轻	重	较重	较轻	较轻	轻
占地面积	大	大	较小	较小	小	小	小
环保条件	差	差	好	好	好	好	好
水渣含水率	较低	高	低	低	低	低	较低
机械化程度	低	低	较高	较高	高	高	高
基建投资	较高	较低	高	高	低	较低	较低

3.3　特殊炉况情况下炉前操作

3.3.1　大修开炉的炉前操作

3.3.1.1　烘炉操作

烘炉前操作要求如下：

(1) 搞好炉内清理工作,将炉底的泥浆、废料杂物全部清理干净。

(2) 炉内清理完后,安装铁口烘炉导管,以利于炉缸的烘干及送风后炉缸的加热。铁口导管外端应与泥套平齐,铁口孔道与导管之间用炮泥填实,里端应位于炉子中心,为防止渣铁液过早地铸死铁口导管,炉内端要用耐火砖(或支架)垫起,使其略高于外端。铁口导管的制作形式各厂有所差异,有的厂铁口导管及安装图如图 3-33、图 3-34 所示。

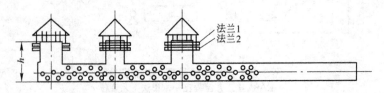

图 3-33　铁口导管

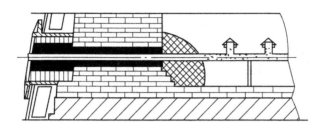

图 3-34　铁口导管安装图

在导管上有 3～4 个伞形帽进气孔,并在导管周身钻有多个 10～30mm 的进气孔,钻孔区长度至泥包处。目前首钢铁口导管则用直径为 159mm 厚壁钢管制造,仅在周身上钻多个直径为 ϕ12mm 的进气孔,没有伞形帽进气孔。

烘完炉在风口导管拆除后,在炉内铁口处用炮泥堆筑成泥包,其大小应使铁口深度不小于规定的尺寸。

3.3.1.2　送风前工作

送风前工作包括:

(1)炉前各种设备试运转正常,并具备出铁条件,如泥炮装好炮泥等。

(2)炉前渣铁沟、主沟、撇渣器、摆动沟嘴、铁口泥套等要全部修垫好并烤干,具备出铁条件。

(3)各种炉前用的工具(如氧气带、大锤、钎子、更换风口工具等)、材料(如氧气管、圆铁等)准备齐全,备品备件齐全(如风口各套、渣口各套、炮头、吹管、弯头等)。

(4)备好足量的炮泥、沟料、保温剂、河沙等,要接通好压缩空气、焦炉煤气、氧气。

(5)若用木柴开炉,则要在拆除烘炉导管后,从风口进入炉内,摆放废木柴,木柴之间要有一定的间距(首钢为 200mm),从炉底一直摆放到规定的高度。最后,炉墙周围竖着摆放一圈木柴,保护风口在装料时不被砸坏。

(6)装上全部风口及吹管,并检查是否严密,确保送风时不漏

139

风。

3.3.1.3 送风后工作

送风后工作包括：

(1) 抬起堵渣机并点燃从渣口、铁口喷出的煤气，以防中毒。若喷吹不畅时，要及时捅开，使其畅通，尽量延长喷吹时间。在渣口有渣流出时，则用堵渣机堵上渣口，在铁口流出渣铁时，则打入少量泥堵上铁口。

(2) 根据下料批数，计算产生的渣量、铁量，确定放渣时间。一般情况和中修高炉相比，大修高炉炉缸比较干净，可以先放上渣。但毕竟是新开炉，放渣操作应严细，防止发生任何事故，给开炉带来被动。首钢高炉大修开炉时，一般都先放上渣，有的厂小高炉在出过一次铁后再放上渣。

(3) 根据下料批数计算产生的铁量，当达到一定量时，出第一次铁。开口机角度减到最小，当开口机钻不动时，用氧气烧铁口，角度尽量小。开炉的前几次铁一般应将撇渣器中的铁放掉，待渣铁分离及流动性好，炉温充足时，再开始贮铁。

3.3.2 大修停炉的炉前操作

3.3.2.1 确定残铁口位置

准确地选择残铁口位置，放净炉缸内残铁，有利于减少拆炉工作量，缩短大修工期。确定残铁口位置，一般有两种方法，即计算法和实际测量法。计算法常用的公式为拉姆公式，即：

$$X = \frac{\dfrac{S_B + b}{\lambda_B} + \dfrac{S_H}{\lambda_H} + \dfrac{1}{\alpha} + \dfrac{1}{uc}}{\dfrac{1}{\lambda_B} + \dfrac{1}{\lambda_\mu} \times \dfrac{\theta - t_0}{T_0 - \theta}} - b$$

式中　X——炉底的最大侵蚀深度，m；

　　　T_0——铁口中心线上的铁水温度，℃，一般为 1400～1450℃，常取 1450℃；

　　　θ——铁水凝固温度，℃，一般为 1100～1150℃；

　　　b——"死铁层"设计深度，m；

140

λ_μ、λ_B、λ_H——分别为铁水、炉底上、下部砌砖的导热系数,kcal/(m·h·℃)❶;

S_B,S_H——分别为炉底上层和下层砌砖的最初厚度,m;

t_0——冷风入口温度,℃;

c——冷风比热容,kcal/(m^3·℃)❶;

u——每平方米炉底冷风流量,m^3/(h·m^2);

α——每平方米炉底平面上管壁对冷风的传热系数,kcal/(m^2·h·℃)❶。

该公式是针对炭砖综合风冷炉底提出的。对于水冷综合炉底,有些厂的经验是,在利用该公式计算时,将有关冷风的系数相应换成水的系数进行计算。

实际测量法,是在日常生产中利用计划停风机会,测量炉缸外表面温度,测量时炉缸冷却壁可以不停水,也可以停水。为了保证安全,最好是在停风后期再停水。测量位置应选在好测量的位置和有利于进行放残铁工作的方位。从炉皮上部到下部,在不同水平高度上选择测量点。要注意将选好的测量点生锈铁皮清理干净。测量后绘出不同高度的炉皮温度曲线,根据该曲线确定炉缸的侵蚀深度位置。要提前开展这项工作,多测量几次,越接近停炉时越应测量,对多次测量的结果要进行研究,以利于准确确定残铁口位置。

两种方法比较起来,实际测量的结果相对准确一些。理论计算方法由于从参数选择上误差较大,因而结果误差也大些,但该方法方便易行。为更好地确定残铁口位置,有些厂的做法是把两种方法结合起来,即用理论计算方法确定出大约的位置,用实测方法确定具体位置,以减少失误。

3.3.2.2 放残铁的准备工作

放残铁的准备工作包括:

(1) 利用下式估算残铁量:

---

❶ 1 cal=4.1868J。

141

$$T = \pi/4kd^2h\gamma_{铁}$$

式中　　T——残铁量,t;

　　　　d——炉缸直径,m;

　　　　h——炉底侵蚀深度,m;

　　　$\gamma_{铁}$——铁水密度,等于7t/m³;

　　　　k——系数,在 0.4~0.65 之间,侵蚀严重时取大值。

（2）根据炉缸侵蚀情况及铁量的多少,准备足够的铁锅及渣锅。

（3）根据现场实际情况,测好沟嘴的标高。

（4）砌好放残铁的残铁沟,外皮用钢板焊接,内衬砌砖,保持一定坡度。

（5）搭好操作平台,要有足够的面积,以利操作人员的工作（首钢平台面积为 30m²）。操作平台要牢固可靠,周围要设安全栏杆和两人走梯,平台两侧要有足够的照明,并接有水管（如两根直径为 25.4mm 的水管）、压缩空气风包一个（如带 4 个 12.7mm 塔头）、风扇一台。

（6）高压氧气包一个（如压力不小于 1MPa,带 4 个 12.7mm 塔头）,安装位置为距残铁口侧 15m 以外,操作方便安全。焦炉煤气包一个（如装有 4 个 25.4mm 塔头）。操作平台附近不准有积水和可燃物。平台下铁路线清净不能有积水并铺河砂（首钢大约铺河砂 10~15m²）。残铁口上方须焊挡水板。

3.3.2.3　放残铁操作

放残铁操作要求如下:

（1）从高炉降料面开始,残铁口处冷却壁闭水,割去残铁口处炉皮,面积不小于 800mm×800mm。画出要取下冷却壁位置,用压缩风吹净水后,用氧气按画出位置烧水箱,然后将水箱取下。

（2）清理冷却壁内炭捣料后,安装最后一段残铁沟,使其与炉皮和其他残铁沟焊接好,在残铁沟砌好耐火砖后,铺垫沟料,捣实烤干。特别要注意,在残铁沟与炉皮接触处和各段残铁沟之间要焊牢,并用耐火料捣实,不能有裂缝。

（3）在炭砖上画出残铁口位置。在出最后一次铁时，开始用风钻钻残铁口，预计快要钻出时再用氧气烧开残铁口。

（4）若烧入深度超过设计炉墙厚度一倍以上，仍无残铁流出，应抬高位置，另选残铁口位置。放残铁时可以不休风，待放完残铁后再休风。也可以休风放残铁，即铁口出完铁后即可休风。

3.3.3 长期停、复风的炉前操作

长期停风包括计划检修、中修以及封炉。

3.3.3.1 停风前炉前应做好的工作

停风前炉前应做好以下工作：

（1）有两个以上出铁口的高炉，根据炉前设施检修情况和其他生产要求，确定最后一次铁的出铁场。

（2）为保复风时出铁顺利，停风前要出净渣铁。各厂应根据各自情况，在停风前几次铁逐步增大铁口孔道，最后一次铁，最好换用大钻头。

（3）最后一次铁要做好一切工作，严格按规定时间把铁出来，确保出铁正常，使炉内加的轻料或净焦或空料线在停风时达到预定的位置。

（4）停风前将各种使用的工具、要更换的冷却设备及各种原料备齐，主要有：

1）更换冷却设备用具：大钩、撞棍、吊链、钢丝绳、钎子、大锤、销子、拉钩、吊杆等；

2）氧气带、氧气管、电气焊；

3）水泥、废油脂（密封风口用）；

4）安装照明及风包、氧气包、风镐；

5）准备更换的风口、渣口等冷却备件。

3.3.3.2 停风期间炉前的主要工作

停风期间炉前的主要工作包括：

（1）为防止向炉内漏水，停风后应及时更换漏水的风渣口，可能漏水的风渣口也应换掉。有的厂还在长期停风时对使用一定时间的风口有计划地予以更换。

143

（2）在炉内留有炉料时，为了减少炉内热损失，应及时对风渣口进行密封。其方法随休风时间长短而异，各厂有不同的经验。

首钢的做法是：一般休风 4～48h 风渣口用水泥堵严，休风 48h 以上时，渣口要卸下，用水泥将风口和渣口三套堵严，外边涂一层废油脂。休风 3 天以上应将吹管卸下，将风渣口采用一层耐火泥，一层沙子，一层耐火泥，外涂废油脂的方法。非常长时间的休风，则卸下风口，采用耐火泥、耐火砖、沙子、耐火砖、耐火泥，外涂废油脂的方法。

有的厂的做法是：休风 3 天以内，需用炮泥堵风口；休风 3 天以上，应卸吹管，并根据休风时间长短采取相应措施。除风口堵泥外，还在二套砌砖，并用灰浆封严；卸下渣口堵泥，外面砌砖用灰浆封严。

风渣口密封完后，每天要进行一次检查，发现有裂缝或透风，要重新封好。

3.3.3.3 高炉长期停风后复风前的准备工作

高炉长期停风后复风前的准备工作包括：

（1）炉前各种设备试运转，如开口机、泥炮、堵渣机、摆动沟、水冲渣设备等。

（2）修垫好铁口泥套、主沟、撇渣器、渣铁沟、摆动沟嘴等，并烤干。

（3）备好充足的泥料（油泥、水泥）、河沙等。

（4）较长时间停风的复风后，炉温比较低，渣铁一般会比较黏稠，渣铁分离不好，有可能下渣带有很多铁。此时不宜冲水渣，要备好带渣壳的渣锅与专用机车配合。

（5）备好炉前必备的工具，如大锤、钢钎、氧气管铁锹、圆钢等。

（6）掏出密封风口的耐火泥及风口前端的焦炭，最好见到红焦炭。如有渣铁凝结物，要卸下风口，用氧气烧除后装上风口。把暂时不送风的风口，重新用炮泥堵好。

（7）清出渣口密封泥，然后清除渣口前的渣铁凝结物，直到全是焦炭后装上渣口。

(8) 在降料面到风口带,炉体喷涂时,复风前要首先将喷涂反弹料全部扒出,然后尽量清理炉缸内残留物,若工期允许,最好清理到铁口平面,清理的越干净越有利于开炉顺利。

3.3.3.4 复风后的出铁

复风后的出铁要求与步骤是:

(1) 送风前,酌情降低开口机角度,用 $\phi 100mm$ 钻头钻开铁口,加入氧枪吹氧。

(2) 送风后炉缸不活跃,温度不足,渣铁流动性差,炉前应对主沟、支沟、撇渣器做好充分的准备工作,防止将撇渣器铸死。首钢一般采取的措施为:1)主沟两帮加高,前段底部铺好河沙;2)将新撇渣器烤干后填上焦粉,制作临时撇渣器,防止撇渣器铸死;3)根据高炉恢复进程情况,再确定何时使用正式撇渣器;4)设有渣口的高炉还可以采用渣口装炭套,在铁口长时间出不来铁时以渣口代替铁口出铁。

(3) 出铁操作步骤如下:

1) 送风后,计算铁量达到出铁要求时,可将预埋氧枪的氧气和压缩风关上,此时,可能铁会自动流出。如遇铁水没有流出,应重新开口,钻不动后用氧气尽量向上烧,直至烧开铁口。

2) 铁口打开,但铁流过小温度又低时,要防止铁水在撇渣器凝固,可在主沟内挡一沙岗,待铁流稍冲时捅开,出铁过程中要在铁水面上加盖保温剂。堵口后捅开撇渣器,放出贮铁立即组织清理,准备下次出铁。

3) 防止"跑大流",除炉内配合外,要用河沙加高渣、铁沟两侧。

4) 当铁口长时间用氧气烧还出不来铁时,应采取其他一些措施,例如:除留少数人继续用氧气烧铁口外,还可集中人力从备用铁口出铁等。

参 考 文 献

1 成兰伯.高炉炼铁工艺及计算.北京:冶金工业出版社,1994

2 鞍钢炼铁厂.炼铁工艺计算手册.北京:冶金工业出版社,1973

3 炼铁设计参考资料编写组.炼铁设计参考资料.北京:冶金工业出版社,1975

4 章天华,鲁世英.炼铁.北京:冶金工业出版社,1986

5 包头钢铁设计研究总院,俄罗斯冶金技术代理公司.新型高炉炉渣生产工艺
   ——图拉法(内部资料),1999

6 冶金工业部,重庆钢铁设计研究总院.宝钢2号高炉"INBN"法水渣新工艺(内
   部资料),1990

4 热风炉系统及操作

4.1 热风炉结构、耐火材料及设备

使用高风温炼铁的主要意义是：

(1) 经济效益的提高。由于使用热风炼铁,缩短了从矿石到冶炼成生铁的时间,可以提高产量。同时热风带入高炉内的物理热由于完全充分地被利用,代替了焦炭燃烧后生成的热量,可以节约焦炭。使用热风还可以增加廉价的煤粉的喷吹量。因此,合理使用风温可以大幅度提高经济效益。

(2) 为了保证供给高炉充足的热风温度,热风炉使用了40%以上的高炉生产的副产品——高炉煤气。降低了冶炼的生产成本,提高了高炉副产品的再次利用率,减少了煤气放散量保护了环境。

4.1.1 热风炉的几种主要类型

按照燃烧室和蓄热室的布置形式不同,热风炉分为内燃式、外燃式和顶燃式。目前普通内燃式热风炉仍占绝大多数。这种热风炉当拱顶温度不高于1320℃,风温为980~1100℃时,使用良好。但是随着风温和风压的提高,这种热风炉就不能适应生产的需要。国外20世纪60年代推广外燃式热风炉,日本、德国等还普遍采用陶瓷燃烧器,风温可达1300~1350℃。所以,目前采用外燃式热风炉已成为提高风温的主要途径。新建大型高炉大多采用外燃式,中型高炉则内燃式、外燃式并存。针对内燃式的缺点,近年来又出现了改进型内燃式热风炉,以满足高炉对高风温的要求。1979年,首钢在1327m³高炉上正式采用了4座大型顶燃式热风炉,最高风温曾达到1200~1250℃,这是世界上第一个把顶燃式热风炉应用于1000m³以上高炉的实例。

4.1.1.1 内燃式热风炉

内燃式热风炉的燃烧室和蓄热室在同一炉壳内,结构形式如图 4-1 所示。燃烧室形状有圆形、眼睛形和复合形 3 种,如图 4-2 所示。圆形燃烧室的稳定性较好,但蓄热室有很多死角不能利用,热风炉的有效断面利用较差,故设计中很少采用。"眼睛"形燃烧室的热稳定性较差,但蓄热室的有效面积利用较好,气流分布也均匀,一般中小型热风炉多采用这种形式。大型高炉的燃烧室多采用复合型,靠蓄热室的部分为圆形,靠炉壳的部分为椭圆形,兼有圆形和"眼睛"形两者的优点。

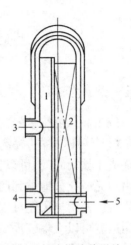

图 4-1 内燃式热风炉
1—燃烧室;2—蓄热室;3—热风;
4—煤气助燃空气;5—冷风

内燃式热风炉因结构上的固有缺陷会出现以下几个问题:

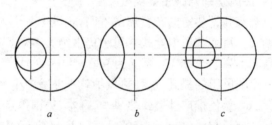

图 4-2 内燃式热风炉燃烧室形状
a—圆形;b—眼睛形;c—复合型

(1) 燃烧室火井上部砖墙向蓄热室一侧倒,使格子砖错乱、堵塞;

(2) 燃烧室火井下部隔墙开裂、烧穿,产生短路;

(3) 格子砖错位;

(4) 高温区耐火砖剥落、釉化变质;

148

（5）热风出口、烟道口等孔口砖脱落，导致钢壳烧坏而漏风；

（6）炉底板上翘，焊缝开裂漏风。

产生上述问题的主要原因是燃烧室火井和蓄热室两侧存在着温度差、压力差以及结构上产生的应力。

由于内燃式热风炉的投资较低，现在仍占大多数。

4.1.1.2 外燃式热风炉

外燃式热风炉燃烧室和蓄热室分别在两个圆柱形壳体内，两个室的顶部以一定方式连接起来，其结构如图4-3所示。

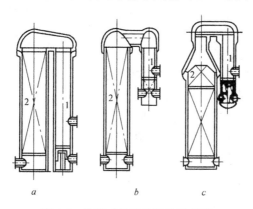

图4-3 外燃式热风炉结构示意图

a—地得式；b—考柏式；c—马琴式

1—燃烧室；2—蓄热室

由于燃烧室和蓄热室是独立砌筑，因而具有以下优点：

（1）从根本上消除了内燃式热风炉由于燃烧室隔墙两侧温差而造成的砌体裂缝和倒塌，燃烧室和蓄热室的砖墙受热均匀，结构的热稳定性较好，热风炉的使用寿命较高；

（2）气流在蓄热室格子砖内分布均匀，提高了格子砖的有效利用率和热效率；

不同形式外燃式热风炉的主要差别在于拱顶形式。在图4-3中，a 为地得式，拱顶由两个直径不等的球形拱构成并用锥形结构相连通；b 为考柏式，两室的拱顶由圆柱形通道连成一体；c 为马琴式,蓄热室的上端有一段倒锥形,锥形上部接一段直筒部分,直径与燃烧室直径相同,两室用水平通道连接起来。

地得式热风炉拱顶造价较高,砌筑施工复杂,而且需用多种形式的耐火砖,所以新建的外燃式热风炉多采用考柏式和马琴式。

地得式、考柏式、马琴式 3 种热风炉的比较情况如下:

(1) 从气流在蓄热室中均匀分布看,马琴式较好,地得式次之,考柏式稍差;

(2) 从结构看,地得式炉顶结构不稳定,为克服不均匀膨胀,主要采用高架燃烧室,设有金属膨胀圈,吸收部分不均匀膨胀;马琴式基本消除了由于送风压力造成的炉顶不均匀膨胀。

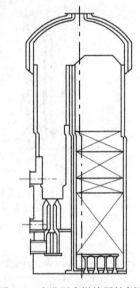

新日铁式外燃热风炉是在考柏式和马琴式外燃热风炉的基础上发展而成的,其主要特点是:蓄热室上部有一个锥体段,使蓄热室拱顶直径缩小至和燃烧室拱顶直径大小相同,拱顶下部耐火砖承受的荷重减小,提高结构的长期稳定性;对称的拱顶结构有利于烟气在蓄热室中的均匀分布,提高热风炉的传热效率。

外燃式热风炉结构复杂,占地面积大,钢材和耐火材料消耗量大,基建投资比同等风温水平的内燃式热风炉高 15%～35%,一般应用于新建的大型高炉。

图 4-4　改进型内燃热风炉剖面图

4.1.1.3　改进型内燃式热风炉

改进型内燃式热风炉如图 4-4 所示。

霍戈文式内燃式热风炉的特点为:

(1) 隔墙砖层间设有滑动缝和膨胀缝,砌体可以沿着垂直方向和水平方向自由移动;

150

（2）隔墙中间加隔热层以减少两侧的温度梯度,从而降低了热应力,防止隔墙向蓄热室倒塌;

（3）在隔墙热层靠近蓄热室一侧设置耐热钢板,以防止短路;

（4）高温区采用硅砖;

（5）采用陶瓷燃烧器。

鞍钢 9 号高炉改造型内燃式热风炉的特点为:

（1）热风炉拱顶增设箱形梁,采用 120°球顶与锥台相接的锥形拱顶;

（2）采用新型燃烧室隔墙;

（3）采用陶瓷燃烧器;

（4）采用圆孔密布的热风炉炉算和七孔格子砖。

4.1.1.4 顶燃式热风炉

顶燃式热风炉又称为无燃烧室热风炉,其结构如图 4-5 和图 4-6 所示。顶部的燃烧器是许多小而独立的陶瓷或金属燃烧器,使煤气和空气的混合过程短,燃烧过程较为迅速和安全。顶燃式热风炉的优点在于:

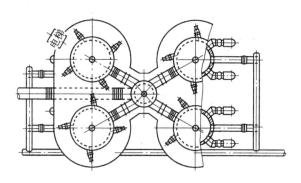

图 4-5 首钢 2 号高炉顶燃式热风炉平面图

（1）炉顶尺寸大为缩小;

（2）结构稳定性增强;

（3）采用短焰燃烧器,直接在热风炉拱顶部位燃烧,使高温热量集中,减少了热损失。

（4）改善了耐火材料的工作条件,使下部工作温度低,负重大,上部工作温度高,荷重小,允许相应提高耐火材料的工作温度并延长使用寿命。

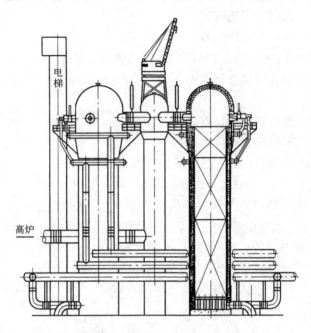

图 4-6　首钢 2 号高炉顶燃式热风炉立面图

此外,与外燃式热风炉相比,顶燃式热风炉投资和维护费用较低,结构对称,占地小,效率高。和内燃式热风炉相比,能更为有效地利用热风炉的空间,在热风炉容量相同的情况下,可使蓄热面积增加 25%~30%。在为提高风温而改建现有内燃式热风炉时,采用顶燃式效益较为明显,这在欧美、日本已引起广泛兴趣,首钢也已将顶燃式热风炉应用于 1726~2536m³ 高炉。

4.1.1.5　刚玉球式高温热风炉(球式热风炉)

格子孔中填球的蓄热室可以较大地提高传热面。这种球状填充物的特点是热交换表面积大(当球的直径为 20~25mm 时为 180~144 m²/m³,采用 φ41mm 圆孔格子砖时为 32.7 m²/m³),从而可以降低格子砖的高度。

目前我国的球式热风炉大多不砌格子砖,而是将球直接加入炉内。由于球式热风炉需定期卸球,故目前仅用于小高炉(300m³以下)。

4.1.2 主要耐火材料性能及其选择

随着高风温热风炉的发展,对耐火材料的材质及性能提出了越来越高的要求。特别是高温区耐火材料的性能、结构,对热风炉的寿命、适应高风温和安全性有重大的影响。

4.1.2.1 热风炉耐火材料性能评定

A 耐火材料的热学性能

a 耐火度

耐火材料在无荷重时,抵抗温度作用而不熔化的性质称为耐火度。耐火材料在使用中经受高温作用同时,还伴有荷重和碱金属等熔剂的作用,因而耐火度不能视为制品使用温度的上限。必须综合考虑其他性能,作为合理选用耐火材料的参考。

b 热膨胀性

耐火材料的长度和体积随温度升高而增大的性质称为热膨胀性。由于热风炉处于温度变化条件下工作,因而热膨胀性是进行热风炉结构设计的重要参数,并影响耐火材料的热震稳定性及受热后的应力分布和大小。材料的长度和体积的热膨胀性在一定温度范围内表现出可逆性,当温度恢复至初始温度时,其长度和体积恢复至原始尺寸。

耐火材料的热膨胀性,可用平均线膨胀系数或线膨胀百分率表示:

$$\alpha = (L_2 - L_1)/[L_1(T_2 - T_1)]$$

$$\beta = [(L_2 - L_1)/L_1] \times 100\%$$

式中　α　——平均线膨胀系数,1/℃;

　　　β　——线膨胀率,%;

　　　T_1——初始温度,℃;

　　　T_2——终了温度,℃;

153

L_1——对应 T_1 时材料的长度,mm;

L_2——对应 T_2 时材料的长度,mm。

从上述式中可以看出,耐火材料的平均线膨胀系数是温度的函数,是和一定的温度相对应的。实际应用中应该特别注意给定平均线膨胀系数对应的温度范围。通常热风炉常用耐火材料的线膨胀系数如表 4-1 所示。

表 4-1　热风炉常用耐火材料的线膨胀系数

耐火制品名称	温度/℃	平均线膨胀系数/℃$^{-1}$
硅砖	200～1000	$(11.5～13)\times10^{-6}$
黏土砖	200～1000	$(4.5～6.6)\times10^{-6}$
高铝砖	250～1280	5.8×10^{-6}
莫来石	200～1000	$(5.5～5.8)\times10^{-6}$
黏土质隔热砖	1450	$(0.7～1.4)\times10^{-6}$
高铝质隔热砖	1450	5.3×10^{-6}

c　高温体积稳定性

耐火材料在高温状态下的外形体积保持稳定的性能称为耐火材料高温体积稳定性。这是耐火材料一项重要的技术指标。对于烧成定形制品,一般用无荷重条件下的重烧体积变化率或重烧线变化率表示其体积稳定性;对于不烧和不定形耐火制品用烧后线变化率表示其高温体积稳定性。

重烧体积变化率又称残余体积膨胀率或收缩率。指耐火制品被加热到一定的温度并保持一定的时间后,冷却至初始温度时体积收缩或膨胀百分率。重烧体积变化率表示为:

$$\Delta V = [(V_2 - V_1)/V_1]\times100\%$$

式中　ΔV——重烧体积线变化率,$\Delta V>0$ 时为重烧体积膨胀率,$\Delta V<0$ 时为重烧体积收缩率,% ;

V_1——加热前试样的体积,cm^3;

V_2——加热至要求温度后冷却至初始温度时试样的体积,cm^3。

重烧线变化率又称残余收缩率或膨胀率。指耐火制品被加热至规定的温度并保持一定时间后,冷却至初始温度时线膨胀或线收缩百分率。重烧线变化率表示为:

$$\Delta L = [(L_2 - L_1)/L_1] \times 100\%$$

式中　ΔL——重烧线变化率,$\Delta L > 0$ 时为重烧线膨胀率,$\Delta L < 0$ 时为重烧线收缩率,%;

　　　L_1——加热前试样的线尺寸,mm;

　　　L_2——加热至要求温度后冷却至初始温度时试样的线尺寸,mm。

d　烧后线变化率

烧后线变化率指不定形和不烧耐火制品被加热至一定的温度并保持一定的时间后,冷却至初始温度时的线膨胀或线收缩百分率。如果材料被加热至干燥温度并脱水后的线变化率称为干燥线变化率。

由于耐火材料的重烧体积变化率和重烧线变化率是在一定的温度和保温时间测定的,在比较两种耐火材料的高温体积稳定性时,应特别注意测试温度和保温时间。

另外,耐火材料的重烧体积变化率和重烧线变化率是在无荷重的条件下测得的,而耐火材料往往是在承重的条件下工作,所以该指标仅仅反映耐火材料无荷重条件下的体积稳定性。

e　热容

单位质量耐火材料的温度在常压下升高 1℃ 所需要的热量,称为耐火材料的热容。热容反映了耐火材料的热容量,对于热风炉蓄热室的计算是一个重要参数。

f　导热系数

导热系数反映耐火材料的传热能力,其物理意义是:当某种耐火材料厚度为 1m 时,材料两面温差为 1℃,在与热流方向垂直的 $1m^2$ 面积上,每秒内通过的热量。即:

$$\lambda = (Q\delta)/(\Delta TAt)$$

式中　λ——导热系数,W/(m·K);

Q——热量,J;

ΔT——材料温差,K;

δ——材料厚度,m;

A——与热流方向垂直的面积,m^2;

t——时间,s。

影响材料导热性能的主要因素有:

(1) 气孔率:气孔率愈高,导热系数愈低。气孔的形状、大小和分布对材料的导热性都有影响。

(2) 温度:耐火材料的导热性随温度的变化而变化。硅砖、黏土砖、高铝砖、黏土隔热砖、硅藻土砖导热系数随温度升高而增加。

一般来说,选择热风炉格子砖,希望选择导热性好,热容大的耐火材料。对于绝热砖来说,应选择导热性差的耐火材料。

B 耐火材料的力学性能

热风炉选用的耐火材料常用的力学性能有常温力学性能、高温力学性能、荷重软化温度、高温蠕变性。其中,常温力学性能又分为常温耐压强度和常温抗折强度;高温力学性能又分为高温耐压强度和高温抗折强度。二者因温度不同,分别表征常温和高温条件下耐火材料的力学性能指标。

选择耐火材料时,要充分考虑耐火材料的受力情况,确保耐火材料的力学性能满足使用要求。一般耐火材料的常温耐压强度和常温抗折强度容易测定且方法简单,常常选用该指标作为评定耐火材料质量。

a 荷重软化温度

耐火材料的荷重软化温度是耐火材料在高温和恒定荷重作用下产生不同程度变形量的对应温度,简称荷重软化点。相同的荷载,不同的变形量,所对应的荷重软化温度不同。它反映了承重的耐火材料,在某一定的温度下的应变程度,表征的是耐火材料的高温结构强度。由于热风炉耐火材料是在较高的温度下使用并承受一定的荷载,因此要求热风炉使用的耐火材料必须具有较高的荷重软化温度。

b 高温蠕变

耐火材料在高温下承受低于其临界强度的恒定力长期作用下,将产生变形,且变形量随时间的延续而不断增大,这种现象称为蠕变。蠕变是选用热风炉高温区域耐火材料的重要指标。

最初的热风炉大多采用普通黏土砖,经过一段使用以后,发现格子砖下沉、内燃热风炉隔墙倒塌,最初认为是黏土砖的荷重软化温度不够引起的,于是改善黏土砖的质量或换成高铝砖。但格子砖下沉和隔墙倒塌现象并没有消除。经过反复研究发现,除了要求热风炉使用的耐火材料具有一定的耐火度、荷重软化温度、高温体积稳定性、热稳定性以及残存线变化率,还有一个重要的指标就是耐火材料的抗蠕变性能。

我国目前主要采用高温压缩蠕变,即耐火材料在恒定的高温和一定的荷重压力下产生变形和时间的关系。可以用材料的变形量和时间关系曲线表示蠕变速率。典型的蠕变曲线如图 4-7 所示。

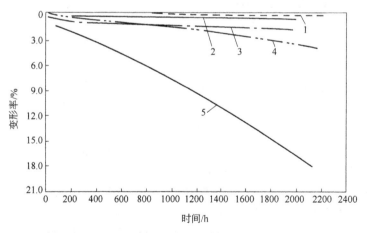

图 4-7　各种耐火砖的蠕变性

1—硅砖(1550℃,0.98×10⁵Pa);2—高铝砖(Al₂O₃70%,1300℃);3—高铝砖(Al₂O₃60%,1300℃);4—高铝砖(Al₂O₃70%,1350℃);5—黏土砖(日本牌号 SK35,1350℃)

C 耐火材料的热震稳定性

耐火材料抵抗温度的急剧变化而不破坏的性能称为热震稳定性。热风炉陶瓷燃烧器使用的耐火材料对热震稳定性有较高的要求。一般要求水冷实验,急冷急热次数大于 70 次。

4.1.2.2 热风炉耐火材料的选择

选择热风炉耐火材料时,应综合考虑耐火材料的质量技术指标,如耐火度、荷重软化温度、蠕变性、耐压强度、热容量、气孔率等,根据气体的工作温度、操作条件、热风炉的形式及使用部位选择不同材质的耐火材料。

热风炉的拱顶和炉墙可能产生以下几种形式的损毁:拱顶外侧砌缝因膨胀而开裂而内侧砖产生应力集中,因而使高温下易收缩和蠕变的耐火材料产生变形,使拱顶下陷,砌体脱落;当温度很高时而拱顶砖的耐火度很低时,还可能造成砌砖熔融;炉墙和内燃式热风炉隔墙随热风炉大型化,承重负荷增大,随热风温度升高热负荷增大,也易因材料收缩和蠕变而变形,倾斜和倒塌;隔墙还会因周期性温度波动,使砖变形,砖缝开裂,造成送风短路;热风炉耐火材料还能与燃气(如高炉煤气)中 Fe_2O_3、CaO、Na_2O、K_2O、ZnO 等作用而降低强度、变形。选择拱顶和炉墙耐火材料时,要考虑以上损毁机理。

热风炉格子砖同时受热负荷和荷重作用。热风炉上部热负荷最高,中部次之,下部较低,荷重负荷与之相反,以下部为最大。因此,蓄热室上部和中部的格子砖极易产生收缩和蠕变,从而出现沉陷、倒塌。当长期在含铁、钙、锌等氧化物和碱蒸气的炽热气体侵蚀下,更易软化;格子砖还受一定的热震影响。要求格子砖必须具有相当高的荷重软化温度和强度,对上部、中部格子砖要求有更高的高温体积稳定性和抗蠕变性。对下部格子砖,要求较高的常压强度。另外,格子砖还应具有相当好的抗渣性、抗碱性以及抗热震性。

热风炉的高温部位一般选用荷重软化温度高、抗蠕变性能好、含碱金属钾、钠及 Fe_2O_3 低的耐火材料。拱顶、蓄热室上部格子砖及大墙、燃烧室上部工作层一般多选用硅砖、低蠕变高铝砖、红柱石砖、硅线石砖;蓄热室中下部多选用高铝砖、黏土砖。

表 4-2 为热风炉采用的耐火材料质量的参考数据。

表 4-2　热风炉采用的耐火材料质量的参考数据

材　质	使用部位	耐火度/℃	抗蠕变温度(1.96×10⁶Pa,50h)/℃	显气孔率/%	体积密度/g·cm⁻³	重烧线变化率/%	耐压强度/MPa
高铝砖	拱顶、燃烧室 蓄热室中下部	1780～1810	1550 1350～1450 1270～1320	16～21	2.4～2.7	1500℃, 0～0.5	50～80
黏土砖	燃烧室 蓄热室上部	1750～1800 1700～1750	1250 1150	18～20 18～24	2.1～2.2 2.0～2.1	1400℃, 0～0.5 1350℃, 0～0.5	29.4～45
半硅砖	燃烧室 蓄热室	1650～1700		25～27	1.9～2.0	1450℃, 0～1.0	19.6～39.2
硅线石砖	拱顶、燃烧室 蓄热室上部	1790	1450～1550	18～19	2.6～2.7	1500℃, 0.1～0.4	54～90
红柱石砖	拱顶、燃烧室 蓄热室上部	1790	1450～1550	18～19	2.6～2.7	1500℃, 0.1～0.4	80～90

隔热耐火材料用于热风炉的隔热层。目的是减少热风炉炉壳热损失,降低炉壳温度。一般选用导热系数低的隔热耐火材料,热风炉常用的有黏土质隔热耐火砖、高铝质隔热砖、轻质喷涂料、硅钙板、耐火纤维毡、纤维喷涂料等。某些耐火材料的理化指标如表4-3～表4-13所示。

表 4-3　热风炉用高铝砖理化指标

项　　目		RL-65	RL-55	RL-48
$w(Al_2O_3)$/%	≥	65	55	48
耐火度/℃	≥	1790	1770	1750
0.2MPa荷重软化温度/℃	≥	1500	1470	1420
重烧线变化率/%	1500℃,2h	+0.1 −0.4	+0.1 −0.4	
	1450℃,2h			+0.1 −0.4
显气孔率/%	≤	24	24	24
常温耐压强度/MPa	≥	49	44.1	39.2

表 4-4　热风炉用硅线石砖理化指标

项　　目		Ⅰ	Ⅱ
$w(Al_2O_3)/\%$	≥	58	55
$w(Fe_2O_3)/\%$	≤	1.5	2.0
耐火度/℃	≥	1790	1790
0.2MPa 荷重软化温度/℃	≥	1600	1550
重烧线变化率/%	1400℃,2h	+0.1 -0.4	+0.1 -0.4
	1350℃,2h	+0.1 -0.3	
显气孔率/%	≤	16	17
常温耐压强度/MPa	≥	90	54
热震稳定性次数	≥	25	25

表 4-5　热风炉用红柱石砖理化指标

项　　目		Ⅰ	Ⅱ
$w(Al_2O_3)/\%$	≥	65	80
$w(Fe_2O_3)/\%$	≤	1.5	1.0
耐火度/℃	≥	1790	1790
0.2MPa,6%变形,荷重软化温度/℃	≥	1600	1550
重烧线变化率/%	1400℃,2h	+0.2 -0.4	+0.1 -0.4
	1350℃,2h	+0.1 -0.3	
显气孔率/%	≤	19	18
常温耐压强度/MPa	≥	80	90
蠕变率/%		1450℃,50h 0.2~0.5	1500℃,50h 0.12~0.3

表 4-6　热风炉用黏土砖理化指标

项　　目		RN-42	RN-40	RN-36
$w(Al_2O_3)/\%$	≥	42	40	36
耐火度/℃	≥	1750	1730	1690
0.2MPa 荷重软化温度/℃	≥	1400	1350	1300

160

项　　　目		RN-42	RN-40	RN-36
重烧线变化率/%	1450℃,2h	0~0.4	0~0.4	
	1350℃,2h	0~0.3		0~0.3
显气孔率/%	≤	24	24	24
常温耐压强度/MPa	≥	29.4	24.5	19.6

表 4-7　热风炉用硅砖理化指标

项　　　目		GZ-95	GZ-94	GZ-93
$w(SiO_2)/\%$	≥	95	94	93
耐火度/℃	≥	1710	1710	1690
0.2MPa 荷重软化温度/℃	≥	1650	1640~1620	1620
显气孔率/%	≤	22	22	25
常温耐压强度/MPa	≥	29.4	24.5	19.6
真密度/g·cm^{-3}		2.37	2.38	2.39

表 4-8　热风炉用黏土隔热砖理化指标

项　　　目		NG-1.5	NG-1.3	NG-1.0	NG-0.9	NG-0.8	NG-0.7	NG-0.6	NG-0.5	NG-0.4
密度/g·cm^{-3}	≤	1.5	1.3	1.0	0.9	0.8	0.7	0.6	0.5	0.4
重烧线变化小于2%时的温度/℃		1400	1400	1350	1350	1300	1250	1250	1150	1150
常温耐压强度/MPa	≥	6.0	4.5	4.0	3.0	2.5	2.5	2.0	1.5	1.0
导热系数(350℃)/W·(m·K)$^{-1}$	≤	0.7	0.6	0.6	0.5	0.4	0.35	0.35	0.25	0.2

表 4-9　热风炉用高铝隔热砖理化指标

项　　　目		LG-1.0	LG-0.9	LG-0.8	LG-0.7	LG-0.6	LG-0.5	LG-0.4
$w(Al_2O_3)/\%$	≥	48	48	48	48	48	48	48
$w(Fe_2O_3)/\%$	≤	2.0	2.0	2.0	2.0	2.0	2.0	2.0
密度/g·cm^{-3}	≤	1.0	0.9	0.8	0.7	0.6	0.5	0.4

161

项　目		LG-1.0	LG-0.9	LG-0.8	LG-0.7	LG-0.6	LG-0.5	LG-0.4
重烧线变化小于2%时的温度/℃		1400	1400	1400	1350	1350	1250	1250
常温耐压强度/MPa	≥	4.0	3.0	2.5	2.5	2.0	1.5	0.8
导热系数(350℃)/W·(m·K)$^{-1}$	≤	0.5	0.45	0.35	0.35	0.30	0.25	0.2

表 4-10　首钢 1 号高炉热风炉所使用的耐火材料性能指标

项　目	低蠕变高铝砖	高铝砖	黏土砖
$w(Al_2O_3)/\%$	≥65	≥65	≥42
碱含量/%	≤0.6	≤0.6	≤0.6
$w(Fe_2O_3)/\%$	≤1	≤1.5	≤1.5
耐火度/℃	≥1790	≥1790	≥1750
荷重软化温度/℃	≥1550	≥1550	≥1400
重烧线变化率/%	0.2～0(1500℃,3h)	0.1～0.4(1500℃,3h)	0～0.4(1500℃,3h)
显气孔率/%	≤21	≤21	≤24
冷态抗压强度/MPa	≥80	≥49	≥29.4
体积密度/g·cm^{-3}	≥2.65	≥2.7	≥2.15
蠕变率/%	≤0.5(0.2MPa,1500℃,50h)	≤0.8(0.2MPa,1350℃,50h)	≤0.8(0.2MPa,1200℃,50h)

表 4-11　宝钢 1 号高炉热风炉所使用的耐火材料性能指标

项　目	H21	H22	H23	H24	H25	H26
$w(Al_2O_3)/\%$	≥75	≥80	≥65	≥65	≥60	≥50
耐火度/℃	≥1850	≥1850	≥1850	≥1820	≥1790	≥1790
显气孔率/%	≤21	≤22	≤19	≤24	≤24	≤24
冷态抗压强度/MPa	≥50	≥40	≥50	≥40	≥30	≥30
体积密度/g·cm^{-3}	≥2.60	≥2.70	≥2.45	≥2.30	≥2.30	≥2.20
蠕变率(0.2MPa,50h)/%	≤1.0(1550℃)	≤1.0(1500℃)	≤1.0(1450℃)	≤1.0(1500℃)	≤1.0(1300℃)	≤1.0(1270℃)

表 4-12 宝钢 1 号高炉热风炉所使用的耐火材料性能指标

项　　目	N3	N41	N42	N43	S21
耐火度/℃	≥1690	≥1750	≥1710	≥1690	≥1710
荷重软化温度/℃	≥1350	≥1420	≥1380	≥1350	
重烧线变化率/%	+0.5~-0.5 (1350℃)	+0.5~-0.5 (1400℃)	+0.5~-0.5 (1350℃)	+0.5~-0.5 (1300℃)	+0.5~-0.5 (1450℃)
显气孔率/%	≤26	≤24	≤24	≤24	≤23
冷态抗压强度/MPa	≥20	≥30	≥30	≥25	≥30
体积密度/g·cm⁻³	≥2.60	≥2.70	≥2.45	≥2.30	≥2.30
蠕变率(0.2MPa, 50h)/%		≤1.0 (1250℃)	≤1.0 (1200℃)	≤1.0 (1150℃)	≤1.0 (1550℃)

表 4-13 霍戈文 1 号高炉热风炉所使用的耐火材料性能指标

项　　目	K	HH	HS	HD	XX	X
$w(SiO_2)$/%	≥95					
$w(Al_2O_3)$/%		64~67	56~60	54~56	48~52	39~42
碱含量/%		≤1.2	≤1.2	≤1.2	≤1.5	≤2.0
Fe_2O_3/%	≤1.0	≤1.7	≤1.7	≤1.7	≤2.0	≤3.0
重烧线变化率/%	-0.1/ +0.3 (1500℃)	-0.1/ +0.1 (1500℃)	-0.1/ +0.2 (1500℃)	-0.1/ +0.1 (1400℃)	-0.1/ +0.2 (1400℃)	-0.1/ +0.2 (1400℃)
显气孔率/%	≤21	≤22	≤21	≤21	≤20	≤23
冷态抗压强度/MPa	≥30	≥45	≥40	≥40	≥35	≥35
体积密度/g·cm⁻³	≥1.80	≥2.50	≥2.40	≥2.28	≥2.20	≥2.15
蠕变率(0.2MPa, 20~50h)/%	≤0.2 (1500℃)	≤0.2 (1500℃)	≤0.2 (1400℃)	≤0.2 (1350℃)	≤0.2 (1300℃)	≤0.2 (1200℃)

　　随着不定形耐火材料的发展,热风炉使用不定形耐火材料的部位有所增加。如采用轻质喷涂料对热风炉炉壳喷涂;热风炉低温孔口采用高铝质或黏土质浇注料浇注;热风炉主烟道、支烟道、预热助燃空气、煤气管路和热风炉烟囱等普遍采用喷涂料或浇注

料。热风炉检修,补衬也可以采用散状料进行修复。

热风炉热风出口、热风总管和围管三岔口、上部人孔等高温孔口部位采用了组合砖,材质采用莫来石—堇青石、红柱石、低蠕变高铝砖,大大提高热风炉孔口的稳定性,延长了热风炉寿命。

另外,在进行热风炉设计和选择耐火材料时还要考虑蓄热面积与格子砖重量。热风炉的蓄热面积是热风炉的重要参数,热风炉的蓄热室必须有足够的加热面积,通常情况下,单位立方米鼓风所具有的加热面积为 $28\sim38m^2$。同时,热风炉还应具有一定的格子砖重量,保证格子砖具有足够的蓄热能力。

减薄格子砖的厚度,减小格孔尺寸,能增大热风炉的加热面积,但会相对降低热风炉的蓄热能力,在考虑格子砖的厚度时,同时要兼顾格子砖的加热面积和蓄热能力。

增大蓄热面积,对加快传热有利,但由于相对蓄热量降低,应缩短送风时间,提高热风炉的换炉频率,要求对热风炉具有较高的操作水平。如果增加格砖重量,热风炉蓄热能力增强,热交换速率降低,热风炉升温缓慢,但可以延长送风时间,热风炉工作周期较长。

从上述的分析可以看出,选择热风炉的加热面积和格砖厚度,必须控制在一个合理的范围,随着热风炉操作水平的提高,格子砖的厚度逐渐减薄,现在多采用七孔格子砖。考虑格子砖的强度,一般砖壁厚度为 $22\sim30mm$,最薄不低于 20 mm。常见的格子砖形式如图 4-8 所示。

4.1.3 热风炉主要阀门结构形式

热风炉系统的阀门是热风炉的重要设备,通过阀门的启闭,完成烧炉、焖炉、换炉、送风的操作。

燃烧系统的阀门主要控制热风炉的烧炉过程,包括煤气燃烧阀、空气燃烧阀、煤气调节阀、空气调节阀、煤气放散阀、烟道阀、废风均压阀等。在烧炉过程中,除了废风均压阀、煤气放散阀关闭,其他阀都处于开启状态;在热风炉送风状态时,又都处于关闭状态。

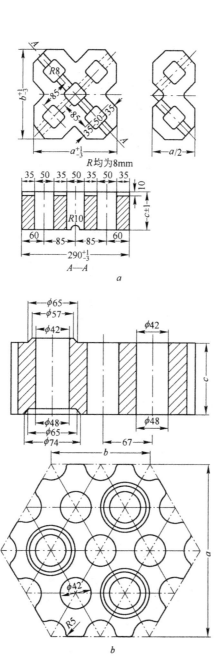

R均为8mm

A—A

a

b

165

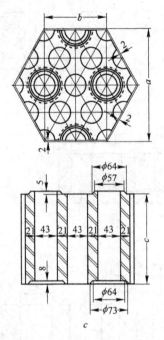

图 4-8　常见热风炉格子砖形式
a—五孔格子砖；b—七孔格子砖 I；c—七孔格子砖 II

送风系统的阀门主要控制热风炉的送风操作过程。包括热风阀、冷风阀、混风阀、混风调节阀、冷风均压阀。在送风过程中，在用冷风调节风温时，除了冷风均压阀，这些阀门都处于开启状态。在热风炉燃烧状态时，又都处于关闭状态。

热风阀一般采用闸阀，如图 4-9 和图 4-10 所示。

阀板设有不定形耐火衬，阀板、阀座、阀体采用水冷结构。阀的结构有铸造和焊接两种结构。因焊接结构简单、加工制作简单，普遍被采用。阀的密封面采用石棉绳、包缚式金属密封圈。

热风阀的驱动形式有电动、液压驱动等形式。液压驱动因其控制平稳、可靠生产中使用较多。

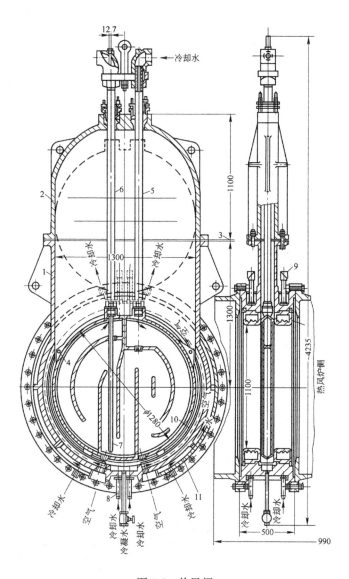

图 4-9　热风阀

1—阀体;2—阀盖;3—阀板;4—阀座;5—进水管;6—排水管;7—进水管;
8—阀座进水管;9—阀座排水管;10—合金钢板;11—水圈

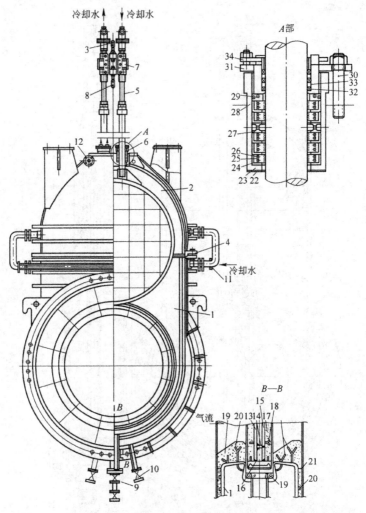

图 4-10　新型热风阀

1—阀体；2—阀盖；3—阀板；4—垫片；5—阀杆；6—密封装置；7—固定横梁；8—链板；9—排水阀；10—冷却水入口；11—冷却水入口；12—冷却水出口；13—钢阀板；14—隔板；15—钢阀板；16—水圈；17—耐火材料；18—锚固件；19—耐火材料衬；20—锚固件；21—膨胀缝垫片；22—密封圈；23—密封盒；24—环状圈；25—迷宫圈；26—弹簧圈；27—油环；28—附加环；29—"O"形密封圈；30—双头螺栓；31—密封盖填料盒；32—石棉填料；33—聚四氟乙烯填料；34—填料盖

切断阀用于热风炉煤气、空气、烟气和冷风,形式多种多样,常用的大多为闸式阀,如图 4-11 所示。一般这些阀不采用水冷。驱动方式有电动、液压驱动。曲柄盘式阀过去使用也比较广泛,除了用于冷风阀和混风阀外,也可用做煤气、烟气切断阀,如图 4-12 所示。

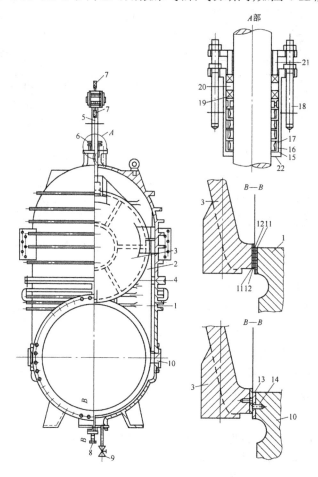

图 4-11　闸板式切断法

1—阀体;2—阀盖;3—阀板;4—垫片;5—阀杆;6—密封填料盒;7—链板;8—螺旋千斤顶;9—放水阀 10—斜楔;11—不锈钢堆焊层;12—硬质合金堆焊层;13—不锈钢带;14—埋头螺钉;15—填料盒;16—环状套;17—迷宫环;18—油环;19—石棉填料;20—浇注填料;21—填料盖;22—密封圈

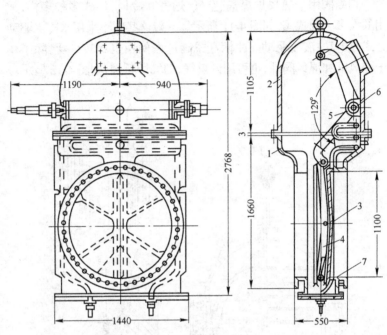

图 4-12　曲柄盘式阀

1—阀体;2—阀盖;3—阀盘;4—杠杆;5—曲柄;6—轴;7—阀座

随着蝶阀技术的发展,密封性提高,使用压力也有所提高,也可以用来做切断阀使用,用于助燃空气、冷风、烟气、煤气的切断。切断蝶阀的形式发展较多,有四连杆阀、三连杆蝶阀、双偏心蝶阀等。密封形式有软密封和金属硬密封两种。双偏心金属硬密封蝶阀使用较广泛。冷风阀如图 4-13 所示。调节阀多采用蝶阀,如图4-14 所示。

驱动形式有电动、液压驱动及气动 3 种形式。

4.1.4　燃烧系统设备

4.1.4.1　燃烧器

燃烧器是热风炉的重要设备,一般分为金属燃烧器和陶瓷燃烧器。金属燃烧器有格栅式和套筒式两种,由于煤气容易在格栅内燃烧,使格栅变形,所以大多采用套筒式燃烧器。

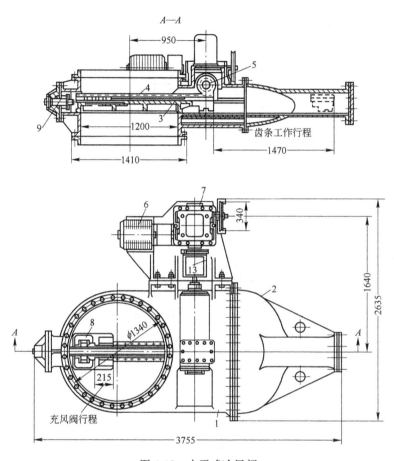

图 4-13　水平式冷风阀

1—阀体；2—阀盖；3—主阀板；4—齿条；5—小齿轮；6—电动机；7—减速机
8—均压小阀；9—弹簧缓冲器

金属燃烧器的能力调节范围相对较小，最大能力一般易受到限制，特别是对高温预热后的空气、煤气的适应性差，所以在大型热风炉上使用往往受到限制。首钢研制出大功率短焰燃烧器，最高能力达到35000m³/h(标态)，这种燃烧器是金属燃烧器和陶瓷燃烧器的结合。为顶燃热风炉的推广应用起到了重要的推动作用。

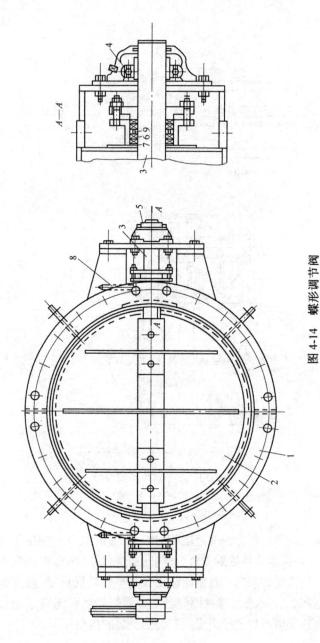

图 4-14 蝶形调节阀

1—阀体；2—阀板；3—转动轴；4—滚动轴承；5—轴承座及盖；6—集环；7—密封圈；8—给油管；9—油环

陶瓷燃烧器在内燃式热风炉、外燃式热风炉采用比较多,陶瓷燃烧器的形式有套筒式、格栅式、三孔式等,如图 4-15 所示。

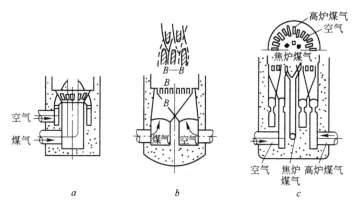

图 4-15 陶瓷燃烧器的形式

a—套筒式;*b*—格栅式;*c*—三孔式

陶瓷燃烧器空气、煤气比调节范围大,能在较高的空气、煤气温度条件下使用,对提高热风温度有利。陶瓷燃烧器的结构比较复杂,制造安装较金属燃烧器困难,烧坏后不易更换。图 4-16 为几种常见的燃烧器形式。

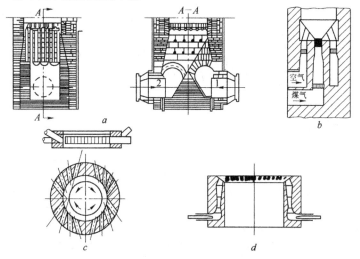

173

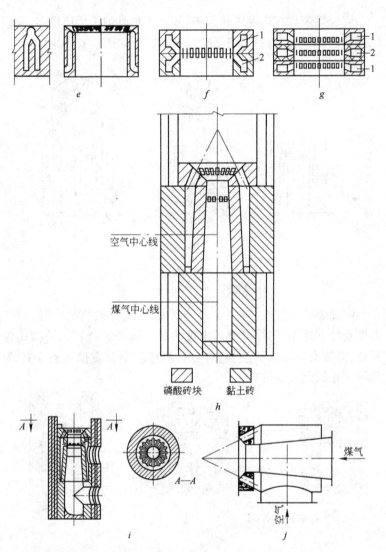

图 4-16　几种常见的燃烧器形式

a—格栅式陶瓷燃烧器：1—煤气进口，2—助燃空气进口；b—套筒式陶瓷燃烧器；c—1-SS-Ⅰ型燃烧器；d—1-SS-Ⅱ型燃烧器；e—S-SS-Ⅰ型燃烧器；f—S-SS-Ⅱ型燃烧器：1—煤气，2—空气；g—S-SS-Ⅲ型燃烧器：1—煤气，2—空气；h—鞍钢使用的陶瓷燃烧器剖面图；i—本钢使用的陶瓷燃烧器剖面图；j—顶燃式热风炉燃烧器结构

4.1.4.2　助燃风机

助燃风机是热风炉的重要设备,要克服热风炉阻力、强制供助燃风、提高烧炉速度,必须使用助燃风机。

助燃风机供风分为单独供风和集中供风两种形式,单独供风在过去的设计中经常采用,现在设计中很少采用,多采用集中供风形式。

集中供风有诸多的优点:

(1)采用集中供风便于热风炉的连锁控制,避免单独供风风机的频繁启动。

(2)便于利用废热预热助燃空气和集中消音控制。可以集中在风机上安装消音室和空气过滤室,对净化助燃空气,减少环境噪声有好处。

(3)采用集中供风方式,风机一般采用两用一备,布置灵活,不受场地位置的限制。

表 4-14　国内某些高炉的热风炉助燃风机技术参数

配用助燃风机参数	高炉容积/m³			
	420	550	1780	2500
全压/Pa	10000	12000	13000	10000
流量/m³·h⁻¹	45000	53000	136000	145000
电机功率/kW	185	230	750	800
电压/V	380	380	6000	6000

注:550m³、1780m³ 高炉的热风炉为顶燃式热风炉。

4.2　热风炉的燃料及其计算

4.2.1　热风炉燃烧煤气的种类及成分

4.2.1.1　各种煤气的理化性能指标

各种煤气的理化性能指标如表 4-15 所示。

表 4-15 各种煤气的理化性能指标

煤气种类		高炉煤气		焦炉煤气		转炉煤气	
成分/%（湿体积分数）	CO	26.6		6.3		56.3	
	CO_2	12.0		1.9		18.5	
	H_2	2.4		55.7		1.4	
	CH_4			24.6			
	N_2	56.4		6.4		19.2	
	H_2O	2.3		2.3		4.2	
	O_2			0.8		0.4	
	C_nH_m			2.0			
低发热值/$kJ·m^{-3}$		3276		16873		7285	
煤气重度/$kg·m^{-3}$		1.29		0.48		1.35	
空气过剩系数		1.1	1.5	1.1	1.5	1.1	1.5
烟气量/$m^3·m^{-3}$		1.66	1.95	5.3	6.97	2.23	2.78
空气量/$m^3·m^{-3}$		0.8	1.1	4.6	6.27	1.51	2.78

高炉煤气:从高炉炉顶排出,经过煤气净化系统后的高炉煤气,其主要成分为 CO_2、CO、H_2、N_2 等。

焦炉煤气:是炼焦过程中产生的煤气。可燃物多,属高热值煤气,具有易燃性。其主要成分是 H_2、CH_4、CO、N_2、CO_2 和 C_nH_m 等。

转炉煤气:是转炉冶炼时由氧气同铁水中的碳、硫、磷等元素氧化生成的,在吹炼过程中从炉口喷出,含有大量的 CO。其主要成分是:CO、CO_2、H_2 和 N_2 等。

一般热风炉以高炉煤气为主要燃料,由于高炉煤气发热值较低,为了获得高风温,可混入热值较高的焦炉煤气或转炉煤气。

各种煤气常压下有关技术参数如表 4-16 所示。

表 4-16　各种煤气常压下有关技术参数

有关参数	可燃成分(体积分数)	质量标准	着火温度/℃	爆炸浓度极限/%	发热值/kJ·m⁻³
高炉煤气	$CO \approx 23\% \sim 28\%$ $H_2 \approx 1\% \sim 4\%$	含尘不大于 $5mg/m^3$ 湿度不大于 $55g/m^3$ 不高于 35℃	530	30.84 ～ 89.49	3349 ～ 3768
焦炉煤气	$H_2 \approx 50\% \sim 60\%$ $CH_4 \approx 22\% \sim 26\%$ $CO \approx 6\% \sim 9\%$ $C_2H_2 \approx 1\% \sim 3\%$ $C_nH_m \approx 2\% \sim 3\%$	净化后送入管网	500	4.72 ～ 37.59	16802
转炉煤气	$CO \approx 55\% \sim 70\%$ $H_2 \approx 1\% \sim 2\%$	O_2 不大于 0.6% 含尘不大于高炉气标准	610	18.22 ～ 83.22	4187 ～ 6699

4.2.1.2　热风炉对燃料的质量要求

热风炉对燃料的质量要求包括：

(1) 煤气含尘量：使用含尘量较高的煤气,易堵塞热风炉格子砖的格孔,并使高铝砖渣化,影响风温水平和寿命的提高。热风炉用净煤气的含尘量应小于 $10mg/m^3$,现代高炉已经做到小于 $5mg/m^3$。

(2) 煤气含水量：煤气含水包括机械水和饱和水。它影响煤气发热值和理论燃烧温度的提高(在饱和水不超过 10%的范围内,水分每增加 1%(8g/m3),理论燃烧温度降低 8.5℃),也影响热风炉的寿命,饱和水与煤气温度有关。凡是降低煤气温度的措施,都可降低饱和水,但有一定的难度。机械水可通过净化系统的脱水器和设在热风炉附近的煤气管道上的脱水器排除,以减少机械水。

(3) 净煤气压力：为保证热风炉的稳定燃烧和安全生产,要求热风炉净煤气支管处的煤气压力达到一定数值并要稳定。

热风炉净煤气支管处的煤气压力如表 4-17 所示。

表 4-17　热风炉净煤气支管处的煤气压力

高炉炉容/m³	≥1000	620	255	50～100
煤气压力/kPa	≥5.884	≥4.903	≥3.432	≥2.942

4.2.2 煤气发热值与燃烧的有关计算

4.2.2.1 干湿煤气成分换算

在燃烧计算时,需要用煤气的湿成分作为计算的依据。气体燃料的组成是用所含各种单一气体的体积分数来表示。并有干成分和湿成分两种表示方法。由于煤气中都含有水分,燃烧计算时,需要用煤气的湿成分。但有的厂化验室分析结果为干成分,因此要将干煤气的成分换算为湿煤气成分。

另外,现场高炉煤气分析常有少量氧气和甲烷,但高炉煤气中实际不含有氧,根据光谱分析和理论研究证明也不应有甲烷。由于甲烷含量(体积分数)甚微,为 $0.0018\% \sim 0.0024\%$,可忽略不计。而煤气中的氧气是因为取样和分析等原因而混入微量空气造成的,必须在换算成湿成分之前扣除氧量和相应的氮量,并折算成 100%。各种组分的体积分数换算公式如下:

$$(CO_2') = b~(CO_2)$$
$$(CO') = b(CO)$$
$$(H_2') = b(H_2)$$
$$(N_2') = b[(N_2) - 79/21(O_2)]$$

其中:

$$b = \frac{100}{100 - (O_2)/0.21}$$

式中　$(CO_2'),(CO'),(H_2'),(N_2')$——换算后的煤气组分(体积分数),%;

$(CO_2),(CO),(H_2),(N_2)$——煤气的化学成分(体积分数),%。

气体燃料的湿成分是指包括水蒸气在内的成分,各种成分(体积分数)的关系如下:

$$CO_{湿}\% + H_{2湿}\% + CH_{4湿}\% + \cdots\cdots + CO_{2湿}\% + N_{2湿}\% + O_{2湿}\% + H_2O_{湿}\% = 100\%$$

煤气的干成分中不包括水蒸气在内,各种成分(体积分数)的关系如下:

$CO_干\% + H_2_干\% + CH_4_干\% + \cdots\cdots + CO_2_干\% + O_2_干\% + N_2_干\% = 100\%$

干成分与湿成分之间的换算关系式为:

$$X_湿 = X_干 \times (100 - H_2O_湿)/100$$

式中　　$X_湿$——煤气的湿成分;

　　　　$X_干$——煤气的干成分;

　　　　$H_2O_湿$——湿煤气中所含水蒸气的百分体积。

令 $K = (100 - H_2O_湿)/100$,则:

$$X_湿 = KX_干$$

式中　　K——湿煤气与干煤气的比例系数。

湿煤气中的水蒸气含量,一般等于该温度下的饱和水蒸气量。它因温度不同而异。

表 4-18　不同温度下饱和水蒸气含量

气体温度/℃	-25	-20	-15	-10	-5	0	5	10	15
$H_2O_湿$/%	0.026	0.101	0.163	0.256	0.365	0.602	0.86	1.21	1.63
气体温度/℃	20	25	30	35	40	45	50	75	100
$H_2O_湿$/%	2.3	3.13	5.18	5.55	7.26	9.45	12.18	36.7	100

为了准确计算,还应考虑高炉煤气中的机械水。鞍钢在一般燃烧计算中,对煤气含水不论饱和水或机械水统一折合,取煤气含水蒸气量5%(相当于 $40g/m^3$ 煤气)。鞍钢认为,这样计算比较方便,结果也接近实际。

4.2.2.2　煤气发热值的计算

煤气的发热值是指完全燃烧 $1m^3$(标态)煤气时所释放出的热量。发热量有高发热量和低发热量之分。

高发热量指单位燃料完全燃烧后,将燃烧产物中的水蒸气冷却到0℃的水所放出的热量也计算在内的发热量,用 $Q_高(kJ/m^3)$

表示。计算公式为：

$$Q_{高} = (30.19CO + 30.5H_2 + 94.99CH_4 + 150.54C_2H_4 + \cdots$$
$$+ 60.05H_2S) \times 4.1868$$

低发热量指单位燃料完全燃烧后,燃烧产物中的水蒸气冷却到 20℃ 时所放出的热量,用 $Q_{低}(kJ/m^3)$ 表示。计算公式为：

$$Q_{低} = (30.19CO + 25.8H_2 + 85.6CH_4 + 141.15C_2H_4 + \cdots$$
$$+ 55.36H_2S) \times 4.1868$$

4.2.2.3 煤气燃烧及有关计算

A 煤气的燃烧

煤气的燃烧过程,包括以下 3 个阶段:(1)煤气与空气的混合;(2)混合后可燃气体的加热和着火;(3)完成燃烧化学反应。煤气与空气的混合,需要消耗一定的能量和时间。混合后的可燃气体在加热到它的着火温度时才进行燃烧反应。这种激烈的氧化反应是在一瞬间完成的。因此,煤气燃烧速度的主要矛盾是煤气与空气的混合以及混合后的可燃气体的加热升温速度。

由此可见,空气和煤气的预热对提高燃烧速度和煤气的完全燃烧都大有好处。

燃烧中可燃成分化学反应式为:

$$CO + 1/2O_2 = CO_2$$
$$H_2 + 1/2O_2 = H_2O$$
$$C_nH_m + (n + m/4)O_2 = nCO_2 + m/2H_2O$$
$$H_2S + 3/2 O_2 = H_2O + SO_2$$

B 空气需要量的计算

在标准状况下(0.1MPa(1atm),0℃)1kg 分子气体的体积为 $22.4m^3$。故每 $1m^3$ 煤气完全燃烧的理论空气量(m^3,标态)为:

$$L_0 = 4.76[1/2CO + 1/2H_2 + \sum(n + m/4)$$
$$C_nH_m + 3/2 H_2S - O_2] \times 0.01$$

式中　　4.76——空气的体积是其含氧量体积的倍数,即 100/21
　　　　　　　= 4.76;

L_0——理论空气需要量,m^3;

$CO, N_2, C_nH_m, H_2S, O_2$——在煤气中体积百分含量。

实际生产中,实际空气量均大于理论空气。实际空气量的计算式为:

$$L_n = aL_0$$

式中　L_n——实际空气量,m^3;

　　　a——过剩空气系数。

因此,过剩空气系数的计算式为:

$$a = L_n/L_0 > 1$$

C　燃烧产物量的计算

完全燃烧时,按理论空气量计算出燃烧每 $1m^3$ 煤气理论燃烧产物量(m^3,标态),按燃烧的化学反应式可得:

$$V_0 = 1/100[CO + H_2 + \sum(n + m/2)C_nH_m + 2H_2S + CO_2 +$$
$$N_2 + H_2O] + 79/100L_0$$

式中　V_0——理论燃烧产物量,m^3。

燃料完全燃烧的理论燃烧产物量与燃料成分有关。燃料中的可燃成分含量越高,发热量越高,则理论燃烧产物量也越大。

实际燃烧产物量由于过剩空气系数($a > 1$)的影响,会大于理论燃烧产物量。因此,计算实际燃烧产物量要加上过剩的空气需要量,即:

$$V_n = V_0 + (a - 1)L_0$$

式中　V_n——实际燃烧产物量,m^3。

D　理论燃烧温度的经验计算

在绝热的情况下,煤气燃烧时燃烧产物所能达到的温度叫做理论燃烧温度。要计算理论燃烧温度需要列出热平衡方程式,这种计算方法很多资料中已有介绍,可以借鉴参考。由于这种方法较为复杂,故生产中也有利用经验公式来进行计算的,相比之下这种计算要简单很多,但有一定的误差。生产中使用的经验公式如下:

只使用高炉煤气燃烧时：

$$t_{理} = 1.2Q_{低} + 330$$

式中　$t_{理}$——高炉煤气理论燃烧温度，℃；

　　　$Q_{低}$——高炉煤气低发热值，kcal/m³[❶]。

使用高炉、焦炉混合煤气燃烧时：

$$t_{理} = 0.622Q_{低} + 770$$

式中　$t_{理}$——混合煤气理论燃烧温度，℃；

　　　$Q_{低}$——混合煤气低发热值，kcal/m³[❶]。

E　煤气富化比例的计算

焦炉煤气量占煤气总量的体积百分比为煤气富化比例。该值可根据焦炉煤气、高炉煤气和预期得到混合煤气的热值进行计算，其计算方法是：

$$Q_{焦} x + (1-x)Q_{高} = Q_{混}$$

式中　$Q_{焦}$——焦炉煤气热值，kJ/m³；

　　　x——焦炉煤气的体积百分比；

　　　$Q_{高}$——高炉煤气热值，kJ/m³；

　　　$Q_{混}$——混合煤气热值，kJ/m³。

F　混合煤气热值的经验计算

根据各种煤气和混合煤气的流量及各种煤气估算的热值，可以简单计算混合煤气热值，其方法是：

$$(V_{焦}/V_{混})Q_{焦} + (V_{高}/V_{混})Q_{高} = Q_{混}$$

式中　$V_{焦}$——焦炉煤气流量，m³/h；

　　　$V_{高}$——高炉煤气流量，m³/h；

　　　$V_{混}$——混合煤气流量，m³/h；

　　　$Q_{焦}$——焦炉煤气热值，kJ/m³，一般为 16700～18800kJ/m³；

　　　$Q_{高}$——高炉煤气热值，kJ/m³，一般为 2930～3780kJ/m³；

---

❶　1cal＝4.1868J。

$Q_混$——混合煤气热值,kJ/m^3。

生产中焦炉煤气和高炉煤气热值可根据煤气成分及以往的经验值进行估算选取。

G 换炉次数的计算

热风炉的工作是燃烧和送风交替循环进行的。一个周期就是从燃烧开始到送风终了再次开始燃烧需要的整个时间。即:燃烧、送风和换炉三个过程所需要的时间。

燃烧期长对提高风温有利。过长,则会造成废气温度升高,热损失过大、炉体寿命受影响。过短,则热风炉蓄热不够。

送风期长,热量输出多,对提高风温不利。过短,会造成蓄热利用不充分,再次燃烧废气升温过快。

燃烧期、送风期二者相互影响。选择合理的周期对提高风温,延长炉体寿命十分重要。换炉次数选择通常在生产中根据热风炉组的座数、蓄热面积、助燃风机和煤气管网能力,高炉对风温、风量的要求,并考虑发挥热风炉设备的潜力和保证热风炉设备的安全,利于提高效率以及操作经验,一般先选择送风时间,然后进行计算。简单推算方法是:

由混风调节风温时:

二烧一送制为:$8 \times 60/t = N$ 次/班

二烧二送制为:$8 \times 60/(t/2) = N$ 次/班

式中 8×60——每班时间,min;

  N——每班换炉次数(取整数);

  t——送风时间,min。

计算出的换炉次数需在生产实践中逐渐调整,最终确定合理的换炉次数。

H 热风炉效率的简单计算

热风炉效率的标准计算较为复杂,通过下式可简单计算出效率的趋势:

$$n_t = \frac{\Delta 焓 \ V_风 \times 60}{V_高 Q_高 + V_焦 Q_焦} \times 100$$

183

式中　n_t——热风炉整体效率,%;

　$V_高$,$V_焦$——高、焦炉煤气流量,m^3/h;

　　△焓——热风热焓－冷风热焓,kJ/m^3;

　　$V_风$——高炉风量,m^3/min;

　　$Q_高$——高炉煤气热值,kJ/m^3;

　　$Q_焦$——焦炉煤气热值,kJ/m^3。

计算热风炉效率可以判断热风炉的热效率高低,若效率低,应分析查找原因,采取措施,提高热效率,以降低能耗。

I　煤气发生量的简单计算

根据高炉鼓风中和煤气中的氮气含量可以计算出高炉产生多少煤气,公式如下:

$$V_高 = \frac{N_{2风}V_风}{N_{2m}} \times 60$$

式中　$V_高$——高炉煤气产量,m^3/h;

　　$N_{2风}$——鼓风中 N_2 的体积分数,%;

　　N_{2m}——煤气中 N_2 的体积分数,%;

　　$V_风$——高炉风量,m^3/min。

4.3　热风炉的操作

4.3.1　操作方式

热风炉的基本操作方式为连锁自动操作和连锁半自动操作。为了方便设备维护和检修,操作系统还需要备有单炉自动、半自动操作、手动操作和机旁操作等方式。连锁是为了保护设备不误动作,在热风炉操作中要保证给高炉送风的连续性,杜绝恶性生产事故。换炉中必须保证至少在有一座热风炉送风状态下,另一座炉才可以转变为燃烧或其他状态。

连锁自动控制操作:按预先选定的送风制度和时间进行热风炉状态的转换,换炉过程全自动控制。

连锁半自动控制操作:按预先选定的送风制度,由操作人员指令进行热风炉的状态的转换,换炉由人工指令。

单炉自动控制操作:根据换炉工艺顺序,一座炉子单独自动控制完成热风炉状态转换的操作。

手动非常控制操作:通过热风炉集中控制台上的操作按钮进行单独操作,用于热风炉从停炉转换成正常操作状态时或检修时的操作。

机旁操作:在设备现场,可以单独操作一切设备,用于设备的维护和调试。

4.3.2　送风方式和燃烧制度

4.3.2.1　送风方式

当高炉有 3 座热风炉时,送风制度有两烧一送,一烧两送,半并联交差等 3 种。有 4 座热风炉时,送风制度有三烧一送,并联,交差并联等 3 种。在这些方法中最常用的有单炉送风和交差并联送风或半并联交差送风。

A　单炉送风

在 3 座或 4 座的热风炉组中,仅有 1 座热风炉处于送风状态,热风炉出口温度必须高于或等于规定的送风温度,通过混入冷风以获得稳定的风温。

B　交差并联送风

在 4 座的热风炉组中,2 座炉错开时间同时送风,从 2 座炉出来的不同温度的热风进行混合,使高炉获得稳定的风温,称为交差并联送风。

在 3 座热风炉组上也可根据风温来决定采取半并联的送风方式,即两烧一送与一烧两送相结合的方法,通过调节后投入送风的副送炉的冷风量来使高炉获得稳定的风温。通常习惯称这种送风方式为半并联交差送风。

送风方式的转换应根据高炉使用的风温水平和热风炉当时的设备状况做出选择。

4.3.2.2　燃烧制度

A　燃烧控制

燃烧制度是为送风周期储备热量而进行的。其控制原理是:

用调节煤气热值的方法控制热风炉拱顶温度,用调节煤气总流量的方法控制废气温度,助燃空气流量则根据煤气成分和流量设定的空燃比例(加上合理的过剩空气系数)来控制。

炉顶温度和烟道温度的控制不能超过热风炉原始设计的最高温度,以保护热风炉耐火材料砌体、下部炉箅和支柱等,延长热风炉整体寿命。

B 调火原则

以煤气压力为根据,以煤气流量为参考,以调节空气量和煤气量为手段,达到炉顶温度上升的目的。

一般情况下,应采用固定煤气量,调节空气量的快速烧炉法,这种方法和固定空气量调节煤气量以及空气量、煤气量都不固定的烧炉法比较,固定煤气量调节空气量的烧炉法在整个燃烧期内使用的煤气量最大,因而废气量较大,流速加快,利于对流传热,强化了热风炉中下部的热交换,利于维持较高的风温。

操作方法是:

(1) 开始燃烧时,根据高炉所需要的风温水平来决定燃烧操作,一般应以最大的煤气量和最小的空气过剩系数来强化燃烧。空气过剩系数选择要在保持完全燃烧的情况下,尽量选小,以利尽快将炉顶温度烧到规定值。

(2) 炉顶温度达到规定温度时,适当加大空气过剩系数,保持炉顶温度不上升,提高烟道废气温度,增加热风炉中下部的蓄热量。

(3) 若炉顶温度、烟道温度同时达到规定温度时,应该采取换炉通风的办法,而不应该减烧。

(4) 若烟道温度达到规定温度时,仍不能换炉,应当减少煤气量来保持烟道温度不上升。

(5) 如果高炉不正常,风温水平要求较低延续时间在 4h 以上时,应采取减烧与并联送风措施。

合理燃烧的判断,在装有分析仪表的热风炉,可参考其成分进行燃烧调整。合理的烟道废气成分如表 4-19 所示。

在没有分析仪表时,通过经验来控制炉顶温度上升的最佳速

186

度及保持炉顶最高温度不下降,来调整燃烧操作。

表4-19 合理烟道废气成分

项　　目		$w(CO_2)/\%$	$w(O_2)/\%$	$w(CO)/\%$	空气过剩系数
理论值		23～26	0	0	1.0
实际值	烧高炉煤气	23～25	0.5～1.0	0	1.05～1.10
	烧混合煤气	21～23	1.0～1.5	0	1.10～1.20

4.3.3　热风炉操作

4.3.3.1　换炉具体操作

热风炉生产工艺是通过切换各阀门的工作状态来实现的,通常称为换炉。当一种状态向另一种状态转换的过程中,应严格按照操作规程规定的程序进行,否则将会发生严重的生产事故,危机人身和设备的安全。

下面以一般内燃式热风炉为例,列出其换炉的工艺顺序。

热风炉有关各阀门示意图如图4-17所示。

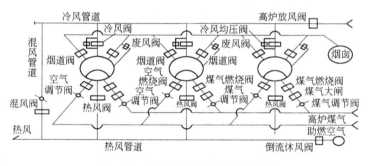

图4-17　热风炉有关各阀门示意图

燃烧——→送风操作步骤为:

(1) 关闭煤气调节阀。

(2) 关闭空气调节阀。

(3) 关闭煤气切断阀,(连动)打开煤气放散阀。

(4) 关闭煤气燃烧阀。

187

(5) 关闭空气燃烧阀。

(6) 关闭烟道阀(2台)。

(7) 打开冷风均压阀(对炉内进行均压)。

(8) 待炉内均压完成后打开冷风阀。

(9) 开热风阀。

(10) 开混风调节阀调节风温。

送风——→燃烧操作步骤为:

(1) 关闭冷风阀。

(2) 关闭热风阀。

(3) 打开废风阀(从炉内放风进行均压)。

(4) 待炉内均压完成后打开烟道阀(2台)。

(5) 关闭废风阀。

(6) 开空气燃烧阀。

(7) 打开煤气燃烧阀。

(8) 开煤气切断阀。

(9) 打开空气调节阀(慢开小开点火)。

(10) 打开煤气调节阀(慢开小开点火)。

(11) (当火点燃后)根据风温的需要设定煤气与空气量进行正常燃烧。

4.3.3.2 其他具体操作

A 停气操作

停气操作的步骤为:

(1) 高炉停气前,应将所有燃烧的热风炉立即停烧。按"燃烧——→送风操作"进行到完成第(5)步为止,热风炉转为隔断。

(2) 如果高炉或热风炉管道停气时,应将煤气管道通入蒸汽,并与煤气调度联系打开煤气总放散阀。当煤气总放散阀冒出蒸汽20min后,关闭蒸汽。

B 停风操作

在完成停气操作的基础上,按高炉的停风通知做停风操作。

停风操作的步骤为:

(1)当风压降低到 0.05MPa 时,将混风切断阀关闭。

(2)见到高炉停风信号(或通知)后,关闭热风阀。

(3)关闭冷风阀。

(4)打开烟道阀。

如停风操作过程中风压放到很低的时间较长。或高炉停风时间较长,或高炉风机停机时,或停风后长时间没有进行倒流回压操作,均要将通风炉的冷风阀及烟道阀打开,将倒流进入热风炉和冷风管道的煤气抽走,防止发生事故。

送风前(或开启冷风阀、烟道阀 15~20min 后)将冷风阀关闭,保持烟道阀的开启位置。

C 倒流回压操作

由于利用热风炉倒流休风易造成灰尘进入热风炉,影响热风炉寿命,并且操作复杂,所以现在热风炉一般都利用专用的倒流休风管来抽除高炉内的剩余煤气。具体操作步骤为:

(1)高炉休风后要进行倒流回压操作时,根据高炉的通知打开倒流回压阀。

(2)当高炉要停止倒流回压操作,要根据高炉的通知关闭倒流回压阀。

D 送风操作

在送风前要做好准备工作,接到高炉的送风通知后进行送风操作。

送风操作的步骤为:

(1)选择好送风炉号,关闭烟道阀。

(2)打开冷风阀。

(3)打开热风阀。

(4)高炉关闭高炉放风阀。

(5)风压大于 0.05MPa 时,打开混风阀,调节风温到指定数值。

E 送气操作

接到煤气调度送净煤气的通知后做如下工作:

(1) 如果是管道停气先开蒸汽,在送煤气后,见放散阀放出煤气时,关闭煤气管道的蒸汽和放散阀。

(2) 根据煤气压力的大小,部分或全部将停烧的热风炉转为燃烧。

F　紧急停风操作

生产中有时会发生高炉风口突然烧出等突发故障,会造成高炉突然的停风。此时的操作是:如有多座高炉生产或有高炉煤气柜时,要先高炉停风,再迅速停止热风炉煤气燃烧。如只有单一高炉生产,又没有高炉煤气柜,就要先停止热风炉煤气燃烧,再迅速高炉停风,其目的是防止煤气管道发生煤气事故。作为混风阀,由于它直接使热风管和冷风管短路,为防止冷风管道发生煤气爆炸事故,因此不论哪种情况都要首先关闭。

紧急停风的操作步骤如下:

(1) 关闭混风阀。

(2) 关闭热风阀。

(3) 燃烧炉全部停烧。根据情况再进行其他相关的操作。

(4) 联系停风的原因及时间长短。

(5) 如高炉风机停机应打开送风炉的烟道阀及冷风阀。

G　热风炉紧急停电操作

热风炉紧急停电有两种情况:一种是热风炉助燃风机突然停机,而高炉生产正常;另一种是高炉和热风炉都停电,高炉和热风炉均进入事故状态。

如发生助燃风机突然停机的情况,应紧急关闭燃烧炉的煤气调节阀或煤气切断阀。根据经验,电机控制的阀门关闭调节阀要快一些,先使热风炉燃烧的炉子处于自然燃烧状态,这样可防止大量煤气进入热风炉,然后再切断煤气。液压控制的阀门利用蓄能器的压力可直接关闭煤气切断阀。再次燃烧时,应等待热风炉和烟囱内的煤气排净后再进行,不可操之过急。

如高炉和热风炉同时发生停电的情况,应先按上述高炉和热风炉助燃风机突然停电时紧急停风的操作处理,然后做好其他相关工作。相关操作步骤如下：

（1）煤气压力断绝时，煤气管道立即通入蒸汽。

（2）关闭燃烧炉的燃烧阀，关闭通风炉的冷风阀。

（3）与煤气调度联系，询问是否需要打开总管道煤气放散阀。

（4）接到高炉倒流回压的通知后，进行倒流回压操作。

（5）联系停电的原因及时间长短，做好送风的一切准备工作。

4.3.3.3 烘炉操作

热风炉在砌筑完成后或者投产前要进行先期烘烤，其目的是去除砌体中的水分，并完成至操作温度的加热过程。热风炉的烘炉质量直接影响热风炉的一代寿命，因此烘炉方法和升温制度特别重要，应制定严格的计划，并按计划执行。为了节省燃料，干燥和烘炉工作应一次完成。

A 烘炉的目的

烘炉的目的为：

（1）使热风炉砌体内的结晶水、物理水缓慢而又充分的溢出，避免水分突然大量蒸发产生爆裂和裂缝导致耐火材料砌体损坏。

（2）使耐火材料砌体均匀、缓慢而又充分的膨胀，避免耐火材料砌体内产生热应力集中或晶型转变导致砌体的损坏。

（3）使蓄热室内积蓄足够的热量，保证高炉烘炉和开炉所需要的风温。

B 烘炉的注意事项

烘炉前必须对热风炉的设备进行试运转和仪表的调试，以保证烘炉工作全过程的顺利进行。

烘炉过程中要尽量做到温度分布均匀，升温过程要严格按照耐火材料的特性要求和砌筑体大小合理掌握，并仔细观察和监视热风炉的拱顶温度、砌体温度、烟道温度及炉壳温度，做到精心调整。

对于烘炉过程中出现的各种问题要及时处理，并做好认真和详细的记录。

烘炉的具体要求为：

（1）烘炉前要针对具体的炉型、新建或者大中小修的不同情况,设计出烘炉方案和升温制度,画出烘炉的曲线图。烘炉制度和烘炉曲线必须严格执行。

(2)烘炉必须连续进行,严禁一烘一停。

(3)利用调节烟道阀开度和调节空气与煤气量的方法来控制升温速度。

(4)烘炉期间应定期取样分析废气中的水分。

(5)烘炉结束时的炉顶温度必须保持在1000℃以上。

烘炉中要注意的问题有:

(1)新建或大修后的炉子烘炉前应先期烘烤主烟道。烘炉当中发生被迫终断烘炉时,应放入木柴保持炉内温度(顶温在400℃以下时可用木柴保持温度)。

(2)烘炉当中要严格按照烘炉计划曲线温度升温。如果烘炉温度因仪表发生问题,排除后温度已经超过计划规定,应保持该温度一定时间。如低于计划规定温度时,应延长烘炉时间。不可盲目延长或缩短烘炉计划时间。

(3)烘炉升温期的炉顶温度波动应控制在 $-5\sim+10$℃。烟道温度不应超过规定值。硅砖的炉子炉顶温度波动应控制在 $-2\sim+5$℃。

(4)烘炉达到计划温度(1000℃)后,开始试通风。每次试通风后再次燃烧时,炉顶温度升高的数值因根据具体情况确定,一般控制在 $40\sim50$℃。不允许一次通风后就转为正常的(最高)温度,而应当通过几次通风方可达到正常规定的(最高)温度数值。以免发生烘炉事故。

各种大、中、小修和硅砖砌筑炉体的烘炉曲线图参考如图4-18所示。

由于对烘炉技术和烘炉经验的不断认识和积累,新建或大修的热风炉的烘炉时间在不同炉型、不同材质之间也存在一定的不同。高铝砖、黏土砖砌筑的热风炉烘炉时间一般为 $7\sim15$ 天,硅砖砌筑的热风炉烘炉时间一般为 $30\sim45$ 天。另外,热风炉砌筑体设计吸收和克制膨胀的能力也可以改变烘炉时间,如霍格文式硅砖热风炉就有这方面的特点。

192

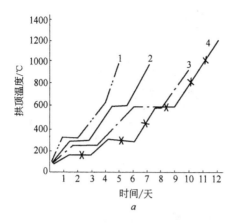

a

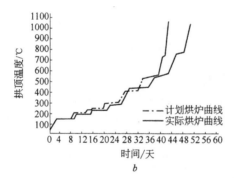

计划烘炉曲线
实际烘炉曲线

b

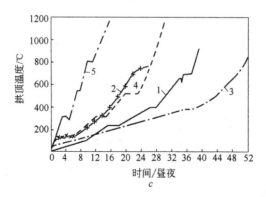

c

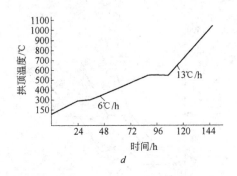

图 4-18　热风炉烘炉曲线图

a—不同状态下热风炉烘炉温度曲线:1—中修后的热风炉,2—新建或大修后的热风炉,3—耐火混凝土砌筑的热风炉,4—硅砖砌筑的热风炉;b—首钢硅砖顶燃式热风炉烘炉曲线;c—不同热风炉烘炉曲线:1—鞍钢 6 号高炉 2、3 号热风炉,2—日本三荣铁工热风炉,3—君津 3 号高炉 1 号热风炉,4—前苏联克里沃罗格 5000m³ 高炉热风炉,5—新利别茨克高炉热风炉;d—武钢高炉热风炉烘炉曲线

C　烘炉的燃料

高炉煤气、焦炉煤气是最常见的烘炉燃料,也是比较容易掌握和控制的。用燃油的方法进行烘炉在一些新建的又缺乏煤气条件的高炉上被采用,也是比较容易掌握和控制的。木柴、煤、固体燃料也可作为烘炉燃料,但须在热风炉外砌筑燃烧炉,将燃烧热烟气引入热风炉进行烘炉。这种方法升温慢,且不易控制温度。在高炉开炉前难于使热风炉蓄足热量。总之,木柴、柴油、重油、优质煤和天然气等都可以作为烘炉的燃料。但要注意的是,组织好充足的燃料源和必要可靠的烘炉工具,以保证烘炉工作的连续性。同时,要注意存放燃料的现场的安全,防止发生意外(如火灾)。

4.3.3.4　热风炉的凉炉

热风炉内部砌筑体的检修必须经过凉炉才能够进行。凉炉和烘炉一样,也必须根据耐火材料的性质控制凉炉的速度。热风炉的凉炉速度应当根据检修的部位和内容来确定,凉炉的冷却程度应根据实际需要来确定。

针对高铝砖和黏土砖的热风炉,整个凉炉过程共需要 4 天,为

了合理地加快凉炉速度,可以将被凉炉的热风炉用通风的办法进行,通常称为混风凉炉。其具体方法是:

(1) 被凉热风炉最后一次送风时炉顶温度至 1000~1050℃作为凉炉的起点,然后倒换其他热风炉送风。

(2) 换炉后,关闭混风阀,用被凉炉做混风使用。调节其冷风阀的开度控制凉炉速度。

(3) 在凉炉过程中,高炉为配合凉炉需降风温 100~200℃(高炉相应退负荷)。被凉的炉子继续做混风使用。而此阶段被凉炉的冷风阀不允许全部关闭。

(4) 当炉顶温度降至 200~250℃时,关闭被凉炉的冷风阀、热风阀,停止做混风使用。打开废风阀排除炉内废风并打开烟道阀。

(5) 在开启烟道阀后,打开燃烧阀和助燃空气阀用助燃空气(助燃风机)继续进行凉炉。

(6) 被凉的热风炉炉顶温度由 1000℃ 降至 250℃约需要 55~60h,由 250℃ 至 50~70℃ 约需要 48~50h。炉顶温度降至 50~70℃时停止助燃风凉炉,至此共用 4.5 天时间。针对硅砖砌筑的热风炉,则不允许降温过快,否则会引起炉顶砖体剥落和上部格砖崩裂,损害热风炉的寿命。

但是就凉炉的方法而言,用被凉的炉子做混风使用,与其他的热风炉同时送风以调节高炉风温,在这一点上是一样的。其优点是:

(1) 方法简单,容易控制,可以缩短凉炉时间;

(2) 凉炉均匀,可防止耐火材料因不均匀冷却或局部冷却速度过快而发生裂缝;

(3) 充分利用了被凉炉贮存的剩余热量。

硅砖热风炉如何掌握凉(包括烘炉)炉进度,各厂都进行了很多研究和实践,由于炉型(内燃、外燃、顶燃)的不同,炉体大小的差异等原因,硅砖凉炉的时间各有不同,从最初的 80~90 天左右逐渐降低到 20 天左右,都有成功的范例。试验和研究结果表明,硅砖热风炉凉炉后仍然可以使用。

首钢2号高炉1号热风炉(顶燃炉)的硅砖炉顶,从建成投产到目前经过了3次更换上部格砖的检修,炉顶从未动过,至今已使用了23年,每次凉炉都是采用的混风凉炉的方法。

有关凉炉曲线如图4-19所示。

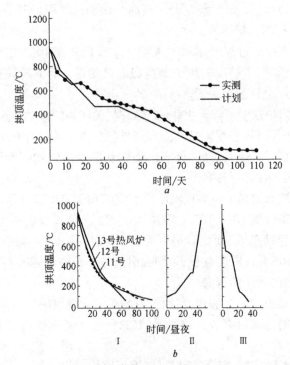

图 4-19　热风炉凉炉曲线图

a—小仓高炉硅砖热风炉凉炉温度曲线;b—加古川1号高炉热风炉凉炉、升温曲线:

Ⅰ—凉炉时的拱顶温度曲线;Ⅱ—13号热风炉再次升温曲线;

Ⅲ—13号热风炉再次凉炉曲线

4.3.4　设备动火检修时注意必要的安全条件

热风炉设备在检修时,经常需要动火,为了防止发生爆炸等事故,在设备动火检修时注意必要的安全条件:

(1) 煤气设施停煤气检修时,必须可靠地切断煤气来源,要求安装盲板,并将内部煤气吹扫干净。长期检修或停用的煤气设施,必须打开上、下(各)部人孔、放散管等,保持设备内部的自然通风。

(2) 进入煤气设备内工作时,应该取空气样品进行一氧化碳含量的分析。一氧化碳含量不超过 $30mg/m^3$ 时,可连续工作较长时间。一氧化碳含量不超过 $50mg/m^3$ 时,进入煤气设备内连续工作时间不得超过 1h。在一氧化碳不超过 $100mg/m^3$ 时,进入煤气设备内连续工作时间不得超过 30min。在一氧化碳不超过 $200mg/m^3$ 时,连续工作时间不得超过 15~20min。在一氧化碳超过 $300 mg/m^3$ 时,不得进行工作。

工作人员每次进入设备内部工作的时间间隔至少在 2h 以上。

(3) 进入煤气设备内部工作,安全分析取样时间不得早于动火时间或进塔(器)前 30min。检修动火工作中每 2h 必须重新分析。工作中断后恢复工作前 0.5h,也要重新分析。取样要有代表性,防止死角。当煤气密度小于空气时,取中上部各一气样。

(4) 经一氧化碳含量分析后,允许进入煤气设备内工作时,应采取防止措施并设专职监护人。

(5) 带煤气作业或在煤气设备上动火,必须要有作业方案和安全措施,并要取得煤气防护站或安全主管部门的书面批准。

(6) 带煤气作业,如带煤气抽盲板,带煤气接管等危险工作不宜在雷雨天进行,作业时应有煤气防护站人员在场监护,操作人员应备有氧气呼吸器或通风式防毒面具。并遵守下列规定:

1) 工作场所应具备有必要的联系信号、煤气压力表及风向标志等。

2) 距工作场所 40m 内,禁止有火源并应采取防火的措施。

3) 距工作场所 10m 以外才可安装照明灯。

4) 不得在具有高温源的炉窑、建、构筑物内进行带煤气作业。如需作业,必须采取可靠的安全措施。

(7) 在运行的煤气设备上动火,设备内煤气应保持正压。动火部位要可靠接地,在动火部位附近要装压力表或与附近仪表室联系。

(8) 在停产的煤气设备上动火,还必须做到以下几点:

1）用可燃气体测定仪测定合格,并将取空气样分析,其含氧量接近作业环境下空气中的含氧量。

2）将煤气设备内易燃物清扫干净或通上蒸汽,确认在动火全过程中不形成爆炸性混合气体。

3）进入煤气设备内部工作时,所有照明灯的电压一般不得超过12V。

4.4 预热助燃空气和煤气技术

4.4.1 预热助燃空气和煤气

利用热风炉废气的热量来预热煤气或助燃空气能有效地提高热风炉的理论燃烧温度,进而提高热风温度,回收废热,可以降低高炉能耗,降低焦比。特别是高炉燃料比降低以后,高炉煤气的热值降低,对于使用低发热值煤气的热风炉提高风温,预热助燃空气和煤气显得更为重要和必要。

助燃空气预热对理论燃烧温度的影响如表4-20所示。从表4-20中可以看出,助燃空气温度由20℃升高至100℃时,理论燃烧温度约提高25℃;助燃空气温度在100~600℃温度范围内,每升高100℃,相应提高理论燃烧温度30~35℃。

表 4-20 几种热值的煤气在不同助燃空气温度时对理论燃烧温度的影响

煤气低发热值 $Q_{DW}/kJ·m^{-3}$	助燃空气预热温度/℃						
	20	100	200	300	400	500	600
2931	1185	1208	1237	1266	1296	1326	1357
3349	1294	1319	1351	1385	1416	1450	1483
3768	1394	1421	1456	1491	1526	1563	1599

煤气预热时对理论燃烧温度的影响如表4-21所示。从表4-21中可以看出,每升高煤气预热温度100℃,可以提高理论燃烧温度约50℃,其效果是很显著的。但是,在预热过程中,必须考虑煤气的安全性,煤气预热温度过高,势必存在一定的安全隐患。一般预热温度不超过200℃。同时,要考虑换热器的阻力损失,由于煤

气压力往往受到管网等因素的影响,煤气压力偏低,所以在预热煤气时,尽可能降低换热器的阻损,并尽可能提高煤气压力。

表 4-21　几种热值的煤气在不同预热温度时的理论燃烧温度

煤气低发热值 $Q_{DW}/kJ·m^{-3}$	煤气预热温度/℃				
	35	100	200	300	400
2931	1185	1219	1270	1322	1375
3349	1294	1325	1373	1422	1472
3768	1394	1424	1469	1515	1562

空气和煤气都预热时,提高理论燃烧温度的效果是两者分别单预热时的效果之和。例如:燃烧热值 $Q_{DW} = 3349kJ/m^3$ 的煤气,助燃空气和煤气都预热至200℃,则两者分别提高理论燃烧温度为57℃(表4-20)和79℃(表4-21),提高理论燃烧温度的总效果为 $57 + 79 = 136℃$。

预热助燃空气、煤气,对提高理论燃烧温度效果是显著的,进而能提高热风温度。有条件的热风炉应大力推广。

对空气、煤气预热要考虑以下因素:

(1)烟气温度、压力、流量条件:有条件的热风炉,应尽可能地提高烟气温度,在热风炉炉算能够承受的温度范围内,提高烟气温度,有利于提高空、煤气的预热温度。

(2)根据现场条件,选择合适的换热器结构。

(3)要考虑空、煤气预热后对燃烧器的影响。预热后,由于空气、煤气温度提高,对燃烧器燃烧能力的调节范围都产生一定的影响。此外,还要考虑燃烧器对热气体温度的承受能力。

4.4.2　预热器的形式

4.4.2.1　旋转再生式热交换器

旋转再生式热交换器是以固体作为贮热体,在一定的周期内,贮热体接触高温流体,从高温流体获得热量,然后又与低温流体接触,将热量传给低温流体。

旋转再生式热交换器的示意图如图 4-20 所示,旋转再生式热交换器预热助燃空气系统示意图 4-21 所示。

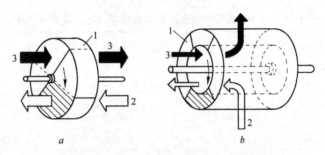

图 4-20 旋转再生式热交换器的示意图

a—轴向流动性;b—径向流动性

1—贮热体;2—废气流向;3—助燃空气流向

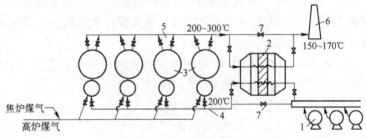

图 4-21 旋转再生式热交换器预热助燃空气系统示意图

1—助燃空气风机;2—热交换器;3—热风炉;4—空气通道;5—烟道;

6—烟囱;7—旁通阀

由贮热体做成的转鼓转到高温废烟气的通道时,一部分贮热体被加热,转鼓再转动到助燃空气通路内,把热量传给空气。贮热体一般用陶瓷制作,由于热风炉烟气温度低,也可以用钢板制作。贮热体的旋转速度为 $1 \sim 4 \mathrm{r/min}$,由电机驱动。贮热体和热交换器的外壳都等分为相同的扇形,一般分为 12 等份,其中 $3 \sim 4$ 个作为助燃空气的通路。$4 \sim 5$ 个作为废气的通路。贮热体单位体积的热交换面积为 $300 \mathrm{m^2/m^3}$ 以上。热交换面积比大。热交换系数助燃空气侧为 $2.5 \mathrm{W/(m^2 \cdot ℃)}$ 左右。废气侧为 $1.22 \mathrm{W/(m^2 \cdot ℃)}$,

单位体积的效率与其他形式换热器相比是非常高的。

由于贮热体转鼓处泄漏,一般选用石墨片密封。泄漏量为5%～10%,阻力损失在200～950Pa,主要用于预热助燃空气比较安全。我国马钢、杭钢都曾采用转鼓再生换热器预热空气。日本对这种换热器在煤气、空气预热都有使用范例。

4.4.2.2 管式、板式换热器

这两种换热器的换热原理是相同的,都是利用管壁或板壁进行传导传热,进行热交换。一般由钢板或钢管分割成不同的通道,空气和烟气通过器壁热交换,一般管式、板式换热器的热效率比较低,体积也比较庞大。目前很少采用。

4.4.2.3 热媒式热交换器

热媒式热交换器按热媒的状态和循环方式可以分为3种形式:液相强制循环式、气相循环式和利用蒸发热的自然循环式。热风炉一般利用液相强制循环式。热媒式废气热量回收设备流程如图4-22所示。

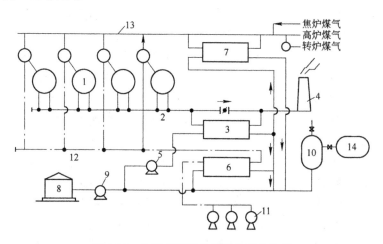

图 4-22　热媒式废气热量回收设备流程

1—热风炉;2—烟道;3—废气热交换器;4—烟囱;5—热媒循环泵;6—空气预热器;
7—煤气预热器;8—热媒贮存罐;9—热媒供给泵;10—热媒膨胀罐;11—助燃风机;
12—助燃空气管道;13—煤气管道;14—氮气罐

201

热媒被加压循环泵强制地压入废气热交换器，被加热以后，分别流入空气或煤气换热器，然后把热量交换给空气或煤气，再循环回循环泵。整个系统设有热媒贮存罐、热媒供给泵、热媒膨胀罐等设备。

热媒的种类很多，常用的有水、油、导热姆等，在使用时一般要考虑热媒的安全性，如：有无毒性、是否和管壁反应分解、有无碳化沉积现象等。

热媒换热器具有以下特点：

(1) 预热空、煤气换热器分开设置，热媒不泄漏，对预热煤气比较安全。

(2) 换热器的布置不受场地限制，在已投产的热风炉上建这种预热器比较方便。

(3) 对加压循环泵的要求比较高，运行几年以后对泵的检修、维护量比较大。

4.4.2.4 热管式换热器

热管的工作原理是：加热段吸收废气热量，热量通过热管壁传给管内工质。工质吸热后蒸发和沸腾，转变为蒸汽。蒸汽在压差的作用下上升至放热段。受管外空气或煤气的作用，蒸汽冷凝并向外放出汽化潜热，空气或煤气获得热量，冷凝液依靠重力回到加热段。如此周而复始，废气热量便传给空气或煤气，使空气或煤气得到加热。由于热管内部抽成真空或低压，工质极易蒸发与沸腾，热管启动迅速。热管式换热器的原理及示意如图 4-23 所示。

由若干组排热管形成的换热器，分为整体式和分离式两种。整体式热管就是在所有的热管中间部位由管板分隔成上、下两个独立的箱体，即吸热段和放热段。分离式热管就是将两个独立的热管换热器，由一组联管连接起来，进行热量的交换和传递。整体式热管结构紧凑，但中间管板很难保证介质不窜漏。一般不宜使用在煤气预热上。分离式热管相比之下占地大些，但结构上保证了不会发生窜漏现象，因此使用在煤气预热上比较安全。

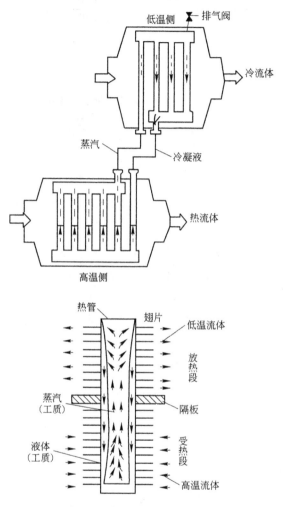

图 4-23 热管换热器工作原理

热管的材质一般为锅炉钢管,外设翅片,管内的热媒通常为水、导热姆等。热管换热器是一种最经济节能的换热器,整个引流依靠自循环,不需要外界动力,热效率高,目前被普遍采用。表4-22和表 4-23 为首钢高炉热风炉采用的热管换热器的参数:

表 4-22 首钢热风炉空气换热器参数

位　　置	流量/m³·h⁻¹	温度/℃		阻损/Pa
		进口	出口	
烟气侧	142×10⁴	280	180	≤500
空气侧	14×10⁴	20	160	≤500

表 4-23 首钢热风炉煤气换热器参数

位　　置	流量/m³·h⁻¹	温度/℃		阻损/Pa
		进口	出口	
烟气侧	17.8	280	180	≤500
煤气侧	20	45	130	≤400

梅山 3 号高炉使用了分离式热管换热器,技术特性如表 4-24
所示,其立面布置图如图 4-24 所示。

表 4-24 梅山 3 号高炉分离式热管换热器技术特性

项　　目	烟气换热器	煤气预热器	空气预热器
流量/m³·h⁻¹	148520	94000	66000
进口温度/℃	280	35	20
出口温度/℃	≥130	≥150	≥150
阻力损失/Pa	<700	<362	<490
回收热量/kW	7625	4227	3399

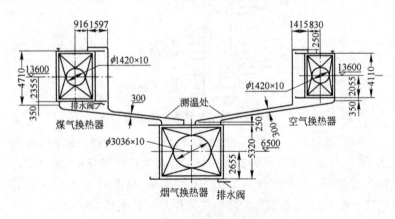

图 4-24 分离式热管换热器立面布置图

204

4.4.2.5 采用热风炉预热助燃空气

废热(烟气)的回收和利用,本身就是用低热值煤气获得较高风温的方法之一。由于这种方法受其可回收热量的限制,对风温的提高也是很有限的。

根据热风炉特定的工艺条件,使用低热值煤气,获得更高风温的方法还可以采用"热风炉自身余热预热助燃空气"法。

这里余热与前章节所述的废热是两种截然不同的热源。废热是指热风炉工艺中无法一次利用的、热风炉工艺本身必然损失的、用特殊回收设备才能加以利用的热量。而余热则是利用通过改进热风炉自身工艺,在其中一座热风炉送风到不能保证风温供应之后,而热风炉又处在必须开始燃烧的温度控制线之上,这一时段内热风炉已经现实存在的热量。这部分热量温度高、贮量大,可以高水平地提高燃烧温度和高炉风温,是一种独创的和非常有价值的开发。

利用余热预热助燃空气必须增设一套冷、热助燃空气管道系统,仍采用集中风机供风输送助燃空气。无论是三座一组或四座一组的热风炉,均可进行余热预热助燃空气,采用一烧一送一预热或两烧一送一预热的方法。即:热风炉送风后转为预热,预热后转为燃烧,燃烧后再转为送风。热风炉的工作周期分为燃烧、送风、预热助燃空气3个时期。

预热的助燃空气温度由助燃空气调节阀控制。燃烧器空气进口在预热期时用作为热空气出口,预热用的炉子向其他燃烧的炉子输送预热风。

利用热风炉余热预热助燃空气,为使用低热值高炉煤气获得高风温开辟了新的途径,十分适合我国多数钢铁厂没有高热值煤气的现实情况。

有文献记载,对自身余热利用进行数模研究后得出结论:利用自身余热加热助燃空气的方法,比其他用低热值高炉煤气获得高风温的各种方法(系统)的热效率都要高,比采用混合煤气单独送风(指三座一组的热风炉)操作的热风炉热效率也要高。

鞍钢 10 号高炉（2580m³）在外燃式热风炉上，采用了热风炉自身余热工艺预热助燃空气，使用管式换热器预热煤气，利用单一的低热值高炉煤气获得了高风温。

1995 年 8 月，鞍钢 10 号高炉自身预热系统投入运行。助燃空气预热温度逐渐提高到 600℃，风温达到 1200℃。热风炉操作制度为"两烧一送一预热"。由于热风短管及总管存在一定缺陷，不能适应 1200℃高风温。因此，将助燃空气预热温度降至 400℃，风温水平维持在 1100℃。

1996 年 7 月 1 日～10 日，10 号高炉年修期间将热风炉的热风出口、热风短管等进行了改造。8 月 1 日开始进行了第二期高风温试验，共计 107 天。逐渐提高风温，调整操作参数，至 10 月份风温稳定在 1200℃以上。

鞍钢 10 号高炉烟气预热煤气换热器主要参数如表 4-25 所示。

表 4-25 鞍钢 10 号高炉热风炉烟气预热净煤气换热器技术参数

项　　目	技　术　参　数
换热器入口烟气量/m³·h⁻¹	336000
烟气入口温度/℃	220（平均）
烟气出口温度/℃	130～150
高炉煤气量/m³·h⁻¹	210000
煤气入口温度/℃	40
煤气出口温度/℃	140～150
气流走向	管内走烟气，管外走煤气 逆流折返 180°
换热器材质	20 锅炉管钢
管径×壁厚/mm	$\phi 89 \times 3.5$
管长×根数/mm	6742×2730

另外，预热助燃空气的方法，还可以在高炉大修扩建中保留原有较小的旧热风炉两座，用于专门预热助燃空气。但这种方法常

206

受高炉建筑占地面积等制约。

利用热风炉预热助燃空气装置曾被日本采用,如图4-25所示。

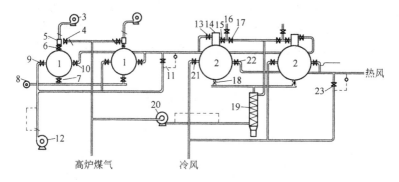

图 4-25　蓄热式热风炉预热助燃空气流程图

1—预热热风炉;2—高风温热风炉;3—预热热风炉助燃风机;4—煤气切断阀;5—
金属燃烧器;6—燃烧器切断阀;7—烟道阀;8—烟囱;9—助燃冷空气阀;10—助燃
热空气阀;11—助燃空气混风阀;12—高风温热风炉助燃风机;13—助燃空气燃烧
阀;14—陶瓷燃烧器;15—煤气燃烧阀;16—放风阀;17—煤气切断阀;18—烟道阀;
19—煤气热交换器;20—煤气加压机;21—冷风阀;22—热风阀;23—混风阀

采用热风炉预热空气原理很简单,但只能预热空气,不能预热煤气,有一定的局限性。采用热风炉数量一般至少两座,这种预热方式能将空气的温度预热很高。但也存在不足:

(1)由于利用热风炉,排烟温度依然很高,不利于回收余热和节能。

(2)建设热风炉配套的风机、阀门、燃烧器设备一个都不能少,建设投资大,运行成本高。

(3)操作、控制繁琐,维护工作量大。

(4)消耗更多的煤气。

这种换热形式只有在煤气比较富裕,能利用旧有设施,又追求较高的热风温度时,才宜采用此种预热形式。

4.5　热风炉的事故及处理

对于发生的一些生产故障或事故,及时地分析成因,果断地处

207

理,对减少事故的损失和影响是十分重要的,这也是每一名热风炉操作人员必须掌握的生产操作技能。

要建立和健全完整的生产工艺规程,设备使用维护规程和安全生产规程。由于热风炉岗位生产的连续性,还必须建立和健全完整的交接班制度。其次,就是要熟练地掌握处理事故的技能。

常见的热风炉操作故障及其处理如表 4-26 所示。

表 4-26 常见的热风炉操作故障及其处理

事故原因	表现	后果	处理
烟道阀或废风阀未关或未关严就灌风均压	风压表不上升或上升缓慢,冷风管声音不正常	跑风,引起高炉风压剧烈波动,甚至发生崩料	关闭冷风均压阀停止灌风均压。待烟道阀或废风阀关好后再灌风均压
煤气燃烧阀或空气燃烧阀未关或未关严就灌风均压	风压表不上升或上升缓慢,冷风管声音不正常	1. 跑风,引起高炉风压剧烈波动,甚至发生崩料 2. 遇煤气切断阀不严,会发生煤气爆炸,破坏热风炉燃烧设备	关闭冷风均压阀停止灌风均压。待煤气燃烧阀或空气燃烧阀关好后再灌风均压
1. 废风未开或未放净废风就开启烟道阀 2. 废风未开或未放净废风就开空气或煤气燃烧阀	热风炉内冷风压力未回到零位	拉断烟道阀、空气或煤气燃烧阀传动钢绳或天轮,烧坏电机	严格监视冷风压力表,不放净废风不开烟道阀和空气燃烧阀或煤气燃烧阀,若设备已损坏及时停炉更换
先关空气阀,后关煤气阀	拱顶温度下降	一部分未燃烧的煤气进入热风炉,并形成爆炸性气体,可能产生爆炸。炸坏燃烧器或伤人	严格按工艺规程操作,杜绝此类操作事故发生
热风阀或冷风阀未关或未关严就开废风阀	高炉风压急剧下降	高炉跑风,引起高炉风压剧烈波动,甚至发生崩料和高炉灌渣	关闭废风阀,停止给高炉放风,正常后,关好热风或冷风阀再放废风

208

以上这些操作故障都是错开或是错关阀门造成的。因此,生产中必须严格地执行工艺操作规程。随着设备使用过程中的老化、失修以及一些意外的变化,热风炉也会出现一些常见的设备故障和设备事故,准确地判断和及时地处理这些故障和事故,同样是每一名热风炉操作者必须熟练掌握的生产技能,如表4-27所示。

表4-27　常见的主要设备故障和设备事故

故障事故	表　现	原　因	后　果	处　理
热风阀漏水	出水量明显减少或断水,出水水温升高,出水中带有气泡,阀柄出水软管振动	1. 水质差,水压低造成局部结垢 2. 设备使用周期过长	1. 阀柄、内或外水圈烧坏 2. 影响热风支管,热风炉衬砖和燃烧器寿命	及时组织停风更换
热风阀阀柄变形	燃烧时向热风炉内窜风	热风阀阀柄变形	1. 燃烧期影响高炉风量 2. 影响烧炉顶温,助燃空气量偏大	及时组织停风更换
煤气切断阀漏气	1. 燃烧时不好点火 2. 送风时煤气外漏	1. 密封圈坏了 2. 轴销掉或阀柄变形	1. 跑煤气,引起煤气中毒 2. 严重时会造成煤气爆炸	及时组织停气检修或更换

由于热风炉使用大量煤气,在出现操作失误或设备故障等原因时易发生爆炸等恶性事故。现列举一些热风炉事故案例,以供借鉴:

(1)首钢4号高炉热风炉燃烧器煤气爆炸事故。

1979年2月18日首钢老4号高炉1号热风炉换炉时因燃烧阀未关严,而煤气阀又漏煤气,当开冷风阀往炉内均压时,由燃烧阀往外窜出热风,导致燃烧器内煤气与空气混合造成爆炸,把助燃风机炸坏。

此次事故教训是:应严格按规程规定操作,燃烧阀未关前不能进行下一步操作。发现煤气阀漏煤气,应及时进行处理或更换。

(2)首钢2号高炉热风炉意外着火事故

1993年在2号高炉与热风炉之间组织清理废渣土,准备修理这里已经破损的电缆隧道,由于清理完成后已经到了下班时间,决定第二天再继续工作,而此时的电缆隧道破损处完全暴露了出来,为导致这次事故埋下了隐患。

次日清晨,一个下渣沟溢渣的意外事故造成炉渣流进电缆沟,引发了大火。由于电缆沟与热风炉14m高的液压油管管廊及计算机电缆槽相通,而这个管廊的上表面又是热风炉通向现场的惟一走道,大火烧红了走道,使计算机的输入、输出电缆联电,造成热风炉风机停机,部分阀门误动作,高炉被迫开始紧急停风。

在关闭了煤气阀门后,由于火势和油压的作用,油管被烧裂了,走道被烧得无法过人,高炉放风阀、混风阀、热风阀、冷风阀、倒流休风阀和其他需要动作的阀门及部分误动作的阀门已经无法开关。操作人员用扳手和大锤迅速拆断油缸进出油管,用大锤强迫关闭混风阀、热风阀,高炉停风的同时又用吊链迅速打开倒流休风阀,并进行了其他善后工作,至此高炉安全停风。

停风后,大火最终在消防队员劈开了14m走道的钢板后被扑灭。

经查,除了个别燃烧阀及燃烧器因误动作被烧坏以外,主要设备没有损坏,在更换和修复了油管及必要的临时电缆和仪表用线后,当天下午恢复了送风生产。彻底恢复热风炉的正常生产用了10天的时间。

此次事故的教训是:在清理出电缆隧道破损处后,应继续将其处理好,高炉现场不可轻心,安全隐患一日都不可留。另外,炉前出渣出铁工作要严要细,严禁跑渣铁。特别是高炉周围存在安全隐患时,出现跑渣铁都极易造成意想不到的重大事故。这次在着火情况下的处理过程也说明,在任何情况下都要严格按工艺规程进行操作,试想这次意外着火中,在忙乱的情况下,如果不按工艺规程进行操作,或冒险不关混风阀、热风阀就停风,停风后又没有及时打开倒流休风阀,火灾所引发的连带灾害(如煤气爆炸)可能比火灾更要严重。

(3)首钢2号高炉紧急停电停风当中烟囱爆炸事故。

1988 年 2 号高炉因意外停电造成高炉紧急停风,当时由于没有电源,高炉的放散阀、放风阀、煤气切断阀等设备都需要手摇操作,忙乱中未做热风炉休风手续,而错误地将通风炉的废风阀打开。当值班人员发现此问题后,才关闭了通风炉的热风阀及冷风阀,打开了烟道阀。稍后几分钟,主烟道内发生爆炸。烟道两端进入口被炸开,盖板被崩到上料高道上。事后检查发现,烟囱下部耐火砖部分塌落。

分析:在高炉意外停电停风中作为热风炉的操作来说,重要的一环是切断高炉的煤气倒流,更不能出现高炉停风后仍然开着热风阀和冷风阀的状态,此次事故是因为停风后没关闭热风阀、冷风阀,高炉煤气沿热风阀、废风阀倒入烟囱内的同时,冷风也沿冷风阀、废风阀流入烟囱内,当混合气体达到一定浓度时而发生的爆炸。

(4) 首钢 5 号高炉热风炉净煤气总管爆炸事故。

1980 年 11 月 5 日休风,净煤气总管停气,通入蒸汽。净煤气总管上高 30m 的放散阀已打开。后因蒸汽管道上 ϕ19.05mm(3/4in)阀门损坏,为更换阀门而停通蒸汽。此时,因与净煤气总管道连接的焦炉煤气管 ϕ300mm 阀门不严,又未卡盲板,焦炉煤气继续进入净煤气总管中。当修理蒸汽阀门进行电焊时,产生爆炸,炸坏 ϕ600mm 引射器煤气管道 3m,3 号炉煤气流量孔板炸坏,高 30m 的煤气放散管从根部炸倒。

此次事故的教训是:在动火处理蒸汽阀门前,应在焦炉煤气管道上卡装盲板,确保切断煤气来源。

参 考 文 献

1 成兰伯.高炉炼铁工艺及计算.北京:冶金工业出版社,1991

2 胡本成,刘兴泉,董清海.大型高炉热风炉自身预热运行实践.钢铁.1997;(10),增刊

3 李嘉年.热风炉双预热装置的设计与实践.钢铁,1997;(10),增刊

4 鞍钢炼铁厂.大高炉炼铁生产.1975

5 项钟庸,郭庆第.蓄热式热风炉.北京:冶金工业出版社,1988

5 上料系统及装料设备

5.1 上料系统

上料系统由贮矿槽及输送、给料、排料、筛分、称量等设备组成。这些设备根据冶炼工艺要求,把矿、焦等原燃料配成一定质量和成分的"料批",然后由料车或上料皮带等上料设备送至炉顶。典型的上料系统流程如图 5-1 所示。

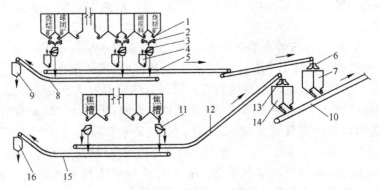

图 5-1 高炉供料系统图

1—闸门;2—电动振动给料机;3—烧结矿振动筛;4—称量漏斗;5—矿石胶带输送机;6—矿石转换溜槽;7—矿石中间料斗;8—粉矿胶带输送机;9—粉矿料斗;10—上料胶带输送机;11—焦炭振动筛;12—焦炭胶带输送机;13—焦炭转换溜槽;14—焦炭中间称量漏斗;15—粉焦胶带输送机;16—粉焦料斗

目前高炉上料方式主要有两种:中小型高炉一般采用料车上料,大型高炉大都采用皮带机上料。料车上料及皮带机上料的比较如表 5-1 所示。

表 5-1 料车上料与皮带机上料的比较

料 车 上 料	皮 带 机 上 料
(1) 高炉周围布置集中,车间布置紧凑; (2) 对有 3 个出铁场的高炉布置有困难; (3) 对中小型高炉有利,大型高炉因料车过大,炉顶煤气管道与炉顶框架的间距必须扩大,炉子高度增加,投资较大; (4) 对炉料分布不利,且破碎性较大; (5) 炉顶承受水平力; (6) 大型高炉供料量大,尽管加大料车容积和上料速度,仍满足不了高炉强化后的供料要求	(1) 高炉与原料称量系统的距离较远(约 300m)布置分散,高炉周围自由度大; (2) 对大型高炉布置特别有利,有利于改善高炉环境; (3) 炉顶设备无钢绳牵引之水平力; (4) 皮带机运输能力大,可充分满足大型高炉上料的要求; (5) 对降低建设投资有利

5.1.1 上料系统

5.1.1.1 贮矿槽

高炉贮矿槽是有关接纳、贮存从原料场、烧结厂、焦化厂等地经胶带运输机或火车运来的原燃料的设施,并担负着向高炉供配料。

贮矿槽的总容积与高炉使用的原料的性质、种类和高炉有效容积有关。焦仓和矿仓容积与高炉有效容积的关系和贮存时间如表 5-2 和表 5-3 所示。

表 5-2 焦仓设计参考数据

高炉容积/m^3	焦仓容积/高炉容积	贮存时间/h
600	0.8	6~9
1000	0.7~1.3	6~8
1500	0.5~0.7	6~8
2000	0.5~0.7	6~8
2500	0.5~0.7	6~8
3200	0.6	6
4000	0.7~0.8	6~10

表 5-3 矿仓设计参考数据

高炉容积/m³	矿仓容积/高炉容积	贮存时间/h
600	2.5	14~22
1000	约2.5	14~22
1500	1.8	10~16
2000	1.6	9~14
2500	1.6	9~14
3200	1.5	10
4000	1.1~1.8	10~17

5.1.1.2 料仓槽下设备

振动筛:是将焦仓矿仓排出的焦炭和矿石(块矿、球团、烧结矿)进行筛分的设备。大、中型高炉是要求将入炉焦炭中小于20~25mm 的小焦块及焦末和矿石中小于5mm 的粉末筛除。筛子的能力应按高炉的装料周期顺序中供料的时间要求,并考虑设备能力富余率20%选择设备。应有高的筛分效率。目前常用的振动筛类型有惯性振动筛(包括自定中心振动筛和双质体共振筛)、电磁振动筛、振动电机振动筛、概率筛等。

称量斗:当采用料车上料时,称量斗的有效容积应与料车有效容积一致;当采用皮带机上料时,按两个称量斗能容纳一批料考虑。称量斗的结构一般为具有锰钢内衬的结构件。秤的形式有机械秤、电子秤和机械电子秤3种。每套称量斗均需安装一套称量装置。称量精度要求小于5/1000。当采用电子秤时,传感器的安装位置应尽量设在称量斗(满料)重心以上,并考虑物料的冲击和受力不均。

5.1.2 皮带供料方式

皮带机上料的流程为:一般在离高炉200~400m 处,设称量配料库,内设3排贮料槽,焦炭占一排,烧结矿占一排,杂矿和熔剂等副原料占一排,如图5-2所示。料槽下用电振给料机给料,用振动筛筛分,并有称量斗称量,然后分别送到各自的集中料斗,按照上料程序和装料制度,开动集中斗下部的闸口,将料均匀地分布在长期运转的皮带机上,炉料随皮带机运到炉顶装入炉内。

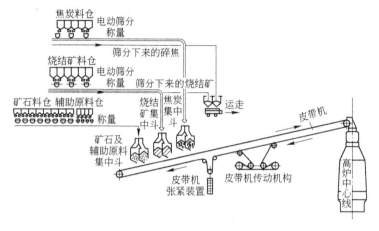

图 5-2　高炉皮带机上料流程示意图

根据高炉皮带上料总体布置要求,皮带机的头轮设置在炉顶上,尾轮设置在矿槽下部,机械传动装置和电控室设置在偏于尾轮一侧的中部。这种布置便于炉顶装料设备和矿槽设备的布置。为了减小胶带张力,上料皮带机驱动装置一般采用多机双滚筒串联中间驱动,以增大胶带在传动滚筒上的包角。图 5-3 为高炉上料皮带机布置示意图。

当上料皮带机驱动装置采用多机双滚筒串联中间驱动时,驱动装置的选择力求统一,尽量采用同一形式的驱动装置,这样有利于驱动装置的组合、制造和配套,同时也减少备品备件的品种和规格。驱动装置的组合形式一般有三机驱动和四机驱动两种。在传动配置时,要使第一个传动滚筒有两台驱动装置同时工作,第二个传动滚筒可有两台或一台驱动装置工作。传动装置如图 5-4 所示。

上料皮带机是高炉主要设备之一,其运行正常与否,直接影响高炉的生产,因此在设计中必须考虑皮带机运行可靠、控制操作方

215

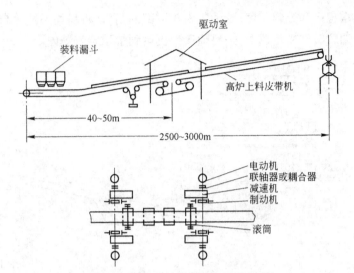

图 5-3　高炉上料皮带机布置示意图

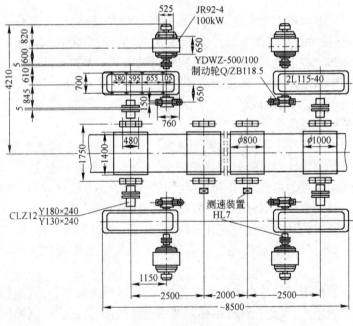

图 5-4　传动装置图

便,并有必要的安全措施和备用、检测手段。

高炉上料皮带机连续运行并带料启动。为使物料在皮带机上运行平稳,不出现撒料现象,皮带机运行速度一般为 $2\sim2.5\text{m/s}$ 较为适宜。电机在启动、制动时加减速度要合理选择:满载启动时加速度为 $0.2\sim0.4\text{m/s}^2$,空载启动时加速度为 $0.4\sim0.6\text{m/s}^2$。此外,还要考虑皮带启动、制动时的张力应不超过最大工作张力的 $1.4\sim1.6$ 倍。

大型高炉设计参数如表 5-4 所示。

表 5-4　大型高炉上料皮带机设计参数参考表

高炉容积/m³	利用系数/t·(m³·d)⁻¹	运输量/t·h⁻¹	胶带宽度/mm	水平投影/m	提升高度/m	胶带最大张力/kN	总功率/kW	配套电机容量/kW
1200	2	1000～1200	1200	250	44	107	228	3×80
				300	54	130		3×100
	2.5	1500～1700	1200～1400	250	44	133	283	3×100
				300	54	162	345	3×115
2500	2.1	1930～2000	1400～1600	300	52	215	457	3×115
				350	62	255	542	3×215
	2.5	2400～2800	1600～1800	300	52	260	559	3×215
				350	62	302	642	
4000	2.0	2500～2900	1800～2000	300	52	280	595	3×215
				350	62	330	705	3×250
	2.5	3240～4000	2000～2200	300	52	324	689	3×250
				350	62	384	817	3×280

5.1.3　料车供料方式

料车供料方式的典型工艺布置如图 5-5 所示。

料车是用钢板焊接或铆接而成。为避免物料附着在料车内,车体转角处制成圆角。为使料车免受磨损,尤其是焦炭的磨损,在料车的底部和侧面的内壁,衬为可更换的锰钢衬板。

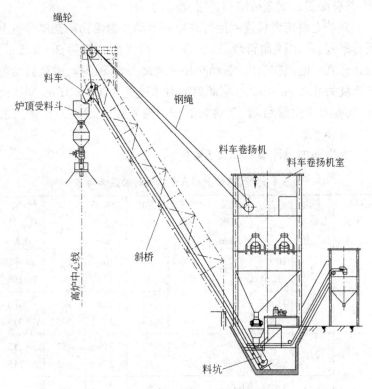

图 5-5　料车上料工艺布置图

常见的料车结构形式有平体(图 5-6)和斜体(图 5-7)两种。在车体宽度相同的情况下,斜体料车的长度较短,料车重心趋向前方,增加了料车在斜桥轨道上行走的稳定性。对于斜体料车,由于车体成锥度收缩,给装料和卸料带来了方便。

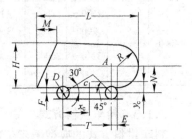

图 5-6　平体料车外形图

料车卷扬机是牵引料车沿斜桥轨道往返于炉顶与料坑间的卷扬设备。就料车卷扬机和斜桥的安装位置而言大致有两种:一

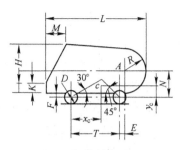

图 5-7　斜体料车外形图

种为卷扬机装在斜桥下面,如图 5-8*a* 所示;另一种为卷扬机装在斜桥上面,如图 5-8*b* 所示。

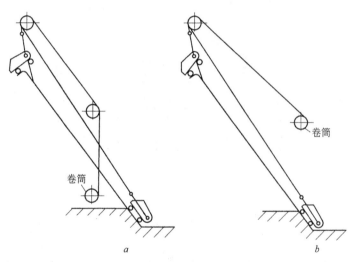

图 5-8　卷扬机和斜桥安装示意图

a—卷扬机装在斜桥下部;*b*—卷扬机装在斜桥上部

料车卷扬机的结构就其传动方式而言大致有两种:一种为卷筒大齿轮传递扭矩;另一种为卷筒轴传递扭矩。目前多数使用大齿轮传递扭矩,卷筒轴不受扭矩,双电机传动,在传动机构上有抱闸,另外在卷筒上设有事故闸。图 5-9～图 5-11 分别是我国620m³、1000m³、1500m³ 高炉常用的卷扬机。

219

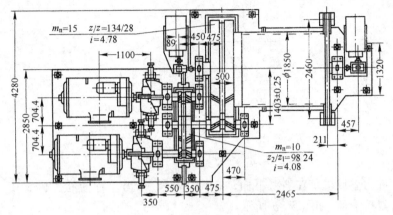

图 5-9　620m³ 高炉常用的料车卷扬机

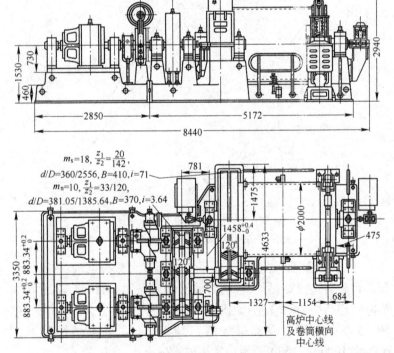

图 5-10　1000m³ 高炉料车卷扬机

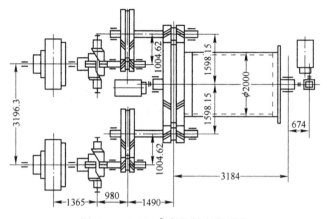

图 5-11 1500m³ 高炉料车卷扬机

不同级别高炉料车上料技术参数如表 5-5 所示。

表 5-5 不同级别高炉料车上料技术参数

炉容/m³	620	1000	1500	2580
料车额定负荷/kg	10000	15000	22500	35000
料车最大负荷/kg	11000	19000	25000	40000
卷扬机速度/m·s⁻¹	2.5	2.5	3.5	3.8
卷筒直径/mm	1850	2000	2000	2600
钢绳直径/mm	32	39	43.5	52
钢绳行程/m	68	88	95	88
料车有效容积/m³	4.5	6.5	10	15
电机功率/kW	160	190	320(2 台)	600(2 台)

5.1.4 无中继站高炉上料系统新工艺

北京首钢设计院在首钢 1 号、3 号高炉扩容改造设计中,在国内率先提出并采用了高炉无中继站上料工艺方案,其布置如图 5-12 所示。把原燃料上仓转运、贮存及筛分、称量、受料设置在同一建筑物内,布置紧凑;创新地设计了双排矿槽支柱扁担梁承重结构,实现了主皮带与矿槽在同一中心线上,解决了场地窄小的矛盾,实现了分层布料;有利于分级入炉;实现了焦丁和矿石混装,设备利用系数高,提高了上料系统的可靠性。

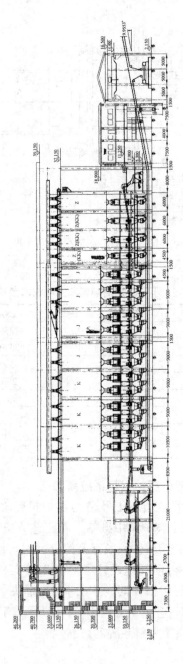

图 5-12 首钢 2536m³ 高炉无中继站上料系统立面布置图

222

经过9年的生产实践证明,该系统的赶料能力大,缩短了给料时间,消除了由于采用中继站造成的转运落差,满足了上料的需要,为改善高炉操作创造了良好的条件。

无中继站上料系统与传统的有中继站上料系统相比较,节省了基建投资,降低了生产成本,经济效益显著。

5.2 炉顶装料设备

装料设备是高炉重要设备之一,其主要任务是把上料系统运送来的炉料装入炉内并使之合理地分布到炉喉,同时起密封作用的设备。

目前高炉炉顶装料设备主要为钟式炉顶和无钟炉顶两种。

5.2.1 钟式炉顶

料钟式炉顶有双钟式、三钟式、四钟式和钟阀式。典型的钟式炉顶设备如图5-13所示。

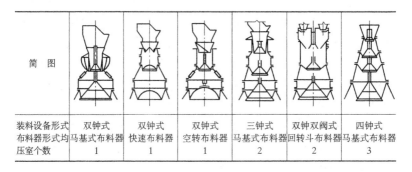

简 图						
装料设备形式	双钟式	双钟式	双钟式	三钟式	双钟双阀式	四钟式
布料器形式	马基式布料器	快速布料器	空转布料器	马基式布料器	回转斗布料器	马基式布料器
均压室个数	1	1	1	2	2	3

图5-13 典型的钟式炉顶设备

双钟式炉顶装料设备已有上百年历史,至今仍是中小型高炉的常用装料设备。它是由受料斗、小钟料斗、小料钟、大钟料斗、大料钟、布料器等组成。

装料时,受料斗接受料车或皮带送入的炉料,并进入小钟斗,然后打开小钟将炉料倒入大钟斗,关闭小钟,再打开大钟,将炉料按要求布到炉内。大小钟的启闭必须交错进行,保证装料时煤气密封。大小钟之间有效容积必须大于一个最大料批的总容积,料车上料的高炉其大小钟之间有效容积常为料车容积的 5 倍。

为将炉料按高炉生产需求分布到炉内,需要一种机械装置来完成,这就是布料器。它有马基式、快速旋转及空转定点布料器等形式。马基式布料器是世界上料车式上料高炉炉顶普遍采用的设备。它把承载着炉料的小钟斗旋转起来,按规定角度把料堆尖分别送到圆周上的各个位置。快速旋转布料器,布料漏斗与小钟斗分开,装料时,快速旋转布料漏斗,能将炉料连续、多层、均匀分布在小钟料斗内。空转螺旋布料器,为单斜口的偏心旋转漏斗,每装一批料前,旋转漏斗单向慢速空转一定角度后受料,每次所转角度任意确定,当与圆周角无公约数时,则在炉喉所形成的料堆尖叠加成螺旋状,成为螺旋布料。

大小钟的提升应保证大小钟沿直线运动。一般用瓦特双曲线直线机构或将大钟用链条挂在扇形板上沿圆半径竖直切线方向的运动来实现。要求提升的行程和时间满足装料要求。大中型高炉大钟行程一般为 $600\sim750\mathrm{mm}$,小钟行程一般为 $650\sim900\mathrm{mm}$。从受力方式上分:靠钟的自重及料重就可以下降的称为自由下降,它易于保证垂直升降,结构简单;给钟一定压力开启料钟的称为强迫下降。按传动方式分为机械和液压传动两种。常用的机械传动方式是大小钟分别经钟杆吊挂在各自的平衡杆上,用电动卷扬机通过绳轮操纵平衡杆来控制大小钟开关;液压传动形式主要有两种:用油缸推大小钟平衡杆来开钟,关钟靠平衡锤或靠油缸推扁担梁来关钟。采用液压传动可减轻炉顶设备重量,降低炉顶高度且减少关钟时的冲击力。

由于高炉冶炼技术的发展,高炉容积不断扩大,炉顶压力不断提高,双钟炉顶装料设备已不能满足生产的要求,所以先后出现了三钟、四钟式和钟阀式炉顶。

三钟式炉顶的优点是由于大钟上下压力永远保持平衡,它只起布料作用,不起密封作用,显著提高了大钟使用寿命,其缺点是小钟容易吹损,故未得到推广使用。

四钟式炉顶保持了双钟式和三钟式的优点,克服了它们的缺点,工作比较可靠,能适应高压操作满足生产要求,但其结构更为复杂,高度增加,均压繁琐,不但制造安装要求严格且不便于维修和管理,故未得到普遍采用。

钟阀式炉顶又称双钟阀封式炉顶,它有两种形式,即双钟双阀型和双钟四阀型。它的特点是用阀进行密封,用钟进行布料,大钟使用寿命较长,炉顶密封性好,因此得到不少厂家的重视和采用。但其设备复杂,不易安装,维修量大,且炉顶高度增加,设备总重量增加。所以在70年代以后,世界各国的高炉在装料方面正逐渐用无料钟炉顶代替料钟式及钟阀式炉顶。

5.2.2 无料钟炉顶

无料钟炉顶有并罐式和串罐式两种形式。

5.2.2.1 并罐式无料钟炉顶

并罐式无料钟炉顶是1970年由卢森堡的保罗·维尔特公司提出的,1972年1月8日联邦德国蒂森钢铁公司汉博恩厂4号$1445m^3$高炉上首先安装了无料钟炉顶设备。投产后,引起广泛关注。它的优点是结构简单、设备轻、密封性好、布料灵活、维修方便、节省投资。

1979年12月我国第一座无料钟炉顶装置在首钢$1327m^3$的高炉上诞生了,随后这一新技术被得到应用。

并罐式无料钟炉顶如图5-14所示。这种装料设备是用一个旋转溜槽代替了钟式和钟阀式炉顶中的大钟进行布料。溜槽上方有一个控制溜槽旋转和摆动的齿轮箱,箱内通有氮气或加压净煤气以防高温带尘煤气进入箱内,并对箱体进行冷却,因此该箱又称气体密封箱。在齿轮箱上方有下密封阀、调节阀、中间漏斗、料罐、上密封阀、翻板,料罐中的炉料通过中间漏斗、调节阀、下密封阀和中心喉管将炉料卸入溜槽。当设置在料罐底部的下密封阀关闭而设置在料罐顶部上密封阀打开时,料罐即处于装料状态,相反则处于卸料状态。每个料罐均有称量装置和同位素测控装置。两个料罐交替使用将炉料送入中心喉管,并由溜槽以最佳旋转速度和最佳倾角

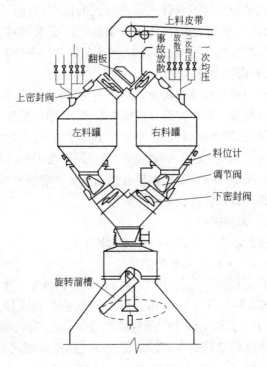

图 5-14　并罐式无料钟炉顶

以及最佳布料方式(根据炉况可进行调节)将炉料布于炉喉平面。

　　但是随着人们对高炉冶炼的深入研究,发现并罐式无料钟炉顶设备存在着不可避免的偏析问题,影响煤气流的合理分布,因此最近又推出串罐式无料钟炉顶装料设备。

　5.2.2.2　串罐式无料钟炉顶

　　串罐式无料钟炉顶有卢森堡式、SS 型、紧凑式 3 种,如图 5-15所示。

　　串罐式无料钟炉顶装料设备是将双罐并列改为双罐上、下同心重叠布置。上罐起受料和贮料作用,仅在下罐设上下密封阀、料流调节阀和称量装置。由于下料口在高炉中心线上,从而避免了炉料偏析,达到圆周均匀布料,同时减少对中心喉管的磨损。串罐

226

的另一个优点是占据空间小,因与并罐相比省去了一套均压放散设施和称量装置,所以在相同条件下投资比并罐式节省。

SS 型无料钟炉顶是在国内外高炉炉顶技术的基础上发展而来的,形成了自己独有的技术特色:机械设备简单,制造容易,安装、维护方便,工艺性能好,节省投资。

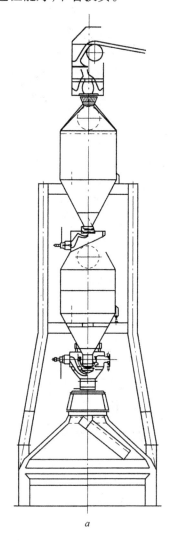

a

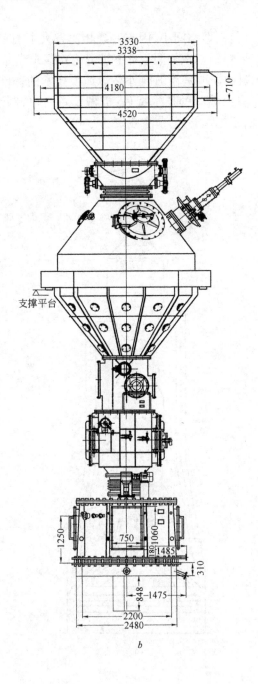

支撑平台

b

228

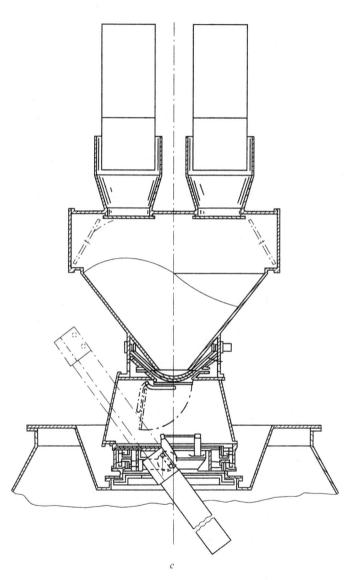

c

图 5-15　串罐式无料钟炉顶
a—卢森堡式；b—SS 型；c—紧凑式

紧凑式炉顶虽然保留了串罐无钟炉顶的特点,但是作业率较低,尤其当设备进行检修时,易影响高炉生产。

5.2.2.3　有关改进

气密箱传动已经采用水冷气封。以前,气密箱都是用气体作为冷却介质,一般是氮气或加压净煤气。由于气密箱在生产过程中其冷却和密封是连续的,因此气体耗量相当大。如用氮气,则复杂的氮气系统投资太高,并且大量的氮气进入炉内,冲淡了炉顶煤气成分,影响高炉煤气发热值。如用加压净煤气,虽然不影响煤气成分,但复杂的煤气加压系统投资十分昂贵。而采用水作为冷却介质,仅用少量的气体起密封作用,从而使投资大为减少,并且冷却效果优于气体。

在 SS 型紧凑式串罐无料钟炉顶中,布料器虽然也采用水冷,却是杠杆或钢丝绳传动,前者仅是省去了后者需定期更换钢丝绳的麻烦,布料溜槽同样具有上下摆动和平面回转两个运动方式。溜槽摆动机构配用伺服电机,带有编码器;回转运动配置普通电机,也带有编码器;摆动和回转传动均为二次包络蜗杆减速机。这一改进使机构简单,节省投资,减少维护或免维护。

此外,采用外传动式溜槽布料驱动系统;料流调节和料罐称量误差实现自动补偿等新技术。

5.3　上料、装料系统故障及处理

5.3.1　上料系统故障及处理

5.3.1.1　等料

造成等料的原因较多。主要有:

(1) 筛子上部牙板开度小,卡大块不能下料。

(2) 称量料罐下闸口不开或卡料。

(3) 皮带系统转不起来。

处理方法:

(1)牙板开度要及时检查,随时调开度,防止卡大块不下料,保证下料流量合理。

（2）称量料罐的下闸口不开要查清故障原因,如:计算机是否有输出开闸口的信号,模块是否损坏,电缆有无问题,插头、插座是否正常,电磁阀是否正常,风源压力是否正常,闸口气缸是否串气或锈死等,判断出原因后可根据工艺状况酌情处理。如是电气故障一时不好查出原因,可采用手动按电磁阀方法,先将罐内料放空后停止此罐工作,目的是先保证上料运行,减少等料时间,待停止该罐工作后再处理。如果是卡料蓬料,就要及时联系好,在保证人身安全状况下采取大锤震的方法,或人工捅的方法进行处理。如短时间不能处理好,就及时停用此罐,倒其他罐工作,减少等料时间。

（3）皮带机转不起来的原因为:如电机烧坏,或现场开关坏、继电器、接触器坏等。如是电机烧坏,要及时联系倒备用电机,故障电机要及时更换,电气设备损坏要及时更换,并及时汇报工长,酌情考虑炉内适应工作。如果是机械方面的故障,如减速箱震动大或卡阻等,造成不能使用皮带时,可能造成较长时间的高炉等料,此时要及时汇报,必要时停风处理,减少因等料造成深料线影响高炉的顺行。

除上述影响上料的原因外,就料车上料方式而言,还有如下原因影响高炉上料:

（1）主卷起车时一过电流继电器动作,造成主卷扬掉电无法上料。主要原因有:卷扬工作闸打不开、强磁接触器不投入造成弱磁启动产生过流、或料车中物料超重等,分别查清原因,清除故障即可。如果是料车中的料过多造成的,要清理出一部分,或改为手动慢速上行。但如果是机械上的原因,造成卡阻的问题,要彻底排除后再上料。

（2）主卷扬料车高速时掉电,主要原因有:1）水银开关液面低;2）主卷扬车负载重造成二次过流检查动作。处理方法为:1）适量添加水银;2）改手动慢速上行。

（3）主卷扬松弛开关动作。料车大绳过于松弛,造成主卷扬起车过程中的加速及减速时掉电。处理方法为:根据状况短接松弛开关,待机进行钢丝绳的调整,或将料罐上的销子紧眼。

(4)地沟取料称量车故障影响上料时要及时倒备用车工作,保证高炉供料。

(5)地沟排放焦末、焦块不及时,造成焦炭不能过筛,影响上料。为了防止发生这种情况,要及时联系并及时排放焦末、焦块,防止下道工序影响上道工序的故障出现。

5.3.1.2　撕皮带

撕皮带的原因为:皮带跑偏严重,托辊挡辊不合适,皮带上有铁器杂物等,出现刮、卡皮带,造成撕皮带。

出现这种故障要及时处理,需要停风时,则要停风处理,据情况可采用打卡子,用胶粘的方法进行处理。

防止措施为:(1)皮带跑偏要及时调整好;(2)托辊、挡辊有问题的要及时更换;(3)物料入皮带前应有防范的措施(如:安装箅子、拣铁器等,这样就保证了大块料和杂物不入皮带);(4)皮带检修后试车前要将皮带上的杂物清理干净;(5)加强巡检,发现有铁器杂物等,要及时拣出;在设备运转不正常时要及时采取措施或停机处理。

5.3.1.3　拉错料

拉错料的原因为:(1)未确认料仓的品种,联系失误;(2)没有按料单规定要求改料,出现差错;(3)人工取料开错闸口。

处理方法为:(1)发现错误时要及时改变过来,按正确的要求拉料;(2)立即弄清各料仓的品种,并进行确认;(3)按料单规定要求及时修正拉料程序设定;(4)立即通知工长,以便炉内及时酌情采取措施;(5)采用人工取料操作时,要精心操作,保证取料品种正确,质量准确。

防止措施为:(1)严格执行见改料单改料的要求,改料后再次确认;(2)料仓的物料品种要认真核对。

5.3.1.4　堵筛网

堵筛网的后果就是造成入炉原燃料的粉末量多,小粒度料量大,使得高炉炉况失常,因此筛网要定期清理,保持筛网干净,保证筛分效果好。

5.3.2 装料系统故障处理

5.3.2.1 炉顶布料溜槽不转故障

发生这种故障的原因及处理措施主要有:(1) 控制柜故障不能工作,要及时倒备用柜工作;(2) 如果是电缆折断要及时接好线保证工作;(3) 若电机烧坏要及时倒用备用电机;(4) 如果柜子控制系统正常,电压正常,只是电流大,转不动,要及时组织人盘车,一般情况下盘 30°~60°时用控制柜启动一下,试验能否转动。如果不能转动仍然要继续盘车。直至转动起来为止。转起来后最好不要停,但要注意电流变化。只要不超过电机的额定电流就常转,待正常后再倒回自动运行。

在处理以上故障时,如果顶温过高,可将炉顶料罐的料放入炉内,以降低顶温,仍不能控制时,可开炉顶打水和减风。如果气密箱内温度过高,可加大氮气量和用水量,待正常后再调回规定的氮量和水量。

5.3.2.2 炉顶料罐放不下料

需首先检查各阀信号是否正常。如果下密、节流阀开关均正常,需注意罐内压力是否同炉顶压力相似。如果罐压小于顶压,要及时向罐内充压,一均如果充不上,则用二均充压。如果仍充不上去压力,要及时上炉顶检查上密、放散阀、事故阀是否正常,以及罐体是否有漏气。此时可将下密、节流阀关严,重新开关放散、事故阀及上密阀,然后再重新开一均及二均充罐压。如果查明是有漏气的地方,不能充压放料时,要及时停罐处理,改单罐工作制,炉内减压适应。如果排除上述情况,则可能罐内下密或喉管处蓬料,造成放不下料。此时可在正常高压生产时,将该罐放散阀拉开。可反复几次,以使料放下。此时要人工手动控制,要密切注意显示屏的各种信号和数据的变化。如果反复操作不见效果的话,可停用此罐倒另一罐工作。若另一罐也不能放料时,可断定是喉管卡阻了,必须停风处理。如果另一罐工作正常,再在空余时间内将故障罐重新放料。如果反复仍不行,在单罐工作的情况下,炉内酌情减风改常压直至停气来处理故障罐不下料问题。如果料仍放不下，则需停风处理。

实例：2002年1月首钢5号高炉炉顶两个料罐出现不能放料故障，经检查操作和油缸工作状况都正常。最后停风点火检查下密时发现两个料罐的节流阀板全部掉了，将下料口全部堵死。原因是固定阀板的螺栓全断了，阀板与轴脱离。经人工捅料，使罐内的料从缝隙处一点点流完(捅料时要将布料溜槽正常转，并注意安全)。待两罐内全空后，由修理人员进行了处理。

5.3.2.3 炉顶料罐装重料

此事故造成原因是信号失灵，或人工操作错误所致。征兆是上密关不上，无法进入下面放料工作程序。此时要及时停止拉料，先将节流阀打开，将料放下一部分(节流阀和下密之间容积)，如果上密关上了，就可进行正常放料工作。如果上密关不上，只有高炉放风改常压，手动先将溜槽按布料角度转动起来，再开下密，放下料关严上密，则高炉及时恢复风量正常操作。待本罐料全部放空后检查各系统均正常无误后倒回自动工作。

5.3.2.4 炉顶料罐一均阀不能充上压

征兆是阀体开关正常，只是料罐充不上压。此时要用二均工作。发生这种故障原因往往是管道内积水，造成煤气过不来，此时要联系卸水。

5.3.2.5 炉顶料罐压力放不净

装料之前放散阀打开后，料罐压力放不净不能装料，此时可将两个放散阀全开。如果仍不能放净，要检查一均、二均及下密是否关严、阀体是否损坏。如果是一均、二均、下密未关严，就重新开关一次，即可排除。如果是阀体或胶圈坏，严重的就必须停风处理，此时可倒单罐工作待机停风处理。

5.3.2.6 α角(布料溜槽倾角)显示故障

一般α角自整角机坏了，无论是一次角机还是二次角机坏，只要新更换后，按照α角圆盘的下超刻度标志调整后就可投入正常工作。但如果是带α角机的变速箱与星型减速箱的连接坏了，

234

则必须更换变速箱及连接装置,并需要重新调整 α 角上下极限。

此时有两种处理方法:

(1)停风重新测 α 角度,待机械故障处理完后按实际测量的 α 角度对好上下起极限。

(2)在装气密箱及溜槽前测好实际的最小角度,一旦出现有影响 α 角度准确性故障时,即可按最小角度重新核对上下超和 α 角度。

5.3.2.7 炉顶上密封阀漏煤气

上密封阀漏煤气会造成料罐内充不上压力,不能正常放料。并且易造成人员中毒,遇明火易发生大事故。处理方法是停风处理,更换胶圈;若阀口磨漏时要补焊好;如果下密阀比较严,可不停风处理,但是必须有可靠的安全措施。

5.3.2.8 大钟杆弯造成事故

原因是料尺假尺,造成大钟不能开到位,但电气尚未见到开到位信号,其输出仍然为开,则将大杆顶弯。

防止措施为:

(1)始终要确保料尺工作准确。特别是在炉况不顺出现管道气流时,一定要防止假尺,要反复探尺,综合判断,此时严禁强制开大钟,确认料线达到规定位置再开大钟放料。

(2)改造电机控制大钟开关,变为液压控制,开大钟是靠自重开启,有利于防止大钟杆弯。

处理方法为:如果大钟杆弯,必须停风处理。

5.3.2.9 小钟不均压

小钟不均压的原因与处理方法为:

(1)小钟均压管堵塞。若堵塞了一个,可换另一个。同时处理堵塞的管道。如果两个均压管都堵塞,应改常压。

(2)大钟关不严,大钟均压阀关不严或大钟泄漏。小钟均压放不净,一个均压管放得慢,可两个同时使用,若仍慢,改常压。

(3)小钟均压阀实际没有工作。可倒用另一个,还不行,改常压。

(4)当由于导管堵,均压水银接点不工作时,立即改常压操作,清扫导管。

5.3.2.10 大钟不均压

大钟不均压的原因与处理方法为:

(1)大钟均压管拐弯处易于堵塞不均压,应借停风机会清理。

(2)文氏管通水过多,该处压力损失过大,引起不均压,通知洗气减水。

(3)小钟均压阀关不严,或小钟严重漏气,使大钟不能均压,此时应改常压。若小钟关不严是由于大小钟间炉料过满,改常压后应暂时降料线,开一次大钟,将料放入炉内。

(4)大钟均压阀实际没有工作。可倒用另一个,还不行则改常压。

5.3.2.11 小钟关不回来

小钟关不回来的原因与处理方法为:

(1)大料斗装料过满,小钟关不回来。按5.3.2.10节中第(3)条处理。

(2)小钟小斗间卡大块铁,应手动再开一次小钟。还不行,手动旋转布料器,再重复开、关小钟一次。仍不行,改常压,上炉顶检查。

(3)由于大小钟拉杆间出现"塞卡"现象,小钟关不回来时,改常压操作。拆除平球架压兰,使之吹扫1~2班后再装上。

(4)由于大钟杆弯,小钟关不回来,停风处理。

5.3.2.12 大钟关不回来

大钟关不回来的原因与处理方法为:

(1)炉况失常,出现假尺,导致炉料过满,大钟关不回来。此时,严禁强制开关大钟,工长应配合卷扬,当确知料面降到规定料线后,由工长通知卷扬处理。

(2)大、小钟拉杆"塞卡",大钟关不回来的处理:料面降到规定料线以下时,手动开关大钟。

(3)大钟杆弯,大钟关不回来,停风处理。

参 考 文 献

1 张光祖,主编．炼铁学．北京:冶金工业出版社,1980

2 重庆钢铁设计研究院．炼铁机械设备设计.北京:冶金工业出版社,1985

3 车传仁,译．高炉炼铁．北京:冶金工业出版社,1981

4 林致明．无料钟炉顶的最新发展．武汉钢铁设计研究总院,1986

5 李嘉泰,吴锡田,主编.冶金百科全书．北京:冶金工业出版社,1999

6 李钦,韩湖光,等.无中继站高炉上料新工艺．北京首钢设计院,1994(内部资料)

6 高炉冶炼与操作

高炉冶炼是一个连续而复杂的物理化学过程,生产要取得较好的技术经济指标,必须实现高炉炉况稳定顺行。一般稳定顺行是指装入炉内的炉料下降均匀,炉温稳定充沛,生铁合格,高产低耗,这个高炉炉况叫做稳定顺行。要使炉况稳定顺行,操作上必须做到四稳定,即风量、料批稳定,调剂稳定,炉温稳定和炉渣碱度稳定,它标志着炉内煤气流分布合理和炉温正常。

高炉冶炼受许多因素的影响,如原燃料物理性能和化学成分的变化;气候条件的波动;高炉设备及外界因素的影响;操作者的水平差异等。这些都将给炉况带来经常性的波动。高炉操作者的任务就是随时掌握引起炉况波动的因素,准确地把握外界条件的变动,在错综复杂的矛盾中抓住主要矛盾,对炉况做出及时、正确的判断,及早采取恰当的调剂措施,保证高炉生产稳定顺行,取得较好的技术经济指标。

6.1 基本操作制度

选择合理的操作制度是高炉操作者的基本任务。操作制度是根据高炉具体条件,如炉型、设备水平、原料条件、生产计划及品种指标要求制定的高炉操作准则。合理操作制度能保证煤气流的合理分布和良好的炉缸工作状态,促使高炉稳定顺行,从而获得高产、优质、低耗和长寿的冶炼效果。

高炉基本操作制度包括:炉缸热制度、送风制度、造渣制度和装料制度。高炉操作者应根据高炉强化程度、冶炼的生铁品种、原燃料质量、高炉炉型及设备状况来选择合理的操作制度,并灵活运用上下部调节与负荷调节手段,促使高炉稳定顺行。

6.1.1 炉缸热制度

炉缸热制度是指高炉炉缸所具有的温度水平,它反映了高炉

238

炉缸内热量收入与支出的平衡状态。炉缸温度可用铁水温度来表示,一般为1350~1500℃,又称为物理热;也可以用生铁含硅量来表示,这称为化学热。在平衡状态下,还原1kg硅所耗的热量是还原1kg铁耗热的8倍。一般情况下,当炉渣碱度变化不大时,二者基本是一致的,即化学热愈高,物理热愈高,炉温也愈高。

6.1.1.1 热制度的选择

在一定的原燃料条件下,合理的热制度要根据高炉的具体特点及冶炼品种来定。首先应根据铁种的需要,保证生铁含硅量、含硫量在所规定的范围内。冶炼制钢铁时,[Si]含量应控制在0.2%~0.5%之间,冶炼铸造铁时应根据生铁牌号来确定生铁含硅量。其次,原燃料含硫高,物理性能好时,可维持偏高的炉温;在原燃料管理稳定的条件下,可维持偏低的生铁含硅量;在保证顺行的基础上,可维持稍高的炉渣碱度,适当降低生铁含硅量;高炉炉缸侵蚀严重或冶炼过程出现严重故障时,要规定较高的炉温。随着人们对高炉冶炼过程认识的深化和检测仪器仪表的发展,高炉操作者越来越重视铁水温度这个指标。例如首钢规定,2000m³以上的高炉顺行状态时铁水温度不应低于1470℃,中小高炉一般为1450℃。

6.1.1.2 影响热制度的主要因素

高炉炉料下降和煤气流上升的相向运动是冶炼过程最基本的规律,一切物理化学反应都在这一相对运动中发生、发展和完成。因此,炉料与煤气流分布状态如何便成为影响高炉热制度的主要因素。例如发生悬料、崩料和低料线时,使炉料与煤气分布受到破坏,大量未经预热的炉料直接进入炉缸,导致了炉缸热量消耗的增加,使炉缸温度降低,造成炉温向凉甚至大凉。

A 原燃料性质对热制度的影响

矿石质量的影响。矿石品位、粒度、还原性等的波动对炉况影响较大,一般矿石品位提高1%,焦比约降2%,产量提高3%。烧结矿中FeO含量增加1%,焦比升高1.5%。矿石粒度均匀有利于透气性改善和煤气利用率提高。上述因素都会带来热制度的变化。

焦炭质量的影响。一般情况下,焦炭带入炉内的硫量约为总硫量的 70%~80%。生产统计表明,焦炭含硫增加 0.1%,焦比升高 1.2%~2.0%;灰分增加 1%,焦比上升 2% 左右。因此,焦炭含硫量及灰分的波动,对高炉热制度都有很大的影响。

B 其他操作制度的影响

风温是高炉生产主要热能来源之一,调节风温可以较快改变炉缸热制度;喷吹燃料也是热源和还原剂的来源。喷吹燃料会使炉缸煤气流分布改变。有的厂通过实践认为,喷吹燃料促使边缘煤气发展。有的厂则认为喷吹燃料能促进炉缸中心温度升高,使整个炉缸截面积的温度梯度减小,保证炉缸工作均匀活跃;风量的增减使料速发生变化。风量增加,煤气停留时间缩短,直接还原增加,会造成炉温向凉;装料制度如批量和料线等对煤气分布、热交换和还原反应产生直接影响;冷却设备漏水、原燃料称量上的误差、装料设备故障等都能使炉缸热制度发生变化。因此,为了保证炉缸温度充足,当遇到异常炉况时,必须及时而准确地调节焦炭负荷,如长时间的休风、低料线、喷吹燃料设备事故、改变铁种及雨天等。

6.1.2 送风制度

送风制度是指在一定的冶炼条件下,确定合适的鼓风参数和风口进风状态,以达到煤气流合理的分布,使炉缸工作均匀活跃,炉况稳定顺行。因此,送风制度的稳定是煤气流稳定的前提,是炉温稳定和顺行的必要条件。送风制度包括下列参数。

6.1.2.1 风量

风量对高炉冶炼的下料速度、煤气流分布、造渣制度和热制度都将产生影响。一般情况下,增加风量,综合冶炼强度提高。另外,风量与下料速度和生铁产量成正比关系,但它只有在燃料比降低或维持燃料比不变的条件下,上述关系才成立,否则适得其反。风量的调节作用:控制料速、实现计划的冶炼强度,以保持料速不变;稳定气流,在炉况不顺的初期,减少风量是降低压差、消除管道、防止难行、崩料和悬料的有效手段；炉凉减风控制下料速度，可以迅速稳定炉温，当炉热而料速减慢时，可酌情加风。

应当指出，在炉况顺行情况下，为获得高产应使用高炉顺行允许的最大风量，即全风作业保持稳定。高炉生产实践证明，使用风量过小时，由于燃烧的焦炭量和产生的煤气量过少，这对提高炉温是不利的。风量必须与料柱透气性相适应，所以改善料柱透气性是增加风量的基础。风量变化直接影响炉缸煤气体积，因此正常生产时加风一次不能过猛，否则将破坏顺行。一般中型高炉每次加风控制在 $30 \sim 50 \ m^3/min$，间隔时间 $20 \sim 30min$。在非特殊情况下，应保持全风操作，不要轻易减风。必须减风时，一次可减到需要水平。在未出渣铁前，减风应密切注意风口状况，避免灌渣。

6.1.2.2 风温

提高风温可大幅度地降低焦比，是强化高炉冶炼的主要措施。提高风温能增加鼓风动能，提高炉缸温度活跃炉缸工作，促进煤气流初始分布合理，改善喷吹燃料的效果。因此，在高炉生产中，要采用高风温操作，充分发挥热风炉的能力及高风温对炉况的有利作用；风温水平不同，提高风温的节焦效果亦不同，风温愈低，提高风温时降低焦比的效果愈显著。反之，风温逐渐提高，降低焦比的效果逐步减小。风温在 $1000℃$ 左右时，增减 $100℃$ 风温，影响焦比为 $17kg$。

在喷吹燃料情况下，一般不使用风温调节炉况，而是将风温固定在较高水平上，用煤粉来调节炉温。这样可最大限度发挥高风温的作用，维持合理的风口前理论燃烧温度。若当炉温向热需要撤风温时，幅度要大些，一次可撤到高炉需要的水平；炉温向凉时，提风温幅度要小，可分几次将风温提高到需要的水平，以防造成煤气体积迅速膨胀而破坏顺行。

6.1.2.3 风压

风压直接反映炉内煤气量与料柱透气性的适应情况，它的波动是冶炼过程的综合反映。目前高炉普遍装备有透气性指数仪表，对炉况变化反应灵敏，有利于操作者判断炉况。

6.1.2.4 加湿鼓风

鼓风中加入蒸汽的操作方法称为加湿鼓风。加湿鼓风对炉温的影响,每立方米鼓风中每增加 1g 湿分,相当于降低约 9℃ 风温,但水分分解出的氢在炉内参加还原反应,又放出相当于 3℃ 风温的热量,所以一般考虑增加 1g 湿分需要补偿相当于 6℃ 风温的热量,故加湿鼓风可以迅速改变炉缸热制度,从而迅速纠正炉温的变化。加湿鼓风对料速有影响,湿分在风口前分解出来的氧与焦炭燃烧,相当于增加鼓风中氧的浓度。1kg 湿分分解出的氧量相当于 2.693m³ 的风量。因此,调节湿分又起到变更风量的作用。加湿鼓风可加快料速,减少湿分降低料速。

加湿鼓风对高炉顺行的影响是,鼓风水分在炉缸内分解,使风口回旋区温度有所降低,这样有利于消除由于高风温或炉热引起的热悬料或难行现象;由于加湿鼓风,煤气中含氢量增加,提高了间接还原率,使炉缸中心热能消耗减少。同时,加湿鼓风后,可采用高风温操作,使炉缸中心热量收入增加,所以炉缸中心温度升高,促使炉缸热量充沛,温度分布趋于均匀,有利于炉况顺行稳定。

如前所述,加湿鼓风需要热补偿,对降低焦比不利。因此,喷吹燃料的高炉,基本上不采用加湿鼓风。近几年来,有些大气湿度变化较大的地区,采用了脱湿鼓风技术,对稳定炉况和降低焦比取得了良好效果。

6.1.2.5 喷吹燃料

喷吹燃料在热能和化学能方面可以取代焦炭的作用。但是,不同燃料在不同情况下,代替焦炭的数量是不一样的。通常把单位燃料(kg)能替焦炭的数量称为置换比。经验表明,随着喷吹量的增加,置换比不断降低。这是由于喷吹的燃料进行加热分解和气化时要消耗一定的热量,使炉缸温度降低。喷吹燃料越多,炉缸温度降低也越多。这就降低了燃料的燃烧率。因此,要在不断增加喷吹量的同时,充分考虑由于置换比降低所带来的影响和采取提高置换比的相应措施,如提高风温给予热补偿;提高燃烧率;改善原料条件以及选用合适的操作制度。

喷吹燃料进入风口后,其组分分解需要吸收热量,其燃烧反应和分解反应的产物参加对矿石的加热和还原后才放出热量,因此炉温的变化要经过一段时间才能反映出来,这种炉温变化滞后于喷吹量变化的特性称为"热滞后性"。热滞后时间大约为冶炼周期的70%。热滞后性随炉容、冶炼强度、喷吹量等不同而异。

用喷吹量调节炉温时,要注意炉温的趋势,根据热滞后时间,做到早调,调剂量准确。喷吹设备临时发生故障时,必须根据热滞后时间,准确地进行变料,以防炉温波动。

6.1.2.6　富氧鼓风

富氧鼓风有很多优点:首先,富氧后能够提高冶炼强度,增加产量。理论上每提高鼓风含氧1%,可增产4.76%。实际上因受其他条件的影响,增产率难以达到该值。其次,由于减少煤气含氮量,使得单位生铁煤气生成量减少,因此可以提高风口前理论燃烧温度,有利于提高炉缸温度,补偿喷煤引起的理论燃烧温度的下降。再次,增加鼓风含氧量,有利于改善喷吹燃料的燃烧。此外,煤气含量减少后使炉腹 CO 浓度相对增加,有利于间接反应进行,同时提高了炉顶煤气热值,有利于提高风温。

应注意,富氧鼓风只有在炉况顺行的情况下才宜进行,一般情况下,在炉况顺行不好,如发生悬料、塌料等情况及炉内压差高,不接受风量时,不宜使用富氧。在大喷吹情况下,高炉停止喷煤或大幅度减少煤量时,应及时减氧或停氧。

6.1.2.7　风口面积和长度

在一定风量下,风口面积和长度对风口的进风状态起决定性作用。生产经验表明,一定的冶炼强度必须与合适的鼓风动能相配合,在一定冶炼强度下,高炉有效容积与鼓风动能的关系见表6-1。影响鼓风动能的参数有风量、风温和风口截面积等,鼓风动能是否正常的直观表象见表6-2。在高强度冶炼时,由于风量、风温必须保持最高水平,通常根据合适的鼓风动能来选择风口进风面积,有时也用改变风口长度的办法调节边沿与中心气流,所以调节风口直径和长度便成为下部调节的重要手段。

表 6-1　高炉有效容积与鼓风动能的关系

有效容积/m³	100	300	600	1000	1500	2000	2500	3000	4000
鼓风动能/kW	15～30	25～40	35～50	40～60	50～70	60～80	70～100	90～110	110～140

表 6-2　影响鼓风动能的因素

因素	鼓风动能合适	鼓风动能过大	鼓风动能过小
风压	稳定,有正常波动	波动较大而有规律	曲线死板,风压升高时容易悬料、崩料
料尺	下料均匀,整齐	不均匀,出铁前料慢,出铁后料快	不均匀,容易出现滑料现象
炉顶温度	区间正常,波动小	区间窄,波动大	区间较宽,四个方向有交叉
风口工作	各风口均匀、活跃,破损少	风口活跃但显凉,严重时破损较多,发生于内侧下沿	风口明亮但不均匀,有生降,破损多
炉渣	渣温充足,流动性好,上渣带铁少,渣口破损少	渣温不均匀,上渣带铁多、难放,渣口破损多	渣温不均匀,上渣热、带铁多,渣口破损多
生铁	炉温充足,制钢铁冷态是灰口,有石墨碳析出	炉温常不足,制钢铁冷态白口多,石墨碳析出少,硫低	炉温常不足,制钢铁冷态是白口,石墨碳析出很少,硫高

选择风口面积的依据:

(1)原燃料条件改善时,如原燃料强度高,粒度均匀、粉末和渣量少时,炉料透气性改善,有可能接受较高的鼓风动能和压差操作,否则相反;

(2)喷吹燃料使炉缸煤气体积增大,改变炉内煤气流分布,应根据实际情况,适当调整风口面积;

(3)高炉失常时,由于长期减风操作而造成炉缸中心堆积,炉缸工作状态出现异常。为尽快消除炉况失常,发展中心气流,活跃炉缸工作,应采取缩小风口面积或堵死部分风口的措施。

选择风口长度的依据:当高炉为低冶炼强度生产或炉墙侵蚀严重时,可采用长风口操作。因为使用长风口送风易使循环区向炉缸中心移动,有利于吹透中心和保护炉墙。风口长度一般为380~450mm,大型高炉控制在上限或更长,300m³高炉风口长度多在240~260mm。为提高炉缸温度,风口角度可控制在3°~5°。

6.1.3 装料制度

装料制度是对炉料装入炉内的方式方法的有关规定。炉料装入炉内的设备有钟式装料设备和无钟装料设备;其装料制度包括装入顺序、批重大小和料线高低,下面就它们对高炉冶炼的影响分述如下。

6.1.3.1 装入顺序

焦炭和矿石入炉的先后次序称为装料顺序。先矿后焦的装入顺序称为正装,先焦后矿的装入顺序称为倒装。一般规律是正装边缘矿石多,可加重边缘;倒装边缘焦炭多,起疏松边缘的作用。按加重边缘的作用,由重至轻排列顺序(钟式炉顶)见表6-3所示。

表6-3　钟式炉顶的装料顺序

加重等级	装入名称	装入顺序	装入方法
1	正同装	OOCC ↓	
2	正分装	OO↓CC↓	mA+nB
3	混同装	OOOC↓ OOOC↓ OOCO↓ OCCO↓	A表示:OOCC↓OOOC↓
			OOOO↓
4	倒分装	CC↓OO↓	B表示:OOOO↓OOCO↓
5	倒同装	CCOO↓	OOOC↓OOCC↓
6	双　装	CCCC↓OOOO↓	

一般高炉均采用综合装入炉料,以便调整煤气流达到合理分布。表6-3中,A,B分别代表不同的装入顺序,m,n则分别代表批数,加重边缘的程度取决于$m/(m+n)$的比值,比值增大则加重边缘,反之则疏松边缘。随着正装比例的增加,煤气利用得到改

善,综合煤气 CO_2 含量会进一步提高。

无钟炉顶克服了钟式炉顶的缺点,使炉料在炉喉分布更加合理,操作更加灵活。目前国内外广泛采用无钟炉顶布料。

无钟炉顶的布料形式有定点、环形、扇形和螺旋等。

A 定点布料

炉子截面某点或某个部位,发生管道或过吹时,使用定点布料,操作时溜槽倾角 α 和定点方位由人工手动控制。

B 环形布料

环形布料因为能自由选择溜槽倾角,所以可在炉喉任一部位做单、双、多环形布料。随着溜槽倾角的改变,可将焦炭和矿石布在距离中心不同的部位上,借以调整边缘或中心的煤气分布。

当作环形布料时,多数高炉采用固定布料器转数、调节节流阀来实现规定的料层数目。也有资料报道说,为了达到同样的料层数目,可以根据料种的不同调节布料器的转速。

C 扇形布料

因溜槽可以任意半径和角度向左右旋转(最小角度可达10°),当产生偏料或局部崩料时,采用此种布料形式。

D 螺旋布料

螺旋布料是布料溜槽在作匀速的回转运动,同时作径向运动而形成的变径螺旋形炉料分布。其径向运动是布料溜槽由外向里改变倾角而获得的,摆动速度由慢变快。这种布料方法能把炉料布到炉喉截面任一部位。根据生产要求不仅可以调整料层厚度,而且能获得较为平坦的料面。

6.1.3.2 批重大小

一批料的质量称为批重。矿石批重是指每批料中矿石质量而言。对于料钟式高炉,一般情况下,小矿批加重边缘,大矿批加重中心,调整矿批大小应考虑其对煤气流的影响。对于无料钟炉顶高炉,调整煤气流分布主要靠采用调整布料角度。扩大矿批有利于矿石均匀分布,软熔带透气性改善,从而可以促进顺行,焦比降低。但矿石批重过大会造成料柱透气性变坏,不利于顺行。故在一定冶炼条件下,有个合适的矿石批重。合适的矿石批重与下列因素有关。

A 矿石批重与冶炼强度的关系

矿石批重与原料有着密切的关系。随着冶炼强度的提高,矿石批重也相应扩大。表 6-4 为鞍钢两座高炉关于矿石批重的资料。

提高冶炼强度后,中心气流发展,必须扩大矿石批重,以抑制中心气流。此外,随冶炼强度的提高,炉料下降速度及其均匀性也有所提高,从而改善了炉料透气性,为扩大矿石批重,增加矿层厚度创造了条件。实践证明,以矿石批重调节煤气流能收到很好的效果。

表 6-4 鞍钢 9 号、10 号高炉不同冶炼强度的矿石批重(t)

冶炼强度/ $t \cdot m^{-3} \cdot d^{-1}$ 炉别	0.8	0.9	1.0	1.1	1.2	1.3	1.4	1.5	1.6
10 号	15.5	16.5	17.5	18.5					
9 号			13.5~14.0			14.0~14.5	14.5~15.0	15.0~16.0	

注:10 号高炉容积 $1805m^3$;9 号高炉容积 $944m^3$。

B 批重与喷吹燃料的关系

有的厂喷吹燃料量增加,矿石批重随之扩大。认为喷吹的燃料在风口前燃烧分解,使鼓风动能大大提高,影响煤气流分布;喷吹量愈大,焦比下降愈多,装入炉内焦炭量相对减少,料柱透气性变差,因此要求适当发展边沿以利顺行;喷吹量适宜时,改善了炉缸温度分布,使径向温度梯度减少,炉缸中心温度提高,允许进一步加重中心负荷。因此,上部调节必须适应上述客观规律,及时扩大批重、加重中心、疏松边沿、维持煤气流的合理分布。以利降低焦比。

C 批重与炉容的关系

矿石批重随炉容的增加,必须相应的扩大。因为炉容的增加,炉喉面积相应加大,为保证煤气合理分布,所以相应扩大矿石批重。近年来,随着原料逐步改善,批重进一步有所增加,从而改善了煤气利用,降低了燃料比。

6.1.3.3 料线

关于料线的规定已在第 2 章 2.1 节中叙述过。调节料线的高度,就是调节炉料的落下高度,来改变炉料堆尖的位置。提高料线,炉料堆尖向中心移动,有疏松边沿的作用。反之,当料线降低时,有加重边沿的作用。料线在炉喉碰撞点位置时,边缘最重。

生产经验表明,料线过高或过低均对炉顶设备不利,尤其低料线操作时对炉况和炉温影响很大。故每座高炉根据其具体条件都有自己的合适料线,在生产中一定要按规定的料线上料。

6.1.4 造渣制度

高炉根据不同的原燃料条件及生铁品种规格,选择不同的造渣制度。生铁品种与炉渣碱度的关系见表 6-5。

表 6-5 生铁品种与炉渣碱度的关系

品 种	硅 铁	铸造生铁	炼钢生铁	低硅铁	锰 铁
CaO/SiO_2	0.6~0.9	0.95~1.10	1.05~1.20	1.10~1.25	1.20~1.50

选择造渣制度应满足:

(1) 保证炉渣在一定温度下有较好的流动性及足够的脱硫能力;

(2) 保证炉渣具有良好的热稳定性和化学稳定性;

(3) 有利于炉况顺行和炉衬维护;

(4) 保证生铁成分合格。

在炉渣成分中,主要是碱性氧化物和酸性氧化物,因此,碱度最能反映炉渣成分的变化和炉渣性质的差异,对高炉冶炼效果有直接影响。

碱度高的炉渣熔点高而且流动性差,稳定性不好,不利于顺行。但为了获得低硅生铁,在原燃料粉末少、波动小、料柱透气性好的条件下,可以适当提高碱度。但要有充足的物理热,如宝钢生产低硅铁时,铁水温度要在 1500℃ 以上。

不同原燃料条件,应选择不同的造渣制度。在 Al_2O_3 一定时,渣中适宜 MgO 含量与碱度有关。CaO/SiO_2 含量愈高,适宜的 MgO 应愈低。若 Al_2O_3 含量在 17% 以上。CaO/SiO_2 含量过高时,将过度增加炉渣的黏度,导致炉况顺行破坏。因此,适当增加 MgO 含量,降低 CaO/SiO_2,便可获得稳定性好的炉渣。我国高炉几种有代表的炉渣成分见表 6-6。

由于原燃料成分的波动,必然涉及炉渣碱度的变化。因此,应经常检查炉渣碱度,进行及时调整。

表 6-6 不同高炉炉渣化学成分(%)

厂　名	鞍钢	首钢	本钢	武钢	梅山	烟台	马钢	鞍钢
炉容 $/m^3$	1513		917	1386	1059	13	100	
铁种	炼钢	炼钢	炼钢	炼钢	铸造	铸造	锰铁	硅铁
$w(CaO)$	42.14	38.60	43.59	38.77	42.66	36.54	33.60	44.48
$w(MgO)$	7.03	12.30	7.98	5.68	6.72	8.12	8.02	1.50
$w(SiO_2)$	40.06	36.80	38.53	38.36	36.99	34.38	26.21	44.69
$w(Al_2O_2)$	6.88	12.30	10.02	12.67	8.96	17.27	20.80	8.87
$w(FeO)$	0.53	0.56	0.46	0.83	0.63	0.74		
$w(S)$	0.72		0.92	1.08	1.03	1.59		1.35
$w(MnO)$							11.71	
$w(CaO/SiO_2)$	1.04	1.05	1.13	1.01	1.15	1.05	1.28	1.00
$w(CaO+MgO/SiO_2)$	1.23	1.38	1.34	1.16	1.34	1.30	1.59	1.04

6.1.5 基本制度间的关系

高炉冶炼过程是在上升煤气流和下降炉料的相向运动中进行的。在这个过程中,下降炉料被加热、还原、熔化、造渣、脱硫和渗碳,从而得到合格的生铁产品。要使这一冶炼过程顺利进行,只有选择合理的操作制度,来充分发挥各种基本制度的调节手段,促进生产发展。四大基本制度相互依存,相互影响。例如首钢 2 号高炉,因为风机原因,被迫减小风量作业,导致炉缸不活,送风制度的这一变化迫使调节热制度,进而调整装料制度。又如热制度和造渣制度是否合理,对炉缸工作和煤气流的分布,尤其是对产品质量有一定的影响,但热制度和造渣制度两者是比较固定的,其不合理程度易于发现和调节。而送风制度和装料制度则不同,它们对煤气与炉料相对运动影响最大,直接影响炉缸工作和顺行状况,同时也影响热制度和造渣制度的稳定。因此,合理的送风制度和装料制度是正常冶炼的前提。下部调节的送风制度,对炉缸工作起决定性的作用,是保证高炉内整个煤气流合理分布的基础。上部调节的装料制度,是利用炉料的物理性质、装料顺序、批重、料线及布料器工作制度等来改变炉料在炉喉的分布状态与上升煤气流达到有机的配合,是维持高炉顺行的重要手段。为此,选择合理的操作制度,应以下部调节为基础,上下部调节相结合。下部调节是选择合适的风口面积和长度,保持适当的鼓风动能,使初始煤气流分布合理,使炉缸工作均匀活跃;上部调节,炉料在炉喉处达到合理分布,使整个高炉煤气流分布合理,高炉冶炼才能稳定顺行。

例如生产实践证明,在正常冶炼情况下,提高冶炼强度,下部调节一般用扩大风口面积,上部调节一般用扩大批重及调整装料顺序或角度。在上下部的调节过程中,还要考虑炉容、炉型、冶炼条件及炉料等因素,各基本操作制度只有做到有机配合,高炉冶炼才能顺利进行。

6.2 炉况监控

保持高炉高产、优质、低耗和炉况顺行,从操作方面看主要是选择好各种操作制度与搞好日常调剂。怎样正确地判断各种操作制度是否合理和正确地进行日常调剂,熟练地掌握综合判断高炉行程的方法与调剂规律,是一项非常重要的工作。其中正确地分析判断又在于敏锐的观察。一般观察炉况的内容是:炉况的动向与波动幅度。这两者相比,首先要掌握变化的方向,使调剂不发生方向性的差错。其次,要掌握波动的幅度,有了量的概念,调剂才能既对症下药又恰如其分。

6.2.1 正常炉况的标志

正常炉况的主要标志是:炉缸工作全面均匀活跃、炉温充沛稳定、煤气流分布合理稳定、下料均匀顺畅。表现在:

(1)高炉应处于全风、全氧、全风温作业,完成规定的冶炼强度,有合适的透气性指数。

(2)炉温在规定范围内波动,制钢铁铁水物理热高,铁样析出石墨碳,铸造铁无大量大片石墨碳飞扬。

(3)下料均匀、顺畅,料尺图像没有陷落、停滞、时快时慢现象,加料前后各料尺基本一致,差别不超过0.5m。

(4)风压、风量和透气性曲线微微波动,无锯齿状。压量关系柔和,风量与料速相适应。

(5)风口明亮,炉缸圆周工作均匀活跃,风口前无大块生降,不挂渣,不涌渣。风口破损少。

(6)渣水物理热高且流动良好,渣碱度正常,渣沟不结厚壳,上、下渣以及两个渣口热度相近,渣中带铁少,渣铁分离良好,渣中FeO含量在0.5%以下,渣口破损少。制钢铁渣样断面呈玻璃状或石头状,铸造铁呈玻璃状。

(7)炉喉煤气曲线稳定,中心低于边缘或同重,圆周均匀,高峰在二、三点。曲线无拐点。

(8)炉顶混合煤气成分稳定,煤气利用率合理。

(9)炉顶温度曲线微微波动,各点互相交织,顶温水平不应超过250℃,顶温不分家,各点温差不大于50℃。

(10)炉顶压力曲线平稳,没有较大的上下尖峰。

(11)炉喉、炉身、炉腹、炉腰温度正常、稳定,波动幅度不大,炉喉十字测温度规律性强,稳定性好。

(12)炉体静压力正常无剧烈波动。

(13)高炉上下部压差相对稳定在正常范围内。

(14)冷却水箱水温差在正常范围内波动,软水冷却系统进出水温差稳定。

(15)除尘器瓦斯灰在炉料无大波动时,灰量也无大的波动。

这些标志,可归纳为两个方面,即炉料与煤气相对运动正常,煤气流分布合理,上升过程中压损失正常,炉料分布合理,下降均匀顺畅;各部温度正常稳定,炉缸工作全面均匀活跃。当这两方面中有一方面不正常或两方面互相影响同时不正常时,就会使顺行破坏,称为失常炉况。

失常炉况大体分三大类:

(1)炉料与煤气流分布不合理,炉料与煤气流动的相对运动失常。表现的失常炉况有边缘煤气过分发展,边缘煤气过量,管道行程连续塌料,悬料等。

(2)热制度、造渣制度波动引起炉热、炉冷、渣碱度过低影响生铁质量等。

(3)以上两种失常炉况发展,破坏了合理炉型和炉缸工作状态所带来的失常炉况,如炉型偏蚀、炉墙结厚与结瘤、炉缸堆积、炉缸侵蚀严重、水温升高等。

不论是发生哪种失常炉况,总会在上述 15 种观察内容中表现出来。例如炉冷,从下层静压力值降低开始,逐步表现为上部压差降低,透气性指数上升,风压降低,风量自动增加,下料速度加快,炉顶温度降低曲线变窄,风口变暗,炉渣变凉,渣中 FeO 含量增加,生铁含硅量降低,随着炉冷时间延长或炉冷加重,上述各种表现也会相应变化。

6.2.2　炉况判断及操作

6.2.2.1　直接观测法

直接观测法是基于生产经验的积累。虽然观察的项目很少,并常是变化的结果,但仍不失为可靠的观察内容,尤其是炉况波动较大时,更显出它的重要性。主要观测项目是:

(1)看铁。主要看铁中含硅与含硫情况,它的变化能反映炉缸热制度、造渣制度及送风、布料、配料的问题。生铁含硅高低,主要以流动铁水的火花大小、多少,试样冷却后的断口颜色为依据,含硅低时火花矮得多,流动性好,不黏铁沟,铁样断口为白色,随着含硅量的提高,火花也逐渐变大而少,当含硅量在 3.0% 以上时就没有火花了。同时铁水流动性也越来越差,黏铁沟现象越来越严重,铁样断口逐渐由白变灰,结晶颗粒加粗。看火花估计含硅量要综合看铁水在铁沟的全流程。既要看主沟火花,又要看小坑出口及其他地方,还要注意铁水的流速,一般流速快时火花多,并非含硅过低。目前铁沟都加了沟盖,看火花的地方几乎没有了,主要是看铁样断口。看生铁含硫情况是以铁水表面"油皮"多少和凝固过程中表面裂纹的变化及铁样断口来观察。铁水表面"油皮"多,凝固时表面颤动,裂纹大,形成凸起伏,并有一层黑皮,铁样断口为白色,呈放射状针形结晶,铁样质脆易断时生铁含硫高。随着生铁"油皮"减少,凝固时裂纹变小,形状下凹,铁质坚硬,断口白色减少则生铁含硫降低。高硅高硫时铁样断口虽然是灰色的,但布满白色星点。生铁含硅含硫量直接反映了炉缸热制度与造渣制度是否合理。另外从出铁前后温差等来看也可反映送风与装料情况。若刚出铁时炉温低,后期较热差别大的,表示炉缸不活跃,一般是煤气边缘发展中心重,炉缸活跃时温度变化小。

(2)看渣。炉热时炉渣的流动性好,光亮耀眼,从渣口、铁口出时,表面看出很长的火苗,冲成水渣是白色。炉冷时流动性差,放渣时颜色发红,表面没有火苗而有小火星,水渣是发黑的。渣碱度高时,用铁棍黏渣液成粒状滴下,不拉长丝,渣样断口呈石头状。渣碱度高时,冷却后的渣样,在空气中存放一定时间后会产生粉化现象。反之,渣碱度低的酸性渣,用铁棍黏渣液时拉出玻璃状长丝,碱度越低拉丝越多,渣样断口近似玻璃状,断口愈光亮炉温越高。另外,渣中的 MnO 含量高时,断口呈豆绿色,FeO 含量高时(2%以上)呈黑色。此外,上渣热而 FeO 含量高,下渣相对低,说明边缘发展,炉缸不活。上渣难放,易喷花,下渣多,说明风速动能相对过大等。

(3)看风口。风口前的现象,不仅能反映炉缸热制度,也能反映送风与炉料下降的情况。炉热时,风口明亮,焦炭活跃,无大块生降;炉凉时,风口发暗,生降多,甚至某些风口出现涌渣、挂渣。看风口时一是要用同一种蓝玻璃镜子,二是要多看风口摸索自己的经验。还要注意边缘发展时风口明亮但炉温不高。现在由于风口喷煤,看热度相对较困难些。在喷煤情况下看风口时,还应注意风口前煤粉的燃烧情况。

(4)看炉顶料面。通过炉顶摄像装置观看炉顶料流轨迹和料面形状,中心气流和边沿气流的分布情况,还能看到管道、塌料、坐料和料面偏斜等炉内现象。观察时要注意安装位置的对应关系,保证采取的布料措施合适。

直接观测法的经验需要在长期生产中实践,不断总结,通过可靠的观察,判断炉况波动。

6.2.2.2 计器仪表监测

随着科学技术的发展,高炉监测内容越来越多,精度越来越高,已成为观察判断炉况的主要手段。监测高炉生产的主要仪表,按测量对象可分为以下几类:

压力计类:有热风压力计、炉顶煤气压力计、炉身静压力计、压差计等。

温度计类:有热风温度计、炉顶温度计、炉喉十字温度计、炉墙温度计、炉基温度计、冷却水温度计和风口内温度计、炉喉热成相仪等。

流量计类:有风量计、氧量计、冷却水流量计等。

此外还有炉喉煤气分析、荒煤气分析等。

在这些仪表中反映炉况变化最灵敏的是炉体各部静压力计、压差计。高炉可视为上升煤气与下降炉料的逆流容器。搞好顺行的重要环节,就是减少料柱对上升煤气的阻力或上升煤气对料柱的浮力,反映这一相对运动情况的重要指标是上升煤气在各部位的压头损失,不论是原燃料质量变化,送风、布料变化,还是热制度与造渣制度变化,所产生的煤气体积变化或通道透气性变化,都先反映到这些仪表上。实践中体会到,它比风压、顶压等仪表反映早,并且它安装的层次多,各方向都有,能确切地指示出妨碍顺行的部位与方向。目前使用的各种仪表中,能反映炉内透气性比较灵敏的仪表是透气性指数。它不仅反映整个高炉的压差变化,还反映压差与风量之间的关系。它不仅是良好的判断炉况的仪表，还能很好的指导高炉操作，每座高炉都有自己不同条件的顺行、难行、管道、悬料等透气性指数范围。利用透气性指数指导高炉操作的主要内容是：

(1)指导选择变动风压风量的时机，掌握变动效果。透气性指数在炉况正常区稳定，增加风量后，风压相应增加，透气性指数仍稳定在炉况正常区。其值变化很小或稍有增加，则表示选择的加风时机好，炉况接受所增加的风量。若增加风量后，风压上升过多。透气性指数下降，则表示选择的加风时机不太好，当透气性指数下降到正常炉况的边缘时，应立即减风。否则，强行加风，势必破坏炉况顺行。

(2)可观察变动风温、喷煤量的时机与幅度是否合适。当调剂的时机与幅度恰当时，表现调剂后透气性指数变化不大。若调剂不当，在不需要提炉温时，增加风温、喷煤量或者提风温加煤量过多时，必然逐渐影响炉内煤气体积增加，透气性指数下降。反之，需要提炉温，而调剂措施不够时，炉温继续向凉，透气性指数增加。若不注意这些变化并作相应调整，都会破坏炉况顺行。

(3)指导高炉的高压与常压的转换操作。高压改常压，煤气体积大量增加，应先减少风量，为了不破坏高炉顺行，减少风量的标准是保持在常压下的透气性指数仍在正常炉况区间。常压改高压，煤气体积缩小，可以增加风量，其增加量也是要使透气性指数稳定在正常炉况区。

(4)指导悬料处理与休风后的复风。悬料后要坐料，而坐料后回多少风压、风量比较合适，休风后复风要多少风压、风量都要注意透气性指数的情况。当不在正常炉况区时，说明回风的风压不合适，风压高，风量大，炉内透气性接受不了，必须立即调整。而回风后稳定在正常炉况区即便料线暂时还没有自由活动，只要透气性指数稳定，料尺很快就会自由活动的。

其他各种仪表，在各个高炉上，在一定条件下，都有自己合理的范围，应在实践中摸索。以上各仪表的变化都反应了一定的炉况变化,其变化规律将在炉况失常及事故章节中描述。

6.2.2.3 掌握各种炉况、各种反映现象中的主次,综合判断炉况

不是把所观察到的各种反映现象机械地综合在一起,而是要分析反映各种炉况主要表现是什么,次要的表现是什么。每种失常炉况,都有一个或几个反映现象是主要的,有了这种反映,就能基本决定失常炉况的性质,其他反映是补充条件,是次要反映。例如判断是否悬料,决定性质的反映是料尺停滞,其他如风压升高,风量降低,透气性指数下降等都是补充条件。这是因为有些失常炉况也风压升高,风量降低,透气性指数下降,如炉热、严重炉冷等都有上述反映。而决定悬料是否是上部悬料时,决定性质的主要反映除料尺停滞还要增加上部压差升高的反映,其他反映也为补充条件的次要反映。决定边缘煤气轻重的主要反映是炉喉煤气 CO_2 曲线或炉顶十字测温,决定炉墙结厚的主要反映是炉墙温度或水温差等。

6.2.2.4 连续观察

只有连续观察,掌握条件变化,及时寻找各种仪表的新反映,才能做到判断准确。如改变装料制度,若使炉顶混合煤气中 CO_2 含量提高,在同一炉温下,每班、每小时允许的下料批数增加,各层静压力值、透气性指数范围、综合负荷都会相应发生变化,只有进行连续观察和分析,才能认识并掌握这些变化。就是在炉渣碱度不同时,生铁含硅量同样升高 0.1%,各种反映也不一定相同等等。所以,判断炉况时必须以看上一个班、前一天情况为基础,掌握各种变化的影响和发展趋势,才能真正提高判断的准确率。

6.2.2.5 掌握各种反映的先后秩序

对炉况的判断,不仅要求准,还必须做到及时,如何做到及时呢?因为各种失常炉况都有一个发生与发展的过程,各种仪表的反映有些在初期阶段能反映出来,有些则反映不出来。随着炉况的发展而表现,所以,仪表的反映是有先有后的,只有抓住最早反映的现象,才能做到及时。

要抓好苗头,必须了解各种失常炉况与各种反映的内在联系。一般炉况的变化先表现为煤气量与透气性之间关系的变化,不是煤气体积增加或减少,就是煤气通道改善与变差的变化,都会先在各层静压力与压差计上反映。例如炉热,先是炉缸煤气体积增加,下部静压力增加,继续发展,表现风压上升,风口明亮,再发展炉料下降减慢,渣、铁显热。所以,防止炉热,必须在下部静压力增加时就进行调剂,等到料速已慢,渣、铁已热就晚了,就会造成一些不必要的损失。

6.2.2.6 弄清造成失常炉况的原因

要弄清造成失常炉况的原因,如炉冷,因原燃料质量与数量变化,煤气利用情况变化,操作中使用风温与喷煤量变化以及漏水等都可以造成炉冷。各种不同原因造成的炉冷,表现也不完全相同。若属于原燃料质量与数量变化造成的炉冷,如矿石含铁量增高,矿石称量误差增大而多加,焦炭灰分升高等,表现下料速度加快,炉顶温度降低,风口变暗,但各风口差别不大。若属于煤气边缘发展能量利用变差引起的炉冷,则风口仍明亮,初期顶温不降低,下料不加快。若属于冷却水箱漏水造成的炉冷,漏水方向的风口凉,炉顶煤气成分中 H_2 含量增加,料速初期不快。同时还要注意防止仪表失真。如悬料,决定因素是料尺工作停滞,但有时仪表失灵,卡住不动,不能误认为是悬料,防止的措施一是要坚持定期检查校对;二是综合分析区别仪表反映的真假。还以悬料为例,若风压、风量、透气性指数、风口工作都很正常。仅仅是料尺停滞不动,就要先活动活动料尺,同时注意透气性指数的微小变化,判断是否真正悬料了。

以上六个方面能否运用得当,在于不断实践、不断总结经验教训。对高炉炉况的综合分析,推理判断,经验积累是非常重要的工作。国外搞电子计算机判断炉况已搞了几十年了,目前用得比较好的还是以各种仪表反映为依据结合经验的数学模型,如 go-stop。首钢炼铁厂从 1977 年开始研究单一的透气性指数模型,到后来研究的是料速、透气性、风温、喷煤量、焦炭负荷等多因素的专

257

家系统,采取不同的时间和条件组合,提高炉况判断的准确率。而且这些不同时间和条件的组合是既有一定理论根据,又有操作经验,它的这种组合方式,可以供判断炉况时参考,进一步完善这种数学模型又需要不断地积累新的经验,不断地进行自学习。

6.2.2.7 关于炉温的调剂

在前面失常炉况的分类中,影响到炉料下降的失常炉况,有些是由炉温波动引起的,如果判断不及时,调剂不恰当,会造成炉况恶化。另外,控制好炉温,冶炼合格生铁,降低燃耗也是非常重要的。所以,判断与调剂炉温的工作是一项经常性的工作,而且判断的目的是指导操作,正确地进行调节。

(1)要了解一般调剂炉况时使用各种手段的顺序及调整某一手段后集中起作用的时间。一般的调剂顺序是:喷吹燃料量调剂——风温调剂——风量调剂——装料制度调剂——变动负荷——加净焦。初期调剂因素对炉况影响较小,而对炉况影响大,需要作出较大牺牲的手段排在后面。因此应及时抓住炉温失常初期征兆,采取相应措施使炉温尽早转为正常。否则将使炉温发生很大变化,影响炉况顺行,被迫采取较强的措施,造成大的损失。

各调剂因素变动后集中作用的时间是:喷吹煤粉有热滞后作用。增加喷煤并不能立即提高热量,开始有一个理论燃烧温度降低的过程。只有等因喷吹煤粉改善了矿石的加热和还原,使矿石下到炉缸(首钢为 3~4h 以后),炉温才提高。风温(加温)和风量的集中作用时间快一些,一般为 1.5~2h 后集中反映出来。而装料制度的变化,至少要等换完炉内整个固体炉料段。变动焦炭负荷与加净焦对透气性的影响,是随加入量的增加而增加,到一个冶炼周期为止。但对热制度的集中反映,必须要一个冶炼周期。

(2)要早动少动,力争稳定多因素,调剂一个因素。例如日常对热制度的调剂,常采取固定其他因素,只调整煤粉的喷吹量。决定早动、少动的关键是及时早发现失常炉况的苗头,在炉况有较小的波动时就进行调剂,才能实现稳定多因素,减少变动量的要求。

(3)在失常炉况发现较晚且波动大时,要正常运用多因素同时调剂,由于发现失常已晚,失常程度加重,必须打乱正常的调剂手段顺序以至同时采取多种调剂手段,迅速控制失常炉况。例如炉冷时,除增加喷煤量,提高风温,必要时还应减风,上部酌情适当减轻焦炭负荷,才能控制炉冷,又不破坏顺行。

(4)分析造成炉冷的原因,是长期起作用的因素还是短期起作用的因素,分别采取不同调剂方法。若是原燃料质量变化,长期起作用,应在下部加煤,提高风温的同时,及时调整焦炭负荷或综合负荷。如果是风口破损漏水造成的炉冷,则一般不必减轻焦炭负荷,出完铁后修风更换掉即可转热。若一时不能查明原因,应根据炉况失常的性质与波幅及早进行调剂,在调剂中继续查明原因。

(5)较严重的炉况失常,都应及时加入一定量的净焦。缩短失常时间,减少损失,尤其是在管道连续塌料行程,严重炉冷,坐料后亏尺过深时,更应及早加入足够量的净焦。它一是可以迅速改善炉料透气性,二是补充炉料预热还原不充分在炉缸造成的大量热消耗,此时即使有煤粉可加,风温可提,也要增加入炉焦炭,因为焦炭与煤粉和风温相比,在恢复炉况时有以下几点不同:

1)焦炭可以改善透气性,加煤粉提风温无此作用。

2)焦炭在炉缸能充分参加反应,而煤粉在条件不好时燃烧不完全。尤其是失常炉况,风量小,风温低,若仍大量喷煤,极易造成部分煤粉到渣中,降低渣流动性形成炉墙黏结,给恢复炉况造成新的困难。例如首钢 4 号高炉 1979 年 2 月 8 日,9:00 炉温转热后,出现管道塌料,在处理过程中减风,降风温,保持喷煤量,造成炉况不顺,被迫加 4 车焦炭,减轻焦炭负荷,用了一天半的时间才恢复正常。

(6)用喷煤调剂炉况,除注意小风量时不完全燃烧外,还要防止在大喷煤量重负荷下较长时间的停止喷煤。它会造成一段炉料综合负荷过重,引起新的炉况波动。

(7)要严防炉温过低,在处理炉冷与顺行时,首先必须保证炉缸有一定的温度,渣、铁能顺利排放,才能谈得上处理其他失常。此时,要千方百计采取措施提高炉温,在此基础上兼顾对顺行的治理。

6.3　冶炼过程失常及处理

　　原燃料的物理及化学性能的变化、高炉操作条件的改变、长期亏料线作业及操作的失误等,都会使高炉原有的煤气分布、高炉炉缸的工作状态、炉料的下降状况等发生改变,使高炉顺行遭到破坏,导致炉况波动或失常。由于高炉的冶炼周期长、热惯性大,所以,高炉由顺行变为失常的过程也是逐渐的,失常前往往有一些征兆通过高炉操作参数的变化可以判断出来。只要及时发现和抓住这些参数的变化,果断采取相应措施,是可以避免或减轻高炉失常程度的。当高炉操作参数发生变化时,应首先检查显示和记录数据的仪表设备是否发生故障,当确认不是记录仪表的故障后,应对高炉操作参数和其他条件的变化进行综合分析,做出正确判断,再采取相应的措施。

6.3.1　低料线

　　高炉用料不能及时加入到炉内,致使高炉实际料线比规定料线低 0.5m 或更低时,即称亏料线。亏料线作业对高炉冶炼危害很大,它打乱了炉料在炉内的正常分布位置,改变了煤气的正常分布与流向,使炉料得不到充分的预热与还原,引起炉凉和炉况不顺,诱发管道行程。严重时由于上部高温区的温度大幅波动,容易造成炉墙结厚或结瘤,顶温控制不好还会烧坏炉顶设备。

　　引起亏料线的原因有多种多样,其中包括:(1)上料设备及炉顶装料设备发生故障;(2)原燃料供应跟不上;(3)崩料、坐料后的深料线。

　　当引起深料线的情况发生后,要迅速了解亏料线的原因,判断处理失常时间的长短。根据时间的长短,采取控制风量或停风的措施,尽量减少亏料线的深度。由于上料设备系统故障不能拉料,引起顶温高(首钢无料钟炉顶大于 250℃,小高炉钟式炉顶大于 500℃,液压炉顶大于 400℃),开炉顶喷水或炉顶蒸汽控制顶温,必要时减风(顶温小于 150℃后,应及时关闭炉顶喷水)。不能拉料时间较长(首钢为超过 30min),要果断停风。造成的深料线(大于 4m),可在炉喉通蒸汽情况下在送风前加料到 4m 以上。由于冶炼原因造成低料时,要酌情减风防凉和不顺。

亏料线的原因、深度和时间长短不同,处理的方法也不同。亏料线 1h 以内应减轻综合负荷 5%~10%。若亏料线 1h 以上和料线超过 3m 在减风同时,应补加净焦或减轻焦炭负荷,以补偿亏料线所造成的热量损失。冶炼强度越高,煤气利用越好,亏料线的危害就越大,所需减轻负荷的量也要相应增加。当装矿石系统或装焦炭系统发生故障时,为减少亏料线,在处理故障的同时,可灵活地先上焦炭或矿石,但不宜加入过多。首钢经验是,集中加焦不能大于 4 批;集中加矿不能大于 2 批,而后再补回大部分矿石或焦炭。当亏料线因素消除后应尽快把料线补上。赶料线期间一般不控制加料,并且应采取疏导边沿煤气的装料制度。当料线赶到 2.5m 以上后,根据压量关系情况可适当控制加料,以防悬料。当料线赶到 3m 以上后,逐步回风。低料线加的炉料作用时,要注意稳定炉温和炉况顺行。

实例:

首钢 3 号高炉 1993 年 8 月 5 日 13:02~13:18 向炉顶供料皮带发生故障被迫停机,造成亏料线 2.8m。16:45~17:15、18:13~18:45 补焊炉顶翻板,又造成亏尺,此间只减 300m³/min 的风量,没采取任何其他措施,最终导致管道行程。后经过一天的调整处理,直到 7 日 1:00 气流才消除。

以上经过说明,对亏料线要高度重视。特别是不能连续发生亏料线。当亏料线不可避免时,一定要果断减风,减风的幅度要取得尽量降低亏料线的效果,必要时甚至停风。

6.3.2 管道行程

管道行程是高炉断面某局部煤气流过分发展的表现。管道的产生是由于原燃料质量变坏,风量与料柱透气性不相适应,炉温波动大,亏料线作业,布料不合理及各风口进风不均,炉型不规则等造成。

6.3.2.1 管道行程征兆

管道行程有以下几个征兆：

(1)出现边缘管道时，炉顶煤气温度和炉墙温度在某一固定方向升高，圆周4个方向温度分散。中心管道行程时，炉顶温度带窄并且温度水平升高，炉墙温度下降。以上管道严重时，炉顶温度大幅度急剧升高。

(2)初期风压下降、风量自动增加、透气性指数增加、风大不下料。发生崩料后管道堵塞，风压迅速升高，风量、透气性指数突降呈锯齿状。严重者，风压锐减，然后风压突然冒尖而悬料。

(3)料尺工作不均，出现滑尺、埋尺、停滞、塌落等假尺现象。

(4)炉顶压力波动，顶压出现较大向上尖峰。

(5)炉喉煤气曲线不规则，管道处 CO_2 值低。

(6)边缘管道行程时，管道方向的静压力上升，压差下降且波动大；中心管道行程时，炉身4个方向的静压力值差别不大，且都有降低。

(7)风口工作不均匀，不稳定，管道方向的风口忽明忽暗，有时有生料。

(8)炉尘吹出量明显增加。

6.3.2.2 处理方法

管道行程的处理方法有以下几种：

(1)发现管道要及时处理，当出现风量较明显的自动上升、风压下降的苗头时及时减少风量。当风压急剧下降，风量突然上升时，应立即减风，控制风压比原来风压低一些。炉热时，可降风温，减少或暂停喷吹。

(2)在料尺连续滑落，风压、风量剧烈波动时，应改常压放风破坏管道，回风风压要低于原来压力，然后逐步恢复风量。

(3)发生中心管道时，钟式高炉可临时采取2~4批倒双装。无钟炉顶可临时改焦角大于矿角的装料2~4批。边缘局部管道发生时，可临时改变布料器或布料溜槽的转角，进行偏布料。

(4)严重管道要适当加些净焦，既疏松料柱，又有防冷作用。

（5）如经常发生管道应减轻焦炭负荷,降低全风水平并考虑调整基本制度。

（6）如定向管道长时期不能破坏,可停风堵风口,小风逐步恢复。

（7）如有构造上缺陷,因而在边沿等处不断产生管道,应暂时将该管道方向的风口改小或堵死。

6.3.2.3 实例

首钢 3 号高炉 1993 年 7 月 24 日 11:03 至 11:30 因东场出铁时铁流冲,炉内被迫改常压。回风过程中气流不稳,顶温波幅增大并有较大尖峰。在此情况下,15:10 左右炉内又扩矿批加负荷,同时还增加了南非矿用量。由于气流不稳,炉温逐步降低,生铁含硅量由 0.36% 降到 0.30%、0.18%。料尺出现停滞现象,并且料速与风量已不适应。20:00 过后,顶压开始出现向上尖峰,风口工作也开始变坏。为了处理气流,19:00 以后开始控制风量。风量由 4400m³/min 分步减到 2600 m³/min。19:20 南非矿由 9t/批减到 7t/批,焦炭负荷由 2.93 减到 2.75。焦角由 32221 改为 30232。并先后附加了 3.5 批焦炭。21:30 南非矿减到 5t/批。22:00 管道行程加剧,料尺出现打横现象,部分风口自动灌渣。25 日 2:55 被迫坐料。6:00 过后,轻负荷料作用后炉况才逐步转入正常。

由于客观原因造成高炉减风后,回风时一定要稳,不能过急。特别是当高炉发生气流不稳时,要积极疏导,切不可采取抑制手段,增加正装比例或扩矿批都是不可取的。

6.3.3 悬料

悬料是炉料透气性与煤气流运动极不适应、炉料停止下降的失常现象。它可以按部位分为上部悬料、下部悬料;还可以按形成原因分为炉凉、炉热、原燃料粉末多、煤气流失常等引起的悬料。

6.3.3.1 悬料主要征兆

悬料有以下几种主要征兆:

（1）初期征兆是风压慢慢上升,风量慢慢减少,料尺缓慢活动。

263

（2）发生悬料征兆是料尺停滞不动。

（3）风压急剧升高,风量随之自动减少。

（4）顶压降低。

（5）上部悬料时上部压差过高,下部悬料时下部压差过高。

（6）风口焦炭不活泼或不动。

（7）顶温上升,各点相重叠。

但要注意,当风压、风量、顶压、顶温、风口工作及上下部压差都正常,只是料尺停滞时,应首先检查是否有卡尺现象。

6.3.3.2　悬料处理

处理悬料是一件十分细致的工作,如果处理不当,会使高炉失常加剧造成减产或造成其他极为恶劣的后果,因此一定要处理及时,不能拖延。处理越早炉况越容易恢复正常,损失也就越少。不同情况的悬料要采取不同的方法,力争一次成功。避免出铁前坐料。

（1）出现上部悬料征兆时,可立即用改常压(不减风)的方法处理;出现下部悬料征兆时,应立即减风处理。

（2）炉热有悬料征兆时,立即停氧,停喷煤或适当降风温,及时控制风压;炉凉有悬料征兆时,应适当减风。

（3）料尺不动同时压差增大很多,透气性下降很多,应立即停止喷吹,改常压放风坐料。坐料后回风压力要低于原来压力。

（4）当连续悬料时,应缩小料批,适当发展边沿及中心,集中加些净焦或减轻焦炭负荷。

（5）坐料后如料尺仍不自由活动,应把料加到正常料线后不久(首钢为在 $20\sim25\mathrm{min}$ 内,有的小高炉为烧去约 $2\sim4$ 批焦炭)进行第二次坐料。第二次坐料应进行彻底放风。

（6）如悬料坐不下来可进行休风坐料。

（7）每次坐料后,都暂按风压操作,使用风压水平应能争取料尺自由活动,恢复风量应谨慎。

（8）热悬料可临时降风温处理,降风温幅度可大些。坐料后料尺自由活动,先恢复风量,后恢复风温。但需注意调剂量和作用时间,防炉凉。

(9) 冷悬料比较顽固,难于处理,每次坐料后都应采取低风压、小风量、高风温恢复,并适当加净焦。转热后应小幅度恢复风量,注意顺行和炉温,防热悬料和防炉温反复。严重冷悬料,应耐心恢复,避免连续坐料,只有等净焦下达后方能好转,此时应及时退为全焦负荷。

(10) 连续悬料不好恢复,可以停风临时堵风口。

(11) 连续悬料坐料,炉温要控制高些,坐料前可采取加风压顶着吹,争取多烧焦炭,但不可连续采用。

(12) 坐料前应看好风口,防止灌渣与烧出,悬料坐料期间应积极做好出渣出铁工作。

(13) 严重悬料(指炉顶无煤气,风口不进风等),则应喷吹渣口、铁口后再坐料。

(14) 悬料消除,炉料下降正常后,应首先恢复风量到正常水平,然后根据热度情况,恢复风温、喷煤及负荷。

6.3.3.3 实例

首钢 4 号高炉 1993 年 6 月 15 日 11:15～11:28 布料设备掉电亏料线到 3m。13:07 出铁又晚点,出铁间隔达 102min。造成炉内憋风大减风。在这期间,综合负荷没掌握好,在炉温上行的过程中采取了加煤的措施,致使炉温大幅度转热出现难行,发生悬料,导致大幅度退负荷,直到 23 日才恢复正常,损失较大。

正确判断炉温趋势是必备的素质。特别是外部因素变化较多时,一定要勤看风眼、渣铁,做好综合判断,切不可单一的根据压量关系变化就简单的做出判断,造成反向操作,导致悬料。

6.3.4 连续塌料

连续塌料会影响矿石预热和还原,特别是下部连续塌料,能使炉缸急剧向凉,甚至造成风口灌渣以及风口被砸入炉内的事故,必须及时果断处理。

6.3.4.1 连续塌料的表现

连续塌料有以下几种表现:

（1）料尺连续出现停滞和塌落现象。

（2）风压、风量不稳,剧烈波动,接收风量能力变差。

（3）顶压出现向上尖峰,并且剧烈波动。顶压逐渐变小。

（4）风口工作不均,部分风口有生降和涌渣现象,严重时自动灌渣。

（5）炉温波动,严重时铁水温度显著下降,放渣困难。

6.3.4.2 处理方法

连续塌料有以下几种处理方法：

（1）立即减风到能够制止崩料的程度,使风压、风量达到平稳。

（2）适当减轻焦炭负荷,严重时加入适量净焦。

（3）临时缩小矿批,减轻焦炭负荷,采用疏导边缘和中心的装料或酌情疏导边缘。

（4）出铁后彻底放风坐料,回风压力应低于放风前压力,争取料尺自由活动。

（5）只有炉况转为顺行,炉温回升时才能逐步恢复风量。

（6）减氧或停氧。

6.3.4.3 实例

首钢4号高炉1993年11月22日～23日由于连续塌料,给生产造成很大损失。11月21日中班后期炉温偏高,压量关系偏紧。风量由5145m³/min逐步降到4916 m³/min,透气性指数由3481降到3076。23:35减压塌料一次,料线3.8m。11月22日0:55赶上料线,风量风压分别由3600 m³/min、0.252MPa加到4500 m³/min、0.296MPa时又悬料。到1:05时放风坐料,料线深3.8m。2:55又塌料一次,尺深4.5m。5:10又悬料、坐料一次。由于压量关系紧张,炉况难于恢复导致23日一天炉况不顺,并导致出格铁一炉,损失很大。

当高炉出现第一次塌料后,一定要控制好风量,待料尺走好后稳步向上加风,风量与料速要对应,否则还要把风量减回,防止连续塌料。

6.3.5 炉墙结厚

炉墙结厚分为上部结厚和下部结厚。上部结厚主要是由于对边缘管道行程处理不当,原燃料含钾、钠高或粉末多,亏料线作业,炉内高温区上移且不稳定等因素造成的。下部结厚多是炉温、炉渣碱度大幅波动,长期边缘气流不足,炉况长期失常,冷却强度过大,以及冷却设备漏水,长期堵风口等因素造成的。

6.3.5.1 征兆

炉墙结厚有以下几种征兆:

(1)炉况难行,经常在结厚部位出现偏尺、管道、塌料和悬料。

(2)改变装料制度达不到预期的效果。下部结厚经常出现边缘自动加重;上部结厚炉喉煤气 CO_2 曲线在结厚方向的第一点高于第二点,严重时高于第三点。

(3)风压和风量关系不适应,应变能力很弱,不接收风量。

(4)结厚部位炉墙温度、冷却水温差、炉皮表面温度均下降。

6.3.5.2 处理方法

处理方法有以下几种:

(1)处理上部结厚的方法是:

1)当某一方向频繁出现 CO_2 曲线第一点高于第二点时,应及时发展边缘煤气,同时减轻焦炭负荷,尽可能改善原燃料强度和粒度,以保持炉况顺行。

2)若上述方法无效,应降低料面,停风炸瘤。

3)认真检查结厚部位的水箱,如发现漏水应及时减水或停水,改外部喷冷却水。

(2)处理下部结厚的方法是:

1)在维持顺行,稳定送风制度、热制度和造渣制度的条件下使炉渣碱度稍低一些,炉温掌握稍高一些。

2)改变装料制度,适当发展边缘煤气,减轻焦炭负荷,提高下部边缘温度。

3)采用集中加净焦和加酸料的方法洗炉。

4)酌情用均热炉渣洗炉,或改炼热铁洗炉。

5）用萤石洗炉。

6）降低炉体冷却强度，保持水温差在适当的水平，但必须全面分析。

6.3.5.3　实例

1990年11月中旬首钢3号高炉煤气分布中心偏重，由1～11日平均7.24%上升到11%～19%，接受提温措施能力变差，低硅铁增多，炉况顺行不稳。调整装料以图打开中心，但没奏效。20日前期炉温低，[Si]=0.12%～0.22%。因提温过猛，造成坐料3次。从20日4:20以后，出现炉身下部平均温度低于正常现象。22日焦炭负荷由3.22恢复到3.43。到24日顺行变差每天塌料5次，风量难于恢复。21:30将5～7层水箱的水压由0.2MPa降到0.15MPa。25日低炉温4次，塌料4次。26日发生了悬料、坐料，炉身中部炉墙平均温度下降到60℃以下（正常时80～85℃以上），炉腰5层和炉身下部7层水温差下降到正常水平以下。炉墙发生结厚。26～29日采取措施，缩小矿批，退负荷，缩小装料角度，断绝坏水箱水源，集中焦热洗炉。28日风量已恢复到2100～2150 m³/min。但炉体温度与水温差未恢复正常。中班发生悬料坐料2次。29日又发生悬料，连续坐料2次。此后处于慢风气流状态，12、14、15号风口进渣，被迫采取停风堵风口措施。从11月30日至12月11日期间，虽经多次调整，但由于措施不对，炉况始终不好。从12日开始采取了小矿批15t，轻负荷2.55，敞开边沿，热酸洗炉，炉温控制在0.70%左右，碱度1.05左右，风量为2100 m³/min。先后经过一个月的治理，炉况才逐步恢复上来。

信阳钢铁厂4号高炉（100m³）1996年9月下旬使用还原性、冶金性能差的土烧结矿和生矿入炉比例增大，分别由44.2%和2.0%提高到60.0%和10.0%，相应机烧结矿比例减小，由53.8%降到30.0%。入炉熔剂由90kg/t升到103kg/t。上述变化导致炉况顺行变差，高炉不接受风量，经常减风，造成高炉煤气分布不稳定，经常发生悬料。9月份悬料52次，10月1～5日悬料33次，10月16～22日悬料17次。同时，经常发生亏料线，10月1

～16日低料线作业率达35.5%,低料线作业造成炉料过多分布在炉墙附近,当炉温大幅波动时易引起炉墙结厚。由于炉况的上述变化造成炉身和炉腰温度明显下降。炉身温度平均下降81℃,炉腰温度平均下降45℃。操作上没有果断采取降低冷却强度、减轻焦炭负荷和发展边沿煤气等的措施,最终导致炉墙结厚。从以上操作可以看出,为防止炉墙结厚,应严禁低料线操作。在原料发生变化、炉况不稳定时应减轻焦炭负荷、发展边沿煤气,根据炉墙温度变化情况,适当降低冷却强度。

6.3.6 炉缸堆积

造成炉缸堆积的原因,一般是焦炭质量变坏;冶炼制钢铁时,炉温低、碱度高;慢风作业时间长,风速不合理;冷却设备漏水;冶炼铸造铁时,是由于高炉温、高碱度造成的。此外基本制度不合理也会造成炉缸堆积。如长期边重,易导致炉缸边沿堆积;长期中心重,易造成中心堆积。还有使用含钛炉料护炉时,[Ti]含量长期很高也会造成炉缸堆积。炉缸堆积严重影响炉缸煤气的合理分布与炉料运动,加重炉缸负担,降低炉缸安全容铁量。炉缸堆积分为炉缸中心堆积和边缘堆积两种。

6.3.6.1 炉缸堆积征兆

炉缸堆积有以下几种征兆:

(1) 接受风量能力变坏,热风压力较正常升高,透气性指数降低。

(2) 中心堆积上渣率显著增加,出铁后,放上渣时间间隔变短。

(3) 放渣出铁前憋风、难行、料慢,放渣出铁时料速显著变快,憋风现象暂时消除。

(4) 风口下部不活跃,易涌渣、灌渣。

(5) 渣口难开,带铁,伴随渣口烧坏多。

(6) 铁口深度容易维护,打泥量减少,严重时铁口难开。

(7) 风口大量破损,多坏在下部。

(8) 边缘堆积一般先坏风口,后坏渣口;中心堆积一般先坏渣

269

口,后坏风口。

(9)边缘结厚部位水箱温度下降。

6.3.6.2 处理方法

炉缸堆积处理方法如下:

(1)冶炼铸造铁时,改炼制钢铁;冶炼制钢铁时,加锰矿洗炉。

(2)若因焦炭质量变坏影响,要改善焦炭质量。

(3)风口漏水要及时更换,严重烧坏或连续烧坏时,更换后暂时堵死。渣口严重带铁时,出铁后应打开渣口喷吹,连续烧坏应暂停放渣。

(4)若因护炉引起,应视炉缸水温差的降低,减少含钛炉料的用量,改善渣铁流动性。

(5)若炉渣碱度较高,应降低炉渣碱度,改善炉渣流动性。

(6)处理炉缸中心堆积,上部调整装料顺序和批重,以减轻中心部位的矿石分布量。

(7)若因长期边重,引起炉缸边缘堆积,上部调整装料,适当疏松边缘。另外,在保持中心气流畅通的情况下,适当扩大风口面积。

6.3.6.3 实例

1992年12月首钢4号高炉因炉况不顺,造成炉缸堆积。1992年11月21日~23日因上料设备频繁发生故障造成高炉频繁亏尺,布料规律被打乱。高炉被迫多次减风、停风。11月23日炉喉煤气中心自动加重。11月27日停风检查,确认布料流槽严重磨漏,但因当时没有备件,直到11月30日才停风进行更换。此间因煤气分布失常,高炉难以全风(5000m³/min),风量只能维持在4200~4300 m³/min,长达8天。11月30日停风13.75h更换布料流槽。复风恢复炉况很困难。大量坏风口,12月1日~4日仅4天就烧坏10个风口。风量只能维持在3600~3700 m³/min。12月4日以后炉温难以控制,到12月13日连续出[Si]含量小于0.1%的低硅铁,使炉缸工作进一步严重恶化。12月12日~15日期间又先后烧坏8个风口。炉缸严重堆积。最后被迫使用加锰矿和均热炉渣的手段,到 12 月 30 日才使炉况逐渐好转。

水钢 2 号高炉 1996 年 1 月因焦炭质量变差导致炉缸堆积。1996 年 1 月上旬高炉各项经济技术指标和操作指标以及高炉炉况基本处于正常状态。进入 1 月中旬炉况发生明显变化,主要表现在风口频繁破损。16 日因炉缸二段冷却壁水温差超过了安全临界值,常压维持 1300min。17 日~20 日 4 天坏了 9 个风口、一个二套。中旬共换风口 16 个,二套一个。有时一天换 3 个风口。高炉风量减少,中旬平均风量 1737 m^3/min,风温 823℃。日产铁 1095t,焦比 843kg/t,冶炼强度、鼓风动能比上旬下降幅度较大。此期间高炉负荷降至 2.445,比上旬降低 7%。导致上述变化的原因主要是由于资金紧张,焦化小窑煤用量增加,使焦炭强度严重恶化。从 1 月 4 日开始,焦炭 M_{40}、M_{10} 明显下降和升高,M_{40} 最低时为 72.4%,M_{10} 最高时为 11.8%。1 月 9 日风口焦筛分小于 10mm 的为 65.48%,为了避免炉况失常,当时采取了退焦炭负荷、提高炉温等措施,并将频繁易坏的风口堵上,避免了向炉缸漏水。同时上部大量加净焦,但炉况仍无转机。由于频繁坏风口,风量逐渐缩小,渣铁渗透不到炉缸,造成炉况严重失常。水钢在处理这次高炉失常中有过几次反复,前后共用了 44 天,共损坏风口 158 个,风口二套 18 个,大套 1 个,最后仅用铁口上方 3 个风口送风,风量减小到 400m^3/min 以下。在恢复前期,认为只要有炉温基础,炉况的恢复则可加快,结果导致风口打开又坏,换了又坏的恶性循环。风口破损后,不可避免地要向炉缸漏水,又加剧了炉缸的堆积。最终实践表明,处理由于焦炭质量差导致的炉缸堆积的主要措施是尽快改善焦炭质量,停用强度差的焦炭,用强度好的焦炭置换炉缸堆积的碎焦炭,逐步提高焦炭层的透气性和透液性,避免风口的频繁损坏,逐步扩大送风面积。以上实例进一步说明,高炉生产精料是基础,当原燃料质量发生变化时,一定要引起高度重视。

6.3.7 炉冷

要坚决防止严重炉冷,其危害大且难于处理,可能导致出格铁、大灌渣、悬料、结厚、炉缸冻结等恶性事故。

严重炉冷,易在下列情况下发生:

(1) 冷却设备大量漏水未及时发现和处理;停风时炉顶打水未关。

(2) 缺乏准备的长期停风之后的送风。

(3) 长时间计量和装料错误,使实际焦炭负荷或综合负荷过重,或煤气利用严重恶化,未能及时纠正。

(4) 连续塌料或严重管道行程,未得到及时制止。

(5) 长期亏料线作业,处理不当。

(6) 边缘气流过分发展、炉瘤、渣皮脱落以及人为操作错误等。

一旦发生严重炉冷,要认真检查以下几方面:

(1)注意检查坏水箱出水是否减少和有无产生新的坏水箱。

(2) 有炉顶十字测温装置的应注意及时检查是否漏水,注意检查炉顶打水是否关严。

(3) 注意布料角度及装置是否异常。

(4)检查料罐中炉料容积是否变化。焦炭和矿石入炉量是否准确。

6.3.7.1　炉冷征兆

炉冷分初期向凉与严重炉冷。它们的征兆分别为:

(1) 初期向凉征兆:

1) 风口向凉。

2) 风压逐渐降低,风量自动升高。

3) 在不增加风量的情况时,下料速度自动加快。

4) 炉渣中 FeO 含量升高,炉渣温度降低。

5) 容易接受提温措施。

6) 顶温、炉喉温度降低。

7) 压差降低,透气性指数提高,下部静压力降低。

8) 生铁含硅降低,含硫升高,铁水温度不足。

(2) 严重炉冷征兆:

1) 风压、风量不稳,两曲线向相反方向剧烈波动。

2）炉料难行,有停滞塌陷现象。

3）顶压波动,悬料后顶压下降。

4）下部压差由低变高,下部静压力变低,上部压差下降。

5）风口发红,出现生料,有涌渣、挂渣现象。

6）炉渣变黑,渣铁温度急剧下降,生铁含硫升高。

6.3.7.2　处理方法

炉冷处理方法如下:

(1)必须抓住初期征兆,及时增加燃料喷吹量,提高风温,必要时减少风量,控制料速,使料速与风量相适应。

(2)要及时检查炉冷的原因,如果炉冷因素是长期性的,应减轻焦炭负荷。

(3)严重炉凉且风口涌渣时,风量应减少到风口不灌渣的最低程度。为防止提温造成悬料,可临时改为按风压操作,保持顺行。

(4)炉冷时除采取减少风量、提高风温、增加燃料喷吹量等提温的措施外,上部应加入净焦和减轻焦炭负荷。

(5)组织好炉前工作。当风口涌渣时,及时排放渣铁,并组织专人看风口,防止自动灌渣、烧出。

(6)严重炉冷且风口涌渣,又已悬料时,只有在出渣出铁后才允许坐料。放风时,当个别风口进渣时,可加风吹回(不宜过多)并立即往吹管打水,不急于放风,防止大灌渣。

(7)若高炉只是一侧炉凉时,首先应检查冷却设备是否漏水。发现漏水后及时切断漏水水源。若不是漏水造成的经常性偏炉凉,应将此部位的风口直径缩小。

6.3.7.3　实例

首钢 4 号高炉 1993 年 10 月 20 日 0:50～2:13 出铁时[Si]含量只有 0.02%。采取提温措施后,[Si]含量逐步上升,由 0.02%上升到 0.44%。但炉况变得不稳定,有管道迹象。到 10:00 料尺已不能正常工作。炉内被迫控制风量。风量由 4300m³/min 减到 4000 m³/min,但炉况仍不见好转,此时炉温又下降到 0.16%。12:40因炉外出铁不正常,高炉再次减风。由 4000 m³/min 减到

273

2000 m³/min。13：25～15：32 出铁过程中逐步加风，到 15：25 风量加到 3229 m³/min、风压 0.3433MPa 时高炉突然发生悬料。15：45～15：47 坐料，料线深度 3.5m。回风时，风压加到 0.18MPa 时又悬料。15：55 18、19、20、25 号风口有窝渣现象，为防止风口进渣，被迫将风压加到 0.21MPa 并组织出铁，16：35 出铁后，17：09～17：33 放风坐料，但料坐不下来。17：15 停气，并通知风机减压才把料坐下来，此后炉况才逐步好转。

这是一起典型的由低炉温引发气流，在处理气流的过程中造成悬料最终导致炉冷的案例。当出现炉温时，提温过程中一定要控制好风压，当炉温转热压量关系趋紧时，切不可强顶风压。一旦出现气流管道要坚决退负荷，防止炉温反复波动，引发其他事故。

6.4 高炉事故的预防和处理

6.4.1 炉缸冻结

6.4.1.1 炉缸冻结的产生

由于炉温大幅度下降导致渣铁不能从铁口自动流出时，就表明炉缸已处于冻结状态。

炉缸冻结是高炉生产中的严重事故，它将给炼铁生产造成巨大的经济损失。因此在高炉生产操作中必须尽量避免发生这种事故。

下列情况易发生炉缸冻结：

(1) 高炉长时间连续塌料、悬料、发生管道且未能有效制止。

(2) 由于外围影响造成长期亏料线。

(3) 上料系统称量有误差或装料有误，造成焦炭负荷过重。

(4) 冷却器损坏大量漏水流入炉内，没有及时发现和处理。

(5) 无计划的突然长期休风。

(6) 装料制度有误，导致煤气利用严重恶化，没能及时发现和处理。

如果在高炉日常生产操作中，出现以上情况，高炉操作者必须引起高度重视，避免炉缸冻结事故的发生。

6.4.1.2 炉缸冻结的处理

高炉一旦发生炉缸冻结事故一般应采取以下措施:

(1)果断采取加净焦的措施,并大幅度减轻焦炭负荷,净焦数量和随后的轻料可参照新开炉的填充料来确定。炉子冻结严重时,集中加焦量应比新开炉多些,冻结轻时则少些。同时应停止喷吹把风温用到最高水平。

(2)果断休风,将炉渣从风口放出,堵死其他方位风口,仅用铁口上方少数风口送风,用氧气或氧枪加热铁口,尽力争取从铁口排出渣铁。铁口角度要尽量减小,烧氧气时,角度也应尽量减小。

(3)尽量避免风口灌渣及烧出情况发生,杜绝临时紧急休风,尽力增加出铁次数,千方百计及时排净渣铁。

(4)加强冷却设备检查,坚决杜绝向炉内漏水。

(5)如果炉缸严重冻结,从铁口放不出铁时,可将邻近铁口的渣口二、三套取下,彻底清理里边凝渣、凝铁,用氧气向上烧渣口,使其与渣口上方的风口尽量连通,放入新焦炭,装上炭套,打开渣口上方的风口(相应堵上铁口上方风口,以防烧出),从渣口出铁。

(6)如果渣口排不了渣铁,那只能用靠近渣口上方的风口出铁。拉下风口将进风口和出铁用风口相互烧通后,分别装上风口和炭套。出铁风口大套和二套上砌砖和铺泥,将弯头卸下,在热风支管上焊堵盲板。送风后,用风口出铁。然后过渡利用渣口出铁,铁口出铁。

(7)铁口正常出铁后,可视炉况逐步恢复风量。此时要注意开风口时,一定要挨着已开的风口,千万不能隔开,否则易发生烧出。

6.4.1.3 实例

唐钢 2560m³ 高炉炉缸冻结事故。

A 冻结过程

1998 年 11 月,受铁水罐紧张和炉渣粒化设备故障影响,渣铁出不净率高达 43.84%。11 月 25 日,两次较长时间停风后,炉况顺行变差。27 日,在多次渣铁出不净情况下,出现悬料,但未及时坐料处理,导致出现管道行程,减风过程中出现塌料。28 日夜班,

275

又出现管道行程,顶温高达800℃,打水近40min才停下来。此后虽采取了大量加净焦、退负荷措施(28日夜班加净焦8批,白班退负荷,焦比由560kg/t提高到600 kg/t,中班加净焦11批;29日夜班加净焦10批),但炉况仍不顺,偏滑尺,风口涌渣,渣铁排放困难,铁口空喷煤气火。29日发生风口烧出,停风中,全部风口灌渣,高炉发生炉缸冻结。

B 处理过程

a 第一阶段(11月29日~12月3日)

主要是处理灌渣风口,更换短节、吹管。用氧气烧铁口并放炮,后用氧枪烧2号铁口,流出少量渣铁。

b 第二阶段(12月3日)

第一次送风,开2号铁口上方两个风口送风(后又吹开一个风口,共3个风口送风),但进风很少,风温低,送风风口相继糊死。

c 第三阶段(12月4日~5日)

第二次送风,用3号铁口上方两个风口送风(事先处理了铁口上方3个风口,见焦炭并烧出较大空间),并富氧,铁口插入氧枪送氧。期间铁口共出渣铁7次,排出少量渣铁,但送风风口最终被糊死,被迫停风处理。

d 第四阶段(12月5日~13日)

休风中,处理风口,用氧气尽量向里烧出空间,加入焦炭、铝锭、盐,同时铁口插氧枪烧。第三次送风,仍用3号铁口上方2个风口送风,同时风口吹氧,铁口插氧枪。送风后强行加大风量,相应风温水平提高了,风口状态好转,渣铁流动性好转,铁口排渣铁逐渐增多,料尺开始活动。随着排渣铁量的增多、风量加大、风温水平的提高,逐步捅开风口,至9日风口已开11个,风量达到2100m³/min,炉内开始加负荷料。以后随着风量进一步增多,炉料的负荷逐步增加,炉况转入正常。

C 原因分析

从事故演变过程看,悬料、悬料后处理和塌料后对炉况的处理不及时是炉缸冻结的原因。

276

（1）悬料原因：

1）炉况的顺行基础差，中旬炉凉事故后，炉况顺行程度不如从前。

2）渣铁连续出不净，慢风作业时间长，造成高炉加风困难。

3）在顺行基础差的情况下，采取降顶压、提风温、连续加风的操作，并且最后一次加风量过大，导致高炉悬料。

（2）悬料后处理：

悬料初期判断失误，在已经悬料的情况下，认为没有悬料。悬料后期压差控制过高，导致出现管道，造成十字测温梁弯曲，顶落布料溜槽，使布料失常而导致煤气流失常。

（3）塌料后对炉况的判断和处理：

管道行程没有及时判断出来，没有大量加净焦，从而引起塌料。其次，塌料后，炉顶温度偏高，频繁打水北部顶温高，南部低，边缘煤气流较发展，操作人员也没有判断出来。

通过以上分析，可以看出，由于操作失误，最终导致布料溜槽脱落，长时间没发现，造成布料失常，形成中心死料柱，边缘环形管道，这是造成炉缸冻结的主要原因。

D　经验教训

（1）加强生产平衡组织，为高炉顺行创造外部条件。

（2）进一步加强操作管理，减少炉况波动，杜绝长时间悬料。当出现悬料时，正确判断，及时处理。

（3）怀疑布料溜槽脱落时，应采用定点、扇形布料的方法及时检查，必要时进行停风检查处理。

6.4.2　炉体跑火、跑渣

高炉炉役末期，极易发生炉体跑火、跑渣，日常操作中如果处理不好，很可能将事故扩大。出现炉体跑火、跑渣处理上应遵循以下几点：

（1）炉体发生跑火、跑渣时，应立即打水。若继续跑火、跑渣，立即改常压、减风、放风直至停风，制止跑火、跑渣。

（2）停风后，如发现风口向外流水，立即组织查清并断绝水源。

277

如一时查不清,在停风状态下,把炉腹以上冷却壁分区关水,用逐个开截门的办法,查找水源。好的冷却壁及时恢复通水,并将水压提到规定值。漏水的冷却壁酌情减水或堵死。

(3)应进行炉体喷涂,并借机尽可能修复已坏的冷却器,补焊炉皮。若局部炉皮破损,除补焊炉皮外,还可采用压力灌浆措施,以防止炉体跑火。

(4)炉内操作中,要及时消除气流管道。

实例:

首钢 2 号高炉 1999 年 8 月 5 日至 9 月 15 日,出现过 4 次炉体跑火:

(1)8 月 21 日 3:10 北炉皮 7 段 16 号水箱前排管波纹管处跑火。

(2)9 月 6 日,3:20 南炉皮 6~7 段 13 号水箱前排管波纹管处跑火。

(3)9 月 6 日,23:25 东北 6~7 前排管大面积发红。

(4)9 月 15 日 2:25 6 段 72 号前排管跑火。

针对以上情况日常操作中采取了如下措施:

(1) 炉内措施:

1) 以顺稳为前提,保持炉缸状态稳定及煤气分布均匀合理。出现煤气分布失常要及时调整基本制度以尽快恢复煤气分布到正常范围。

2) 一旦出现风量与料速不相适应、料尺间距见宽,要及时减风,减风幅度以透气性指数恢复正常标准,料尺工作正常。

3) 气流发生初期常出现料前透气性指数上扬,料后下滑较多的现象。此时要及时减风,减风幅度一般为正常风量的 5% ~ 10%。待关系稳定后再逐步回风。

4) 气流发生严重时,减风要狠,幅度要超过 20% ~30%,最好在铁后放风破坏以达到煤气流的重新分布。对严重的定向气流,除减风外,还要考虑堵风口措施。

5) 如发生炉皮跑火,根据不同部位区别对待。

7层以上(炉腰)跑火时,如炉皮冒青烟、冒火星时,迅速打水,工长要随时了解炉皮发展情况。如跑火严重,喷出大量块状料,应立即减风,以不再喷出大块料为标准,并及时打水,以控制住喷料为宜。

如7层以下(炉腰)跑火时,应立即减风,并及时打水,以使渣皮凝结,减风后,视炉壳情况逐步回风,慢风时间不超过1.5h。

若确实因炉壳跑火严重,不能回风时应立即组织出铁,铁后停风处理。

(2)炉外措施:

1)看水岗位人员要对炉体各个部位状况心中有数,对重点部位要加好喷水管强化冷却,并加强巡检,发现情况及时处理并汇报当班工长。

2)当发现炉体跑火星或烧出时,工长要亲自到现场组织并采取相应的措施,防止事故的扩大。

3)炉前要按时出尽渣铁,原则上对好铁罐就出铁,30min内必须保证具备出铁条件。工长要经常与调度室联系,力争早对好铁罐,以便发生事故时及时出铁。

6.4.3 炉缸烧穿

一代高炉寿命取决于炉缸状况,随着高炉冶炼的不断强化,炉顶压力的提高和低硅铁的冶炼,维护炉缸的重要性和迫切性日益突出。因此,从高炉投产之日起,就应该加强对炉缸的维护和监测。

6.4.3.1 防止炉缸烧穿措施

关于炉缸的维护,已在第2章叙述过,此处再概要地提一下。

(1)炉缸冷却壁水温差(或热流强度)升高,超过规定值时可根据具体情况增加含钛炉料用量,首钢为提高[Ti]含量到大于0.08%,并适当提高生铁含[Si]量。

(2)炉缸外壳局部过热,应及时增加喷水。

(3)当水温差超过规定时应改通高压水,增加测水温次数,并作好记录。

(4) 热流强度继续升高,停风堵水温差高区域的风口,降顶压及附近的渣口暂停放上渣。

(5) 热流温度仍高超过规定界限值,停风凉炉。待水温差降到正常范围后,降低冶炼强度,改炼铸造铁。

6.4.3.2 **实例**

1989 年 11 月 28 日 11:40 首钢 3 号高炉发生炉缸烧穿事故,烧穿的位置位于 9 号风口下(二层 18 号水箱)。

(1)事故经过:

3 号高炉通过治理,入炉风量水平逐步提高。11 月 16 日风量达到 1982m³/min。当时二层 17 号－1 水箱水温差为 0.6℃,17 号－2 水箱水温差为 0.5℃,18 号－1 水箱水温差为 0.6℃。当日采取了取消锰矿的措施。

11 月 17 日风量达到 2071m³/min。11 月 19 日 20:30 采取了加钛渣 200 kg/批护炉措施。当时 17 号－1、17 号－2、18 号－1 三水箱水温差均为 0.6℃,水温差仍不高。

11 月 20 日后,将原每班测量两次炉缸二层水温差,改为 1h 测一次,其中重点水箱半小时测一次。11 月 25 日 18:30 将钛渣加到 300kg/批。11 月 26 日 8:30 又将钛渣加到 400kg/批,相应铁中钛平均达到 0.11%。此期间入炉焦炭含硫偏高,造成铁中含硫较高。11 月 20 日~27 日平均铁中含硫为 0.0345%。11 月 27 日 20:00 二层 17 号－2、18 号－1 水箱的水温差升高到 0.9℃。11 月 28 日 7:00 二层 17 号－2 水箱的水温差升高到 1.0℃。此时决定改炼铸造铁,降低顶压、停风堵风口;9:40 17 号－1 水箱的水温差升高到 1.2℃,18 号－1 水箱的水温差升高到 1.0℃;9:50 改常压;10:00 测 17 号－1、18 号－1 水箱的水温差为 1.0℃,17 号－2 水箱的水温差为 1.2℃;10:00 出铁,出铁过程中,17 号－1、18 号－1 水箱的水温差由 1.0℃降到 0.9℃,17 号－2 水箱的水温差由 1.2℃降到 1.1℃;11:19 停下风后,17 号－2 水箱的水温差由 1.1℃降到 0.9℃;11:35 正在换风口中,17 号－2 水箱的水温差由 0.9℃上升到 1.0℃,18 号－1 水箱的水温差突然由 0.9℃

上升到 6.6℃,紧接着 11:36 19 号－1 水箱的水温差又升到 7.0℃;11:37 升到 7.6℃;11:38 升到 8.4℃,此时立即组织所有工作人员撤离现场,不久发生了炉缸烧穿。

(2) 原因分析:

1) 3 号高炉炉缸原已薄弱。

3 号高炉于 1984 年 1 月 18 日开炉。1986 年 2 月 5 日二层 17 号－1、17 号－2 水箱在常压下,水温差曾到 1.2℃。1986 年 3 月 10 日 17 号－2、18 号－1 水箱在常压下,水温差曾到 1.3℃。然后当即改为高压水。1986 年 3 月 10 日 17 号－1 水箱也改为高压水。1988 年 7 月 21 日,17 号－2 水箱在高压下,温差达到 0.9℃,热流强度达到 18.51kW/m²。1988 年 7 月 24 日,17 号－2 水箱又升高到 1.2℃,热流强度达到 21.92 kW/m²。被迫停风堵 9 号风口,可见 3 号高炉炉缸已经存在薄弱环节。

2) 铁中[S]含量高,促使了对炉缸的冲刷。

1989 年 11 月 21 日后,入炉焦炭硫磺由 11 月 17 日～20 日的 0.058%升高到 0.076%左右。虽然采取了提高炉渣碱度的措施,但铁中硫磺仍较高,见表 6-7 所示。因此使得铁水流动性好,加剧了炉缸的冲刷。

表 6-7 炉渣成分及铁水含硫量

项 目	11月21日	11月22日	11月23日	11月24日	11月25日	11月26日	11月27日
入炉焦炭含硫量/%	0.74	0.77	0.72	0.78	0.76	0.76	0.80
炉渣碱度/% (CaO/SiO_2)	1.04	1.01	1.07	1.07	1.12	1.14	1.09
炉渣碱度/% [($CaO+MgO$)/SiO_2]	1.27	1.30	1.34	1.33	1.35	1.42	1.35
铁中[S]/%	0.027	0.024	0.033	0.040	0.039	0.039	0.030
当日最高[S]/%	0.049	0.046	0.048	0.058	0.057	0.052	0.048

3) 虽然采取了护炉措施,但未达到预期目的。

由于 3 号高炉炉缸存在着薄弱环节,虽采取了加含钛炉料护炉的措施,但未能达到预期效果。

(3) 今后应注意的方面:

1) 对于像 3 号高炉那样炉缸已出现薄弱的高炉,一方面不仅要加强水温差的监测,另一方面坚持长期护炉的操作方针,减少或杜绝洗炉。

2) 坚决控制好铁中[S]含量,一级品率必须达到 95% 以上,减少对炉缸的冲刷,以利于炉缸维护。

6.4.4 大灌渣

6.4.4.1 大灌渣的防范与处理

高炉出现大灌渣,一般由以下几方面原因造成,如连续出不净铁,送风系统突然断风,风口、吹管突然烧出,炉内出现气流管道行程时等引起的。不论什么原因,必须引起高度重视。为了防止大灌渣要执行有关气流管道等失常炉况的处理措施。为了防止因风机突然断风引起的大灌渣,有的厂采用了高炉之间送风管道连通的办法,一旦某个高炉的风机突然停风,高炉之间送风管道阀门自动打开,将另一个高炉的部分风送到该高炉,以避免发生大灌渣。

另外日常工作必须加强如下操作:

(1) 在渣铁罐容量允许和没有意外事故威胁的情况下,每次出铁必须把渣铁出净。

(2) 出铁出渣不净,一次或累计亏铁达安全容铁量的 1/2,亏渣超出一次铁的渣量时,应立即减风控制下次铁的渣铁量,不能超过安全容铁量。积极联系渣铁罐及时放渣出铁。

(3) 所有的放风,在放风前应停氧、停煤、改常压,如情况特殊,应在放风的同时或以后停氧、停煤,改常压。

(4) 看好风口,加强观察。

1) 放风中风口前出现窝渣,涌渣现象时,应维持风压不变或回点风,耐心等待。待渣铁渗下后,再试探着缓慢放风或停风。炉前工必须在工长下令后,方能开始更换冷却设备的操作。

2) 灌渣时应立即回风顶回。

3) 若出现烧出时:

吹管前部烧出,为防止烧坏大、中缸,应立即向烧出部位打水并迅速放风(尽力避免灌渣)。

吹管后部烧出(包括法兰盘、吹管座、弯头、大小盖、插枪座)应立即打水,并立即放风到风口不致灌渣的最低限度。

(5)停风后,发现个别风口灌渣或全部罐渣,应及时把灌渣的风口大盖打开,排出炉渣,并酌情更换吹管、弯头。

6.4.4.2 实例

1989年10月22日首钢3号高炉因大灌渣停风341min,直接损失生铁781t。

(1)事故经过:

10月22日夜班5:27、6:35出现两次塌料,特别是6:35塌料时,2号、4号、8号、10号风口跑火、跑渣,其间1号风口被烧坏,1号、2号、3号、4号、5号、15号风口小盖变黑,被迫在7:14~9:49停风,更换1号风口及进渣的吹管。

送风后,炉况仍然不稳,风量、风压波动大,料尺工作不好。11:40 5号吹管喷煤球阀处流渣子,被用高压水打回。12:25出铁时,仅出了320t,铁口就喷花,亏了很多渣铁。12:50发现风口流渣,立即放风,并进行打水。当风压降到0.036MPa时,4号吹管跑渣已被用水打回。此时又将风压逐步回到0.085MPa,这时工长发现只有7号、8号风口明亮,其他风口已全部变黑,而且多数风口从吹管座、弯头短节、喷枪葫芦处跑火。于是被迫继续停风,结果造成13个吹管灌渣,共计停风341min处理灌渣事故。

(2)原因分析:

1)炉缸渗透性不好。

造成炉缸渗透性不好的主要原因是使用了过分发展边沿的布料角度,炉况顺行不好,频繁出现塌料导致大量生料直接进入炉缸,致使炉缸热度严重不足,渗透性不好。

2)风口过早被吹开。

10月22日白班,吹开了3个风口。在炉况不稳,风量加不上去的情况下,风口面积变大,更促使了边缘气流过分发展,造成炉况不稳。

3）停风时机掌握得不好。

在 4 号风口跑渣子已被控制的情况下,采取了停风措施,加剧了大灌渣。当回风后,应积极采取炉外及时排好渣铁,防止风口烧出的措施,待出铁后再停风处理。

（3）今后应注意的方面:

1）在炉况不稳,风口工作状况不好时,一方面要求炉内千方百计适应,另一方面必须对风口区域加强巡检。

2）一旦遇有风口、吹管烧出等情况,首先先放风控制到不灌渣为止,另外积极组织炉外出铁。若烧出部位仍控制不住,停风时尽量控制风口、吹管不灌渣或少灌渣。尽量防止停风造成高炉大灌渣事故发生。

6.4.5 高炉结瘤

高炉结瘤是炉内已熔化的原燃料凝结在炉墙上,而且和炉墙耐火砖牢固地结合在一起。正常冶炼条件下基本无法消除,且越积越厚,导致炉料无法正常下降,严重破坏高炉正常冶炼进程。

炉瘤按其形状可分为局部瘤和环形瘤;按其产生的部位可分为上部瘤和下部瘤;按其化学成分可分为炭质瘤、灰质瘤、碱金属瘤和铁质瘤。

6.4.5.1 结瘤征兆

结瘤征兆有以下几点。

（1）局部瘤在结瘤部位炉喉温度较其他方位低,整个炉顶煤气温度记录点为一条宽带（100～150℃）,而环形瘤炉喉温度各点相近,炉顶煤气温度记录点为一条窄带（30℃左右）。

（2）炉顶煤气压力曲线常出现向上的尖峰。

（3）高炉不接受风量,风压较高,两者波动大,但减风后曲线趋于平稳;常有偏料、管道、崩料、悬料发生。

（4）炉缸工作不均,结瘤方向风口显凉且易涌渣。

（5）结瘤方向边缘煤气量少,炉喉 CO_2 曲线第一点较第二点甚至第三点高,改变装料制度不能达到改善气流分布的目的。

（6）结瘤方向探尺下降慢,长期偏料。

（7）炉壳温度及冷却水温差在结瘤方向明显减小。

（8）炉尘吹出量大幅增加。

6.4.5.2 结瘤的预防

结瘤预防如下:

（1）贯彻高炉"精料"方针,减少入炉原燃料粉末,改善原燃料理化性能及冶金性能,降低各种碱金属含量及有害杂质入炉,降低渣铁比。

（2）调整好高炉的基本操作制度,保证高炉稳定顺行。要防止发生管道行程、连续悬料、崩料、长期低料线作业、炉温剧烈波动等失常炉况。

（3）加强炉顶装料设备的检查和维护,杜绝因装料设备影响造成高炉布料失常。

（4）当炉体温度出现降低,煤气分布出现失常时,出现结厚征兆,以及长时间低料线或长期休风后应适当发展边缘,防止边缘热负荷长期过低。

（5）装料时灰石不要加在炉墙附近。

（6）漏水冷却器应及时处理。

（7）尽量避免无计划停风,并注意长时间计划休风前,净焦要加够,要出净渣铁,待净焦下到炉缸再休风。送风时要根据休风期间的情况补充焦炭,保证炉温,复风过程不要拖得太长。

6.4.5.3 处理方法

处理方法如下:

（1）洗瘤,主要针对下部结瘤或结瘤初期。一般先采用半倒装或全倒装及集中加净焦的热酸洗方法,强烈发展边缘气流,使炉瘤在高温和强气流作用下熔化和脱落。如果炉瘤较顽固则应加入洗炉剂(如萤石、均热炉渣)利用其良好的流动性冲刷炉墙。

（2）炸瘤,上部结瘤或上中部结成大面积炉瘤,靠洗炉不易解决,则必须采用炸瘤的方法。炸瘤操作如下:

1）首先必须判断准炉瘤位置及大小。

285

2）降料线至炉瘤根部，休风前要进一步减负荷并加净焦，防止复风时炉凉。

3）根据炉瘤位置、形状、大小，结合炉墙探测的结果，选定装入炸药的位置及用药量，自下而上分段炸瘤，先炸瘤根，依次上移。

4）放炸药的位置离炉墙有些间距（有的厂为100～200mm），以免炸坏炉墙。

5）用药量要根据炉瘤的大小而定，要求必须将炉瘤炸净，否则炉瘤还会长。

6.4.5.4 实例

莱钢1号高炉结瘤事故。

A 概述

莱钢1号高炉（750m³）于1996年末到1997年1～6月，高炉频繁发生悬料、崩料，先后采取过发展边缘、加净焦、加萤石等洗炉措施，但是由于时机把握不够准确，洗炉效果不理想。1997年5月2日料线降至12m左右停风观察，高炉结瘤严重，炉瘤厚、高、大，在9～11层冷却壁处最厚，属环形瘤，有些部位的炉瘤内部包裹着大量焦炭、矿石、石灰石等炉料。炉瘤的位置、形状见图6-1所示。

B 结瘤原因分析

a 入炉烧结矿粉末多

由于烧结矿输送工艺不同，同一条皮带上的烧结矿，粒度适中的进入2号高炉料仓，余下的少量大块烧结矿和粉末多的小粒度矿进入1号高炉料仓。虽多次改进烧结矿输送工艺，但效果不明显。入炉粉末增多，严重恶化炉料透气性，破坏高炉顺行，促进了高炉结瘤。

b 操作制度与原燃料条件不相适应

冶炼强度与炉料透气性不相适应。在炉料中粉末增多，炉料透气性差的情况下，应适当控制冶炼强度，防止过吹。但是实际操作中为追求产量，强求吹风，忽视顺行，造成了过吹悬料、崩料及管道行程。随之而来的便是送风制度的波动，并造成热制度的剧烈

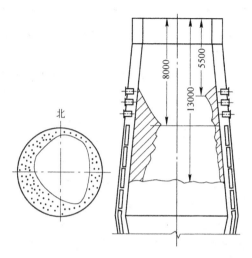

图 6-1 莱钢 1 号高炉炉瘤形状及位置示意

波动,成渣带上下波动,使炉墙产生挂结。

装料制度不尽合理,正常使用料线较深,布料角度不尽合理。另外料批大小与节流阀的开度的相关值确定不够准确,使布料不均,影响高炉顺行。

造渣制度不合理。1 号高炉炉渣碱度逐年上升,且渣中 MgO 含量降低(1997 年为 7.01%),Al_2O_3 含量偏高(1997 年 1~6 月为 15.15%),使炉渣流动性较差。

c 冷却强度与冶炼强度不相适应

1 号高炉炉身中下部砖衬采用的是铝炭砖,其导热能力较强。由于汽化冷却不能单独控制炉身段冷却强度,当冶炼强度与其冷却强度不相适应时,炉渣极易在炉墙上黏结,最后导致结瘤。

d 设备事故多,休风率高

高炉投产以来,由于设备运行不正常,休风时间多,高炉深料线作业时间长。特别是在高炉洗炉过程中,炉况刚刚好转,设备事故多,高炉频繁停风,这样降低了洗炉效果,加速了炉瘤长大。

C 炸瘤的处理

在炸瘤处理过程中,采取了两次大剂量洗炉和两次炸瘤措施。

第一次洗炉。1997年3月,高炉正常料线调至2.5m左右,调整布料角度,$\alpha_矿 = 32°$、$\alpha_焦 = 30°$,焦比585kg/t,每批料加萤石300 kg/批,洗炉效果不明显。

第二次洗炉。1997年5月,高炉正常料线调至1.8m左右,调整布料角度,$\alpha_矿 = 28°$、$\alpha_焦 = 26°$,焦比580~590kg/t,每批料加萤石300 kg/批,喷吹量3 t/h,风温850℃,风量1500m³/min,[Si]1.1%~1.2%,炉渣碱度1.15,洗炉效果不明显。

第一次炸瘤。1997年5月27日,料线降至12.7m,休风观察炉瘤高约4.5 m,最宽处达2m左右。由于设备限制,只能在探瘤孔和炉身压力计安装孔开孔进行炉外炸瘤。共炸9次,放28炮,用炸药46 kg。因探瘤孔位置和孔径限制了放炮的位置和装药量,再加上时间紧,炸瘤效果不理想。经研究,认为短时间再炸效果也不会很好,故复风。复风后又进行洗炉,除休风加80t焦炭外,另加净焦40t。热洗后,炉况有所好转,风压较平稳,但风量仍上不去,一直保持在1500 m³/min。

第二次炸瘤。1997年6月11日借鉴首钢的炸瘤经验,将料线降至风口以下,休风后观察,风口周围无焦炭,高炉中心位置有1.5m高的焦柱。卸下风口向外扒出约3t焦炭后,进行压水渣、铺铁皮和铺石棉板工作,同时凉炉,在炉外钻炸瘤孔。6月13日15:00进行放炮炸瘤,仅放两炮炉瘤炸净。6月13日19:00开始向外清理炸下物,共清理出炸下物415.8t。

D 应注意的问题

应注意以下几点问题:

(1)必须加强原燃料管理,不断提高原燃料质量,加强烧结矿的筛分。针对1号高炉的实际情况,调整了料仓的放料工艺,调整了筛孔的大小,保证了高炉入炉粉末量的减少。

(2)选择合理的炉料结构。根据原料条件,确定合理的酸、碱性炉料的搭配比例,使炉渣中MgO稳定在8%,Al_2O_3稳定在13%左右。

(3)加强上、下部调剂,确保装料制度与送风制度匹配。

（4）加强设备维护,降低休风率,禁止长期深料线操作。

6.4.6 风口吹管烧出

风口吹管烧出属高炉突发性事故,操作者必须冷静对待。

6.4.6.1 风口吹管烧出的预防

风口吹管烧出的预防如下:

(1)岗位工人日常必须加强巡检,对风口跑风、吹管发红应及时发现,超前采取措施。如紧固跑风处,尽量杜绝跑风;吹管发红可适量加喷水冷却。若跑风或发红严重,要出完铁后停风处理或更换。

（2）若炉况不好,出现风口窝渣、灌渣时,则应将对风口、吹管加喷水并要求派专人看守。

（3）出现上述情况时,该风口停止喷煤。

（4）因风口损坏严重减水前,必须将该风口上下加好两根喷水管。减水后加强检查,防止发生断水烧出。

（5）风口突然烧坏断水时,要立即在风口外面加喷水冷却,设专人看好;停止该风口喷煤;组织看水工反水给水并减小水量;炉内酌情改常压、停氧、放风,严防烧出。出铁后组织更换。

6.4.6.2 处理方法

如果出现烧出应采取以下措施:

（1）向烧出部位迅速打水。

（2）停氧、停煤、改常压。若风口或吹管前端烧出,为防止烧坏大、中缸,应迅速放风(尽力避免灌渣)。若吹管后部烧出,应立即放风至风口不灌渣的最低限度。

（3）积极组织出铁、出渣,出铁后停风处理更换。

6.4.6.3 实例

1992 年首钢 3 号高炉风口吹管烧出事故。

（1）事故经过:

1992 年 11 月 8 日 22∶40 高炉出现了悬料坐料,23∶05 再次悬料坐料时 10 号吹管进渣。11 月 9 日 0∶27 10 号吹管前端下面烧出,致使风口中缸烧坏,停风155min。7∶32 出铁中,撇渣器沙岗被冲塌,被迫堵口。7:43 13 号吹管又发生烧出,9:08～10:58 停风处理。

(2) 原因分析:

1) 8 日中班连续坐料,特别是东南部位 10 号风口上方坏水箱漏水。另外炉渣碱度偏高,二元碱度为 1.20 左右,三元碱度为 1.50 左右。同时中班风温水平使用偏低,如 3h 900℃,2h 800℃ 水平。以上情况造成渣子流动性差,渣铁渗透性不好,引起风口进渣,直至 10 号吹管风口烧出。

2) 8 日中班 23:05～23:06 坐料时,10 号风口进渣吹管发红,没有采取吹管外加喷水的措施,也没有派专人看护。

9 日 7:32 出铁时,撇渣器沙岗冲塌,下渣跑铁被迫造成堵口,致使炉缸渣铁上翻,引起 13 号吹管风口烧出。

6.4.7　紧急停水

因水泵故障、管道破裂、停电等原因而致高炉供水系统水压降低或停水时,处理措施如下:

(1) 当低水压警报器报警,应做紧急停水的准备。

(2) 见水压降低后,采取以下应急措施:

1) 减少炉身冷却用水,以保持风、渣口冷却系统用水。

2) 停氧、停煤、改常压、放风。放风到风口不灌渣的最低风压。

3) 积极组织出渣、出铁。

4) 停气。

5) 经过联系,水压短期内不能恢复正常或已经断水,应立即停风。

(3) 恢复正常水压的操作,按以下程序进行:

1) 把总来水截门关小。

2) 如风口水已干,则把风口水截门关闭。

3) 风口要单独逐个缓慢通水,防止风口蒸汽爆炸。

4) 冷却水箱(冷却壁)要分区分段缓慢通水。

5) 检查全部出水正常后,逐步恢复正常水压。

290

6）检查冷却设备有无烧损，重点为风、渣口。

7）更换烧坏的风、渣口。

8）处理烧坏的冷却壁。

（4）在确认断水因素消除，水压恢复正常后，组织复风。

若软水闭路循环系统的泵发生故障或发生停电导致不能供水时，应立即启动柴油机泵，确保正常供水。

实例：马钢一铁厂高炉断水事故。

马钢一铁厂有 5 座 300m³ 高炉，因为输水管爆裂先后造成 5 次断水事故。各次情况详见表 6-8。

最为严重的是 1988 年 6 月 9 日～10 日连续两次断水，全厂停产休风达 17h，损失生铁 18000 余吨，多耗焦炭 1900 余吨，加上事故抢修，经济损失近百万元。

本次重点介绍 1988 年 6 月 9 日～10 日连续两次断水的情况。

（1）两次断水经过：

1988 年 6 月 9 日 22：58，因水泵房逆止阀爆裂漏水，将 9 台水泵淹没导致高炉断水。当时各高炉正值出铁过程中，各高炉在冷却水管出水降至零以前均紧急休风完毕，所以 5 座高炉只烧坏风口 2 个，灌死直吹管 3 个，灌死弯管 3 个。休风组织抢卸 60 个风口，各炉休风在 10h 左右。由于非计划休风，复风后 4 座高炉处于炉冷状态，11 号高炉处于轻度炉缸冻结状态。1988 年 6 月 10 日各炉正在小风量养炉阶段，22：10 在高炉区南北线连接管处爆裂，在十几分钟之内，漏水将 5 座高炉料车坑淹没，又造成高炉全部断水，各高炉又进行紧急休风。因为正值出铁之前，加上又是炉冷状态，渣子渗透性差，造成所有送风的风口全部灌死，共计直吹管灌死 23 个，弯管灌死 23 个，连接管灌死 1 个。各炉休风时间在 6～12h，复风后 5 座高炉仍处于炉冷状态，两次断水事故，包括烧、灌死的风口、烧铁口等共消耗氧气 390 瓶，氧气管 5.31t。从事故开始到恢复正常生产历经 5 天多时间。

表 6-8 马钢一铁厂高炉历次断水情况

断水时间	原　因	高炉休风时间/h					设备损坏
		9号炉	10号炉	11号炉	12号炉	13号炉	
1977 年 3 月 29 日	南线 φ800mm 水管断裂	全厂 7.6					烧坏风口 15 个,风口中套 1 个,渣口中套 1 个,直吹管灌死 10 个
1979 年 2 月 17 日	北线 φ600mm 水管爆裂	全厂 9.4					烧坏风口 2 个,热风阀 6 个
1988 年 6 月 9 日	水泵房处管断裂,马达淹没	9.3	10.2	11	10	10	烧坏风口 2 个,直吹管灌死 3 个,弯头灌死 3 个
1988 年 6 月 10 日	高炉区南北线连接管爆裂	8.4	8.6	12.4	6.7	11.3	直吹管灌死 23 个,弯头灌死 23 个,5 座高炉料车坑漫水
1988 年 7 月 9 日	高炉区北线 φ800mm 管爆裂	5.8	5	5.3	2.8	3.4	直吹管灌死 34 个,弯头灌死 34 个,烧坏风口 1 个

292

（2）高炉断、送水的操作：

高炉断、送水操作关系到人身、设备的安全，必须果断、谨慎从事。

1）及时进行紧急休风。这两次断水均是突然发生的。正常水压 0.2MPa 左右，在 2～3min 就降为零。10min 左右冷却设备出水为零。5 座高炉均在水压降为零时休风，冷却设备出水管仍有剩余水滴出几分钟，故全厂两次断水只烧坏 3 个风口，热风阀和其他冷却设备均无烧坏现象。这是及时发现水压突然下降并及时紧急休风的结果。突然断水不论发生在出渣铁之前或之后，保护冷却设备是关键，不要顾虑灌风口，灌死直吹管，应该是果断及时地紧急休风。

2）进水总阀门的控制操作。高炉断水后，在冷却设备出水为零时要将进水总阀门关小。目的是防止突然来水，使风口急剧生成大量蒸汽而造成风口突然爆炸或蒸汽喷出烫人事故。两次断水操作正确，没出事故。

3）炉缸内有渣铁情况下休风操作。第二次高炉断水正值出铁之前，休风时大部分高炉未能将窥孔盖打开，因此直吹管灌死，弯管也灌死，增加了处理的难度。今后在紧急休风时，要迅速组织炉前工打开风口窥视孔盖，防止弯管灌死。

第二次断水，高炉休风 10min 以后渣铁罐才对到位。各高炉迅速组织出铁，虽然渣铁流很小，但大部分渣铁从炉缸中流出，既防止了渣铁在炉缸中凝结，又为复风创造了有利的条件。

4）恢复送水操作。

（a）稍开进水总阀门。

（b）分区、分段缓慢送水，尤其对风口应缓慢逐个通水，防止蒸汽爆炸。

（c）检查风、渣口是否漏水，若漏水必须及时更换掉，防止大量水漏入炉内而导致炉冷或炉缸冻结。

（d）全部冷却设备出水正常后，再恢复正常水压。

（e）水压正常后再进行复风操作。

(3) 经验与体会：

1) 高炉突然断水,不管在出渣铁之前或之后都要立即紧急休风。抢在高炉冷却水管出水为零之前休风就能避免和减少风口、热风阀等冷却设备烧坏。

2) 高炉断、送水的操作必须果断、谨慎,严格按照操作程序操作,保证人身、设备的安全。

3) 高炉突然断水造成的非计划休风在 4h 以上,如有漏水现象可考虑按处理炉冷的原则进行。

6.4.8 紧急停电

雷雨季节或其他原因发生紧急停电时,应冷静分析停电的性质、范围,采取相应的措施,分别进行处理。分析判断的最终依据是风口有没有风和冷却器出水(水压表)的大小。若因紧急停电引起鼓风机停风按鼓风机突然停风处理。引起紧急停水按紧急停水处理。若同时引起风机停风和紧急停水,先按鼓风机突然停风处理,再进行紧急停水处理。若仅上料系统不能上料时,应减风至允许的低限,开炉顶喷水降温,并尽快查明原因。故障消除后首先上料,然后逐步恢复风量。若超过 30min 以上仍不能上料,应果断出净铁后停风。

实例：

首钢 3 号高炉 (2536m³),1993 年 6 月 17 日中班发生大停电事故。

事故经过:从 14 总降到联合泵站的进线电缆中间接头放炮,造成 14 总降事故跳闸。

发生停电后,以较快的速度及时恢复另一路电源供电,但备用电源手车长达 55min 推不进去,致使送不出电。另外,高位水池事故水管蝶阀未打开,事故水过不来,造成 3 号高炉 30 个风口烧坏 27 个,停风 20 多个小时。

分析及教训:这次事故原因及教训是,电缆中间接头事先已发现发热,但没处理。在一路电源发生故障,使用备用电源时,手车推不进去,影响供电。另外事故水池水管蝶阀不能打开也是一个很重要的因素。

6.4.9 鼓风机突然停风

鼓风机突然停风的危害及处理方法如下：

(1) 鼓风机突然停风也是高炉常见的事故之一,其主要危险是:

1) 煤气向送风系统倒流,造成送风系统管道甚至风机爆炸。

2) 煤气管道产生负压,吸入空气而引起爆炸。

3) 全部风口、吹管甚至弯头严重灌渣。

(2) 突然停风时,按以下顺序处理:

1) 检查仪表、观察风口。当确认风口前无风时,全开放风阀,发出停风信号,通知热风炉停风,并打开1座热风炉的冷风阀、烟道阀,拉净送风管道内的煤气。

2) 关混风调节阀、混风大闸,停煤,停氧。

3) 停止加料,顶压自动调压阀停止自动调节。

4) 炉顶、除尘器、煤气切断阀通蒸汽。

5) 按改常压、停气手续开、关各有关阀门。

6) 检查各风口,如有灌渣,则打开大盖排渣。排渣时要注意安全。

参 考 文 献

1 解广安.炼铁工艺.冶金工业部工人视听教材编辑部.1995

2 任贵义.炼铁学.北京:冶金工业出版社,1996

3 成兰伯.高炉炼铁工艺及计算.北京:冶金工业出版社,1994

4 闫宝忠.唐钢2560m³高炉炉缸冻结事故分析.炼铁,6,1999

5 张耀祖等.莱钢1号高炉结瘤事故处理.炼铁,1,1998

6 朱时祥.高炉断水事故处理.炼铁,3,1989

7 徐矩良等.高炉事故处理一百例.北京:冶金工业出版社,1986

8 王琳松等.水钢2号高炉炉缸严重堆积的处理.炼铁,4,1997

9 杜良和等.信钢4号高炉炉墙结厚处理.炼铁,4,1997

7 高炉喷煤

7.1 高炉喷吹对煤种的要求

7.1.1 煤的化学成分

煤由有机物和无机物两部分组成,其中大部分是有机物。根据元素分析值,煤的主要可燃元素是碳(质量分数约为 65% ~ 95%),其次是氢(质量分数约为 2% ~ 7%),并含少量的氧(质量分数约为 3% ~ 5%,有时高达 25%)、氮(质量分数 1% ~ 2%)、硫(质量分数不大于 1%),这 5 种元素共同构成了可燃化合物,称为煤的可燃质。此外,煤中还含有一些不可燃的矿物质灰分(质量分数为 5% ~ 15%,极个别高达 50%)和水分(质量分数一般为 2% ~ 20%),称为煤的惰性质。

通常煤的元素分析是分析煤中碳、氢、氧、氮、硫的含量,煤的元素分析一般采用干燥无灰基为基准。煤的工业分析是分析煤中的固定碳、水分、灰分、挥发分、硫的含量,同时测定发热量。

7.1.2 煤的分类

煤在形成过程中经历了由泥碳转变为褐煤、烟煤、无烟煤的变质作用阶段。褐煤是变质程度较低的煤,烟煤是变质程度较高的煤,而无烟煤是变质程度最高的煤。

通常将煤分成三大类,即挥发分不大于 10% 为无烟煤;挥发分大于 10% 又小于 40% 为烟煤;挥发分不小于 40% 为褐煤。

同时,又根据烟煤的挥发分和胶质层厚度,将烟煤分为贫煤、瘦煤、焦煤、肥煤、气煤、弱黏煤、不黏煤和长焰煤等。

由于焦煤、肥煤、气煤可以炼焦,用来喷吹不经济。一般高炉喷吹用煤为无烟煤和烟煤中的非炼焦煤(即贫煤、瘦煤、弱黏煤、不黏煤和长焰煤)。

7.1.3 煤的发热量

煤的发热量是衡量喷吹用煤利用价值的重要指标,一般分为高位发热量和低位发热量两个指标。

冶金行业规定,煤的高位发热量是指煤完全燃烧后燃烧产物冷却到使其中的水蒸气凝结成0℃水时所放出的热量。

煤的低位发热量是指煤完全燃烧后燃烧产物中的水蒸气冷却到20℃时放出的热量。

7.1.4 煤的物理性能

煤的物理性能包括煤的视(相对)密度、真(相对)密度、孔隙度、可磨性和比表面积等。

7.1.4.1 煤的视(相对)密度和真(相对)密度

煤的视(相对)密度是指20℃时煤(包括孔隙)的质量与同体积水的质量之比,过去叫视比重。煤的真(相对)密度是指20℃时煤(不包括孔隙)的质量与同体积水的质量之比,过去叫真比重。

7.1.4.2 煤的孔隙率

孔隙率大小和煤的反应性、强度有关。孔隙率大的煤强度小,但其比表面积大,反应性好。煤的孔隙率按下式计算:

孔隙率(%)= [真(相对)密度 − 视(相对)密度]/真(相对)密度×100%

7.1.4.3 煤的可磨性

煤的可磨性是指把一定量的煤在消耗相同的能量下,磨成粉的难易程度,不同的煤可磨性也不同。同一种煤,水分和灰分越高,可磨性越差。煤的可磨性由可磨性指数来表征,可磨性指数越大,表示煤越容易磨成粉,消耗的能量也越少。工业上可根据煤的可磨性来选择磨煤机的型号,或在确定磨煤机后根据煤的可磨性来估算磨煤机的产量和能耗。此外,为了表示煤的硬度,还使用了煤的磨损指数这一指标,该指标表征了煤对磨煤设备的磨损程度。煤的磨损指数越大,煤对磨煤设备的磨损越严重。

实验室可磨性的测定,是模拟生产中磨煤机的运行和煤粉的粒度,采用专门的仪器设备及相对选定的基准煤来测定的。目前国际上通用哈氏(哈德格罗夫)可磨性指数(HGI)。哈氏理论依据是:将固体物料磨碎成粉时所消耗的能量与其所产生的新表面积成正比。测试 HGI 值必须用专用的可磨性测定仪和标准筛进行,其计算公式为:

$$HGI = 13 + 6.93(50 - m)$$

式中 50——研磨前试样总重,50g;

  m——筛孔大小为 0.074mm(200 目)筛上物质量。

由于制造完全一致的标准仪器很困难,各单位的可磨性测定仪长期使用产生磨损和变形,加之制样和分析操作的差异,用上式计算所得结果误差较大,国际上已不用。目前一般采用标准煤样校准图法。根据 GB—2565 绘制出校准图,再根据测试所得 200目筛筛下物质量,在校准图上查出对应的 HGI 值。

7.1.4.4 煤的冲刷磨损指数

煤的冲刷磨损指数用 Ke 表示,用于判断煤在破碎时对金属件的磨损强烈程度。Ke 值越大,表示煤的磨损性越强,即煤对磨煤机的磨煤部件磨损越厉害。Ke 值与煤的磨损性评价如表 7-1所示。

表 7-1 Ke 值与煤的磨损性评价

Ke	煤的磨损性评价
<1.0	轻微
1.0~1.9	不强
2.0~3.5	较强
3.6~5.0	很强
>5.0	极强

7.1.4.5 煤的比表面积

单位质量的煤粒,其表面积的总和叫做该种煤在该粒度范围下的比表面积,单位是 mm^2/g。煤的比表面积是煤的重要性质,对研究煤的破碎、着火、燃烧等性能有重要意义。煤粉比表面积是采用透气式比表面积测定的。

7.1.5 煤的工艺性能

煤的工艺性能包括煤的着火温度、煤灰熔融性、黏结性、煤对CO_2的反应性、粒度、流动性、爆炸特性等。

7.1.5.1 煤的着火温度

在有氧化剂(空气)和煤共存的条件下,把煤加热到开始燃烧的温度,这个温度叫煤的燃点,或煤的着火温度、着火点。

测定煤的着火温度的意义是:

(1)可作为判断煤变质程度的参考,因为着火温度与煤种有关。一般褐煤着火温度低于烟煤的着火温度,烟煤着火温度低于无烟煤的着火温度。在烟煤中一般长焰煤、不黏煤的着火温度低于弱黏煤的着火温度,弱黏煤的着火温度低于贫煤和瘦煤的着火温度。

(2)可推测煤的自燃倾向。测定原煤样和氧化煤样的着火温度,二者着火温度差值大的煤容易自燃。

(3)可根据着火温度对磨煤机干燥介质温度确定及工艺参数控制做出设计。

7.1.5.2 煤灰熔融性

煤灰熔融性是指在规定条件下,随加热温度变化煤灰(试样)的变形、软化和流动特征的物理状态。一般以变形温度 DT、软化温度 ST、流动温度 FT 表示。煤灰熔融性由煤灰成分决定。

高炉炉缸温度很高,一般高低煤灰熔融温度的煤都能适应。

7.1.5.3 煤的黏结性

将粉碎的煤隔绝空气逐渐加热到 $200\sim500℃$ 时,析出部分气体并形成黏稠状胶质;继续加热到 $500℃$ 以上,黏稠状胶质继续分解,一部分分解为气体,其余部分逐渐固化将炭粒结合成焦块。这种结合的牢固程度叫黏结性。用黏结指数($G_{R.1}$)来评价烟煤在加热过程中的黏结能力。

胶质层最大厚度 Y 值则直接反映了煤的结焦性能,胶质层厚度 Y 值越大的煤,结焦性越好。一般 Y 值大的烟煤均用于炼焦,

Y 值为 0 或极低的烟煤可作为高炉喷吹用煤。如果用 Y 值大的烟煤喷吹,不仅浪费了炼焦煤,而且在高炉风口易结焦,造成烧坏风口或堵塞喷枪。高炉喷吹应采用 Y 值低于 10mm 的烟煤。

7.1.5.4　煤对 CO_2 的反应性

煤对 CO_2 的化学反应性是指在一定温度下煤中的碳与 CO_2 进行还原反应的能力,或者说煤将 CO_2 还原成 CO 的能力。它以被还原成 CO 的 CO_2 量占参加反应的 CO_2 总量的百分数 α (%)来表示。通常也称为煤对 CO_2 的反应性。

煤对 CO_2 的反应性与煤的气化和燃烧密切相关,是评价燃烧用煤的重要指标。高炉喷吹反应性强的煤不仅可以提高煤粉燃烧率,扩大喷吹量,而且风口区未燃烧的煤粉在高炉其他部分参加了与 CO_2 的气化反应,减少了焦炭的气化反应。由于煤的气化反应比焦炭的气化反应强得多,在一定程度上未燃煤粉对焦炭起了保护作用。

7.1.5.5　煤粉粒度

粒度(又称细度)是煤粉的主要特性之一,它对磨煤制粉的产出率和能量消耗、喷吹煤粉的燃烧速度、不完全燃烧热损失、输粉能力等均具有决定意义。煤粉粒度通常有两种表示方法,即公制和英制。

公制是用筛上的剩余量 R (%)表示。R 值越大,煤粉越粗。R 的计算公式为:

$$R = a/(a + b) \times 100\%$$

式中　a——筛上物;

　　　b——筛下物。

筛分时应采用一定尺寸的筛子,最常用的是筛孔尺寸为 $90\mu m$ 和 $200\mu m$ 的筛子,在表示煤粉粒度时,分别用 $R90$ 和 $R200$ 表示。

英制是用网目表示,网目数是该筛每英寸长度上的筛孔数,例如 200 目就是 1 英寸(25.4mm)长度上有 200 个筛孔,常用多少目以下的筛下物百分数作为筛分分析结果。例如用 200 网目筛筛分煤粉,通过该筛的煤粉质量占煤粉总质量的 80%,该煤粉的筛分分析为 -200 目 80%。

一般规律是煤粉磨得越细,燃烧率越高。但考虑到制粉成本和燃烧特性,喷吹煤粉并非越细越好。北京科技大学的实验室试验表明,烟煤的燃烧率随粒度变化较小,当 -200 目比例超过 60% 后,进一步降低粒度可能导致煤粉燃烧率降低;无烟煤粒度越细燃烧率越高,但当 -200 目比例超过 70% 以后,继续提高 -200 目的比例对煤粉燃烧率的提高影响不大。

宝钢高炉喷吹神府(烟煤)和晋城(无烟煤)的混煤,喷煤比长期稳定在 200kg/t 以上,其煤粉 -200 目比例不大于 30%。

近年来国外英、美和墨西哥等国部分高炉采用喷吹粒煤技术。粒度小于 3mm,其中粒度小于 2mm 达到 95%,-200 目仅占 20% 左右,平均粒度 0.55～0.65mm。粒煤选用的是高挥发分煤,利用其含水分高的特点喷入风口爆裂为细粉。同时伴随精料、高风温和较高富氧。

7.1.5.6 煤粉的流动性

煤粉是粉状物料,具备一定的流动性。煤粉越细、含水越少则流动性越好。通过测定煤粉的一些物理特性可综合评价出该种煤粉的流动性,其中主要有:体积密度(即松装密度)、压缩率、自然坡度角(即休止角)、崩溃角、分散度、板勺角等。

对于输粉距离较长的喷煤高炉应选择流动性好的煤种。

宝钢对喷吹煤粉的要求是:休止角小于 $45°$,压缩率小于 25%。

7.1.5.7 煤粉的爆炸特性

悬浮的煤粉与空气或其他氧化剂混合极易发生爆炸,随着煤粉挥发分含量的增加其爆炸性也增大。一般认为煤的干燥无灰基挥发分小于 10%,该煤粉为基本无爆炸性煤;如大于 10% 为有爆炸性煤;如大于 25% 为强爆炸性煤。同时,煤粉的爆炸性也与粒度有关,煤粉越细越易爆炸。

测试煤粉爆炸性的方法很多,在我国主要采用长管式煤粉爆炸性测定仪来测定煤粉爆炸火焰返回长度,根据该火焰返回长度来确定煤粉有无爆炸性和爆炸性强弱。试验时将 1g 干燥的 -200 目的煤粉试样,用压缩空气喷到设在玻璃管(内径 75mm)内 1050℃的火源上,测其返回火焰长短。仅在火源处出现稀少火星或无火星者属无爆炸性煤,如无烟煤。若产生火焰并返回至喷入一端,火焰长度小于 400mm 的为易燃而有爆炸性煤;若返回火焰大于 400mm,则为强爆炸性煤,如烟煤、褐煤。

7.1.5.8 高炉喷煤对煤的性能要求

高炉喷吹用煤应能满足高炉冶炼工艺要求并对提高喷吹量和置换比有利,以代替更多的焦炭。高炉喷煤对煤的性能要求为:

(1)煤的灰分越低越好,一般要求小于 15%。

(2)硫的质量分数越低越好,一般要求小于 1.0%。

(3)胶质层越薄越好,Y 值应小于 10mm,以免在喷吹过程中结焦堵塞喷枪和风口。

(4)煤的可磨性要好,HGI 值应大于 50。

(5)燃烧性和反应性要好。燃烧性和反应性好的煤允许大量喷吹,并允许适当放粗煤粉粒度,降低制粉能耗。

(6)发热值越高越好。喷入高炉的煤粉是以其放出的热量和形成的还原剂(CO、H_2)来代替焦炭。煤的发热值越高置换的焦炭越多。

7.2　制粉及煤粉输送喷吹系统

7.2.1　制粉工艺及设备

7.2.1.1　球磨机制粉工艺及主要设备

球磨机制粉工艺如图 7-1 所示。

原煤仓 1 中的原煤由给料机 2 送入球磨机 10 内磨制。干燥气经切断阀和调节阀 14 送入球磨机,干燥气的用量通过控制调节阀 14 和冷风调节阀 15 的开度来调节,干燥气温度主要是通过控制冷风调节阀 15 的开度来控制的,另外也可以调节加热炉燃烧的高炉煤气量控制干燥气的温度。

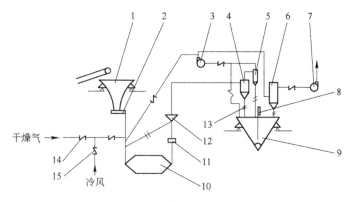

图 7-1　球磨机制粉系统(一)

1—原煤仓;2—给料机;3——次风机;4—一级旋风分离器;5—二级旋风分离
器;6—布袋收集器;7—二次风机;8—塞头阀;9—煤粉仓;10—球磨机;11—木
屑分离器;12—粗粉分离器;13—锁气器;14—调节阀;15—冷风调节阀

　　干燥气和煤粉混合物中的木屑和其他大块杂物被木屑分离器
捕捉后由人工清理。煤粉随干燥气垂直上升,并经粗粉分离器分
离,分离后不合格的粗粉经回粉管返回球磨机,合格的细粉被吸入
一级旋风分离器 4 和二级旋风分离器 5 进行气粉分离,大量的煤
粉被分离出来后经锁气器落入煤粉仓 9 中,尾气经布袋收集器 6
过滤后由二次风机 7 送至大气中。

　　一次风机(排粉机)出口至球磨机入口之间的连接管叫返风
管。设置此管的目的是利用干燥气余热提高球磨机入口基温和在
保持风速不变的前提下减轻布袋收集器的负荷。但通过多数厂家
生产实践证明此目的并未达到。

　　图 7-2 所示为上述工艺的改进情况。其不同之处是:(1)取消
了一次风机,使整个系统全部处于负压状态下运行;(2)取消返风
管,减少煤粉爆炸点;(3)取消二级旋风分离器或完全取消旋风分
离器,粗粉分离器出口的混合物直接进入布袋收集器,减小系统的
阻力,简化工艺以及减少故障点。

　　球磨机是传统的煤粉制备设备,20 世纪 80 年代以前,国内外
高炉喷煤大都采用球磨机制粉。其特点是结构简单、操作可靠、设

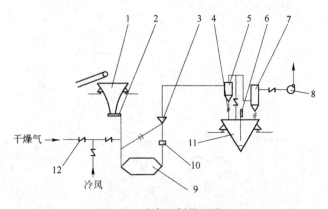

图 7-2　球磨机制粉系统(二)

1—原煤仓；2—给料机；3—粗粉分离器；4—锁气器；5—旋风分离器；

6—塞头阀；7—布袋收集器；8—排粉机；9—球磨机；10—木屑分离器；

11—煤粉仓；12—阀门

备运行稳定、便于检修维护、对煤种适应性强、平均煤粉粒度可达到 - 200 目 80％以上。缺点是设备质量大、占地面积大、耗电量大而且噪声大，同时由于其密封性差，不适于磨制高挥发分烟煤，安全性能差。

球磨机的结构形式示于图 7-3。

球磨机主体是一个大圆筒筒体，筒内镶有波纹形锰钢钢瓦，钢瓦与筒体间夹有隔热石棉板，筒外包有隔音毛毡，毛毡外面是用薄钢板制作的外壳。筒体两头的端盖上装有空心轴，它由大瓦支撑。空心轴与进、出口短管相接，内壁有螺旋槽，螺旋槽能使空心轴内的钢球或煤块返回筒内。

圆筒由电动机通过减速机带动旋转。圆筒转动时钢球被带到一定的高度后回落，由于钢球的撞击和挤压而使原煤粉碎。

圆筒的转速应适宜。转速过快会因离心力过大而使钢球紧贴内壁不能下落，原煤无法粉碎；如转速过慢会因钢球提升高度不够而减弱粉碎作用。

表 7-2 是国产 DTM 型球磨机的主要技术参数。

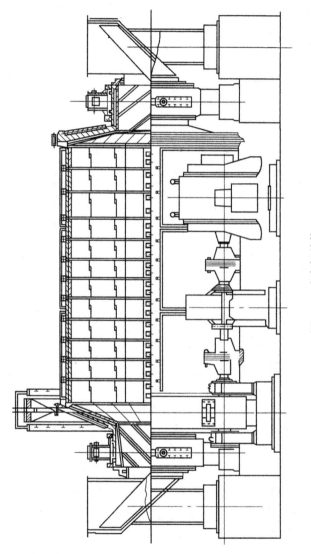

图 7-3 球磨机结构

305

表 7-2　国产球磨机的主要技术参数

型号 DTM	铭牌产量 /t·h^{-1}	筒体直径 /mm	筒体长度 /mm	最大装球量/t	进出口尺寸 /mm×mm,mm	主电机		设备质量/t
						电压/V	功率/kW	
210/260	4	2100	2600	10	600×600,ϕ600	380/3000	145/155	37
210/330	6	2100	3300	13	650×650,ϕ650	380/3000	180/170	38.5
250/320	8	2500	3200	18	750×750,ϕ750	3000/6000	260/280	51.1
250/390	10	2500	3900	25	800×800,ϕ800	3000/6000	310/320	54.24
290/350	12	2900	3500	26	850×850,ϕ850	3000/6000	370/380	74.51
290/410	14	2900	4100	30	850×850,ϕ850	6000	475	74.5
290/470	16	2900	4700	35	950×950,ϕ950	3000/6000	500/570	81.2
320/470	20	3200	4700	44	1050×1050,ϕ1050	3000/6000	680/650	101.2
320/570	25	3200	5700	50	ϕ1310	6000	800	110
350/600	30	3500	6000	59	ϕ1450	3000/6000	1000	142
350/700	35	3500	7000	69	ϕ1550	3000/6000	1120	150
380/650	40	3800	6500	75	ϕ1700	6000	1250	193
380/720	45	3800	7200	85	ϕ1700	6000	1400	199.5
380/830	50	3800	8300	95	ϕ1700	6000	1000	219.7
380/869	55	3800	8690	105	ϕ1700	6000	1800	214

7.2.1.2　中速磨制粉工艺及主要设备

中速磨制粉工艺如图 7-4 所示。

原煤仓 1 中的原煤经给料机送入中速磨煤机 8 中进行碾磨,干燥气与冷风混合后对磨煤机内的原煤进行干燥,当磨制烟煤时,干燥气应采用高炉热风炉废气。中速磨煤机自身带有粗粉分离器,从磨煤机出来的气粉混合体进入细粉分离器或直接进入布袋收集器,被捕捉的煤粉落入煤粉仓 7,净气由抽风机 5 抽入大气。中速磨煤机不能磨碎的粗硬煤粒或杂物从主机下部的清渣孔排出。

磨煤机根据转速的不同,可分为低速磨、中速磨及高速磨三种。低速磨即通常所说的球磨机(钢球机),筒体转速为 16～25r/

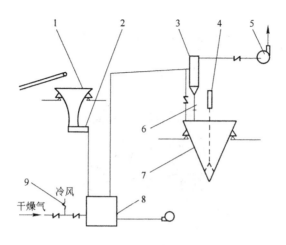

图 7-4 中速磨制粉系统

1—原煤仓;2—给料机;3—布袋收集器;4—塞头阀;5—抽风机;
6—锁气器;7—煤粉仓;8—中速磨煤机;9—阀门

min;中速磨转速为 50～300 r/min;高速磨有锤击磨和风扇磨两种,转速为 500～1500 r/min。目前国内外大型高炉制粉系统已越来越多地采用中速磨制粉,其特点是占地面积小,结构紧凑,电耗低(单位磨煤电耗仅为球磨机的 50%～70%),噪声小,密封性好,适于磨制烟煤。缺点是磨煤元件易磨损,磨制水分高的煤较为困难。此外中速磨不能磨硬质煤,原煤中的铁件和其他杂物必须全部去除。

中速磨有以下 4 种结构形式,即平盘磨(辊式和盘式结构)、碗式磨(辊式和碗式结构)、E 型磨(钢球磨)以及 MPS 型磨(辊式和环式结构)。

平盘磨的结构示于图 7-5。

转盘和辊子是平盘磨的主要部件。电动机通过减速器带动转盘旋转,转盘带动辊子转动,煤在转盘和辊子之间被研磨,所以它是靠碾压作用进行磨煤的。碾压煤的压力由辊子的自重和弹簧拉紧力产生。

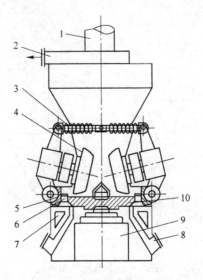

图 7-5　大容量平盘磨装置
1—原煤入口;2—气粉出口;3—弹簧;4—辊子;5—挡环;6—干燥通道;
7—气室;8—杂物箱;9—减速箱;10—转盘

原煤由落煤管送到转盘的中部,依靠转盘转动所产生的离心力使煤连续不断地向转盘边缘移动,煤在通过辊子下面时被碾碎。转盘边缘上装有一圈挡环,可防止煤从转盘上直接滑落出去,挡环还能保持转盘上有一定厚度的煤层,提高磨煤效率。

干燥气从风道引入风室后,以大于 35m/s 的流速通过转盘周围的环形风道进入转盘上部。气流的卷吸作用,将煤粉带入磨煤机上部的粗粉分离器中,过粗的煤粉被分离后又直接回到转盘上重新磨制。在转盘的周围还装有一圈随转盘一起转动的叶片,叶片的作用是扰动气流,促使合格煤粉进入分离器。

此种磨煤机装有 2～3 个锥形辊子,其大小头直径一般为磨盘外径的 80%～86%。辊子有效深度约为磨盘外径的 20%,辊子轴线与水平盘面的倾角一般为 15°,辊子上套有用耐磨钢制成的辊套,转盘上装有用耐磨钢制成的衬板。辊子和转盘磨损到一定程度时就应更换辊套和衬板,弹簧拉紧力要根据煤的软硬程度进行

308

适当的调整。

为了保证转动部件的润滑,此种磨煤机的进风温度一般应小于 $300\sim350℃$。干燥气通过环行风道时应保持稍高的风速,以便托住从转盘边缘落下的煤粒。平盘磨的型号和规格见表 7-3 和表 7-4。

表 7-3 国产平盘磨型号和规格

	型　　号	PZM1600/1380	PZM1400/1200	PZM1250/980	PZM950/815
	铭牌出力/t·h^{-1}	20	16	7~12	4~6
磨盘	直径/m	1.60	1.40	1.25	0.95
	转速/r·min^{-1}	50	50	50	
	圆周速度/m·s^{-1}	4.18	3.66	2.26	
辊子	大头直径/m	1.38			
	数量/个	2			
	质量/kg	6730			
电动机	型号	JSQ1410-6	JSQ128-6	JS116-4	JO$_3$2505-4
	功率/kW	380	190	155	75
外形尺寸/mm×mm×mm		5200×3600 ×6000		3785×3240 ×4960	2740×2240 ×3870
质量/t		50		29.6	12.5

注:表中铭牌出力按 $K_{KT}^{BTN}=1.3$、$R_{90}=15\%$、原煤粒径$\leqslant30mm$ 计算。

表 7-4 德国 LM 型平磨系列规格

型号	磨烟煤时出力/t·h^{-1}				电动机容量/kW				磨煤机及分离器外形尺寸 /mm×mm×mm
	哈氏可磨数 50		哈氏可磨数 90		磨煤机	排粉机	磨排同轴	回转式分离器	
	$R75=$ 20%	$R75=$ 30%	$R75=$ 20%	$R75=$ 30%					
LM-10	4.0	5.0	5.0	6.5	63	38	100	2	1870×2220×3485
LM-12	6.0	7.0	8.0	9.0	85	54	135	2.5	2250×2520×3860
LM-13	8.5	9.5	11.0	12.5	106	72	175	3	2660×2860×4300
LM-14	12	13.5	15.5	18	135	100	230	3.5	2700×3080×4540
LM-16	17	19	22	25	180	160	325	4	3150×3554×3685
LM-18	24	27	34.5	35.5	270	270	530	6	3460×4504×6485
LM-20	34	39	44	50	400	350	750	7.5	3820×4950×7365
LM-22	48	55	63	71	480				4535×5690×7925

型号	磨烟煤时出力/t·h⁻¹				电动机容量/kW				磨煤机及分离器外形尺寸/mm×mm×mm
	哈氏可磨数 50		哈氏可磨数 90		磨煤机	排粉机	磨排同轴	回转式分离器	
	$R75=$ 20%	$R75=$ 30%	$R75=$ 20%	$R75=$ 30%					
LM-23	54	62	71	81	530			22	4535×5690×7925
LM-25	67	77	88	100	650				4975×6540×9250

E 型磨也叫球式中速磨或滚球磨煤机,其结构见图 7-6。

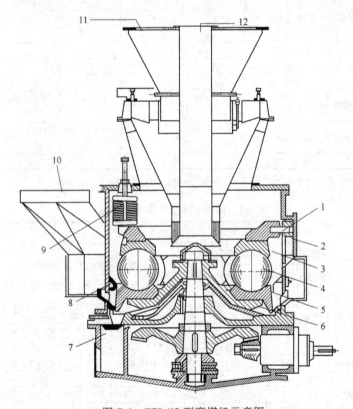

图 7-6　E70/62 型磨煤机示意图

1—导块;2—压紧环;3—上磨环;4—钢球;5—下磨环;6—轭架;7—石子煤箱;
8—活门;9—弹簧;10—热风进口;11—煤粉出口;12—原煤进口

E 型磨的主要部件是钢球和磨环。电动机通过减速机带动下磨环转动,下磨环又带动钢球转动,上磨环是固定的,煤从中心部分送入后,随着下磨环转动而产生离心力向边缘移动,煤在钢球和磨环之间被磨成细粉,然后被通过环形风道的干燥气带走,经粗粉分离器分离后,粗颗粒煤再返回到碾磨区内重复碾磨,细粉则被干燥气带出磨煤机。原煤中的一些不易磨碎且块度较大的黄铁矿、矸石以及其他外来的金属物从环形通道中的活门处挤出,并落入下部的杂物箱内。

E 型磨一般都装有 6～16 个钢球,钢球直径为 $\phi200\sim500\mathrm{mm}$,钢球挤压煤的压力主要来自上磨环上面的弹簧。大容量的 E 型磨则由气压油封加载装置(简称气动缸)保持恒定的碾磨压力。国产 E 型磨的规格见表 7-5 和表 7-6。表中所列的出力为哈氏可磨特性系数为 50、$R75=30\%$ 时的数值。英国产 BW·E 型磨规格见表 7-7。

表 7-5 国产 E 型磨规格

型　号	E70/62	7E	8.5E	10E	12E	14E
出力/t·h^{-1}	15.4	18.7	29.7	44	73.7	105.6

表 7-6 国产小型 E 型磨规格

规格和名称	2QM158	2QM140	2QM110
磨煤机出力/t·h^{-1}	14.6	9.7	6.0
原煤可磨系数($K_{哈}$)	50～70	50～70	50～70
磨环平均直径/mm	1575	1400	1100
研磨部件保证寿命/h	>15000	>15000	>15000
电机功率/kW	160	110	135(包括一次风机)
磨煤电耗/kW h·t^{-1}	7～8	6～7	6～7
加压方式	弹簧加压	弹簧加压	弹簧加压
外形尺寸/m×m×m	3×5×4.77	5.58×2.16×5.61	5.6
总重/t	46.8	40	32

表 7-7　英国产 BW·E 型磨规格

型　号	E44	E50/47	E56/50	E64/60	E70/62	7E	8.5E	10E	12E	14E
出力/t·h⁻¹	6.6	9.3	10.5	13.2	15.4	18.7	29.7	44	69	105.6
机器直径/mm	2057	2458	2438	2743	2743	2692	3239	3962	4789	5639
机器高度/mm	3632	4369	4775	5664	5065	4489	5029	5957	8743	10058

碗式磨煤机由辊筒和碗形磨盘组成,故称碗式磨,沿钢碗圆周布置三个辊筒。钢碗由电机蜗杆、蜗轮减速装置驱动,靠弹簧压力压在碗壁上的辊筒、原煤被旋转的钢碗和煤层带动,煤粉从钢碗边溢出后即被热空气带入上部的煤粉分离器,然后又被热风带出磨煤机,煤粉同时也被干燥为合格产品。难以磨碎的异物落入磨煤机底部,由随同钢碗一起旋转的刮板扫至排渣口,并定时排出磨煤机体外。磨煤机结构如图 7-7 所示。

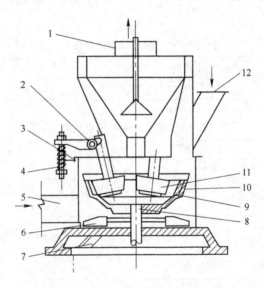

图 7-7　151 型碗磨装置

1—气粉出口;2—耳轴;3—调整螺丝;4—弹簧;5—干燥气入口;6—刮板;7—杂物排放口;8—转动轴;9—钢碗;10—衬圈;11—辊子;12—原煤入口

表 7-8 列出了国产 151 型碗式磨煤机的技术性能。表 7-9 是德国产碗式磨煤机规格。

表 7-8　国产 151 型碗式磨煤机技术性能

铭牌出力 /t·h^{-1}	钢碗直径 /m	转速 /r·min^{-1}	钢碗周速 /m·s^{-1}	辊筒大头 直径/m	辊筒数 /个	电机功率 /kW	电机型号
15	1.55	87	7.1	0.575	3	185	JS127-6

表 7-9　德国产 RP 型碗式磨煤机规格

型号 RP	523	603	703	743	863	903	1003	1083	1103	1203
铭牌出力 /t·h^{-1}	10.9	16.7	26.3	31.1	48.0	55	68	87	91	114
电动机功率 /kW	100	145	230	270	416	446	562	710	740	925

MPS 磨煤机结构如图 7-8 所示,该机系辊与环结构,它与其他形式的中速磨相比,具有出力大和碾磨件使用寿命长、磨煤电耗低、设备可靠以及运行平稳等特点。国产磨煤机的型号有两种,在原煤水分为 10%、哈氏可磨特性系数为 50、R90 = 20% 的条件下,其特性列于表 7-10。

表 7-10　MPS225 和 ZGM95 型磨煤机特性

项　目	MPS225	ZGM95
磨煤机标定出力 /t·h^{-1}	50.8	34
电动机功率/kW	645	450
电动机转速/r·min^{-1}	990	990
磨煤机外形尺寸 /mm×mm×mm	10500×6300×9500	10000×6000×7700
磨煤机质量/t	133	85.5
减速齿轮箱质量/t	34	24

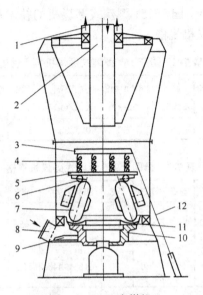

图 7-8　MPS 磨煤机

1—气粉出口;2—原煤入口;3—压紧环;4—弹簧;5—压环;6—滚子;7—辊子;
8—干燥气入口;9—刮板;10—磨盘;11—磨环;12—拉紧钢丝绳

表 7-11 为 MPS、MP、RP、E 型中速磨的主要技术特性。

表 7-11　MPS、MP、RP、E 型中速磨主要技术特性

MPS 型	140	170	190	200	212	225	255
MP 型	1410	1713	1915	2015	2116	2217	25.9
标准出力/t·h^{-1}	24	39	52.6	58.5	67.7	78.6	107.3
RP 型	523	603	703	863	903	1003	1083
标准出力/t·h^{-1}	10.9	16.7	26.3	46.1	54	68.1	87.0
E 型	2QM110	2QM140	2QM158	E70/62	7E	8.5E	10E
标准出力/t·h^{-1}	6.0	9.7	14.6	15.4	18.7	29.7	44

7.2.2　煤粉的输送与喷吹

从制粉系统的煤粉仓后面直到高炉风口喷枪的整个设施都属于喷吹系统,主要用于煤粉输送、收集、喷吹、分配和风口喷射。高

炉喷吹煤粉工艺可分为两类,即直接喷吹和间接喷吹。制粉系统和喷吹系统分开,通过罐车或气动输送管道将煤粉从制粉车间送到高炉附近的喷吹站,再向高炉喷吹的工艺叫间接喷吹工艺。制粉系统和喷吹系统合在一起直接向高炉喷吹的工艺叫直接喷吹工艺。

7.2.2.1 间接喷吹工艺与直接喷吹工艺

间接喷吹工艺是将煤粉制备集中在一起,在每个高炉附近建喷吹站。一般对于高炉数量多,但高炉附近场地拥挤、狭窄,而且制粉车间距离高炉较远的工厂适合于采用这种形式。

直接喷吹工艺是将煤粉制备、输送和喷吹系统的设备布置在一个厂房内,简化了工艺流程,节约工程投资(约降低25%),而且减少了煤粉输送的中间环节,降低了喷煤的动力消耗,减少了故障点,在喷吹烟煤时,可大大降低安全隐患。对于现代大型高炉和高炉附近场地宽阔的中型高炉来说,这种喷吹方式尤其适用。目前喷煤设备到高炉风口之间的喷吹管道国内最长达到了420m,国外达到了765m。

直接喷吹与间接喷吹工艺特点的对比列于表7-12。

表7-12 直接喷吹工艺与间接喷吹工艺特点的对比

项　目	直接喷吹工艺	间接喷吹工艺
工艺流程	流程短,更适合于喷吹烟煤	煤粉需要二次收集,增加了故障点
投资	只建一座厂房,没有输煤系统,投资少	需要在高炉附近建喷吹站,投资高
动力消耗	消耗低,运行成本低	消耗高,运行成本高
总占地面积	小	大
适用性	新建高炉或高炉附近比较宽阔的工厂	高炉附近非常狭窄,而且高炉座数多

7.2.2.2 喷吹系统

喷吹系统有重叠式和并列式,图7-9所示为重叠式工艺图,它是将两个喷吹罐重叠设置的。

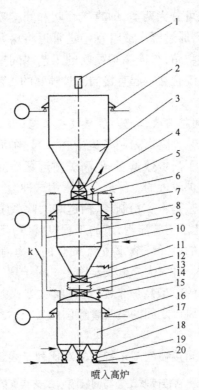

图 7-9　重叠式喷煤装置

1—塞头阀;2—粉仓秤;3—粉仓;4—常压软连接;5—放散阀;6—上钟阀;7—上
罐上冲压阀;8—上罐秤;9—均压阀;10—上罐;11—上罐下冲压阀;12—中钟阀;
13—承压软连接;14—下钟阀;15—下罐充压阀;16—下罐秤;17—下罐;18—流
化器;19—下煤阀;20—混合器

　　打开上钟阀 6,煤粉由粉仓 3 落入上罐 10 内,装满粉后关上钟阀。当下罐 17 内煤粉下降到底料位时,上罐开始充气,使压力与下罐的相等,顺序打开均压阀 9、下钟阀 14 和中钟阀 12。待上罐料放空时顺序关闭中钟阀、下钟阀和均压阀,开启放散阀 5 直到上罐压力回零。

　　重叠式的喷吹罐能连续运行,喷吹稳定,设备利用率高,厂房占地面积小。

并列式工艺如图 7-10 所示。两台喷吹罐并列布置,一台喷吹罐喷煤时,另一台装粉和升压,两台轮换喷吹。

并列式工艺简单,设备少,厂房低,建设投资省和计量方便,常与单管路配合使用。

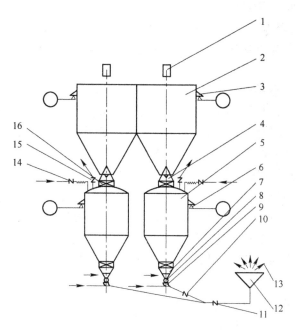

图 7-10 并列式喷煤装置

1—塞头阀;2—粉仓;3—粉仓秤;4—常压软连接;5—喷吹罐;6—喷吹
管秤;7—流化器;8—下煤阀;9—混合器;10—切断阀;11—安全阀;
12—分配器;13—喷枪;14—充压阀;15—放散阀;16—钟阀

7.2.2.3 喷吹管路

A 多管路喷吹

从喷吹罐引出多条喷吹管,每条管连接一支或两支喷枪的形式称为多管路喷吹。下出料喷吹罐的下部设有与喷吹管条数相同的混合器,采用可调式混合器可调节各喷吹支管的输煤量,以便减小各风口之间喷煤量的偏差。上出料喷吹罐设有一个水平安装的

317

环形沸腾板(即流态化板),其下面为气室,喷吹支管是沿罐体四周布置的,起端的管段与沸腾板面垂直,管口与板面的距离为 20～50mm,调节管口与板面的距离能改变各喷枪的喷煤量,但改变此距离的机构较复杂,因此,一般都是采用改变支管补气量的方法来减小各风口间喷煤量的偏差。

多管路喷吹为减小各风口之间喷煤量的偏差和单支管计量提供了方便,当喷吹管堵塞时处理较容易,而且可单独排堵而不至于完全停产。

B 单管路喷吹

喷吹罐只设一条喷吹管的形式称为单管路喷吹。单管路必须与多头分配器配合使用。各风口间喷煤量的均匀程度取决于多头分配器的结构形式和支管补气调节的可靠性。

单管路堵塞将会导致整个喷吹系统停产。但单管路喷吹具有以下优点:(1)工艺简单、设备少、投资省、维护量少、操作方便以及容易实现自动化;(2)混合器大些,管道粗,不易堵塞;(3)在个别喷枪停用时,不会导致喷煤罐内产生死料角,能经常保持下料顺畅状态,且容易调节喷吹速度;(4)可以在总管上安装过滤筛和防回火的自动切断阀。

在采用高挥发分烟煤喷吹时,死角料自燃和因回火而引起爆炸的可能性较大;在采用氧煤喷吹或综合喷吹时,喷枪口径小,因煤中的杂物而引起堵枪的机会多。单管路喷吹是解决上述问题的较好方案,所以目前高炉喷煤多采用单管路喷吹的方式。

7.2.2.4 浓相输送与稀相输送

煤粉输送需要消耗一定量的压缩空气(或压缩氮气)。浓相输送与稀相输送之间没有非常严格的界限,通常情况下,当输送浓度小于 30kg(粉)/kg(气)时,称为稀相输送;当输送浓度大于 30kg(粉)/kg(气)时,称为浓相输送。

稀相输送由于固气比低,输送气量消耗大,不但影响成本,而且大量冷气流进入高炉,导致风口理论燃烧温度的降低,大喷吹量时会给高炉带来不利影响。稀相输送由于输送速度高,对输煤管

318

路特别是管路转折部位磨损严重,容易造成管路破损,而且对风口磨损也较为严重。

浓相输送完全克服了稀相输送的上述缺点,输送效率高,气体消耗量少,对高炉风口理论燃烧温度的影响较稀相输送小。由于输送浓度高,输送速度低,对输煤管路特别是管路转折部位磨损小。浓相输送的缺点是容易造成输煤管路的堵塞,不适合长距离的煤粉输送。

7.2.2.5 喷吹系统主要设备

A 混合器

混合器是使压缩空气与煤粉混合并使煤粉启动的设备,由壳体和喷嘴组成,如图 7-11 所示。

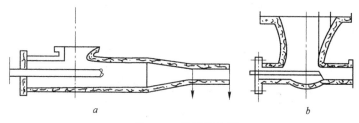

图 7-11 简易混合器

a—焊接式混合器;b—铸造式混合器

混合器的工作原理是利用从喷嘴喷射出的高速气流所产生的相对负压对煤粉吸附、混匀和启动的。喷嘴周围产生相对负压的大小与喷嘴直径、气流速度以及喷嘴在壳体中的位置有关。

混合器的喷嘴位置可以前后调节,调节效果极为明显。喷嘴位置稍前或稍后都会引起相对负压不足而出现空吹(只喷空气不带煤粉)。图 7-11b 为铸造式混合器,其内壁圆滑,无积粉死角,有利于煤粉启动。图 7-12 所示为沸腾式混合器,其特点是壳体底部设有气室,气室上面为沸腾板。通过沸腾板的空气能提高混合效果,而且能增大煤粉的启动能量。

B 仓泵

仓泵有下出料和上出料两种,下出料仓泵与单管路喷吹罐的

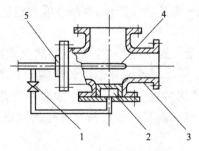

图 7-12　沸腾式混合器

1—气阀；2—气室；3—壳体；4—喷嘴；5—调节帽

结构相同，上出料仓泵的结构如图 7-13 所示。

仓体下部有一气室，气室上方设有沸腾板，在沸腾板上方出料口呈喇叭状，与沸腾板的距离可以在一定的限度内调节。仓内的煤粉沸腾后由出料口进入输粉管。输粉速度和粉气混合比可通过改变气体压力和沸腾板的上、下压差来实现。夹杂在煤粉中密度较大的粗粒杂物因不能被送走而残留在沸腾板上。在泵体外壳上的输料管始端设有辅助起源管，通过该管的压缩空气能提高煤粉的动能。

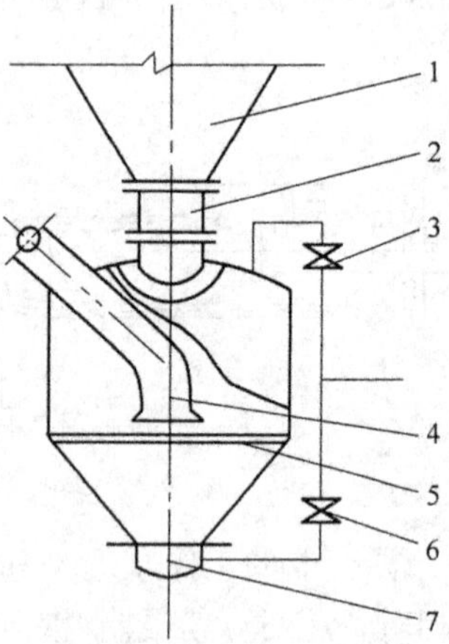

图 7-13　上出料仓泵

1—粉仓；2—给料阀；3—补气阀；4—喷出口；5—沸腾板；6—沸腾阀；7—气室

C　流态化装置

为了快速和均匀给料，煤粉罐的下锥体或下粉管处都需要装流态化装置。流态化装置的形式多种多样，常用的有沸腾板和侧向喷嘴两类，它是喷煤工艺必不可少的装置。

D　分配器

单管路喷吹必须设置分配器。简单的分配器有环管式和树杈式,但这两种分配器存在分配偏差大的缺点。目前使用效果较好的分配器有瓶式、盘式、筒式、鼓式、锥式以及球式等几种。图7-14为瓶式和盘式分配器的结构示意图。

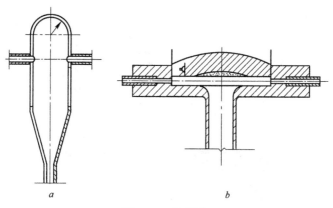

图7-14 分配器
a—瓶式;*b*—盘式

煤粉由一台混合器供给,经喷吹总管送入分配器。在分配器四周均匀布置了若干个喷吹支管,煤粉经喷吹支管和喷枪吹入高炉。

E 喷煤枪

喷煤枪是高炉喷煤系统的重要设备之一,常用的喷煤枪有以下三种形式,如图7-15所示。

斜插式喷枪的操作较为方便,直接受热的管段较短,不易变形;直插式喷枪与直吹管的中心线平行,喷吹的煤流不易冲刷风口,但需从窥视孔插入,防碍高炉操作者观察风口,且因喷枪受热管段较长,喷枪容易变形;风口固定式喷枪因无直接受热段,停喷时无需拔枪,操作方便,但制造复杂、成品率低以及不能调节喷枪伸入长度是其缺点。

氧煤枪的结构如图7-16所示,其枪身由两支耐热钢管相套而成,内管吹煤粉,内、外管之间的环形空间吹氧气。枪嘴的中心孔

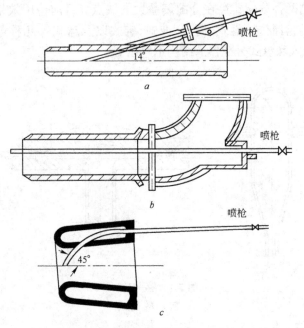

图 7-15　喷煤枪
a—斜插式；b—直插式；c—风口固定式

与内管相通，中心孔周围有数个小孔，氧气从小孔以接近音速的速度喷出。图中 A、B、C 三种结构不同，氧气喷出的形式也不一样。A 为螺旋形，它能迫使氧气在煤股四周做旋转运动，以达到氧煤迅速混合燃烧的目的；B 为向心形，它能将氧气喷向中心，氧煤股的交点可根据需要预先设定，其目的是控制煤粉开始燃烧的位置，以防止过早燃烧而损坏枪嘴或风口结渣的现象出现；C 为退后形，当枪头前端受阻时，该喷枪可防止氧气回灌到煤粉管内，以达到保护喷枪和安全喷吹的目的。

7.2.3　喷吹烟煤的安全措施

喷吹烟煤的防火防爆措施目前已有多种，但按煤尘爆炸的特点，比较简单和可靠的措施仍然是采用惰性气体保护的手段控制气氛含氧量，以达到防火和防爆的目的。对烟煤的制备和喷吹应

322

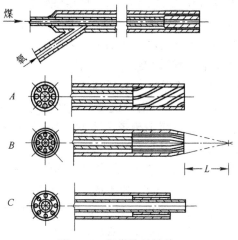

图 7-16　氧煤枪的结构

采取以下安全措施：

（1）将高炉热风炉的废气用引风机抽入制粉系统作为磨煤机所用的干燥气。如果考虑在热风炉烟道内装设挡板,则必须保证挡板关闭时抽吸系统都是处在抽吸烟气的状况,而且在挡板处于全关闭位置时,还应能保证烟道截面有三分之二以上的原烟道截面积的气流通道。热风炉废气的抽吸输送系统、烟气炉以及磨煤机之间必须考虑设置防误操作的安全连锁装置。在磨煤机入口的前面以及袋式收尘器出口处应设置氧浓度监测仪,根据煤种和煤质的不同确定各处的最高含氧量,一般磨煤机入口处氧浓度不大于 8%,袋式收尘器出口处的氧浓度应不大于 12%。

（2）在制粉系统的各危险部位都应设置氮气或蒸汽灭火装置,一般都是在各设备的进出口部位设置氮气吹入点,但在吹入时要避免粉尘搅动,另外,还应有充氮的自动停止措施。

（3）煤粉仓、袋式收尘器以及喷煤罐组都应设置温度监测。煤粉仓还应设置吸潮管,设置 CO 监测仪,设置超温和超 CO 浓度报警信号,并与事故充氮连锁。袋式收尘器应采取防爆和防静电设施。对各种超温和超浓度报警信号应能自动判别其超限速度,在确认发出报警信号后,才能决定自动充氮装置是否启动。

(4) 按其爆炸的危险性,厂房应按乙类厂房设计。各种电气设备应按爆炸和火灾危险场所等级 G-2 级设计,并要符合《爆炸危险场所电气安全规程》标准。

(5) 设置原煤仓和煤粉仓的高、低料位信号、磨煤机入口断煤信号、堵煤信号以及磨煤机出口温度的超温信号。各种设备和管道一般均应进行保温。煤粉管道不设水平段,其倾角一般不小于50°。所有的设备除接头以外,应尽量少用法兰连接,各种设备及管道内部都必须光滑和不积粉,磨煤机后面煤粉管道的流速应不小于 18m/s。各系统之间的气粉管道不应串通。

(6) 磨煤机的出口温度一般应按采用的煤种特性来进行控制。如可燃基挥发分高,则出口温度可低些,还应考虑设置磨煤机、给煤机以及风口相互间的事故安全连锁。在整个制粉系统中,除了煤粉仓之外(煤粉仓也应设防爆孔),爆破孔的总截面积占制粉系统之比每 $1m^3$ 容积可考虑 $0.025 \sim 0.04m^2$ 的爆破孔面积。在设备的进出口管道上装设爆破孔时,其面积不小于或等于该处管道截面积的 70%。爆破孔的爆破片距管道或设备的距离应小于或等于爆破孔直径的 2 倍。如果需要装设爆破引出管,其管长应小于或等于爆破孔直径的 10 倍,否则应考虑作成喇叭形引出管。防爆孔应装在最有效的位置。防爆孔及喷煤罐组的设计应符合《压力容器安全监察规程》的规定。煤粉仓料斗各斜面相交的立体角、喷煤罐组的锥体倾角应不小于 70°。

(7) 煤粉仓、喷煤罐组以及气包等均应靠墙外布置。煤粉分离器和旋风收尘器等均可设置在露天顶层上。喷煤罐组和煤粉仓应与磨煤机和上料系统用防火墙隔开,绝不允许将爆炸危险设备设置在地下。制粉和喷吹的值班室以及供配电室等均应设置在主厂房外侧,如果同主厂房建在一起,也需用防火墙与主厂房隔开。

(8) 设置氮气源贮罐,以供倒罐充压、流化、布袋反吹以及事故充氮用,而且还应与压缩空气源贮罐留有通路。要设置烟煤的常规检验设备,特别是烟煤爆炸性检测仪和长管式爆炸返回火焰测定仪。喷吹、倒罐、事故充氮以及各个阀门的控制都应分别设置分气包。从各分气包到各煤粉设备或煤粉管道的通路上均应设置逆止阀。在空压机和贮罐之间以及气源贮罐至各分气包之间也应设置逆止阀。喷煤系统各个阀门的电磁阀应集中装在靠近值班室的房内。电磁阀可采用双线圈,只有安全阀的电磁阀是采用单线圈。

7.3　高炉喷吹煤粉冶炼

7.3.1　喷煤对高炉冶炼的影响

7.3.1.1　喷煤对风口前理论燃烧温度的影响

假定风口前焦炭燃烧放出的热量全部用来加热燃烧产物,这时所能达到的最高温度叫风口前理论燃烧温度。该温度是风口燃烧带在理论上能达到的最高温度。风口前理论燃烧温度不仅决定了炉缸的热状态,还决定了煤气温度,因此对炉料传热、还原、造渣、脱硫、铁水温度及化学成分产生重大影响。高炉喷煤后,理论燃烧温度会下降,原因是:(1)尽管喷煤后加热燃烧产物的热量增加了,但喷煤后煤气量增加,即燃烧产物量增加了;(2)喷吹煤粉气化时碳氢化合物的分解要吸热;(3)焦炭到达风口带时温度已达到1500℃,而煤粉喷入时温度小于80℃。以煤粉代替焦炭,物理热明显减少。正常的风口前理论燃烧温度是一个区间,大约为2000~2350℃,在这个区间内高炉可以正常冶炼。

正常情况下,入炉风温每提高100℃,理论燃烧温度约提高80℃。富氧率每提高1个百分点,理论燃烧温度提高35~45℃。喷吹煤粉每增加10kg,理论燃烧温度降低20~30℃(无烟煤取下限,烟煤取上限)。鼓风湿度每增加$1g/m^3$,理论燃烧温度约降低6℃。

7.3.1.2　喷煤对炉缸煤气分布的影响

高炉喷吹煤粉后,部分煤粉在风口内气化燃烧,鼓风动能增大,使回旋区扩大。喷煤后炉缸煤气量增加,煤气中H_2含量增大,促使炉缸中心煤气流发展。有些厂的实践表明,大喷吹促使边

325

缘煤气发展,中心煤气流不足,必须增加鼓风动量。总之,喷煤后炉缸初始煤气流的分布发生了变化。

喷煤后氧化带明显延长,有利于高炉顺行。同时煤气中 H_2 含量增加,使煤气黏度降低,有利于炉缸煤气流的均匀分布。

7.3.1.3 热滞后及其计算

高炉增加喷吹煤粉量后,炉温并不能马上提高,而是在滞后一段时间后再升高,此即热滞后现象。这是因为煤粉在炉缸升温和分解吸热增加,初期使炉缸温度降低。直到新增加的煤粉燃烧后煤气量增加及产生的还原气体浓度增加,改善了矿石的加热和还原,该矿石下到炉缸后开始提高炉缸温度,炉温才升高。此过程经历的时间称为热滞后时间。喷煤量减少时与增加时相反。

热滞后时间与煤粉种类、冶炼周期、炉容等因素有关。如喷吹烟煤,煤中含 H_2 多,在风口区分解耗热就多,其热滞后时间就比喷无烟煤长。炉容越大,热滞后时间越长。一般热滞后时间为 2~4h。热滞后时间计算公式如下:

$$\tau = V_{总} /(V_{批} \times n)$$

式中　τ——热滞后时间,h;

$V_{总}$——H_2 参加反应起点平面(即炉身下表面)至风口平面之间容积,m^3;

$V_{批}$——每批炉料的体积,m^3;

n——平均小时料速,批/h。

7.3.1.4 喷煤对高炉冶炼周期的影响

随着喷煤量的增加,炉料中矿石的比例显著增加,矿石与煤气的接触时间也相应增加。由于煤粉大量代替风口焦炭,炉料的冶炼周期相应延长了。经计算,喷吹率每增加 10%,冶炼周期延长约 20min。喷吹煤粉对冶炼周期的影响可由下式定量计算:

$$t = \frac{24V}{\zeta\left(\dfrac{1}{\gamma_k} + \dfrac{M}{\gamma_o}\right)IV_u(1 - n)}$$

式中　t——冶炼周期,h;

V ——从料线到风口中心线水平面之间的高炉工作容积，m^3；

V_u ——高炉有效容积，m^3；

γ_k、γ_o ——分别为焦炭和矿石的体积密度，t/m^3；

M ——焦炭负荷，矿、焦质量比；

ζ ——炉料压缩系数；

n ——高炉喷煤率，喷煤量占总燃烧量的比例，%；

I ——综合冶炼强度（煤＋焦），$t/(m^3 \cdot d)$。

7.3.1.5 煤焦置换比及其计算

在高炉冶炼中，喷吹单位质量煤粉所代替的焦炭量叫煤焦置换比。它是衡量喷吹煤粉在炉内利用效果的重要指标，置换比越高说明煤粉在炉内利用效果越好。

以不喷煤时焦比做基准，平均置换比计算公式如下

$$R_1 = (K_0 - K_{喷} + \sum \Delta K)/G_{煤}$$

式中　R_1——平均置换比；

K_0——基准期（未喷煤）的实际平均焦比，kg/t；

$K_{喷}$——喷吹煤粉期间的实际平均焦比，kg/t；

$\sum \Delta K$——喷吹煤粉期间，除喷煤因素以外其他因素影响焦比数值的代数和，kg/t；

$G_{煤}$——喷吹煤粉量，kg/t。

差值置换比计算公式如下：

$$R_2 = (K_1 - K_2 + \sum \Delta K)/(G_2 - G_1)$$

式中　R_2——差值置换比；

K_1——喷吹煤粉 $G_1(kg/t)$ 时的焦比，kg/t；

K_2——喷吹煤粉 $G_2(kg/t)$ 时的焦比，kg/t；

$\sum \Delta K$——喷吹煤粉期间，除喷煤因素以外其他因素影响焦比数值的代数和，kg/t；

G_1、G_2——分别为增减喷吹煤粉各冶炼阶段的煤比，kg/t。

7.3.1.6　喷煤对炉缸工作状态的影响

假设在全焦冶炼的基础上喷吹无烟煤粉 100kg/t,炉缸工作状态会有如下变化:

(1)炉缸煤气量较全焦冶炼时增加了 4.6%(若喷吹烟煤增加值还要大些),炉缸总热量减少了 5.3%,理论燃烧温度降低了 200℃。

(2)炉缸煤气中 H_2 和 $CO + H_2$ 成分显著增加。其中 H_2 量增加了约 $48m^3$(2.3 个百分点),$CO + H_2$ 量增加了约 $67m^3$(1.7 个百分点)。H_2 的增加使煤气黏度降低,H_2 的热导率比其他气体的高 7~10 倍。有些厂的实践表明,这种性能提高了煤气向炉缸中心的渗透能力,促使煤气流向炉缸中心发展,并使炉缸中心温度升高。

(3)煤气含 H_2 量增加,加速了矿石还原过程。据测定,约 2/3 以上的 H_2 代替碳参加了直接还原反应。据计算,以每千克 H_2 代替碳参加直接还原反应,可节省热量 65.5MJ,并使高炉直接还原度降低。因此,喷煤后虽然炉缸总热量收入减少,但由于炉料加热和还原过程改善,减少了炉料进入炉缸后的热消耗,所以炉缸热量充沛,工作良好。

7.3.2　实现大量喷煤的技术措施

7.3.2.1　精料水平提高,减少渣量,提高焦炭质量

高炉要接受大量喷煤,最重要的物质条件就是提高精料水平,其中关键是降低渣量和提高焦炭质量。

高炉要接受大量喷煤,关键是要保持炉况顺行。而高炉大量喷煤后,入炉焦炭明显减少,炉料透气性严重恶化,对炉况顺行构成威胁。而在整个料柱中又以软熔成渣带对上升煤气的阻损最大。因此减少渣量对保持顺行至关重要。这可以通过提高入炉矿石品位、降低焦炭和煤粉灰分来实现。近年来宝钢高炉喷煤比已稳定在 200kg/t 以上,这与其降低渣量至 250~260kg/t 关系很大。欧洲一些高炉实现精料后渣量已降至 200kg/t 以下,为大量喷煤创造了条件。

328

同样,大量喷煤后炉内焦炭明显减少,焦炭的工作环境更加恶劣。研究表明,当煤比达到 200kg/t 时,焦炭在炉内的滞留时间比不喷煤时延长了约 17%;同时,单位焦炭所接触的煤气量、渣量、铁量均增加了,这使得焦炭的失碳率相应增加,其总失碳率由不喷煤时的 23% 增加到近 40%。无疑,焦炭的破碎率增加了。因此采用高质量焦炭是理所当然的。这就要求焦炭的冷热强度、粒度和化学稳定性都要好,具体要求如下:

(1)焦炭的冷态强度分为抗碎强度和耐磨强度,分别用 M_{40} 和 M_{10} 表示。该指标是用标准的转鼓来测定的。对于 M_{40},大型高炉应大于 83%,中型高炉应大于 75%;对于 M_{10},大型高炉应小于 7%,中型高炉应小于 10%。随着喷煤量的增加,生产水平的提高,将要求 M_{40}、M_{10} 指标进一步提高。

焦炭的热态强度(又称高温强度)是指焦炭在高温(1000~1100℃)下的耐磨强度,用 CSR 表示。通常大量喷煤的大中型高炉 CSR 值应大于 60%。由于热态强度更能反映焦炭在炉内应用的情况,因而 CSR 和 CRI 指标越来越为高炉工作者所重视。

(2)化学稳定性表示的是焦炭在高温下与 CO_2 的反应性,即焦炭在 1000~1100℃ 条件下与 CO_2 的反应能力,用 CRI 表示。易与 CO_2 反应的焦炭,即反应性高的焦炭易被 CO_2 蚀去,从而破坏了骨架作用并浪费了固定碳。大量喷煤的大中型高炉 CRI 应小于 28%。

宝钢对焦炭质量的要求是:CSR>66%,CRI<26%。

西欧各国大高炉喷煤以后对焦炭的质量要求是:

灰分<10%,$w(S)$<0.7%,碱金属<0.2%,CSR>60%,CRI<28%。

(3)从透气性的角度分析,粒度均匀的焦炭透气性最好。高炉大量喷煤时,焦炭平均粒度应为 50mm,焦炭入炉前要筛去粉末,将 10~25mm 粒度的焦块筛出与矿石混装,尽量增加 40~80mm 粒度焦炭的比例。

表 7-13 示出几个国家冶金焦炭的质量指标。

表 7-13　几个国家冶金焦炭的质量指标

项目	中　国			美国	德国	法国	英国	日本	俄罗斯
	Ⅰ级	Ⅱ级	Ⅲ级						
$w(S)/\%$	≤0.6	0.61~0.80	0.81~1.0	0.6	0.9	0.8	0.6	0.6	0.6
块度/mm	25~75			25~70	25~70	25~70	25~70	25~70	25~60
$M_{40}/\%$	≥80.0	≥76.0	≥72.0	≥80	≥80	≥75	≥75		M_{25}≥90
$M_{10}/\%$	≤8.0	≤9.0	≤10.0	≤7	≤6	≤7	≤6		≤6
灰分/%	≤12	12.01~13.5	13.51~15	7.0	8.0	9.0	8.0	9.0	10.0

此外,高炉大量喷煤对矿石也提出了要求。其一,应筛除小于5mm 的粉末;其二,矿石的熔化温度要高,软熔区间要窄。关键也是要改善炉料的透气性。

7.3.2.2　提高风温

高炉喷煤时,因煤粉以常温进入高炉,在风口区需加热和分解,消耗部分热量,致使理论燃烧温度降低及炉缸热量不足。为保持炉缸原来的热状态,需要热补偿,即将理论燃烧温度维持在所要求的水平并增加炉缸热收入。热补偿的主要措施是提高风温和富氧,相对而言提高风温更经济。

A　提高风温进行热补偿的计算

根据热平衡式:

$$V_{风}C_{p风}t = (Q_{分} + Q_{1500} + Q_{风})\Delta M$$

导出:

$$t = (Q_{分} + Q_{1500} + Q_{风})\Delta M / (V_{风}C_{p风})$$

式中　t——喷吹煤粉需补偿的风温,℃;

　　　$V_{风}$——吨铁鼓风量,m³/t;

　　　$C_{p风}$——热风在实际温度时的比热容,kJ/(m³·℃);

　　　$Q_{分}$——喷吹煤粉的分解热,kJ/kg,计算方法如下:

330

$$Q_分 = 33411C + 121019H + 9261S - Q_低$$

其中:H、C、S是煤粉的元素分析值,单位是 kg/kg;元素前面的系数是该元素完全燃烧时产生的热量,单位是 kJ;$Q_低$ 是煤粉的低位发热量,单位是 kJ/kg;

Q_{1500}——煤粉升温到 1500℃时所需物理热,约 1875kJ/kg;

$Q_风$——将喷煤带入的压缩空气加热到 1500℃所需热量,kJ/kg;

$\triangle M$——煤比的增加量,kg/t。

B 计算举例

已知:高炉风温 1050℃,鼓风湿度 2%,吨铁鼓风量 1400m³/t,煤粉 C 72.0%、H 4.5%、S 0.50%,$Q_低$ 28000kJ/kg。欲将喷煤比由 100kg/t 提高到 130kg/t,需补偿风温多少?

计算:$Q_分 = 33411 \times 0.72 + 121019 \times 0.045 + 9261 \times$

$$0.005 - 28000$$

$$= 1548.08kJ/kg$$

$$Q_{1500} = 1875kJ/kg$$

将喷煤带入的压缩空气加热到 1500℃,约需热量 130kJ/kg,1500℃时热风的密度为 1.425kg/m³,则需补偿的风温为:

$$t = \frac{(1548.08 + 1875 + 130) \times (130 - 100)}{1400 \times 1.4256} = 53℃$$

7.3.2.3 富氧鼓风

高炉富氧鼓风有如下特点:

(1)富氧鼓风后由于风中氧浓度增加,燃烧的燃料量增加,使高炉增产。理论上每富氧 1%,高炉增产 4.76%,实际增产量比该值要低些。随着富氧率的增加增产幅度减小。

(2)由于风中氧浓度增加及增产,吨铁的燃烧产物体积减小,使风口前理论燃烧温度提高。计算表明,每富氧 1%,理论燃烧温度升高 35~45℃。

(3)富氧提高了理论燃烧温度,下部高温区热交换明显改善,热量集中于炉腹以下。单位生铁鼓风量减少,使煤气量减少,顶温降低,即下热上凉。

(4)当大量富氧时,由于理论燃烧温度提高过多,超过了正常理论燃烧温度范围的上限,炉缸热量过于集中,下部高温区 SiO 大量挥发,到高炉上部凝结沉积,会引起难行、悬料、结瘤等事故。

通过以上分析可知,如果将富氧鼓风与喷煤相结合,将会获得良好的冶炼效果,主要原因是:

(1)高炉富氧后风口区氧的浓度增加,可以使喷吹煤粉能够更快燃烧,从而提高煤粉燃烧率,减少未燃煤粉量并允许增加喷煤量,因为喷吹大量煤粉后,煤粉的燃烧受风口区氧过剩系数的限制,燃烧不完全甚至逸出炉外。一般要求氧过剩系数不小于 1.15(假定风口前的氧完全燃烧煤粉)。大量喷煤后氧过剩系数会降低到 1.15 以下,此时富氧正合适。

(2)高炉大量喷煤后理论燃烧温度明显降低,如无热补偿将使炉温下降,此时富氧正好提高理论燃烧温度,补偿炉缸的热量。一般每富氧 1%,可增加喷煤率 4%。喷煤可以避免单独富氧后理论燃烧温度过高引起的种种弊端。

可见富氧与喷煤相结合可达到取长补短、相得益彰的功效。由于我国电价较高,大量富氧不适合国情。我国高炉冶炼应采取高风温、低富氧、大喷煤的技术路线。

7.3.2.4 喷吹混合煤

无烟煤的特点是:

(1)无爆炸性,着火点高,制粉和喷吹安全;

(2)固定碳较高,喷吹后置换比较高;

(3)燃烧性较差,大量喷吹后高炉不接受或置换比下降。

烟煤的特点是:

(1)有爆炸性,着火点低,制粉和喷吹需加强安全措施;

(2)固定碳较低,喷吹后置换比较低;

(3)挥发分较高,燃烧性好,高炉能够接受大量喷吹。

可见,高炉喷吹单一煤种存在弊端。目前国内外很多高炉均采用配煤混合喷吹,从而兼顾了二者的优点,即同时提高了喷吹煤粉的安全性、置换比和燃烧率。也有的高炉因喷吹单一煤种灰分高而采用混煤喷吹,包括两种或两种以上的无烟煤混合。

高炉喷吹混合煤,应符合以下基本要求:

(1) 喷吹混合煤要促进煤质的改善,提高煤粉的综合理化性能,兼顾喷吹的安全性、燃烧性和置换比;

(2) 所喷吹煤种资源充足、价格合理并有利于生产组织;

(3) 所采用的煤种之间可磨性相差不宜过大。

表 7-14 列出了国内一些实现混喷的高炉及煤种。

表 7-14 国内一些实现混喷的高炉及煤种

单位	烟煤煤种	无烟煤煤种	备 注
宝钢	神府	晋城、阳泉	控制混煤挥发分 20% ~ 25%,灰分 7.8% ~ 9.0%
鞍钢	神府、双鸭山等	阳泉、京西	各 50%
包钢	东胜	宁夏	
上钢一厂	神府	宁夏	烟煤 40% + 无烟煤 60%
安钢	鹤壁	晋城	烟煤 75% ~ 100%
宣钢	口泉	阳泉	
湘钢	潞安	冷水江、新生等	

7.3.3 大量喷煤后的高炉操作

7.3.3.1 基本制度的变化及调整

大量喷煤后主要应对高炉的送风制度、装料制度进行调整,使炉缸初始煤气流分布合理,装料制度应与送风制度相协调,达到炉况顺行稳定,并得到较好的煤气利用。

高炉大量喷煤后,部分煤粉在风口内气化燃烧,鼓风动能增大,回旋区扩大。喷煤后炉缸煤气量增加,煤气中 H_2 亦增加,煤气黏度降低,增加了向炉缸中心的穿透力。高风温也促使鼓风动能增加。因此某些高炉大量喷煤后,鼓风动能明显增加,中心煤气流发展。为保持正常的鼓风动能,送风面积应适当扩大。为保持送风与喷吹均匀,全部风口均应插枪喷煤,无特殊原因不应堵风口作业。

宝钢4000m³级高炉的实践是,喷煤后大部分煤粉在靠近风口处燃烧,促使边缘煤气流发展,并随喷煤量增大而增强,炉墙热负荷增加,中心煤气流不足。因此必须增加鼓风动能,使炉缸初始煤气流分布合理以保持炉况顺行。这时可采取的措施是缩小送风面积或换长风口。

高炉大量喷煤后,由于焦炭负荷加重,炉料透气性恶化,故及时调整装料制度是必要的。调整时应注意使炉喉中心和边缘煤气流的分布与炉缸初始煤气流的分布相协调。通过调整批重、布料角度、环位和环数,保持中心与边缘两条煤气通路,并使边缘与中心之间的环形区域获得较好的煤气利用。为使中心煤气畅通,有条件的高炉可采用中心加焦,即将一定比例的焦炭加到炉喉中心位置。但中心煤气过份发展,将使得煤气利用率降低,燃料比升高。

高炉大量喷煤后稳定炉温也很重要,尤其是稳定铁水的物理温度。炉温的稳定为煤气流和炉况的稳定创造了条件。其措施是稳定风温、原燃料质量及煤粉成分。

高炉大量喷煤应改善透气性,提高精料水平降低渣量是必然的。渣量减少后应改进炉渣成分,以改善其流动性并提高其脱硫能力。

7.3.3.2 炉缸温度控制和调整

高炉冶炼的基本制度即使合理,但各种因素的影响也会引起炉况不同程度的波动,从而引起炉缸温度的波动。如果炉温波动过大并得不到及时纠正,反过来会导致炉况失常甚至恶化。

日常炉温的控制和调整通常采用调整风温、风量、鼓风湿分、喷煤量、富氧量等下部手段。因变动焦炭负荷控制和调整炉温见效慢也不经济,一般不采用。在下部手段中,改变风温、风量、鼓风湿分、富氧量见效快,在炉温大凉或大热时可以考虑采用。非此情况下的炉温波动一般应采用增减喷煤量的手段。一般高炉在大量喷煤时均使用最高风温,降风温操作是不经济的。高炉全风操作有利于顺行和高产,减风操作也不经济。加湿鼓风的目的是保持顺行,其实质是增加了焦比,用于调整炉温是不经济的。

用喷煤量调节炉温有以下特点:

(1)喷吹煤粉在炉缸燃烧放出热量,调整喷煤量即可纠正炉温波动。其纠正幅度,除取决于喷煤量外,还取决于煤粉的水分、灰分、发热值等。

(2)当喷煤量增加到一定水平后,其纠正炉温的效能随喷煤量的增加而减弱,其对焦炭的置换比亦随喷煤量的提高而递减。

(3)大量喷煤(煤比大于 150kg/t)应适当富氧。富氧既可改善煤粉燃烧,提高其置换比和纠正炉温波动的效能,又可补偿因大量喷煤、煤粉热分解造成的理论燃烧温度的下降,使渣铁物理热充沛。

(4)增加喷吹煤粉量并不能使炉温马上转热,存在热滞后现象。一般热滞后时间为 2~4h。

扩大喷煤量的操作主要是在稳定顺行的基础上稳定炉缸温度。负荷的调整应分步进行。如将煤比由 80kg/t 提高到 120kg/t,应每次增加煤量 10kg/t,分台阶逐步增加,每个台阶需稳定几个冶炼周期或 1~2 天。上新台阶时炉况必须顺行,原料充足,炉温充沛;先变料加重焦炭负荷,加负荷 2~3h 后再增加喷吹煤粉量。

大量喷煤时炉温水平应控制在规定炉温的上限,以应付外界条件突然变化给炉温带来的影响。

7.3.3.3 高炉休风时焦炭负荷调整

第一种情况:非计划休风。

正常生产时的非计划休风一般是突然发生的紧急休风,休风前来不及增加入炉焦炭。为了弥补休风时的热损失,应在复风时加入净焦和轻负荷料,同时尽可能使用高风温、喷煤和富氧,迅速增加炉缸热量。复风后 8h 内平均综合负荷与非计划休风时间的关系见表 7-15。复风时综合负荷减轻较少时,相应恢复全风所需时间就长一些。

表 7-15 综合负荷与非计划休风时间的关系

非计划休风时间/h	<12	12~24	24~36	36~48
平均综合负荷减轻率/%	1.33	2.30	9.60	12.0

第二种情况:计划休风。

满炉料休风时,焦炭负荷应依据休风时间长短而定,并与炉体密封的严密性、炉容大小、技术操作水平等有关。休风时间长、炉容小、炉体密封差、操作水平低的高炉,焦炭负荷应从轻。平均综合负荷与计划休风时间的关系见表 7-16。一般 24h 以内的休风,休风前可以只加少量净焦或轻负荷料,复风初期少量喷煤即可迅速恢复正常。

表 7-16 综合负荷与计划休风时间的关系

计划休风时间/h	<24	24～48	48～72	>96
平均综合负荷减轻率/%	2～3	6～10	10～15	15～20

如降料面休风,焦炭负荷应依据料面位置而定。料面越深休风焦炭负荷越轻。若料面降至炉身中部,休风焦炭负荷应比正常时的综合负荷轻 20%～30%;料面降至炉身下部,焦炭负荷应比正常的综合负荷轻 40% 左右;料面降至炉腰以下,则接近重新开炉,焦炭负荷应比正常的综合负荷轻 100%～200% 甚至更多。

7.3.3.4 突然停止喷吹时的处理

高炉大量喷煤时,有时因输粉、喷吹设备故障或喷吹气源中断而导致突然停止喷吹,对高炉冶炼影响极大。这时应采取以下措施:

(1)立即停止富氧;

(2)立即附加 1～2 批净焦;

(3)退焦炭负荷,退的幅度应使综合焦比高于停止喷吹前,因为通常退负荷后煤气利用会变差;

(4)停煤 1～2h 后适当减风,直至轻负荷料到达风口,减风幅度视当时炉温水平而定。

案例:首钢 1996 年 8 月 1 日,动力厂空压机于 10:52 突然停机,使各高炉突然断煤,并持续到 8 月 2 日。停煤前 1 号高炉(V_u 2536m³,30 个风口)由重负荷(4.06)、大喷煤(煤比 112kg/t),突然

336

转为全焦冶炼(退负荷至 2.95),炉温不足,连续低硅,被迫减风;减风后炉缸恶化,中心不活,边沿发展,煤气利用率由 42% 降为 35%;渣铁渗透性差,导致风口自动灌渣。最终负荷退至 2.10,停风堵 10 个风口,降低软水流量(防止炉墙黏结),才止住炉况进一步恶化。

吸取教训后,首钢总结出在突然停煤后除按以上 3 条操作外又增加以下内容:

(1)长时间(>6h)断煤应退负荷至 2.5 以下。

(2)查明情况后,如在 6h 内不能恢复喷吹时应及时停风堵1/3风口。

因为停止喷吹后鼓风动能明显下降,炉缸风口回旋区长度减小,炉缸有发生堆积的危险,因此要堵风口以保持鼓风动能高于原来水平。堵风口一定要及时果断,一旦炉缸堆积会破坏顺行,并增加炉况恢复的难度。

7.3.3.5 突然停氧时的处理

一般在高炉大量喷煤时要适当富氧,一旦突然停氧会影响煤粉燃烧并使料速减慢,并使风口前理论燃烧温度下降。因此停氧后应保持全风作业,将喷吹煤量减少至平常不富氧时的正常值,以保持煤粉燃烧率和合理的理论燃烧温度,同时相应减轻焦炭负荷。

参 考 文 献

1 汤清华等.高炉喷吹煤粉知识问答.北京:冶金工业出版社,1997

2 董一诚等.高炉生产知识问答.北京:冶金工业出版社,1991

3 孟庆波等.高炉喷煤对焦炭质量的要求及改善焦炭质量的途径.炼铁,2000;(6)

4 郭可中.宝钢高炉喷煤技术进步.炼铁,1998;(6)

5 刘言金,刘凤仪,康文进.高炉喷吹煤粉技术.冶金工业部炼铁编辑部(内部资料),1993

6 北京钢铁学院科学研究部.高炉喷吹煤粉的气力吹送(内部资料)

8 开炉、停炉、封炉操作

8.1 高炉停炉操作

高炉的休风与送风,是高炉生产中必不可少的操作。首先要熟知休风、复风操作程序,严格执行技术操作规程,在保证安全的前提下,搞好休风、复风操作。另外要努力做到快速、节能,减少休风损失。虽然高炉设备不断改进,炉内操作技术不断进步,但高炉的短期休风、无计划休风仍然是不可避免的。高炉的长期休风,特别是降料面进行喷补造衬、更换局部冷却器等工作逐渐纳入定期化,因此做到安全休风尤为重要。高炉的休风、复风程序是多年操作经验教训的总结。不少事故都是因为在休风、复风中操作不当,考虑不周而酿成重大损失。所以高炉工作者必须熟知规定,通晓原理,严格执行操作程序。

8.1.1 短期休风和复风

高炉在生产过程中因检修、处理故障或其他原因,必须中断生产,停止向高炉送风,一般小于 4h 为短期休风。

8.1.1.1 短期休风操作程序

短期休风操作程序如下:

(1)与有关单位取得联系。

(2)关闭炉顶降温水(蒸汽不停)。高压改成常压,减小风量。

(3)炉顶及煤气切断阀通蒸汽。

(4)停止富氧,停止喷吹燃料。

(5)停气;打开炉顶放散阀,落下煤气切断阀。

(6)放风到风压 50kPa,关闭混风大闸,混风调节阀改手动,停止加料,控制大小钟或禁开下密。放风过程中坏风口、坏水箱减水。如果风能停下来,可以进一步关水;若风停不下来,及时恢复坏风口、坏水箱的通水。

338

(7)放风到风压小于10kPa时,保持正压,全面观察风口,确认风口没有灌渣危险时,发停风信号将料尺提起。

(8)需要倒流时,均匀间隔打开1/3以上窥视孔,通知倒流。当渣铁排放不够干净,而且又必须做停风手续时,发出停风信号与通知倒流之间有3~5min的时间间隔。

8.1.1.2　短期休风后复风程序

短期休风后复风程序如下:

(1)与有关单位取得联系。

(2)停止倒流,关闭风口窥视孔。

(3)发出送风信号,热风炉做完送风手续,取得联系后,关放风阀。

(4)慢风时检查风渣口,吹管等是否严密可靠,确认不漏风时,才许加风。

(5)全风1/3时,送煤气;提煤气切断阀,关炉顶放散阀。

(6)关闭炉顶和煤气切断阀的蒸汽。

(7)改高压恢复风量,打开混风大闸,风温调节改自动,根据情况送氧气和喷吹燃料。

8.1.1.3　故障案例

故障案例如下:

(1)1995年2月8日,首钢1号高炉夜班更换10号风口,更换完毕后,工长联系失误,未见热风炉热风阀信号灯亮,就关闭放风阀复风,结果高炉只有风压,没有风量。热风阀手动打不开,造成二次休风,重新做送风手续。

高炉休风和复风,涉及厂调度室、动力风机、燃气调度、高炉热风炉、供料等众多单位和岗位,应联系准确,配合默契。

(2)1988年3月17日,首钢3号高炉热风压力突然升高,由0.257MPa升至0.31MPa,相应顶压也升高,由0.129MPa升至0.25MPa,除尘器 $\Phi250mm$ 放散阀和炉顶一个 $\Phi650mm$ 放散阀被顶开。当即减压0.2MPa,高炉随即停煤、停氧,改常压,出铁,当时风压为0.142MPa,风量为零。结果15个风口小盖黑了,个别风口和吹管间流出渣子,后打开另两个炉顶 Φ650mm 放散阀后,风量回到 700m³/min,这时才发现煤气切断阀被关闭。电源闸是合着的。被迫停风 80min,更换 8 个流进渣子的吹管。

这次事故的原因是:工长在上次休风复风后忘记拉下电源闸,煤气切断阀开关被碰造成煤气切断阀关闭,使得高炉炉顶煤气没有了出路,憋开炉顶放散阀和除尘器放散阀,而风口带同样只有风压没有了风的出路,风口前没有了压差后,炉渣进入了吹管。如果吹管严重不严或风口中缸之间不严,大的烧出事故就要发生。

(3)1974 年 9 月,首钢一高炉在停风操作过程中,放风到 0.01MPa,10min 后冷风管道突然爆炸,将高炉放散阀炸坏。高炉停风后,冷风管道再次爆炸,分析可能是混风阀不严,高炉煤气经过混风阀窜到冷风管道,冷风可能从放风阀窜入,所以临时开冷风阀,烟道阀排出冷风管道的残余煤气。结果在烟道的地下水平段,又发生爆炸。当撤消此措施后,已经停风 3h,冷风管道又一次爆炸。事后检查,混风阀差 100mm 未能关严。

原因分析:

1)当高炉放风到 0.01MPa 时,高炉炉内高温煤气经过热风环管窜到仍然开着的混风阀,进入冷风管道与残余的冷风混合成爆炸性浓度从而发生第 1 次爆炸。

2)停风后的 3 次爆炸也是因为混风阀不严导致高温煤气窜入冷风管道与由放散阀窜入的冷风混合从而发生爆炸。4 次爆炸后,打开倒流回压阀,把高炉煤气放散到大气,爆炸停止。这个案例说明,高炉煤气爆炸是非常危险的,不但破坏设备,而且很可能危及人员的生命安全。在休风操作中再次强调,一定要确认每一步操作要到位。同时,要时刻牢记,高炉煤气不能窜到冷风管道内。煤气爆炸离不开温度、煤气和空气三要素。在停送风操作中只要控制好一项,爆炸事故就不可能发生。在停风操作中炉顶及煤气切断阀通蒸汽,其目的就是稀释煤气,保持正压,防止空气进入发生煤气爆炸。

(4)1996 年 5 月 4 日,首钢 2 号高炉因风机能力不足停风堵风口,在炉温充足的情况下停风。出铁喷花后改常压、停气,放风到 0.06MPa,观察风口没有异常后,再放风到 0.031MPa,然后又放风到零。做停风手续,停风后发现高炉西侧风口进渣。

原因分析:

1)虽然炉缸圆周工作均匀,但在风机能力不足,或慢风作业炉况不顺时,即使炉温不低,也会造成炉缸活跃程度变差,容易造成停风时风口局部进渣,所以思想不能麻痹。

2)严格执行操作中放风到 0.01MPa 时保持正压观察风口的规定,多看几遍风口。往往有的工长经验不足,对风口的浑浊程度判断不准,贸然停风造成风口进渣。应该在判断不准时盯住该风口,继续放风,一旦有液体流进吹管,立即回风就可以避免进渣。

8.1.2 长期休风和复风

长期休风分计划休风和无计划休风,计划休风又分降料面和不降料面满炉料休风。无计划休风一般为事故休风。为弥补休风期间高炉的热量损失和顺利复风,休风前应做到炉况顺行,洗净结厚和堆积,炉温适当做高一些。长期休风时,在炉料中要多加一些焦炭,增加全炉料的焦比。如果是无计划休风应该在复风时弥补。

8.1.2.1 停风料的确定

停风料的确定如下:

(1)满炉料负荷料的选择原则。

1)休风时间:休风时间愈长,减负荷愈多。

2)休风前高炉状态:休风前炉况顺行好,减负荷愈少,反之减负荷多。

3)炉体破损程度:炉龄长,炉体破损严重,减负荷愈多,反之减负荷少。

4)高炉容积大小:炉容愈大,减负荷愈少,反之减负荷多。

5)休风前的喷吹燃料多少:喷吹燃料愈多,减负荷愈多,反之减负荷少。

6)休风前焦炭负荷的轻重:休风前高炉焦炭负荷愈重,减负荷愈多,反之减负荷少。

7) 无计划长期休风应在复风时按上述原则办,同时,比计划休风减负荷的幅度要大。

(2) 空部分料线休风的负荷选择:这种休风方法,选择休风负荷时应以全炉焦比为准,休风时间的长短已变成次要地位。主要依据空料线位置,空料线愈深,休风焦比愈高。空料线到炉腰以下接近重新开炉。

8.1.2.2　长期停风操作注意事项

为了安全顺利地休风与复风,长期休风工作,除按短期休风程序进行操作外,其操作上应注意以下几点:

(1)对高炉残存煤气的处理。高炉长期休风后一般都要进行检修,发生动火,此时若煤气系统内有残存煤气,又与吸入的空气混合,极易发生煤气爆炸事故。所以,长期休风对于残存煤气的处理要比短期休风更为严格,因此要做好以下操作:

1) 长期休风前,要将干式除尘器中的瓦斯灰卸空,防止存留灼热的瓦斯灰。

2) 点燃炉喉残存煤气,即炉顶点火。其方法是:在停风过程中首先在煤气系统通入蒸汽,保持正压,休风后进行点火时,再将炉喉蒸汽关闭。无料钟炉顶点火时要先打开炉喉人孔,再关闭蒸汽,投入引火物。要注意炉顶点火时一定要将炉喉蒸汽关严。另外炉体水箱有漏水时,高炉休风后,需先将漏水水箱的冷却水关闭,方能进行炉顶点火。

例如:1996 年 7 月,首钢 3 号高炉停风后,在炉顶点火时,因炉体水箱漏水未能查出,当打开人孔,关闭炉喉蒸汽后,自动着起大火,火从人孔窜出,烧坏炉顶电缆。在查出漏水关闭以后,火焰才恢复正常。

3) 长期休风时,用蒸汽驱净残存煤气后,可将煤气管道,除尘器等设备的人孔打开,使之与大气相通。为确保安全,可用蒸汽再吹扫一段时间后关闭蒸汽,并进行煤气检测,这样既保证了煤气系统的安全,又节约了蒸汽。煤气管道内的检修动火,必须经过煤气专业检查合格后方可进行。

（2）搞好炉体的密封工作，为了复风顺利，必须采取措施减少休风期间的热损失。

1）下部密封：这是炉体密封的重点，其密封方法和要求已在第3章,3.3节中有叙述。对于降料面到风口带进行喷涂等工作，则无须上述操作，但要在料面上面压水渣或喷涂盖料面，厚度100mm即可。

2）上部密封：上部密封工作主要随休风要求确定。为了满足迅速降低炉顶温度，方便检修，一般在停风前先将炉料降到炉身中上部，休风后再加入冷料（只加矿石不带焦炭，焦炭在复风时补回）。这样炉顶温度下降较快，能满足一般检修要求。对于部分降料面，高炉进行上部喷补，则应该加干水渣压火，厚度300mm。以保证温度满足施工要求。

3）中部密封：这里指炉体围板有关的密封工作。

（a）炉体裂缝要及时补焊，减少空气吸入炉内。

（b）检修过程中，如果拆除密封或炉体开孔检修要先做好准备逐个进行，缩短时间，检修后重新做好密封。

为了减少热损失，还要搞好有关冷却系统的工作：

（a）休风前检查冷却设备是否漏水，漏水的水箱休风前要停水。破损的风渣口休风后立即更换，再做密封。

（b）为减少休风期间的热损失，休风后要降低冷却水的水压，减少水量，减少到正常水温差的最低水量。

8.1.2.3　降料面或不降料面的休风操作注意事项

降料面或不降料面的休风操作注意事项如下：

（1）不降料面休风时净焦与轻料停留的位置。为了保证不降料面的长期休风顺利开炉恢复，要使炉缸有充足的热量，休风前要考虑加入适量净焦与轻料，防止炉温过低或过热，此外还要考虑它在炉内的停留位置要适当。以保证净焦与轻料能起到及时补充炉缸热损失的作用，又能起到在关键部位改善料柱透气性的作用。一般要求休风时净焦停留在炉腰及炉腹软熔带位置。若位置过低进入炉缸，则热量在停炉时就提前损失了，若位置过高，开炉时得不到热量的及时补充,延长恢复时间。

(2)不降料面长期休风的布料和煤气分布。一般情况下,休风前改变装料制度发展边缘,打乱顺行时的煤气分布是不必要的。而适当加入轻料,既能补充必要的休风热损失,又能疏松料柱不打乱顺行时的煤气分布,有利于休风前的顺行与操作。只有边缘过重或复风时已经影响到顺行,才应该适当发展边缘。

(3)降料面前准备工作。降料面休风首先要保证人身和设备安全,停炉降料面过程中煤气中 CO、H_2 含量逐渐增多,炉顶温度也逐渐升高。加上喷水降温,产生大量蒸汽,气体量增大,爆炸着火的危险性增多。另外降料面过程中炉顶的温度逐渐升高,此时若不采取措施,则要烧坏炉顶设备甚至引起火灾。因此在降料面前进行一次小于 4h 的检修,进行炉皮补焊防止进入空气,同时安装炉顶打水管。要求炉顶打水圆周径向均匀,雾化好。

(4)开始降料面时,炉顶蒸汽要全开,密封箱用氮气保持足够压力,降料面过程中炉顶温度严格控制在 300～400℃ 之间,首先用炉顶打水控制,炉内频繁出现爆震,或者煤气中 H_2 的含量大于 10％,此时不宜再用开大炉顶打水量来控制炉顶温度,而要采取减风措施控制炉顶温度。

(5)高压及常压降料面。高压降料面的优点是:缩短降料面的时间,大大减少对大气的污染。但是对操作的要求严格。除按第(3)、(4)条执行外,当降料面到炉腰或炉腹上沿时或煤气中 H_2、O_2 超过规定值时要停止送煤气,打开炉顶放散阀,改常压降料面,随着料面的降低,风量和顶压逐步降低。常压降料面的优点是安全。需在降料面前的停风检修时,摘除炉顶全部放散阀,加大放散面积。缺点是降料面时间长,对大气污染严重。

降料面过程中要认真地掌握好上述及有关注意事项,否则易发生事故。例如:1999 年首钢 4 号高炉在降料面到炉腰位置停风点火完毕后,炉顶着起大火,炉顶三个放散阀架子烧变形,导致三个放散阀自动关闭,使得大火从炉喉人孔窜出达 4～5m。这场大火除烧坏炉顶放散阀平衡架外,还烧坏炉顶通讯电缆,延误了检修工期。后来发现取样机的冷却水漏入炉内,关闭后火焰恢复正常。

分析:直接原因是取样机漏水未能及时查出。间接原因是这次降料面因炉顶打水量不足,又未断然减风控制顶温,造成炉顶温度大于400℃,瞬间最高温度达到900℃,这样炉腰以上形成一个高温容器,一旦漏水更是火上加油。

教训:降料面炉顶温度一定按规定不大于400℃。严禁向炉内漏水,所有冷却设备全部应在控制中。一旦着火及时压料是一临时补救措施。

8.1.2.4　休风准备工作

休风准备工作如下:

(1)准备休风用料。

(2)全面彻底检查冷却设备是否漏水。

(3)准备好密封用料。

(4)休风前清除炉顶和放净除尘器中积灰。

(5)根据高炉设备状况,在铁口设计角度范围内逐步加大出铁口的角度。

(6)准备棉丝、木柴等引火物,检查焦炉煤气点火管及各个蒸汽截门是否好用。

8.1.2.5　休风程序

休风程序如下:

(1)关炉顶降温水(蒸汽不停),高压改常压,减小风量。

(2)炉顶及煤气切断阀通蒸汽,除尘器通蒸汽。

(3)停煤,停氧。

(4)停气,打开炉顶放散阀,落下煤气切断阀。

(5)地沟拉料和上料计算机的拉料。在打开铁口后,听从值班工长的通知,通知一批,拉一批,保证停风前称量车、中间料斗、称量斗、料车、大小钟或炉顶料罐不压料,特殊情况应在停风计划中说明。

(6)停风料加完,停止加料。禁开下密继续放风,放风过程中坏风口、坏水箱减水以至关水。

(7)放风到 10kPa,保持正压发出停风信号,提起料尺,联系大停气,准备点火。

(8)炉顶点火操作。

钟炉顶点火操作程序:1)准备点火的火种;2)关闭炉顶蒸汽(包括炉顶降温蒸汽)及大小钟之间、大小钟拉杆密封蒸汽,布料器盘根水;3)打开小钟均压阀,大小钟之间人孔;4)打开小钟,料罐的火种直接加到大钟上,关闭小钟,确认火种不灭后开启大钟,不再关闭。5)火已经点着,打开炉喉人孔,关大钟。

无钟炉顶点火操作程序:1)准备点火的火种;2)停风达到以下状态:炉顶放散阀开,除尘器放散阀开,切断阀关闭,炉顶、切断阀及除尘器通蒸汽,左右罐下密关,截流阀关;3)打开炉顶人孔;4)炉顶氮气置换为压缩空气;5)停炉喉及炉顶蒸汽;6)用点燃的油棉丝或点火管点火。

(9)点火后由专人到炉顶看火,保持料面火焰不灭。

(10)打开回压阀倒流。卸下吹管,更换漏水风口。卸下渣口小缸,进行风渣口密封。

(11)打开冷风阀、烟道阀,放净管道内的残气。

(12)密封完后通知热风炉停止回压,热风炉停止倒流后,通知风机停机。

(13)高炉停风后,立即驱除煤气。与洗气部门联系取得允许后,按以下步骤进行:1)打开除尘器放散阀;2)见除尘器放散阀大量冒蒸汽后,根据需要打开除尘器上下人孔;3)驱除煤气期间,蒸汽不能停。待上述操纵完成两个小时后才能停止蒸汽。送风时,提前 1h 开蒸汽。

(14)按停风计划规定降低冷却水压。

8.1.2.6　长期休风注意事项

长期休风注意事项如下:

(1)炉顶未点火前,非有关人员禁止在炉顶聚集,并禁止工作。

(2)点火后如果更换风口和风口堵泥时可以倒流。

(3)设专人看火,保证炉顶火焰不灭。

(4)当火焰熄灭,应立即再次点火,必须将大小钟及炉顶爆发口打开通蒸汽,排除残余煤气,施工人员离开炉顶再开始点火。

(5)需压料时,在确定料面火已经点燃后进行。

8.1.2.7 长期休风后的复风操作

长期休风后的复风操作程序如下:

(1)长期休风以后,复风前料线过深(不明)时,在炉喉通蒸汽的情况下,可以在送风前加料到料线4m以内。

(2)在计划送风前3~4h与风机联系开机。提前1~2h提水压,使各部通水正常。

(3)关闭煤气管道和除尘器的清灰口及上下人孔、炉喉人孔、大小钟之间人孔、送风系统人孔。

(4)向炉顶(包括炉顶降温蒸汽)除尘器、煤气管道通蒸汽。

(5)按复风的装料程序,将料线加到4m以上。

(6)捅开所有风口堵的密封泥,用不同方法重新堵好送风计划中要求捅开的和需要临时堵死的风口。堵泥堵到风口的前端,装好吹管,用焦炉煤气点火检查是否严密。捅堵风口时禁止加料。

(7)检查送风管道,煤气管道的各个阀门是否位于停风状态。放风阀、炉顶、除尘器的放散阀必须保持全开。

(8)送风前捅开送风的风口,联系风机把风引到放风阀。

(9)各岗位准备工作完毕,各单位生产人员进入岗位,接到送风指挥人员送风命令后,工长发出送风信号。

(10)高压高炉通知洗气,引净煤气到除尘器。当除尘器放散阀见煤气后,关闭除尘器的放散阀。

(11)以后按短期休风后的送风3~7项进行。其中第6项还需要关闭除尘器蒸汽。

8.1.2.8 计划休风后复风风压与风量

计划休风后复风风压与风量如下:

复风时的风压与风量是根据休风时间、休风性质和休风前的顺行、热度等因素决定的。一般休风时间短,炉内热量损失少,自然吸入空气形成的熔融物也少,复风的风压和风量可以大一些。

反之休风时间长,复风的风压与风量要小一些。但是真正检验复风时风压、风量是否合适的指标是透气性指数。透气性指数达到或超过正常顺行的指标并且稳定是复风顺行的必要条件。一般情况下,计划休风 1~3 天,复风的风口面积占总风口面积的 55%~80%,风量占全风量 45%~75%。休风大于 3 天以上的复风风口面积占总风口面积应小于 60%,风量占全风量的比例应该小于50%。以上只适用于满炉料计划休风。若无计划休风或空部分料线休风,复风的风口面积、风压、风量都要偏小一些。尤其是无计划休风,因为休风前没有多加焦炭,复风时应该喷吹燃料,有条件时要配合富氧,逐步补充炉缸的热量。在开风口的选择上,如果不进行喷涂工作,可以均匀间隔开风口,同时要选择靠近铁口的风口,复风前风口明亮,工作好的风口开,三者都要兼顾好。在恢复炉况时要严格控制好实际风速,特别是高炉大幅度转热时尤为重要,目的是减少风口、中缸的损坏。

8.1.2.9 降料面喷涂后的炉况恢复

高炉喷涂技术是一项实用、快速造衬技术,能起到改善炉况,改进生产指标,延长炉体寿命的效果,无论是大型高炉,还是中、小型高炉,现在都在广泛采用。

喷涂有两种方式:

(1)局部喷涂:1)修补无冷区,一般停风降料线露出炉身上部第一层水箱为准,喷涂量少,休风作业时间为 24h;2)修补炉身,一般停风降料线到炉腰中部至炉腹上沿,喷涂量大,休风时间为 3天。

(2)整体喷涂:停风降料线至风口带。从炉腹以上均匀喷涂。休风作业时间为 7~8 天。高炉喷涂一般有 10% 左右的反弹料,休风降料面到风口带的喷涂,反弹料可以从风口由人工全部扒出,并进行送风前的烘炉。

整体喷涂恢复送风基本同于高炉中修开炉,而局部喷补的反弹料不能扒出,就应该做好以下工作:

(1)开炉装料制度。开炉料中焦炭应该选择冶金性能良好,筛分粒度合格的焦炭。矿石种类以少为好,渣量为 350～400kg/t。

1)休风前加入足量的附加净焦,完整替换软熔带,以补充开炉初期炉内所需的热量。

2)炉腰中部以上到炉身第一层水箱上沿一般充填空焦和萤石,由于反弹料是高铝、高硅等高熔点物质,在炉内温度条件下很难熔化,开炉后在料面上形成硬块或硬壳,极大地影响高炉透气性。若反弹料集中下达炉缸,风口带熔化易形成窝渣,灌渣烧出。因此用造渣制度来解决炉缸压力。其办法为休风后加一定量水渣压火,同时起到稀释作用。喷涂后加一定量萤石、灰石、焦炭。

3)正常料装入。正常料矿批选择比正常生产要小,正常料不加入空焦。目的是集中加热炉缸,正常料负荷要轻,全炉焦比基本上同大修开炉。

(2)送风制度。

1)开风口的个数和方位的选择。风口开得多,风量相对控制大一些,这样可以提供较高的风温,换料速度快一些,偏尺亦不严重,有利于快速恢复。但因风量大后,在反弹料未下达前,易发生管道行程,熔化的渣铁量大,增加炉缸负担。加之刚刚开炉,炉缸不活跃,距离铁口远的地方熔化的渣铁不能充分地从铁口排出,容易发生烧出。因此开风口在 30%～40%为宜。应集中偏开风口,不要间隔开风口。1997 年 10 月,首钢 1 号高炉休风 80h,喷涂25t,由于用 18 号风口送风,而周围的 16 号、17 号、19 号、20 号风口未打开,反弹料下达后烧出,损失严重。

2)实际风速和鼓风动能大小的控制。实践证明,当实际风速过高,而鼓风动能没有超出正常,仍然可以造成风口回旋区畸变,从而烧坏风口、中缸。实际风速不超过正常冶炼实际风速的 20%为宜。特别是恢复期炉况热行时,要严格控制实际风速和鼓风动能。

3)送风初期,应根据实际送风风口个数严格控制好风量水平、顶压水平,切忌盲目加风。实际风速不超标。

以下为降料面喷涂后炉况恢复案例。

例1：1998年10月，首钢四高炉休风3天，局部喷涂100t，送风后6h打开铁口，1天零15h正常出渣铁，两天后负荷达3.31，3天后全风作业。

例2：1999年11月，首钢1号高炉（2536m³）检修8天更换气密箱，同时对炉体局部喷补，降料面在炉腰上沿。偏开18个风口送风（占总风口面积60%），送风后7h风量加到1900 m³/min时，19号风口坏，28号中缸坏。因漏水大，被迫停风205min更换。在停风过程中多个风口进渣。再次送风后开12个风口，送风后12h风量恢复到1350 m³/min，炉温大幅度回升，造成24号中缸坏，10号风口坏，再次停风182min更换。之后在恢复中30号风口烧坏，又停风119min更换。本次休风停风8天，炉况恢复用了5天才达到正常水平。恢复过程中共损坏风口6个，中缸4个。其原因如下：

（1）本次休风停炉8天是时间较长的一次。喷涂反弹率超过10%，而送风开风口多占全部风口的60%，这是主要原因。

（2）高炉恢复过程中没有严格控制操作参数，特别是大幅度转热时的实际风速没有控制好，使冷却设备烧坏，延长了恢复时间。

8.1.3 大修停炉

8.1.3.1 停风前准备及操作制度变化

A 停风前准备

为了确保降料面过程中的安全和顺利进行，在停炉降料面前应有一次停风小修，主要进行以下工作：

（1）安装四根炉顶打水管，根据停炉使用风量计算耗水量。按顶温不超过400℃控制打水量，当顶温150℃以下应减水或停泵。

（2）以往安装两根能探到风口且能耐高温的探尺，根据探尺的下放深度决定降料面位置。目前各厂已不再采用这种方法，而是根据煤气成分来判断降料面的位置。其做法是将煤气取样管引到下面炉台，降料面期间定时取煤气，根据煤气成分变化决定料面

350

降到什么水平。当 H_2 上升,接近 CO_2 值时,料面在炉身下部;当 $H_2 > CO_2$ 时,料面进入炉腰;当 CO_2 开始回升时进入炉腹;当 N_2 开始上升,料面进入风口区。

（3）补焊炉壳,处理已损坏的冷却设备和风渣口。

（4）如果采用不回收煤气常压降料面的方法,则要取掉高炉炉顶放散阀。

B 停风前的操作制度变化

停风前的操作制度变化如下:

（1）若采用钒钛矿补炉时,停风前适时停加钒钛矿;（2）停风前可采取疏导边沿的装料制度,以清理炉墙。但要注意保持炉况顺行,炉温充足;（3）停风前一个班改为全焦负荷,全开风口操作。

8.1.3.2 停风操作

停风小修前应根据各厂经验加入适当的焦炭,之后不再加料,直至停风小修。小修完毕送风,开始降料面。要开炉顶大小钟之间,大钟下面(炉顶蒸汽)及有关煤气管道的蒸汽。随着顶温升高,开始炉顶打水,控制顶温不超过 400℃。当炉顶温度过高,打水控制不了时或炉内频繁出现爆震时,减小风量,适当降顶压。当达到如下三个条件之一时应停气:（1）煤气中 H_2 超过规定值;（2）煤气中 O_2 超过规定值;（3）料面降至炉腹。降料面期间每半小时取一次炉顶煤气,分析 N_2、H_2、CO、CO_2 及 O_2 含量,及时报告工长。若为皮带上料高炉,降料面期间,主皮带不宜停机,以防止发生烧坏皮带情况。空料期间如果必须休风,要先停止打水。料面降至风口水平时,立即组织出铁,出铁后即可休风,也有的厂在大修停炉时待出完残铁后再休风。

8.2 大修开炉

8.2.1 高炉烘炉

大修开炉前必须要对高炉进行烘炉,主要目的是缓慢除去高炉内衬中的水分,提高内衬固结强度,避免开炉时升温过快,水分快速蒸发使得砌体开裂和炉体剧烈膨胀而损坏设备。当新建厂无

煤气和热风来源时,可用木柴、烟煤烘炉。最好的烘炉方法还是用热风烘炉,其烘炉操作的要点是:

(1) 严格按烘炉曲线进行。烘炉曲线制定的原则是,黏土砖在 300℃ 左右线膨胀系数最大,在此温度恒温 8~16h。用热风烘炉时,黏土砖或高铝砖砌筑的高炉,最高风温不超过 600℃。炭砖砌筑的高炉最高风温不超过 400℃。烘炉期一般 5~10 天,烘干后以 40~50℃/h 的速度降温至 150℃ 以下。图 8-1 为首钢 4 号高炉烘炉曲线(300℃ 之前升温速度为 15℃/h;600℃ 之前升温速度 15℃/h,降温速度 40℃/h)。

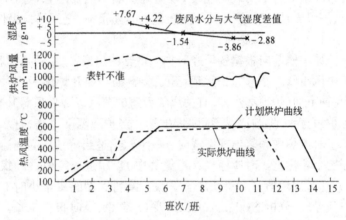

图 8-1　首钢 4 号高炉烘炉曲线(1972 年 10 月)

(2) 烘炉终了时间以炉顶废气湿度为准。当炉顶废气湿度等于或低于大气湿度以后经过两个班左右,就可以停止烘炉。在烘炉期间应定期取炉顶废气进行湿度测定。

(3) 开始烘炉风量各厂经验不一样,有的厂从正常风量的 1/4 开始,逐渐增大至 3/4。首钢则是开始风量稍大些,认为风量与高炉容积成一定的比例关系,如图 8-2 所示。烘炉过程中掌握风量的变化是先大后小。另外要关闭煤气切断阀及大小钟,炉顶放散阀轮流开启其一,每 4h 换一次,以求升温均匀。

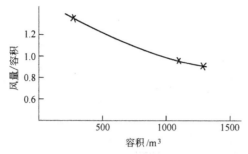

图 8-2　每立方米容积风量与高炉容积的关系

（4）烘炉期间控制顶温要低于 400℃，无钟炉顶高炉控制顶温不超过 300℃，密封室要通氮气保护，保持在 45℃ 以下。若顶温超过控制温度，应减少风量。

（5）高炉烘炉的重点是烘烤炉底，为此在采用热风烘炉时，应设有把热风吹向炉底的装置。以 1972 年 10 月首钢 4 号高炉烘炉为例，18 个风口全部装置了烘炉导管，其直径为 $\phi 126$mm，向炉底的端头呈喇叭状。奇数风口的导管深入炉墙 1100mm，偶数风口的导管深入炉墙 2600mm，两者交错布置。所有导管距炉底 800mm。铁口用 $\phi 159$mm 厚壁无缝钢管作导管，伸到炉缸中心，管上（炉缸内部）钻有 4 排 $\phi 20$mm 的小孔，并加罩防止小孔在装炉时堵塞，这根导管有双重作用，一是用来促进烘干炉底和铁口；二是开炉点火后喷吹铁口加热炉缸用。通过以后的实践证明，关于风口导管的数目，并不需要每个风口都装，一般 1/3～2/3 的风口装上导管就够了。首钢 4 号高炉烘炉导管安装图见图 8-3 所示。

（6）为了及时排出炉体水气，烘炉时应打开所有灌浆孔，要经常观察，发现堵塞要及时捅开，烘炉完后要封闭上。

（7）烘炉期间炉体冷却系统要少量通水（略小于正常时的1/2，首钢为正常水量的1/2）。

（8）炭捣和炭砖砌筑的炉缸炉底，表面必须砌筑好黏土砖的保护层，炉身用炭砖砌筑的部分，烘炉前要涂保护层，防止烘炉过

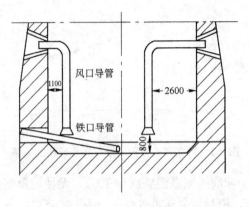

图 8-3　首钢 4 号高炉烘炉导管安装图(1972 年 10 月)

程中炭素炉衬氧化。

(9) 烘炉中,托圈与支柱间、炉顶平台与支柱间的螺丝应处于松弛状态,以防胀断。要设有膨胀标志,检测炉体各部位(包括内衬和炉壳)的膨胀情况,发现问题及时处理。

(10) 为了掌握和控制实际达到的温度,还应从铁口和渣口处安装热电偶,热电偶分别伸到炉中心和炉缸半径 1/2 处。此外烘炉期间还应注意炉体内衬所设热电偶温度。

8.2.2　开炉准备及开炉料计算

8.2.2.1　开炉前准备工作

开炉前准备工作如下:

(1)各岗位生产工具准备齐全,易耗备件准备足够。水、电、风、蒸汽、燃气、氧气管及氧气等有足够供应。

(2)按计算开炉料要求,从品种及数量上备足,保证开炉后不能断料。为使开炉顺利,要求填充料、焦炭、矿石、熔剂等的含水分、粉末(小于 5mm)及有害杂质少,粒度均匀,强度及还原性好。

(3)4 号高炉各系统的设备检查与试运转。除重视设备单机、连锁、轻负荷试车外,还有重视重负荷的运转,发现问题及时处理,防止开炉初期出现故障,造成高炉休风。

（4）要配备好足够的渣铁罐,搞好运输平衡。

（5）结合高炉大修,搞好操作人员的培训,使各岗位操作人员熟悉设备和技术操作规程、安全规程,熟练地进行操作。

（6）为了进行开炉料计算,要事先取得所用各种原燃料的全分析,测定开炉料堆密度。

8.2.2.2 开炉焦比的选择

确定合适的开炉焦比非常重要,选得过高,不仅不经济,而且造成高温区上移的不良后果。选得过低,又会造成炉缸温度不足,造成渣铁排出困难,甚至炉缸冻结。开炉焦比选择要根据炉容大小、原燃料条件、风温水平等具体情况及以往的经验确定。一般情况是,炉子小,原燃料条件差,风温水平低,焦比应选高些。

表8-1、表8-2为一些高炉开炉时的全炉焦比值。

表8-1 中小高炉开炉焦比

炉容/m³	<55	55~100	255~620
开炉焦比/t·t⁻¹	4.0~6.0	3.5~4.0	2.0~3.5

注:用全焦、热风、烧结矿(部分生矿)开炉。

表8-2 某些高炉开炉的全炉焦比(t/t)

企业名称	高炉炉号	开炉日期	高炉炉容/m³	全炉焦比/t·t⁻¹	条　件	第一次出铁[Si]含量/%
宝钢	1	1997年3月5日	4063	3.50	装枕木 400m³,烧结矿、球团矿、精块矿;送风温度 700℃,鼓风湿度25g/m³	3.76
石钢	1	2000年8月25日	215	2.86	全焦开炉;10 个风口全开	
邯钢	6	2000年6月28日	2000	3.43	高碱度烧结矿加硅石,木柴加到风口中心线;28 个风口开 18 个	2.68

355

企业名称	高炉炉号	开炉日期	高炉炉容/m³	全炉焦比/t·t⁻¹	条 件	第一次出铁[Si]含量/%
酒钢	2	2000 年 10 月 25 日	1000	3.30	装枕木 50m³,高碱度烧结矿配酸性球团及部分红光块矿,送风温度 618℃;18 个风口开 12 个	3.78
梅山	3	1995 年 12 月 16 日	1250	2.50	炉缸下部 2/3 装枕木,送风温度 800℃	3.32
上钢一厂		1999 年 10 月 8 日	2500	2.80	70% 烧结矿,100% 宝钢焦炭	4.00
昆钢	6	1998 年 12 月 25 日	2000	3.00	60% 烧结矿,20% 南非矿,20% 优质块矿,木柴填充炉缸,送风温度 700℃;26 个风口开 13 个	6.40 1270℃
攀钢	2	1997 年 6 月 14 日	1200	3.038	用全块矿开炉,开炉风温 710℃	3.22
酒钢	1	1998 年 6 月 13 日	1800	2.835	送风温度 713℃;24 个风口开 16 个	
武钢	2	1998 年 11 月 13 日	1536	3.49	55% 烧结矿,40% 鄂城矿,14% 锰矿,装枕木到风口下沿;20 个风口开 12 个	第 2 次 4.50

在开炉焦比和后续料负荷的选择上,首钢经验是:不追求过低的全炉焦比,以确保开炉顺利。一旦开炉顺利,后续料负荷要及时加重且幅度大一些,以利尽快把炉温降到合适范围,防止长时间高炉温生产带来被动。

8.2.2.3 配料计算

根据生产实践,介绍两种较简便的计算方法:

(1)根据已知条件(炉型、原料分析、堆密度)和选定的条件(全炉焦比、正常料焦比、生铁成分、炉渣碱度、批重、炉料压缩率、料线)进行配料计算。列出铁平衡和锰平衡的方程式。

$$\frac{(x \times Fe_{矿}\% + y \times Fe_{锰}\% + 焦批重 \times Fe_{焦}\%) \times 铁元素回收率}{生铁中含Fe量} = 每批料出铁量$$

$(x \times Mn_{矿}\% + y \times Mn_{锰}\%) \times 锰元素回收率 = 每批料出铁量 \times 生铁中的[Mn]\%$

式中　　x——铁矿石批中;

　　　　y——锰矿石批中;

　　　　$Fe_{矿}\%$、$Fe_{锰}\%$、$Fe_{焦}\%$——分别为铁矿、锰矿、焦炭的含铁量;

　　　　$Mn_{矿}\%$、$Mn_{锰}\%$——分别为铁矿、锰矿的含锰量。

解上述联立方程式,即可计算出矿石和锰矿的批量。

根据炉渣碱度的要求,计算出石灰石批重,确定正常料和空焦的组成。

按开炉焦比的要求、高炉各段装料的容积、每批正常料、净焦和空焦在炉内压缩后的容积等,计算出正常料、空焦和净焦的批数,并进行总验算。

(2)简易配料计算法是按经验选择净焦及空焦在高炉上下部的合理配置比例,忽略焦炭、锰矿带入铁量,不必解繁琐的方程式,从而达到简化计算的目的。

下面以 $516m^3$ 高炉为例,按简易法进行开炉配料计算,计算依据如下:

1)各种原料的化学成分。各种原料的化学成分见表8-3所示。

表 8-3　开炉料的化学成分

炉　料	$w(Fe)/\%$	$w(Mn)/\%$	$w(SiO_2)/\%$	$w(CaO)/\%$	$w(造渣物)/\%$
烧结矿	54.00		9.80	10.00	24.60
庞家堡矿	45.00		25.00	1.00	32.00

炉料	$w(Fe)/\%$	$w(Mn)/\%$	$w(SiO_2)/\%$	$w(CaO)/\%$	$w(造渣物)/\%$
石灰石			1.80	41.00	56.00
锰矿	14.00	27.00	17.00	4.60	38.00
焦炭			46.16	4.90	焦炭的 13%

不用干渣，矿批选 5500kg。庞家堡矿用 20%，每批为 1100kg;烧结矿 80%,每批为 4400kg。

全炉焦比 3.0t/t,正常料焦比 1.0t/t,$CaO/SiO_2 = 1.0$,炉料压缩率为 12%。

生铁预定成分为(%):Fe 93.08;Si 2.0;Mn 0.8。

加料容积为:

炉缸:51.57m³

炉腹:85.62m³

炉腰:56.52 m³

炉身:293.95 m³

炉喉:16.31 m³(已扣料线 2.0m 以上容积)

总计:503.97 m³

Mn 的回收率为 60%(不加锰矿时生铁含 Mn 为 0.2%)。

各段配置原则是:全炉空焦加净焦总批数的 60% 以净焦方式装在最下部。另外,30% 以空焦形式填充在净焦上,最后 10% 以空焦形式填充过渡段。炉身上部全为正常料。

相当于炉缸容积的纯净焦,不参加造渣反应,不配石灰石。60% 以净焦方式装在下部的净焦与这里的纯净焦不同。相当于炉缸容积的净焦,根本不考虑加石灰石。而多余的净焦抽出的石灰石,应全部加入剩下的空焦和正常料里面。

2) 配料计算。计算正常料批重每批料出铁量为:

$5500 \times (0.54 \times 0.8 + 0.45 \times 0.2) \div 0.9308 = 3080$ (kg)

因为正常料焦比为 1.0t/t,所以焦批为 3080(kg);锰矿量为:

$3080 \times (0.008 - 0.002) \div (0.6 \times 0.27) = 114$(kg)

取 120kg。

计算正常料石灰石量：

SiO_2 含量：

烧结矿：　　　 $5500 \times 0.8 \times 0.098 = 431(kg)$

庞家堡矿：　　 $5500 \times 0.2 \times 0.25 = 275(kg)$

锰矿：　　　　 $120 \times 0.17 = 20(kg)$

焦炭：　　　　 $3080 \times 0.13 \times 0.4616 = 185(kg)$

进入生铁：　　 $3080 \times 0.02 \times 60 \div 28 = 132(kg)$

合计：　　　　 $779(kg)$

CaO 含量：

烧结矿：　　　 $4400 \times 0.10 = 440(kg)$

庞家堡矿：　　 $1100 \times 0.01 = 11(kg)$

锰矿：　　　　 $120 \times 0.046 = 6(kg)$

焦炭：　　　　 $3080 \times 0.13 \times 0.049 = 20(kg)$

总计：　　　　 $477(kg)$

所需石灰石：$(779 - 477) \div (0.41 - 0.018) = 770(kg)$

空焦石灰石量：$(185 - 20) \div (0.41 - 0.018) = 420(kg)$

计算结果,每批正常料的组成及所占容积(未压缩)如表 8-4 所示。

表 8-4　每批正常料的组成及所占容积(未压缩)

原燃料	批重/t	堆密度/t·m^{-3}	容积/m^3
焦　炭	3.08	0.50	6.16
烧结矿	4.40	1.70	2.59
庞家堡矿	1.10	2.00	0.55
锰　矿	0.12	2.00	0.06
石灰石	0.77	1.55	0.50
空焦中石灰石	0.42	1.55	0.27

正常料容积：　　 $6.16 + 2.59 + 0.55 + 0.06 + 0.50 = 9.86(m^3)$

压缩后容积：　　 $9.86 \times 0.88 = 8.69(m^3)$

空焦容积：　　　　$6.16 + 0.27 = 6.43(m^3)$

压缩后容积：　　　$6.43 \times 0.88 = 5.65(m^3)$

净焦容积：　　　　$6.16(m^3)$

压缩后容积：　　　$6.16 \times 0.88 = 5.42(m^3)$

正常料与空焦计算:设正常料为 H 批,空焦为 y 批,净焦为 z 批:

炉缸装焦量：$51.57 \div 5.42 = z$

全炉焦比：$(H + y + z) \times 3080 \div (H \times 3080) = 3$

正常料空焦装料容积：$8.69H + 5.65y = 503.97 - 51.57$

解方程组得(取整数)：

$$H = 25; \quad y = 40; \quad z = 10$$

下部填净焦：$(40 + 10) \times 0.6 = 30(批)$

其上空焦：$(40 + 10) \times 0.3 = 15(批)$

所余 10% 即 5 批空焦加在上部。

正常料与空焦平均每批加入石灰石量：

$$(420 \times 40 + 770 \times 25) \div (75 - 30) = 800(kg)$$

因为有相当于炉缸容积的纯净焦不参与造渣,即始终填充在相当于炉缸容积的体积内,所以应扣除这部分渣量。

炉缸装纯净焦 10 批;每批焦炭只有灰分造渣,渣量为：

$$3080 \times 0.13 = 400(kg)$$

炉缸纯净焦的造渣量为：

$$10 \times 400 = 4000(kg) = 4(t)$$

全炉实际渣量为：

$$87.11 - 4 = 83.11(t)$$

扣除不参与造渣反应的纯净焦部分。

根据计算,炉内各段料的组成见表 8-5 所示。

表 8-5　炉内各段料的组成

分段	料批组成/t					批数组成			出铁	出渣	容积
	焦炭	烧结矿	庞家堡矿	锰矿	石灰石	批	组	总批数	t	t	m³
正常段	3.08	4.4	1.1	0.12	0.8	15	1	15	46.2	34.9	130.5

分　段	料批组成/t					批数组成			出铁	出渣	容积
	焦炭	烧结矿	庞家堡矿	锰矿	石灰石	批	组	总批数	t	t	m³
过渡段	3.08				0.8	1	1	1			
	3.08	4.4	1.1	0.12	0.8	4	2	8			
	3.08				0.8	1	2	2	30.8	27.51	116.4
	3.08	4.4	1.1	0.12	0.8	1	2	2			
	3.08				0.8	1	2	2			
焦炭段	3.08				0.8	15	1	15		24.7	250.8
	3.08					30	1	30			
总计/t	231	110	27.5	3.0	36.0			75	77	87.11	497.7

全炉渣铁比:83.11÷77 = 1.079

全炉焦比:231÷77 = 3

此种计算方法因没有考虑锰矿和焦炭带入的铁量,所以每批料铁量偏少,误差约为 15% 左右,因而实际全炉焦比也偏小,误差约为 1%～2%。因为选择开炉焦比时,可适当偏高,所以影响不大。某厂 2 号高炉中修重新开炉时,采用这种配料计算方法,开炉顺利。实践证明,这种计算方法是可行的,只要适当改变焦比水平及负荷,还可以应用于封炉和长期休风。

一般配加开炉料方法是:炉缸炉腹加净焦(有的厂炉腹以上装空焦)、炉腰(或者加上炉身下部一部分)加空焦,再向上加正常料,有利于充分加热炉缸。另外金属料位置加得高点,有利于金属料得到充分加热。炉缸充分加热,渣铁温度较高,渣铁流动性较好,有利于第一次铁顺利流出。同时由于正常料和后续正常料的焦比相应降低,可避免较长时间的高炉温,影响炉况恢复进程。

8.2.3　开炉操作

开炉初期风量较小,一般为高炉容积的 1.0～1.2 倍,开风口数目可为全部风口的 50% 以上,均匀间隔堵部分风口,以获得接近正常生产时的鼓风动能。送风后喷吹铁口时间越长,炉缸加热越充分。第一次铁出完后根据炉前工作量,决定捅风口速度。待铁口、渣口工作正常,下料顺畅后,再逐渐加风。条件具备时加快开风口速度,相应加大风量,并扩大矿批加重焦炭负荷,只要条件允许加负荷速度可快些,逐步转入正常生产操作。

送风后,为避免风口、中缸损坏,应将实际风速和动能控制在合理水平。首钢经验是在金属料未下达以前实际风速不应大于正常实际风速的 120%,在金属下达后,实际风速掌握在正常范围,随着加风加顶压。

点火送风后应注意加强检查风口、渣口等冷却器件有无损坏漏水,尽早发现处理。

送风前,除放散阀开启,其他阀均关闭,炉顶及煤气系统通入蒸汽。送风后,炉顶煤气压力达 2.94kPa 以上,煤气成分正常,即可送气。

8.3 封炉

封炉即满炉料的特长时间的长期休风。一般情况下,封炉是有计划的工作,为了以后顺利恢复生产,重点抓好以下工作:

8.3.1 封炉焦比的确定

封炉焦比主要是根据以往的经验,并综合分析高炉的实际情况来选择的。影响封炉焦比的主要因素有:

(1) 封炉时间长短。封炉时间越长,高炉的热量损失越多,相应封炉焦比越高。反之可选低些。

(2) 炉容大小。小高炉散热较快,大高炉相对较慢,同样情况的封炉,小高炉的封炉焦比应高些。

(3) 炉体破损状况。若水箱损坏较多,炉壳开裂破旧,封炉焦比应增高,且不宜长时间封炉。

(4) 炉料状况。若高炉使用还原性差,强度低,易粉化的原料,生矿比例较大,焦炭灰分高,强度差等情况时,封炉焦比应选高些。

总之,要综合分析具体封炉的各种情况,慎重地选择好封炉焦比。封炉料的加入方法与开炉料相似,一般应将带矿石的炉料,放到软熔带以上。

一些高炉封炉焦比的经验值见表 8-6、表 8-7、表 8-8、表 8-9 所示。

表 8-6　鞍钢 1000m³ 高炉封炉焦比(用烧结矿)

封炉时间/d	10～20	20～60	60～150	150～180
封炉焦比/t·t⁻¹	1.2～1.4	1.4～2.0	2.0～2.7	2.7～3.0

注:冷却设备损坏较多的高炉,焦比增加 10%～20%,600m³ 高炉焦比增加 20%,1500m³ 高炉焦比减少 15%。

表 8-7　首钢高炉封炉焦比选择表

封炉时间/d	15～30	30～60	60 以上
封炉焦比/t·t⁻¹	1.5～2.0	2.0～2.5	2.5～3.0

表 8-8　邯郸钢铁总厂高炉封炉焦比

炉　别	高炉容积/m³	封炉时间/d	封炉焦比/t·t⁻¹
1	294	8.54	1.92
2	294	7.87	2.06

表 8-9　小高炉封炉焦比(t/t)

高炉容积/m³ ＼ 焦比/t·t⁻¹ 封炉时间/d	10～30	30～60	60～90	90～120	120～150	150～180
13	4.2～4.8	4.8～6.1				
28	3.7～4.3	4.3～5.4	5.4～6.2			
55	2.0～3.0	3.0～3.8	3.8～4.4	4.4～5.0	5.0～5.5	5.5～6.0
100	1.6～1.9	1.9～2.3	2.3～2.7	2.7～3.0	3.0～3.3	3.3～3.6
300	1.3～1.5	1.5～1.9	1.9～2.2	2.2～2.5	2.5～2.8	2.8～3.1

8.3.2　做好密封和查漏工作

为了减少封炉期间的热损失,首先要严格地搞好整个炉体的密封工作,这部分在本章"长期休风和复风"中已有叙述。在整个封炉期间,要有专人检查密封情况,一般封炉 5~7d 以后,炉喉料面已基本无残余煤气火苗。若发现火苗较大时,应仔细检查炉体密封与漏水情况,采取措施,直到火苗减少为止。

还要做好查漏工作,封炉前要彻底检查冷却设备,停风后要消除所有向炉内的漏水。封炉期间也要经常检查炉体各处有无漏水迹象及仍通水冷却器的出水情况,注意软水系统补水情况,发现异常立即处理。

封炉期间应减少冷却水量,可参照表 8-10。

表 8-10　封炉期间冷却水量控制

封炉时间/d	10	11~30	大于 30
风口以上保持水量/%	50	最小水量	最小水量
风口以下保持水量/%	50	30	最小水量

注:最小水量指维持正常水温差的最小水量。

8.3.3　复风操作

8.3.3.1　送风制度

由于炉缸透液性差,复风时开风口数宜少不宜多,且应偏开风口,一般集中选在铁口周围的风口。如若远离铁口开风口,易发生风口罐渣和烧出事故。送风的风量要与炉缸容纳渣铁的有效容积相适应,与开风口的个数相结合,不宜盲目加大风量。新开风口必须紧靠已经正常工作的风口,切忌隔着开风口,打开风口的间隔时间不宜过短。要尽量使用高风温,以利炉缸加热。

8.3.3.2　渣铁口工作

送风前钻开铁口,埋入氧枪。送风时,开氧枪加热炉缸。若没有氧枪,可在钻铁口后,用炸药沟通风口和铁口,送风后尽量喷吹铁口,加热炉缸,待见渣后堵上。要尽量增加出铁次数,以适应炉缸容纳渣铁量小的情况,同时也有利于炉缸加热。复风后渣口不能先放渣,待炉缸工作正常,渣铁分离好,温度充沛后再开始渣口工作,以防止渣口烧坏等恶性事故。若封炉时间很长,有漏水,焦比偏低,焦炭烧损很多,应准备从渣口出铁。要将渣口三套取下,扒出旧焦,清理凝固渣铁,填以新焦炭,装上炭套,做临时铁口。

8.3.3.3 其他注意事项

复风后,负荷的恢复要以炉缸工作状态、炉况顺行状况及炉温情况而定,条件不充分时恢复速度不宜过快过急。

另外要严防复风初期的停风,因为这容易使炉缸已熔化物和上部新熔化物在炉缸热储备少的情况下重新凝固,加剧炉冷。因此复风前要严格做好各岗位的准备工作和设备的检查及试运转。其他的有关复风操作内容,可参照本章"长期休风和复风"中的相关内容。

参 考 文 献

1 兰成伯.高炉炼铁工艺及计算.1994:4

2 安朝俊.高炉生产——首钢炼铁 30 年.1983

3 周有德等.高炉封炉后复风操作.炼铁,1994:8

4 鲁北.中小高炉冶炼技术.1981:4

9　小高炉冶炼

鉴于我国的基本国情,目前中小高炉在我国还占有相当的比重。据统计,我国冶金企业现有 1000m³ 以下高炉数约占总数的 90% 以上(小于 400m³ 以下的高炉占了绝大部分),生产能力约占总生产能力的 50% 略强。由于中小高炉对装备水平、原料条件、投资规模要求不高且与中小转炉匹配,故在今后一定时期内仍具有生命力,其相关技术也会受到炼铁工作者的广泛关注。

9.1　冶炼特点

小高炉由于炉缸小,热储备和热惯性小,与大高炉相比,原燃料条件也相对较差,因此炉况稳定性稍差,抗外界干扰能力弱。为保证炉况稳定顺行,实现高效生产,操作上要注意以下几点:

(1) 不宜低炉温操作。遇低炉温时,处理措施应及时果断,尤其应杜绝连续三炉以上低炉温的发生,避免炉凉或炉缸冻结事故。为维持足够的炉缸温度,小高炉由于热储备小,一般冶炼炼钢生铁时,含硅量期望值宜为 $(0.50 \pm 0.05)\%$。冶炼钒钛铁时,$[Si]+[Ti]$ 总量宜控制在 $(0.7 \pm 0.05)\%$。高炉操作中应力求炉温、生铁含硫稳定,一般要求偏差 $\sigma_{[Si]} \leqslant 0.150$,要求相邻两炉铁的含硅量波动应小于 0.20%。根据小高炉操作经验,炉温调剂除按一般高炉应采取的措施外,还应注意以下几点:

1) 炉役晚期炉缸侵蚀严重或冷却壁漏水严重时要相应提高生铁含硅量。

2) 注意料速变化预示的炉温趋向及由此引起的吨铁煤量变化。当连续 2h 料速异常且炉温背离正常水平时,应调剂煤量,保持煤比稳定。

3) $[Si]$ 含量小于 0.30%,且不会很快回升时,应及时减风控制料速,并采取提高 $[Si]$ 含量的措施;当连续两炉 $[Si]$ 含量小于

0.30%时,必须采取退负荷、加轻料或空焦等更有效的提高[Si]含量的措施,以防炉凉。当然,对于条件好,进行低[Si]含量冶炼的高炉,其下限可适当低一些。

4) 计划休风超出4h,休风前炉温要控制在规定的上限或休风方案要求的水平。

（2）应维持适宜的压差操作,谨防管道气流的发生。

（3）随着煤比的不断提高,负荷也越来越重,遇各类断煤、少煤事故,操作上处理要果断,不仅要补足少煤后增加的焦炭量,而且还要考虑煤气流变化对炉况的影响。

高炉喷煤量上限由煤粉供应能力和高炉接受能力决定。若煤粉量因故供应不上,高炉应提前3~4h退足焦炭负荷,并适当减煤,以延长喷煤时间。遇计划停煤,高炉应根据当时煤量、炉温水平、风温使用情况和煤气流变化退足负荷。无计划停煤,应集中加空焦若干批,然后视时间长短酌情处理。断煤又遇低炉温时,除按上述要求补焦外,还应另补提炉温所需焦炭量。断煤后为保证顺行,高炉应停止富氧,风温与风量的使用应满足顺行与炉温要求,上部调剂宜缩小矿批维持两道煤气流。

（4）慎重处理崩料和管道滑尺。一旦遇到崩料和管道滑尺,一定要果断处理,以防炉凉甚至炉缸冻结。当出现管道时,应确定管道形成原因,对症处理,以疏为主,严禁采用长时间控制上料等操作方法。特别是低炉温情况下的连续崩料,一旦出现,要果断减风至不崩料为止,并加一定数量的空焦,然后视情况减轻负荷。在空焦下达前不宜加风。

9.2 冶炼技术的进步

由于小高炉在冶炼技术上的不断进步,近几年来其生产技术指标也在提高,表9-1为从中国金属学会"2001年公布2000年重点大中型钢铁企业主要产品产量技术经济指标"中所列举生产指标比较好的小高炉生产厂的情况:

表 9-1　2000 年小高炉生产厂高炉综合指标

企业名称	合格率/%	综合焦比/kg·t⁻¹	入炉焦比/kg·t⁻¹	利用系数/t·m⁻³·d⁻¹	休风率/%	矿品位/%	熟料比/%	平均风温/℃	喷煤比/g·t⁻¹
杭钢	100	503	419	2.997	3.19	59.27	98.20	989	105
三明钢铁厂	100	507	409	3.238	0.57	59.54	99.99	1052	120
济钢	100	511	446	2.941	1.20	59.24	95.94	1014	92
安阳钢铁厂	99.98	532	464	3.136	1.14	58.66	93.69	1017	133

9.2.1　精料水平进一步提高

炉料结构已由过去的高碱度烧结矿加天然块矿发展为高碱度烧结矿加酸性球团矿等更为合理的炉料结构。综合入炉品位不断提高,渣量越来越低,石灰石等作为熔剂已被逐步取消。槽下过筛使入炉含粉大大降低。

与前两年相比,烧结矿质量有了明显提高,其中以含铁品位的提高、FeO 和含粉率的降低较为突出(表 9-2)。这表明随着炼铁技术的发展,烧结矿质量的改进已越来越得到重视。

表 9-2　主要中型钢铁企业烧结矿技术质量平均指标

年　　度	1997 年	2000 年
利用系数/t·m⁻³·d⁻¹	1.667	1.689
合格率/%	81.86	89.49
$w(TFe)$/%	53.24	56.66
$w(FeO)$/%	10.77	8.85
$m(CaO)/m(SiO_2)$	1.8	1.73
$\delta_{CaO/SiO_2} \pm 0.08$/%	80.71	77.50
$\delta_{TFe} \pm 0.5$/%	80.43	84.47
转鼓指数<6.3mm /%	74.52	72.11
出厂含粉率<5mm /%	8.38	8.14

在我国,提高入炉矿品位主要依靠生产高品位低 SiO_2 烧结矿。近年,许多企业都在努力提高烧结矿品位和降低 SiO_2,并取

368

得了显著成效。实践表明,生产高品位烧结矿有两个问题要解决:

(1) 原料问题。国内缺高品位富矿,精矿品位大多低于 65%,SiO_2 高于 6.5%。因此,多数企业配用高品位低 SiO_2 的进口粉矿来生产高品位烧结矿。当进口矿价较高时,进行效益评估既要计算采购成本和吨铁所需的烧结矿成本,还应计算到品位提高后的炼铁效益,通过综合效益的计算确定配矿方案。

(2) 烧结矿冷强度和低温还原粉化问题。高品位低 SiO_2 烧结矿由于黏结相少,冷强度较差,随着品位提高,低温还原粉化也呈上升趋势。对此,采取提高碱度(碱度 1.8~2.2)、厚料层低温烧结等措施可得到有效改善。

入炉矿含铁品位提高对小高炉增产降焦具有明显的效果,见表 9-3 所示。

表 9-3 入炉品位对高炉指标的影响

企业名称	韶钢	凌钢	济钢	三明钢铁厂
高炉平均容积/m^3	302.5	350	350	350
烧结矿品位 $w(TFe)$/%	51.03	53.54	55.28	56.81
入炉矿品位 $w(TFe)$/%	55.16	54.97	56.90	57.75
矿耗/$kg·t^{-1}$	1722	1728	1670	1654
渣铁比/$kg·t^{-1}$	469	470	320	320
高炉利用系数/$t·m^{-3}·d^{-1}$	2.357	1.895	2.692	2.847
综合焦比/$kg·t^{-1}$	628	567	532	525

此外焦炭质量指标也在不断改善。

(1) 焦炭灰分降低。许多钢铁企业由 1995 年的 13.5% 左右降至 11.5% 左右(如 2000 年太钢、安钢、邯钢、三明等企业焦炭灰分都小于 11.5%),降低焦炭灰分不但可以达到降焦增铁的目的,而且可以降低渣量及渣中 Al_2O_3 的含量,有利于高炉稳定顺行和大喷吹。

(2) 焦炭硫分降低。有许多钢铁企业由 1995 年的 0.7% 左右降至 0.5%左右(如 2000 年邯钢、太钢、安钢、昆钢等企业焦炭硫分都小于 0.5%),降低焦炭的硫分不但同样能达到降焦增铁的目的,而且也为高炉冶炼低硅低硫优质生铁提供了良好的物质基础。

(3) 焦炭机械强度提高,许多企业 M_{40} 由 1995 年的 75%左右提高到 80%以上,M_{10} 由原来的 9%左右降到 7.5%左右,甚至更低。

(4) 焦炭的热态性能愈来愈受到人们的普遍关注。寻求在高温下能抵抗 CO_2 侵蚀的焦炭,降低焦炭的反应性,提高反应后强度。近几年马钢对焦炭的热态性能做了大量研究工作,使 $300m^3$ 级高炉所用焦炭反应后强度达到 63.5%,反应性达到 28%的水平。

9.2.2 冶炼技术进一步提高

随着原燃料条件的改善,风机能力逐步扩大,炉顶小高压操作得到逐步推广。目前,国内小高压基本在 $35\sim50kPa$,个别高炉已达到 $60kPa$ 以上,从而有效减少了管道气流的发生,促进了炉况顺行。目前,$300m^3$ 高炉的风速一般为 $110\sim130m/s$(标态)。

(1) 风温不断提高。喷煤技术促进了风温全送,以往用加湿或风温调节炉温的手段已被调节喷吹量所取代,正常炉况保持风温全送。马钢小高炉最高风温达到 1120℃,一方面维持了适宜的理论燃烧温度,另一方面也起到了降焦增铁的作用。

在风温使用方面应注意:高炉正常操作时不得用降风温的方法降低含硅量。在炉况不顺非减风温不可时,撤下的风温要尽早恢复。为防止煤气体积迅速变化对炉况的影响,风温调节应遵循以下原则:因炉热导致炉况不顺时,降风温的幅度可大一些,一次降到需要水平;提高风温时,每小时 $2\sim3$ 次,每次 $20\sim40℃$。

(2) 富氧率与喷煤量进一步提高。精料和高风温技术进步,促进了喷煤量逐步提高,辅以高富氧,小高炉的喷煤比已经达到了 $150kg/tFe$ 甚至更高的水平,既节约了焦炭又促进了炉内煤气利用率的提高。

在富氧喷煤方面应注意以下问题:

目前条件下多数高炉的富氧率小于 3%，冶炼强度不变时，富氧量过高会影响顺行，造成风口回旋区缩小，易引起边缘气流发展。为保证顺行，高炉富氧鼓风时一般保持炉腹煤气量不变来操作。遇原燃料条件变差，高炉不接受富氧；高炉发生难行、崩料、塌料、炉温向凉或其他临时性事故需要大幅度减风以及停止喷煤时，高炉应减氧或停氧。禁止采用低风量高富氧的送风制度。

由于喷煤后煤气流分布发生变化，在喷吹量大幅度变动时，应考虑装料制度的相应调整。用喷煤量调剂炉温应注意滞后性，禁止用停煤的方法调剂炉温。炉温向凉并已减风情况下，不宜增加煤量，应以原煤比调整煤量。喷吹煤粉应做到广喷、匀喷，力争全部风口喷煤，当风量低于正常风量的 60% 或风温低于 800℃，不宜喷煤。

9.3 小高炉寿命

高炉寿命是一项系统工程，涉及到设计、设备、施工、原燃料、操作等诸方面因素，直接影响到高炉生产和一代炉役的效益。目前我国小高炉寿命在 8～10 年甚至更短，而先进的大高炉寿命已达 15～20 年，因此延长高炉寿命是高炉工作者当前乃至相当长时间的重要任务。长期的生产实践说明，为提高小高炉的寿命，也应和大高炉一样做好上述系统工程的有关工作。结合小高炉的特点，以下几个方面的实践经验值得借鉴。

9.3.1 合理的高炉内型及内衬

高炉内部炉墙形成工作空间的几何形状称为高炉炉型或内型。合理的炉型有利于高炉达到"优质、高产、低耗、长寿"的目标。

高炉有效高度与炉腰直径之比称为高径比（Hu/D）。小高炉 Hu/D 由最初的 5.0 以上发展到现在的 3.2 以下，表明高炉由细长型向矮胖型过渡。从生产实践看，矮胖型有利于高炉顺行和长寿。经验证明 300～350m³ 高炉 Hu/D 以 3.2～3.1 为宜，但在具体选择时要考虑原料条件及同类型高炉的操作实绩。目前小高炉炉身角 β 维持在 84°左右，炉腹角 α 有减小的趋势，如南钢 5 号炉

α 角由 82°52′减至 81°28′。α 角减小有利于煤气上升和炉腹渣皮形成。随着小高炉冶炼的不断强化,近年来在炉缸设计上有增加炉缸直径和死铁层深度的趋势,其目的是增加炉缸的热储备,稳定炉况,减轻环流渣、铁水对炉缸侧壁和炉底的冲刷。

总之,高炉内型设计与使用的原、燃料及生产技术条件密切相关。

高炉内衬根据不同部位的侵蚀机理,应采用不同的内衬材料。

炉身上部破损机理主要是布料和炉料下降带来的机械磨损、煤气冲刷和随上升气流而在此聚集的碱金属所产生的化学侵蚀。对小型高炉,在此区域可采用黏土砖。

炉身中部,主要是热震破坏,其次是机械冲刷。在此区域可选用氮化硅结合的碳化硅砖或烧成微孔铝炭砖。

炉腹、炉腰及炉身下部的破损是由机械冲刷、化学侵蚀和热震所造成。在此区域可选用以氮化硅结合碳化硅砖、自结合的碳化硅砖或刚玉等材料。

炉缸、炉底部位的破损是由机械冲刷、化学侵蚀和热应力所造成。目前国内较多采用三种炭砖:铁口以下用抗渗透性好的微孔炭砖;炉底用抗热震、化学侵蚀和机械冲刷能力强的 C-SiC 砖;炉底、侧壁用导热性好的全炭砖。部分高炉炉缸选用了优质陶瓷杯结构的新型综合炉底,即炉底为国产半石墨化炭砖、侧壁为国产微孔炭砖(可进口微孔炭砖或热压小块炭砖)、内衬为优质陶瓷材料(如南京钢厂 5 号炉、天津铁厂 2 号、4 号炉)。但价格相对较高。

9.3.2　新型炉体冷却设备

9.3.2.1　炉体冷却设备

高炉冷却设备材质已由原来的灰铸铁、低铬灰铸铁、球墨铸铁,发展到今天的铸钢以及传热更好的纯铜。冷却设备的结构形式也演变得更加合理。有代表性的新型冷却设备主要有:

(1)第四代球墨铸铁冷却壁,其特点是采用了薄壁结构将砖衬与冷却壁一体化,使二者相互依存,结构上得到了完善,大大减薄了砖墙厚度。

（2）新型的铸钢冷却壁,因其延伸率、抗拉强度、熔点高以及耐热冲击,成本介于铸铁和铜之间,具有较好的推广前景。

（3）铜冷却壁因其优良的导热性和高的延伸率,使用寿命大大延长。欧洲高炉已广泛使用,国内也有少数高炉在试用,但铜冷却壁价格昂贵。

（4）大型模块冷却结构施工期短,结构简单,利于挂渣,被部分中小高炉(如通化1号炉、鞍钢1号炉、马钢4号炉等)选用。

对小高炉而言,由于第四代球墨铸铁冷却壁结构复杂,而铜冷却壁价格昂贵,难以推广应用,重点应进一步完善现有铸铁冷却壁、铸钢冷却壁和大型模块冷却结构等,以延长小高炉的寿命。

9.3.2.2 冷却制度的选择

合理的冷却制度主要是对水质、水压、水速及水温差参数的选择,以使冷却设备长期有效地工作。其中水质是首要条件。我国冷却水质通常为三类,即软水、工业净化水和自然水。在条件允许的情况下,高炉应使用软水密闭循环,避免水管结垢和腐蚀,改善传热效果,减少水耗量,改善环保,但投资费用较高。使用工业净化水,亦可起到减缓管道结垢和腐蚀的效果,但应加强水质处理及相应的管理。近年来,水质处理得到了长足的发展,如使用含有机物的水处理剂,阻垢率和缓蚀率达90％以上。小高炉应根据企业及当地的情况进行选择。水压提高,可增加冷却强度,但会造成动力费用增加。因此小高炉不宜选择过高水压(一般不超过0.4MPa)。小高炉水速、水温差的选择可参照表9-4。

表9-4 小高炉不同部位水速、水温差适宜值

部 位	水速/m·s^{-1}	水温差/℃
炉身上部	1.0~1.5	10~14
炉身下部	1.0~1.5	10~14
炉 腰	2.0	8~12
炉 腹	2.0	8~12
炉 缸	1.5~2	<4

参 考 文 献

1 全国烧结球团技术经济指标汇编(2000年度).2001.1.全国烧结球团信息网

2 许满兴.论烧结矿质量进步与高炉操作技术的发展.烧结球团,2000,25(1):1

3 王树同,孔令坛.高碱度烧结矿及低温烧结.中国铁矿石造块适用技术.北京:冶金工业出版社,1999:60

4 张同山.均质烧结技术的发展与配套设计.烧结球团,2001,26(2):1

5 许满兴.中国铁矿石造块适用技术.北京:冶金工业出版社,2000:258

6 高炉长寿技术会议论文集.中国金属学会,1994.10

7 高炉长寿技术及快速修补技术研讨会论文集.中国金属学会炼铁专业委员会,1999.6

8 第一届全国1000m³以下高炉专业委员会论文集.2001.5

10 特殊矿冶炼

10.1 包头特殊矿高炉冶炼技术

10.1.1 概述

包头钢铁(集团)公司炼铁厂现拥有 4 座大型高炉,总容积为 8113m³(3×2200 m³,1×1513 m³)。自 1959 年 9 月 26 日 1 号高炉点火投产 40 余年来,包钢炼铁生产取得了很大的技术进步,创造了大型高炉冶炼白云鄂博特殊矿的奇迹。

白云鄂博矿是包钢炼铁厂冶炼的矿石基地,这种矿石是世界上罕见的铁、稀土、铌等多金属共生矿,矿石中还含有稀有分散元素(如 Sc、Ta 等)和放射性元素(如 Th、U 等),到目前为止已发现白云鄂博矿含有 72 种元素,170 余种矿物。由于成矿条件极其复杂,矿石质地致密,颗粒纤细,矿物种类繁多,结构复杂,是难于选分的矿石。就矿石含铁而言,矿石较贫,品位不高,而有害元素氟、碱金属钾钠及硫磷含量均较高,铁精矿难于烧结,入炉难以冶炼。

包钢大高炉冶炼投产伊始,白云鄂博矿的特殊性就突出地显现出来,出现了一系列技术难题,特别是"三口一瘤"(风口、渣口和铁口侵蚀损坏严重,高炉结瘤频繁),长期困扰着包钢炼铁生产,成为包钢发展的"瓶颈"问题。经过 40 余年的艰苦奋斗,逐步解决了高炉冶炼中存在的难题,掌握了白云鄂博矿的冶炼规律,探索出适合包钢条件的高炉强化之路。这就是坚持精料方针,努力改善包钢烧结矿、球团矿的冶金性能,注重合理的炉料结构及白云矿的综合利用;认清了 K、Na、F 在高炉过程中的行为,高炉结瘤的机理,探索出有效控制碱金属循环富集的措施,杜绝了高炉结瘤的危害;成功地进行了高炉上下部相结合的调剂措施,开发出适合包钢冶炼条件的上部多环布料模式,改善了炉况顺行及煤气利用;成功地进行了富氧喷煤强化冶炼试验,改善冶炼过程,进行混合烟煤喷吹,提高经济效益。

10.1.2　包钢高炉原燃料技术进步

10.1.2.1　烧结矿的性能改进

A　烧结矿发展与攻关

包钢烧结厂于 1966 年 4 月建成投产,结束了包钢高炉全白云鄂博块矿冶炼的历史。投产初期,由于对自产的含钾钠氟精矿的烧结特性缺乏认识,加之烧结设备缺陷和能力不足,使烧结生产遇到严重困难。几十年来,烧结矿的生产不断进行技术攻关和性能改进。1966 ～ 1976 年,生产自由碱度 $[(CaO-1.473F)/SiO_2]$ 为 1.0 左右的自熔性烧结矿。其间主要问题是烧结混合料透气性差,垂速低,不易烧透,产量低;烧结矿的结构疏松,多孔薄壁,强度低,粉末多;FeO 高,冶金性能差,满足不了高炉生产的需要。1977 年至 1982 年生产高碱度烧结矿,与自熔性烧结矿比,高碱度烧结矿的矿相发生了根本性的变化,宏观结构从多孔薄壁变为大孔厚壁,微观结构磁铁矿变为粒度较小而均匀的半自形晶和它形晶,并与铁酸钙形成交织熔蚀结构。铁酸钙含量大幅度增加而玻璃质大幅度减少。相应烧结矿的各项技术指标及冶金性能得到了改善。为了进一步改善烧结矿质量,强化高炉冶炼,1983 年开发了高碱度高氧化镁烧结矿,将烧结矿中 MgO 从 1.2% ～1.6% 提高到 2.8%～3.0% ,改善了烧结矿的高温冶金性能,使高炉炉况顺行,提高了炉渣和铁水温度,增加了炉渣热稳定性和排碱能力。提高了高炉的生铁产量,降低了焦比。尽管这样, 由于包钢烧结矿钾钠氟含量高,其冶金性能差、粒度组成差、高炉还原透气性差的特性仍没得到根本改善。随着烧结机改造的完成,烧结生产能力的增加,为了合理利用白云鄂博矿的资源,1999 年进行烧结混合料中配加河北铁精矿的变碱度工业实验,使包钢烧结矿的冶金性能有了很大的改进。包钢烧结料配入 10% ～40% 河北精矿后,随着河北精矿配比增加,烧结利用系数有所提高,转鼓指数有所降低。还原度降低,低温还原粉化指数变好,软化温度提高,软化区间变窄。

B　配加普通精矿的烧结矿组织结构研究

从配加20%河北精矿的不同碱度烧结矿的矿物组成可知(表10-1),随着碱度的提高,磁铁矿量减少,玻璃量减少,橄榄石量减少,赤铁矿变化不明显,铁酸钙量增加,硅酸二钙量增加。而枪晶石、黄长石在中等碱度区域易发现,在碱度过低或过高区域难发现。

表 10-1　配加 20% 河北精矿的不同碱度烧结矿的矿物组成 (%)

碱度 R	磁铁矿	赤铁矿	玻　璃	橄榄石	枪晶石	黄长石	铁酸钙	硅酸钙
1.0	75	5	18	2				
1.2	75	5	18	2				
1.4	75	5	18	2	少	少		
1.6	65	5	14	少	1	2	10	3
1.8	55	5	10		少	1	25	4
2.2	50	5	5			少	35	5
全河北精矿 1.8	55	5	11				25	4

从不同碱度烧结矿矿物组成和显微结构可见,在高碱度($R=2.2$)情况下,矿物相数较少,其胶结相主要为铁酸钙,结构均匀单一,具有较高的强度。

在中等碱度($R=1.6\sim1.8$)区域内矿物相数较多,不同矿物晶粒在烧结矿内取向不同,不同矿物有不同的导热系数及线膨胀系数。这样就会因各方向膨胀(或收缩)不同而在晶界或相界出现应力集中,导致微裂纹生成,使烧结矿产生内在缺陷,所以烧结矿强度是下降的。

在较低碱度区域($R=1.0\sim1.4$)矿物相数较少,虽然胶结相主要是玻璃体,但其显微结构趋向均匀单一,所以低碱度烧结矿也有较好的强度。

近几年工业试验证明,在入炉烧结矿配加 85% 左右时,烧结矿碱度由原来的 1.76 降至 1.36,其品位提高,滴落温度降低,冶金性能改善。高炉溶剂使用量减少,生铁成本降低。但烧结矿小粒级(0~10mm)偏多的问题没有解决。研究和实践表明,若入炉烧结矿配加70%左右时,将烧结矿碱度提高至1.8以上,其冶金性能和强度也有很大的改善。

C 包钢烧结矿现状

对于包头白云鄂博矿,从过去的选铁到目前的选铁选稀土的综合选别,选矿工艺技术有了很大进步,铁精矿的含 F_2 量显著降低, F_2 已由过去的 2.4% 降到目前的 1.0% 以下。目前铁精矿品位已达到 62% 的水平。但包钢铁精矿生产的烧结矿碱金属含量较高, $K_2O + Na_2O$ 的含量在 0.5% 左右, F_2 含量为 0.6%,炉渣中 F_2 含量在 1.3%~1.5% 左右。这种同时含有较高的 K、Na 及 F_2 的烧结矿,在国内外是没有的。由于 K、Na 及 F_2 的共同作用,包钢烧结矿强度低,粉末多,粒度组成差(表 10-2),小于 10mm 粒级约占 50% 左右,有时高达 70%。与普通烧结矿相比,包钢烧结矿的冶金性能较差,特别是其软融性能(表 10-3)。软化温度(T_S)低,软化区间(T_{40}~T_4)宽,熔融区间(T_D-T_S)宽,滴落温度(T_D)高,最大压差值(ΔP_{max})高,高压差温度区间宽,还原透气性差。

表 10-2　1994 年以来入炉烧结矿粒度组成(%)

年　份	<5mm	5~10mm	10~25mm	25~40mm	>40mm	返矿率	平均粒度/mm
1994	5.80	40.62	35.27	11.42	6.90	19.35	17.04
1995	6.03	36.22	39.01	11.70	7.04	16.90	16.99
1996	6.35	41.71	36.16	10.66	5.07	20.20	15.31
1997	7.26	42.68	34.59	10.39	5.14	21.20	16.20
1998	6.61	40.91	34.60	12.57	5.31	17.15	16.50
1999	6.72	42.05	33.02	12.16	5.96	16.84	17.22

虽然近几年通过增加部分外来矿等措施来减弱包头矿的特殊性,碱金属含量相对有所降低,但碱负荷仍高达 6.5 kg/t Fe 之多,是世界炼铁业中少有的。1990 年以来,烧结矿品位、碱金属及碱度变化如图 10-1 所示。

表 10-3　包钢与其他厂烧结矿高温性能的比较

企业名称	$T_{40}\sim T_4$/℃	T_S/℃	T_D/℃	ΔP_{max}/Pa	$T_D\sim T_S$/℃	RO	w(TFe)/%	w(FeO)/%	w(CaO)/%	w(MgO)/%	w(SiO$_2$)/%
宝钢	111	1292	1458	10173	166	1.64	57.2	7.5	8.95	1.58	5.45
武钢	115	1313	1486	10368	173	1.31	54.6	8.0	8.45	3.10	6.45
攀钢	84	1271	1499	10971	228	1.68	46.5	8.0	10.4	2.92	6.18
首钢	106	1307	1515	11271	208	1.81	53.5	9.0	12.4	2.20	6.85
包钢1	132	1305	1515	12642	245	1.85	51.5	9.4	12.6	2.84	6.46
包钢2	111	1271	1422	6222	151	1.33	55.0	15.0	10.7	2.80	7.59

注:包钢1指未配加普通精矿的烧结矿;包钢2指配加40%普通精矿的烧结矿。

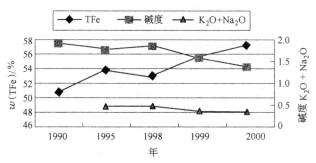

图 10-1　烧结矿 TFe、碱金属含量及碱度变化

10.1.2.2　球团矿的特性及改进

A　球团矿的发展与攻关

包钢球团矿生产经过了较长时间的探索攻关。1968 年投产的隧道窑式球团生产,由于技术经济指标差,于 1979 年停止生产。1973 年 6 月 162m^2 带式焙烧机投入生产,设计能力为年产 110 万 t 球团矿。至 1980 年的 8 年生产中,用 100% 的白云鄂博矿生产自然碱度球团矿供高炉用,当时铁精矿含氟为 2.08%～3.28%,在生产过程中产生的 HF 和 SO$_2$ 对厂内外环境造成严重污染,同时球团矿在还原过程中产生恶性膨胀,生产处于半停产状态。为了解决环境的严重污染和球团矿的恶性膨胀问题,1982 年开始配用部分无氟的矿粉。从 1987 年 5 月包钢开始生产低氟铁精矿供

球团生产用,上述两个严重的问题有了一定的缓解,但没有根本解决。此时低氟矿的氟含量为 0.3%～0.5%。随着环境保护意识的日益增强,为彻底消除球团矿生产中的氟污染,改善厂内外环境,生产全无氟球团矿势在必行。2000 年 4 月 26 日至今,克服了技术上的种种难关,包钢球团已经实现了全无氟精矿生产。从根本上消除了氟污染,同时球团矿质量亦得到改善。

B 全无氟球团矿的研究

原料的成球性能直接影响球团矿的生球质量,是球团生产过程中的关键因素。由于购进的内蒙古自治区内的精矿多为颗粒柱圆状,造球时成球性能差,而区外精矿颗粒成粒状、柱状,且不规则状居多,棱角明显可见,精矿易于成球。因此,必须配加区外矿来改善精矿成球性能,与区内矿混合进行粒度优化。实践证明,区外细精矿配比应达到 30%以上,才能保证球团矿的质量指标。合理搭配区内、外矿种,增加矿种搭配均可以有效地改善无氟矿的成球性能和生球指标。通过增加皂土或添加少量有机黏结剂可以大大改善无氟矿的成球性能,无氟精矿生产球团矿其焙烧温度必须达到 1200～1250℃,成品球每个球的抗压强度才能达到 2000N 以上。在条件允许的前提下可适当提高焙烧温度以提高无氟球团的成品球质量。通过对加水方式、造球机工艺参数、焙烧制度及主控室工艺参数进行调整,成功地实现了全无氟矿生产。解决了包钢球团生产氟污染问题,较 1999 年含氟料生产时,全无氟生产后每月减少排氟量近 36t。取得良好的社会效益和经济效益。包钢球团矿成分及指标情况见表 10-4 所示。

表 10-4　历年包钢球团矿成分及指标情况

年　份	$w(TFe)$ /%	$w(FeO)$ /%	$w(SiO_2)$ /%	$w(F_2)$ /%	碱度 R	膨胀率 /%	转鼓 /%
1979	55.91	0.72	5.32	1.3	0.75	>20	91.82
1990	61.57	2.44	8.27	0.1	<0.2	13.5	94.93
1995	62.70	2.22	7.25	0.06	0.100	11.85	88.53
1999	61.94	4.01	7.72	0.07	0.127	10.8	87.79
2000	62.59	1.70	7.82		0.114	10.84	90.15

注:1979 年、1990 年为鲁宾转鼓(>5mm),1995～2000 年为 ISO 转鼓(>6.3mm)。

10.1.2.3　合理的炉料结构

包钢烧结厂于 1966 年 4 月投产后,包钢高炉开始使用自熔性烧结矿与白云块矿混合冶炼。由于包钢的自熔性烧结矿强度差、粉末多、FeO 高、冶金性能差,无法满足高炉正常生产的需要。1977 年底包钢生产高碱度烧结矿试验成功,初步解决了烧结矿强度差的问题,冶金性能也有较大改善,对包钢高炉生产起到了转折性的推动作用。从那时起,包钢立足本地资源特点,为改善高炉冶炼指标,提高企业经济效益,开始了合理炉料结构的探索。

A　包钢高炉炉料结构的发展

使用高碱度烧结矿后,包钢高炉炉料结构的发展经历了三个阶段:

第一阶段为高碱度烧结矿配加酸性球团加白云块矿,入炉混合料比例为:70%烧结矿 + 20%球团矿 + 10%白云矿。

第二阶段为高碱度烧结矿配加酸性球团矿加澳矿,入炉混合料比例基本为:70%烧结矿 + 20%球团矿 + 10%澳矿。这期间,包钢开发了高碱度高氧化镁烧结矿,采用了小球烧结技术,使烧结矿的冶金性能有了进一步的改善,酸性球团矿的含氟大幅度降低,膨胀指标大大下降。

第三阶段为低碱度高氧化镁烧结矿(R 为 1.36 ± 0.12)配加酸性球团矿,入炉混合料比例为:85%烧结矿 + 15%球团。此时的球团矿已变为无氟球团矿,冶金性能进一步改善。

由于烧结矿生产能力的扩大,包钢高炉在 1999 年实现了全熟料入炉。因球团矿生产能力相对较小,所以,入炉混合料配比只能为:85%烧结矿 + 15%球团矿。这种配比导致高炉冶炼时需加入较多矽石,造成渣比高,对焦比也有不利影响。鉴于此,包钢进行了低碱度高氧化镁烧结矿配加酸性球团矿的试验研究,并取得成功。与高碱度烧结矿相比,这种烧结矿具有铁分高、硫低的优点,基本能满足当前高炉冶炼的需要,但烧结矿强度相对较差。这种炉料结构显然不是最佳的炉料结构,但符合包钢资源特点,所以使用了一年多的时间。

B 合理炉料结构探讨

根据国内外炼铁工作者总结的炉料结构原则,包钢最佳的炉料结构应该是:75%高碱度烧结矿＋25%酸性球团矿。包钢正在朝这个方向努力,扩大球团生产的工作已经启动。进一步提高高碱度烧结矿质量的研究工作正在进行。

10.1.3 包钢高炉的冶炼规律

10.1.3.1 包头特殊矿冶炼特性

白云鄂博矿属难还原、易软熔、冶金性能差的矿石。与普通矿相比,包钢高炉冶炼软融带位置高,软融带厚,加之烧结矿强度差,粒度偏小(10mm 粒级多达 50%),致使炉料透气性差,阻力大,煤气压差高。长期以来,包钢高炉难于强化,产量低,焦比高,技术经济指标与国内同类型高炉相比有较大差距。

白云鄂博矿因含有较多的氟、钾、钠,他们在高炉内的循环富集,又加速了矿石的软熔过程。矿石里 SiO_2 较少,形成的初渣为 $CaO—CaF_2—FeO$ 型,而非普通矿石的 $CaO—SiO_2—FeO$ 型,初渣中 FeO 较多,又多以自由态存在,致使初渣黏度低,易流动,又很不稳定,极易析出结晶性强熔点高的物质(如钾霞石、枪晶石等),而 FeO 被还原成海绵状夹杂在渣相中,构成难熔物质的骨架。因此,白云鄂博矿初渣具有"易熔易凝难重熔"的特点,软熔过程又很不稳定,给高炉操作带来很大困难,是高炉极易结瘤的重要原因。

包钢高炉初渣含 FeO 高,流动性好,热熔偏低,在高温区发生大量的直接还原,产生强烈的吸热作用,不利于炉缸温度的提高。液态 FeO 流经焦炭表面迅速还原充分渗碳,使生铁含碳量高,并易析出石墨碳,造成炉缸的堆积。包钢高炉炉缸热量不够充沛,炉缸易堆积不活跃,炉缸热制度不稳定是造成风口、渣口大量烧损、高炉事故频繁的一个重要原因。

白云鄂博矿冶炼终渣中 CaF_2 含量高(8%~10%),炉渣具有极好的流动性。当渣温大于 1400℃ 时,黏度在 $0.1Pa·s$ 以下(白云鄂博矿作为洗炉剂被外地高炉所使用)。但其熔化区间窄(不足50℃),又是一种超短渣,炉渣稳定性差。含氟炉渣表面张力小,容易出现泡沫渣。这种高氟的流动性好的炉渣具有较强的化学侵蚀和机械冲刷能力,因此包钢高炉不能采用硅铝质耐火材料,而只能采用碳质材料作为炉衬,铁口泥套也不易维护,而包头矿又有较多的碱金属,钾钠在炉内的循环能加速 $C + CO_2 = 2CO$ 的反应,造成料柱中焦炭的碎化,炉衬炭砖的强度降低和炉瘤的生成。因此包钢高炉的炉衬使用寿命是较短的。

10.1.3.2 探索合理的布料规律,搞好上下部调剂

由于包钢烧结矿的特殊性,造成包钢高炉料柱透气性差,风量偏小,不易加风强化。同国内同级别高炉相比,风量要少 10% ～ 20%。为此,可改变操作方法,改善料柱透气性,探索适合于包头矿条件的高炉上下部调剂制度,以达到高炉强化的目的。

A 下部调剂

下部调剂的目的是保持适宜的风口回旋区和理论燃烧温度,使炉缸初始气流分布合理,温度分布均匀,热量充沛稳定,炉缸工作活跃。

高炉投产初期到 20 世纪 80 年代末,高炉容积为 1513～1800 m^3,风口进风面积偏大($S = 0.3 ～ 0.4$ m^2 之间,有时大于 0.4 m^2),鼓风动能不足,风口回旋区小,中心气流弱。20 世纪 90 年代,3、4 号高炉容积为 2200m^3,进风面积逐步缩小,1999 年初,利用休风机会,3 座高炉均逐步调换了上翘的大套或二套,用部分斜风口取代普通直风口,合理调整进风面积。3、4 号高炉进风面积稳定在 0.310m^2,鼓风动能保持在 100kJ/s 以上。1 高炉进风面积由原来的 0.266m^2 缩小到 0.255m^2,炉缸初始煤气流分布更趋合理。各高炉进风面积和鼓风动能如表 10-5 所示。

表 10-5　各高炉进风面积和鼓风动能

炉　别 项　目	1 号高炉(1513m^3)		3 号高炉(2200m^3)		4 号高炉(2200m^3)	
	1998 年	1999 年	1998 年	1999 年	1998 年	1999 年
进风面积/m^2	0.266	0.255	0.313	0.311	0.311	0.311
鼓风动能/kJ·s^{-1}	61	69	94	117	105	112

B 上部装料制度的摸索

1980年前,由于原料条件差,炉况经常不顺,高炉基本采用小料批、全倒装的装料模式,保持两条煤气流,以维持高炉顺行(图10-2)。1985年以后,1、3号高炉相继改造为无钟高炉,均采用单环布料,用焦、矿角的差值调整煤气流分布(图10-3)。炉况失常时,一般用倒同装 CO↓CO↓ 来恢复炉况。这种装料制度既能强烈发展边缘气流,也能维持较强的中心气流,对增加风量十分有利,但对炉墙冲刷严重。1990~1992年富氧大喷煤试验期间,采用中心加焦技术,炉况顺行,由于中心气流旺盛(图10-4),综合焦比较高。

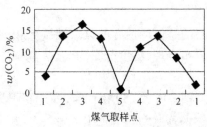

图 10-2 全倒装炉喉 CO_2 曲线

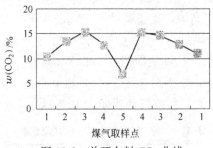

图 10-3 单环布料 CO_2 曲线

1994年6月3号高炉扩容改造后,成功地开发了多单环布料技术。多单环布料就是在10个周期中,用多种不同角度进行单环布料,如:$R + S + T = 10$, R 为 O36C32;S 为 O32C30, T 为

O30C24。较过去的单环布料调剂更加灵活,煤气流分布更加合理(图 10-5),1994 年 3 号高炉开炉后取得较好的经济指标。

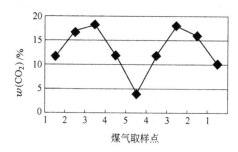

图 10-4　单环布料中心加焦时煤气曲线

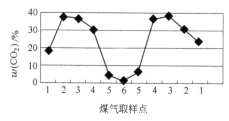

图 10-5　多单环布料 CO_2 曲线

1999 年对多单环布料有了进一步的认识,利用加权平均角差的概念,合理调整煤气流,上部调剂有了量的概念。

1995 年包钢 4 号高炉投产,包钢高炉开始对多环布料模式的探索。随着原料条件的逐步改善和操作技术水平的提高,包钢 1、3、4 号三座无钟高炉从 1999 年 12 月开始相继实现了多环布料并获得成功,各项经济技术指标都有较大改善。在长期的多环布料实践中,总结出以下经验:

(1)综合角差是调剂装料制度的重要依据。正常情况下,综合角差应控制在 2°~5°范围内。日常调剂时,如无特殊情况,综合角差变化幅度不宜过大,以 0.5°左右为好。

(2)布料圈数不宜过多,以 8~12 圈为宜。布料圈数一经确定,轻易不要以增减布料圈数的手段来调整装料制度。

（3）焦炭环数以 5~6 环,矿石以 3~4 环为好。矿石环带也不要过大,3、4 号高炉控制在 6°~10°范围内,1 号高炉应更小一些。

（4）3、4 号高炉在现有原料条件下,批重应控制在 40t 左右。

（5）节流阀开度要保持相对稳定,以保证规定的布料圈数,切忌频繁变动。

（6）相同的装料制度在不同的时期未必能达到相同的效果。不要为达到原来的布料效果而简单套用原来的装料制度。

（7）日常操作中,高炉应以现有的布料模式为调整装料制度的基础。中心加焦对开放和稳定中心煤气流非常有利。

（8）为了稳定边缘及中心煤气流,多环布料应坚持往复式。

由于包钢烧结矿小粒度占到 60%,与传统的布料规律有所不同。与倒同装 $CCOO\downarrow$ 相比,正同装 $OOCC\downarrow$ 边缘矿石层小于或接近倒同装 $CCOO\downarrow$;而倒同装 $CCOO\downarrow$ 中心的焦炭显著比正同装 $OOCC\downarrow$ 多。因而正同装加重中心,倒同装既疏松边缘又疏松中心。这就是 2 号高炉钟式高炉长期使用倒同装 $CCOO\downarrow$ 装料制度而炉况稳定顺行的原因。

使用这种性质极其特殊的白云鄂博矿石,包钢炼铁生产经历了艰难曲折的历程。40 余年的高炉冶炼实践表明,既要遵循高炉冶炼的基本规律,又要重视白云鄂博矿的冶炼特殊性。从认识白云鄂博矿的特性入手,认真总结使用这种特殊矿高炉冶炼的经验教训,探索掌握白云鄂博矿的冶炼规律,改善矿石的性能使之符合高炉冶炼的要求,改进高炉冶炼的操作使之适应矿石特殊性的需要。维持较强的两道煤气流是包钢特殊矿冶炼的需要。多单环布料模式能够适当抑制边缘气流,发展中心气流,改善煤气利用。通过上下部调剂的改进,解决了料柱透气性与高炉强化的矛盾,使高炉稳定顺行,产量提高。闯出了包头特殊矿高炉冶炼强化之路。

10.1.3.3 包钢高炉的热制度

合理的热制度是高炉稳定、顺行的重要保证。合理的热制度应保证炉缸温度充足,生铁质量合格,渣、铁流动性好,并能适应一定程度冶炼条件的临时变化。

由于包钢炉渣热熔低,导致炉缸温度低。为保证充足的炉缸温度,包钢高炉一直控制较高的炉温操作。一般生铁[Si]含量按0.6%~0.85%控制。"炉温高一点"这是1982年原冶金工业部组织国内高等院校科研单位到包钢进行炉瘤攻关的一个很重要的技术观点。

由于控制较高炉温不利于炉渣排碱,且影响焦比的降低。近年来,随着原料条件的改善,炉料结构的变化,热制度也在变化,生铁[Si]含量的趋势是在放低,现在一般为0.45%~0.75%。新投产的1号高炉采用了法国生产的陶瓷杯技术,[Si]含量控制有大幅度降低,可以按0.30%~0.50%控制。铁水物理温度一般都控制在1450~1500℃之间。

日常操作中,原料条件好、炉况顺行时,生铁[Si]含量按下限控制;炉况欠顺、原料条件不好时,生铁[Si]含量按上限控制。调节参数起作用时间快慢的先后顺序为:风量、风温、湿分、煤粉、负荷。

10.1.3.4 包钢高炉的造渣制度与排碱

A 包钢高炉炉渣碱度的计算公式

由于包钢炉渣中CaF_2含量较高,因此包钢高炉炉渣碱度计算公式也有别于普通矿炉渣二元碱度计算公式。

普通矿炉渣二元碱度公式为:

$$R = CaO/SiO_2$$

包头矿炉渣二元自由碱度公式为:

$$R = (CaO - 1.473 F_2)/SiO_2$$

B 造渣制度与排碱

根据原燃料质量、硫负荷、碱负荷水平以及根据生铁成分的要求,正确选择造渣制度至关重要。

适宜的造渣制度应满足以下要求:(1)在确保生铁脱硫的前提下,尽可能促进炉渣排碱;(2)要保持充足的炉缸温度,促进炉缸工作活跃。由此,包钢高炉在日常生产中,规定了各高炉轮流排碱的制度,即在维持适宜的炉温以保证生铁脱硫的前提下,尽可能降低炉渣碱度。因为炉渣的排碱能力随碱度的提高而减小(表

10-6),为减少碱金属的危害,一般炉渣自由碱度控制在 0.95～1.05 之间。同时,强调杜绝长期高炉温高碱度的现象。

表 10-6   在 1450℃ 时炉渣碱度及渣中含碱量

RO	0.67	0.96	1.00	1.11	1.21	1.40
$w(K_2O + Na_2O)/\%$	1.84	1.66	1.60	1.56	1.55	1.55

严格贯彻定期排碱制度,降低碱金属的循环富集。碱金属多以 K_2SiO_3 的形式从炉渣中排出,因此,炉缸热制度和造渣制度的选择,既要满足有足够的炉缸温度,又要有高的脱硫能力,而且有利于排碱。包钢从生产实践中总结出的操作数据见表 10-7。

表 10-7   包钢经验数据

铁水[Si]±0.1%	影响渣中碱金属∓0.045%
炉渣自由碱度$[(CaO - 1.473F_2)/SiO_2]\pm 0.1$	影响渣中碱金属∓0.3%
炉渣中(MgO)±1.0%	影响渣中碱金属 ±0.21%
炉渣中(F)±1%	影响渣中碱金属 ±0.16%

炉渣中一定含量的 MgO,可提高渣中 K_2O、Na_2O 的溶解度,有利于炉渣排碱、脱硫,日常操作中控制在 7%～8.5% 左右。

10.1.3.5   送风制度

送风制度是高炉下部调节的主要手段。合适的送风制度是保持适宜的风口回旋区和理论燃烧温度,使气流分布合理、温度分布均匀、热量充沛稳定、炉缸工作活跃。

根据包钢原料,高炉不吃风、透气性差、行程不稳定的特点,包钢高炉送风制度的特点是高鼓风动能,吹透中心;高风温,较高的理论燃烧温度。

A   缩小风口面积,提高动能,吹透中心

1992 年,包钢富氧大喷吹工业试验这种观点越来越明确。缩小风口面积,下部吹活炉缸,是取得富氧大喷吹工业试验成功的一条重要经验。此后,冶炼强度提高,产量增加,风口直径在 φ110～

388

130mm 之间。2001 年扩容改造后的 1 号高炉风口数目比同容积的 4 号高炉还减少了一个。实践证明效果是相当好的。现在 1、3、4 号高炉标准风速都在 200m/s 以上。炉况失常时及时堵风口恢复炉况。炉况正常时中心气流都很强。

B　高风温

由于认识到了包钢矿的特殊性,提高富氧率和风温对炉缸工作极其有利,因此包钢风温水平一直保持全国领先水平。

现在 4 座高炉的热风炉配置:1 号高炉是 4 座内燃改造式热风炉,平均风温 1150℃以上;2 号高炉是 4 座拷贝式热风炉,平均风温 1100℃以上;3、4 号高炉均是 4 座外燃式热风炉,平均风温近 1200℃。

随煤比的增加以及操作技术的提高,现在全厂均实行关冷风大闸、全风温操作。高风温操作适应包钢的原燃料和炉渣特点。

10.1.4　炉前系统的特点

因为白云鄂博矿的特殊性,"三口一瘤"等难题曾长时间困扰包钢的炼铁生产。在不断改善原料性能的同时,包钢高炉工作者也努力对炼铁设备进行改进和维护。

10.1.4.1　风口渣口的改造

包钢高炉投产后至 1977 年,风口大量破损,平均每个风口出铁量约 430t。1977 年每万吨铁消耗风口 55.54 个。造成休风率高,作业率低,炉况波动大,生产处于被动状态。

风口破损的主要原因有:(1)风口结构不合理,导致水流在空腔内产生漩涡,产生"泡核沸腾"现象;(2)风口材质相对较差,导热能力只相当轧制铜材的 1/2 甚至 1/3;(3)水压较低,冷却强度不够,原风口冷却水压为 0.37MPa;(4)由于包头矿石的特殊性,炉缸易堆积,渣铁流难以通过焦炭层渗入炉缸下部,易于烧损。1978 年起在全厂推广包钢试验成功的高压水螺旋紫铜风口,铜质改善,水压提高到 0.98MPa。当年每个风口出铁量大于 3000t,每万吨生铁损坏风口降至 2.89 个,基本攻克风口关。但由于该种风口制作困难且不适应喷煤要求,1986 年试制成功紫铜帽、铸水箱相焊接的水流合理的贯流式风口。1988 年采用电子束焊接。1993 年又在风口前端进行多金属共渗技术。1999 年全年共损坏风口 142 个,每个风口出铁量大于 20000t(表 10-8)。1999 年底又开发 φ120mm、φ130mm 斜风口和加长风口,满足了强化冶炼要求。

表 10-8　风口损坏情况

年　　份	年产量/万 t	损坏风口/个	每万吨铁消耗风口数/个
1960	48.23	1754	36.37
1977	46.07	2559	55.54
1978	97.73	283	2.89
1986	196.36	242	1.23
1993	288.01	260	0.90
1998	366.76	256	0.69
1999	378.7	142	0.37
2000 年 1~5 月	165.1	58	0.35

　　包钢渣口的破损有普通矿高炉冶炼的共性,也有包头矿的特殊性,即在炉缸工作不正常或造渣制度不合适时渣中带铁而烧坏,所不同的是包头含氟炉渣的黏度小于 1.0Pa·s,在同样渣口直径条件下,流量将比普通渣量高出一倍以上。而铸铜渣口导热系数低,单位时间热量不能排出,使渣口孔内壁温度急剧升高而熔损烧坏。渣口内芯改由紫铜棒锻压成形后与后水箱焊接,解决了渣口大量破损问题。

10.1.4.2　铁口及炉前系统

　　由于含氟炉渣对耐火材料侵蚀力极强,较好的流动性进一步加剧炉渣对耐火材料的侵蚀和冲刷,投产初期的黏土-焦粉质有水炮泥不能满足生产要求,铁口工作严重失常。1964 年 7 月研究成功以二蒽油为黏结剂的新型无水炮泥和相应的风冷合金钻头,铁口工作趋于正常。随着高炉强化,1996 年用焦油代替沥青,以后又用 AC 刚玉(棕刚玉)代替致密刚玉,开发成功了第二代无水炮泥:焦油系统-铝质炮泥。通过对炮泥保温系统的改造及合理设置了电子秤配方程序,使炮泥质量更加稳定,成型率达100%,并且进一步降低了炮泥成本。

2001年又开发成功堵口15min就可拔炮的新型无水炮泥,解决了高炉单铁口作业时,铁口难以正常工作的难题。

长期以来包钢铁口泥套采用捣打法,此方法虽然具有制作简单的优点,但寿命短,使用时间仅为50~60天。近年来,包钢高炉引进了铁口泥套浇注技术,使铁口泥套的使用时间大大延长,可达100天左右。

高炉沟体已基本由铺垫捣打料改为浇注料。浇注的沟体结构强度高,耐冲刷性能强,正常修补少,通铁量一般能达到8万t,最高达10万t,大大改善了炉前的工作条件。

淘汰了原有的电动开口机,使用了具备钻孔、双向振打、吹扫等功能的液压风动双打开口机。缩短了开口时间,保证了高炉正常生产。

用体积小、能力大的矮身液压泥炮取代了电动泥炮,使泥炮的工作更加可靠、稳定,减少了铁口事故的发生率,日常维护量也大大减小。

10.1.5 富氧大喷煤的技术进步

10.1.5.1 近十年来包钢高炉喷煤技术的发展

A 富氧大喷煤工业试验

为解决包钢高炉强化冶炼问题,1990~1992年在1号高炉进行了富氧大喷吹冶炼工业试验。试验中配合较高的风温(近1200℃),使用氧煤枪经济有效用氧(富氧率3.93%),注重上下部调剂相结合,发挥无钟炉顶布料的优势,实行中心加焦技术,达到了冶炼强度1.052t/m³·d,利用系数1.726t/m³·d,煤比152.7kg/t,实现了规定目标,闯出了包头特殊矿高炉强化冶炼的强化之路。为全厂大幅度提高煤比提供了宝贵经验。试验期得出的理论燃烧温度经验公式($T_f = 1560.2 - 2.04M + 37.1\Delta O_2 + 0.76T - 38.9W$,其中:$M$为煤比;$\Delta O_2$为富氧率;$T$为风温;$W$为鼓风湿度)仍然指导现在的高炉生产。富氧、高风温和喷煤是高炉强化冶炼、提高利用系数和降低焦比的重要措施。

B 近年来高炉煤比的发展

1996 年包钢高炉煤比仅为 59.23kg/tFe，1997 年把烟煤配比增加到 22％以上和其他操作上的改进，煤比增加到 71.72kg/tFe。1998 年贯彻以精料为基础，以顺行为前提的方针，做好精料工作，搞好高炉上下部调剂，改进炉前工作，煤比达到 81.46kg/tFe，实现了包钢 1995 年提出的 80kg/tFe 煤比奋斗目标。1999 年进行全熟料冶炼，炉况调剂突出了开通中心煤气流，炉况稳定顺行，不但利用系数有较大提高，煤比也大幅度提高，增加到 101.96kg/tFe。2000 年，在保证不影响高炉生产的同时，完成了制粉、输粉和喷吹系统的技术改进，为继续提高煤比创造了条件。同时对高炉喷煤比进行了分析、研究，继续探索高煤比的高炉操作，优化操作，追求最佳煤比，煤比达到 132.7kg/tFe，4 年煤比提高了 1.24 倍，每年增加约 30％（表 10-9）。

表 10-9 1998～2000 年包钢高炉生产指标

项目单位	1998 年	1999 年	2000 年
利用系数/$t \cdot m^{-3} \cdot d^{-1}$	1.568	1.755	1.813
入炉焦比/$kg \cdot t^{-1}$	484.6	450.3	421.8
煤比/$kg \cdot t^{-1}$	81.46	101.7	132.7
综合焦比/$kg \cdot t^{-1}$	560.9	547.9	541.6
风温/℃	1178.5	1198	1213.4
富氧率/％	0.98	1.51	1.80
休风率/％	2.06	1.49	1.83
煤气 CO_2/％	18.45	15.36	18.18
入炉品位/％	55.57	56.62	57.96
$w(Si)$/％	0.747	0.622	0.619
$w(S)$/％	0.037	0.034	0.032

10.1.5.2 喷煤设备系统技术改造

根据降本增效和环保的要求，特别是喷煤系统安全生产的要求,喷煤系统已不能满足生产的发展需求。1999年末对球磨机制粉、输粉系统、4号高炉喷吹站进行了技术改造。

A 选用新型高效布袋除尘器、一次除尘、全负压操作

球磨机系统三个系列皆采用旋风、多管、布袋三级除尘进行收集煤粉。布袋后还有二次风机、反吹风机等设备。流程长、阻损大;设备故障率高,漏风率高,易冒煤粉,不易操作。选用新型高效布袋除尘器,一次除尘、全负压操作。减少了设备,缩短了工艺流程,明显提高了产量。

B 空气输送斜槽取代螺旋运输机

原3个制粉系列的烟煤皆由螺旋运输机把煤粉运送到煤粉包。取消螺旋运输机是改造的疑难点,经论证采用空气输送斜槽,充分利用了原有设备,节省了投资,避免了影响生产,消除了输粉过程冒粉、黏粉这个最大的安全隐患。这是国内炼铁喷煤技术改造的创新。

C 上出料仓式泵及浓相输送技术

原球磨机系统4个仓式泵是下出料形式,输粉时间长、耗气量大。4系列虽然为上出料形式,由于锥体流化形式不合适,耗气量更高。首先改造4系列的锥体流化方式以及管道和导出管,效果十分明显,空气消耗量由8000m³/h降到2000m³/h。随后改造了老系统4个仓式泵,效果也很好。仓式泵的改造大大地提高了输粉能力,为高炉稳定喷吹创造了条件。

D 4号高炉喷吹站的改造

4号高炉喷吹站的改造项目有:采用新型给煤器;改进了流化方式;并联喷吹、单管路、一个分配器;增加一台70 m³的贮气罐。

4号喷吹站的改造实现了浓相喷吹提高了喷煤能力,降低了消耗,为4号高炉200kg/tFe煤比创造了条件。

E 球磨机系列的改造

球磨机系统系列和中速磨系统取消引风机及尾气循环,球磨机系统在仓式泵上增设了振动筛、球磨机上的给料机改造成全密闭变频调速给料机。球磨机制粉、输粉全部采用计算机操作。

通过一年多的运行考验,改造后的工艺合理、操作方便,制粉能力提高了 46.97%,输粉浓度大于 $40kg/m^3$,喷吹浓度大于 60 kg/m^3,为提高煤比创造了条件。

10.1.5.3 提高煤比的技术措施

A 装料制度的改进

炉况稳定是提高煤比的基础。合理多环布料模式的研究开发,实现了适当开放中心、稳定边缘的煤气流分布,使得煤比增加,炉况稳定。

B 提高风温,增加富氧

为了保证煤粉的充分燃烧,提高风温,适当增加富氧是至关重要的。为保证高炉高风温,采取"固定风温、调整煤量"的操作方法。严格控制热风炉的送风时间,全关混风阀,在 1999 年高风温的基础上,2000 年风温水平又提高了 15.4℃。由于增加了氧气供应,使高炉 2000 年富氧率提高了 29%。

C 提高烟煤配比

混喷烟煤可以提高煤粉的燃烧率,增加高炉煤气中的氢气的浓度,有利于降低煤气的黏度系数,提高煤气的渗透力,改善还原和传热。通过严格控制混合煤粉的挥发成分,确保安全喷吹,1997年炼铁厂开始混喷烟煤配比的技术攻关,当年烟煤配比达到20%。1999 年以后,在安全的条件下,烟煤配比提高到 37%。对喷煤成本的降低和煤比的提高起到了至关重要的作用。炼铁厂历年煤比及烟煤配比如图 10-6 所示。

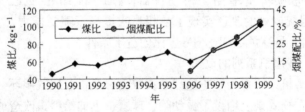

图 10-6　炼铁厂历年煤比及烟煤配比

包钢特殊矿高炉强化冶炼技术攻关,实现了含有 F、K、Na 等有害元素的白云鄂博特殊矿的大高炉冶炼,丰富了炼铁理论。为包头白云鄂博矿的综合利用提供了理论依据,而且高炉技术经济指标部分达到国内先进水平。但与国内同行比,仍有一定差距,如高炉寿命较短,高炉利用系数较低。近年来,组织了高炉长寿技术的攻关,而且取得了一定的成效,4 号高炉已生产 6 年多,突破了设计寿命。今后,继续依靠科技进步,加强经营管理,使包钢高炉技术经济指标更上一层楼。

10.2 钒钛矿的冶炼

10.2.1 原料

攀西地区是我国钒钛磁铁矿的主要成矿带,也是世界上同类矿床的重要产区之一。该铁矿属于以铁、钛、钒、铬等氧化物为主,多种矿物共生的复合矿,铁在原矿中以磁铁矿、钛铁晶石($2FeO \cdot TiO_2$)和钛铁矿($FeO \cdot TiO_2$)三种形态存在,其中磁铁矿是主要的矿物,钒在磁铁矿中主要以 V_2O_3 的形态存在,SiO_2 等脉石常以钛辉石和斜长石存在,硫在原矿中以磁黄铁矿和黄铁矿形态存在。由于原矿自身的特性及选矿工艺流程的确立,决定了攀枝花钒钛磁铁精矿的特殊性。

10.2.1.1 钒钛磁铁精矿的特点

经一段磨矿,三段磁选(一粗选、一精选、一扫选)后所得到的钒钛磁铁精矿是攀钢生产烧结矿的主要含铁原料,粒度组成、化学成分见如表 10-10、表 10-11 所示。

表 10-10 攀枝花钒钛磁铁矿精矿粒度(mm)组成(%)

序　号	>0.28	0.28~0.154	0.154~0.1	0.1~0.074	<0.074
1	19.56	20.76	14.56	8.15	36.96
2	14.60	20.46	17.67	9.70	37.57
3	12.50	12.50	16.70	17.80	40.50

表 10-11 攀枝花钒钛磁铁精矿化学成分(%)

序号	$w(TFe)$	$w(FeO)$	$w(SiO_2)$	$w(CaO)$	$w(MgO)$	$w(Al_2O_3)$	$w(TiO_2)$	$w(V_2O_5)$	$w(S)$
1	51.10	30.44	5.23	1.68	3.75	4.81	12.75	0.50	0.57
2	52.60	32.87	3.90	1.15	3.28	4.27	13.10	0.574	0.554
3	51.69	31.86	4.83	2.04	3.16	4.52	12.76	0.54	0.66

从表中可以看出攀枝花钒钛磁铁精矿具有下列特点:

(1)粒度粗。大于 0.074mm(200 网目)的精矿比例占 35%~40%,此种精矿颗粒表面平整、边缘光滑,其大小差异较小,成球性差,造成烧结透气性差。强化普通精矿制粒的有效措施,用于强化攀枝花钒钛磁铁精矿制粒,效果不理想。

(2)铁品位低。钒钛磁铁矿本身成矿的理论含铁量低,加之其中的脉石矿物难以选别所致。这也是造成钒钛烧结矿品位低、高炉冶炼渣量大的原因。

(3)SiO_2 含量低,TiO_2 含量高。这不仅使烧结时产生的液相量不足,烧结矿难以得到很好地黏结,同时,因 TiO_2 含量高而降低烧结料铁分,且烧结温度高;另外,还由于 $CaO \cdot TiO_2$ 的形成,致使钒钛烧结矿性脆、强度差、返矿高。

(4)S、Al_2O_3、FeO 含量高。精矿中含 S 0.5%~0.6%,Al_2O_3 4.5%~5.5%,FeO 含量高达 30%以上,均高于普通精矿含量,对烧结矿强度及冶金性能均有不利影响。

10.2.1.2 钒钛烧结矿的特性及质量

A 钒钛烧结矿的化学成分

根据 TiO_2 含量的高低,钒钛烧结矿可分为高钛型(攀钢)、中钛型(承钢)和低钛型(马钢)。钒钛烧结矿与普通烧结矿的化学成分比较情况见如表 10-12 所示。

表 10-12 国内部分厂烧结矿化学成分(%)

企业名称	$w(TFe)$	$w(FeO)$	$w(SiO_2)$	$w(CaO)$	$w(MgO)$	$w(Al_2O_3)$	$w(TiO_2)$	$w(V_2O_5)$	$w(S)$	(CaO/SiO_2)
攀钢	48.50	7.53	5.36	9.75	2.50	3.70	8.74	0.422	0.022	1.82

企业名称	$w(\mathrm{TFe})$	$w(\mathrm{FeO})$	$w(\mathrm{SiO_2})$	$w(\mathrm{CaO})$	$w(\mathrm{MgO})$	$w(\mathrm{Al_2O_3})$	$w(\mathrm{TiO_2})$	$w(\mathrm{V_2O_5})$	$w(\mathrm{S})$	$(\mathrm{CaO/SiO_2})$
承钢	55.09	12.15	3.32	6.43	2.63	2.89	7.40	0.75	0.051	1.93
马钢	56.62	7.13	4.92	9.96	2.04	1.70	0.262	0.070	0.014	2.02
宝钢	58.07	6.44	4.90	8.82	1.80	1.61				1.80
鞍钢	53.46	8.35	6.82	12.34	2.17	1.80				1.81

高钛型钒钛烧结矿与普通烧结矿的化学成分比较,具有"三高"、"三低"的特点。"三高"是指钒钛烧结矿中含 $\mathrm{TiO_2}$ 高、MgO 高和 $\mathrm{Al_2O_3}$ 高,其中 $\mathrm{TiO_2}$ 高决定了烧结和高炉冶炼过程的特殊规律,而"三低"是指钒钛烧结矿中含 TFe 低、FeO 低 和 $\mathrm{SiO_2}$ 低。近几年,尽管烧结原料中配加的富矿粉量有所增加,烧结矿品位仍然较低,在全国重点大中型钢铁企业中烧结矿品位处于最低水平。

$\mathrm{TiO_2}$ 是制约钒钛磁铁矿高炉冶炼的主要因素,多年来一直在采取措施降低钒钛烧结矿中的 $\mathrm{TiO_2}$ 含量。从表 10-12 可见,2000 年 $\mathrm{TiO_2}$ 含量降到了 8.74%,与 20 世纪 70 年代和 80 年代相比有较大幅度降低。钒钛烧结矿中 $\mathrm{TiO_2}$ 含量降低后,有利于高炉强化冶炼,提高生产效率。

B 钒钛烧结矿的特性

a 钒钛烧结矿的矿物组成及特点

钒钛烧结矿的主要矿物有:钛赤铁矿、钛磁铁矿、铁酸钙、钛榴石、钙钛矿、钛辉石、硅酸二钙、玻璃质。

钛赤铁矿是钒钛烧结矿中的主要含铁物相之一,一般可占烧结矿总量的 15%～50%,其硬度明显高于普通烧结矿中的赤铁矿。从化学组成看,钒钛烧结矿中钛赤铁矿含 $\mathrm{Fe_2O_3}$ 82.32% 左右,固熔 $\mathrm{TiO_2}$ 14% 左右,其他元素 2% 以下。从显微结构看,钒钛烧结矿中钛赤铁矿以粒状、斑状结构为主,包边状、骸晶状结构为辅。钛赤铁矿包裹着磁铁矿的包边状结构占烧结矿总量的 10%～25%,铁矿物颗粒心部是钛磁铁矿,颗粒边部是钛赤铁矿。烧结矿在还原时,由于产生应力方向、大小不同,致使烧结矿产生许多还原裂纹,而降低烧结矿强度。

钛磁铁矿是钒钛烧结矿中又一种主要含铁矿物,一般可占烧结矿总量的10%～50%,硬度与普通烧结矿中的磁铁矿差不多,其中含$Fe_3O_4$94%左右,固熔Mg、Ti元素在3%左右,其他元素低于2%。钒钛烧结矿中的钛磁铁矿以粒状为主,斑状结构或钛磁铁矿与铁酸盐形成熔融结构为辅。

铁酸盐是钒钛烧结矿中主要含钙物相和黏结相,一般占烧结矿总量的3%～20%。铁酸盐主要是铁酸一钙,约占铁酸盐总量的70%以上,其次为铁酸二钙和二铁酸钙。在紧靠未消化完全的石灰边部的铁酸二钙固熔10%左右的TiO_2,固熔其他元素不到1%,铁酸盐集中区域的铁酸一钙和铁酸二钙固熔Ti、Al、Si元素的量高于2%以上。铁酸二钙以粒状集合体结构为主;铁酸一钙以针状、板柱状交织结构为主,并与磁铁矿形成熔蚀结构为辅;二铁酸钙是与磁铁矿形成熔蚀结构;铁矿物晶粒间铁酸一钙主要是与铁矿物形成共晶结构。

钛榴石是钒钛烧结矿中的一种硅酸盐物相和黏结相,一般占烧结矿总量的3%～15%,其化学成分与天然钛榴石相近。钛榴石属于脆性矿物,硬度比钙钛矿高,烧结矿中的钛榴石呈编织网状填充在铁矿物晶粒间。

钙钛矿($CaO \cdot TiO_2$)是钒钛烧结矿中主要含钛矿物相,一般占烧结矿总量的2%～10%,与天然钙钛矿及高钛高炉渣中的钙钛矿主要区别在于固熔3%～14% Fe_2O_3氧化物。

钛辉石是钒钛烧结矿中硅酸盐矿物和黏结相,占烧结矿总量的2%～8%,与天然钛辉石或高钛高炉渣中钛辉石的主要区别在于Fe元素含量高,Mg、Al元素含量低。

b 钒钛烧结矿的粒度组成特点

钒钛烧结矿的粒度组成特点是:粒度组成细(平均粒径25～28mm),粉末多(10%～15%)。钒钛烧结矿中大于40mm的大块较少,40～20mm的中块也较少(14%～17%),20mm以下的小块占的比例最大。进入20世纪90年代以后,随着烧结技术进步和高炉槽下筛分的加强,入炉钒钛烧结矿的粒度组成有所变化,见表10-13。

从表10-13可见,近几年入炉钒钛烧结矿的粒度组成有了较大的变化。2000年钒钛烧结矿中大于40mm的大块已接近20%,小于5mm的粉末已经降到了2.30%,40~25mm的中块比例变化很小,5~25mm的比例变化也不大。

表 10-13　钒钛烧结矿入炉粒度(mm)变化情况(%)

年　份	80~60	60~40	40~25	25~10	10~5	<5
1992	5.22	7.55	23.20	30.97	23.55	9.51
1993	5.42	7.17	21.40	34.44	22.29	9.28
1994	6.17	9.12	21.90	30.72	23.20	8.89
1995	5.53	7.88	21.00	32.03	25.11	8.45
1996	4.55	6.70	23.20	36.17	23.84	5.54
1997	6.65	8.36	22.64	34.91	23.33	4.12
1998	5.22	11.10	22.80	34.41	22.91	3.50
1999	6.46	12.90	23.15	31.97	22.59	2.93
2000	5.73	14.44	22.87	32.03	22.63	2.30

c　钒钛烧结矿的转鼓强度

钒钛烧结矿的转鼓强度一般较普通烧结矿低。其原因主要是:

(1) 对于钒钛烧结矿来讲,烧结矿中 SiO_2 含量较低,形成的硅酸盐量少;

(2) 由于 TiO_2 含量较高,烧结过程中与 CaO 易形成性脆的钙钛矿;

(3) 烧结液相量少,黏结能力差。另外,由于矿物特性所决定,此种烧结矿还具有耐磨不抗摔的特点。

d　钒钛烧结矿的贮存性能

钒钛烧结矿具有良好的抗风化性能。试验表明,钒钛烧结矿具有较好的贮存强度,试样贮存 6～7 天,风化不严重,一般小于 5mm 粒级百分含量在 3% 以下。原因是钒钛烧结矿在烧结过程中没有 β-C$_2$S → γ-C$_2$S 的相转变(其转变可使体积增大 10%);无 2CaO·SiO$_2$ 生成。另外,烧结矿中 SiO$_2$ 含量较低,即使烧结碱度达 1.80,CaO 含量也仅有 10% 左右,且部分 CaO 与 TiO$_2$ 形成钙钛矿(CaO·TiO$_2$),游离 CaO 极少,因而钒钛烧结矿抗风化性强,具有良好的贮存性能,贮存自然粉化率较普通烧结矿低得多。

C 钒钛烧结矿的质量

a 钒钛烧结矿的冷强度

近年来,攀钢烧结实现了消石灰和生石灰代替石灰石,烧结由"薄铺快转"变为"厚铺慢转",实现了厚料层烧结,提高了烧结矿的冷强度。消石灰强化烧结试验结果表明,CaO 直接与其他各种矿物进行接触,促进了液相反应,其冷转鼓指数提高了 1.80%。烧结矿冷强度的高低主要取决于它的物相组成和组织结构,厚料层操作的烧结矿具有较多的结晶态硅酸盐相,其含量一般达到 20%。另外钒钛烧结矿中含有 6%～8% 的板柱状铁酸钙,它在磁铁矿和赤铁矿之间起连晶作用。从结构方面看,钒钛烧结矿中含有 25%～30% 的气孔,镜下观察到这些气孔规则,呈中孔厚壁结构,有利于改善钒钛烧结矿的冷强度,有利于提高钒钛烧结矿的成品率。近几年钒钛烧结矿的成品率已从原 55% 左右提高到 73% 左右。

b 钒钛烧结矿的硫含量

钒钛铁精矿在烧结过程中脱硫效率高于普通矿,使钒钛烧结矿的硫含量比较低。其原因是钒钛铁精矿 SiO$_2$ 含量低,在烧结过程中形成低熔点的硅酸盐液相量少,相对改善了烧结料的透气性,有利于脱硫。因为钒钛铁精矿 SiO$_2$ 含量低,配加的 CaO 量比普通矿烧结少,使以 CaS 存在的硫相对较少。

c 钒钛烧结矿的低温还原粉化性能

钒钛烧结矿的低温还原粉化率(RDI$_{-3.15}$)较普通烧结矿高。攀钢烧结矿的 RDI$_{-3.15}$通常在 55%～70%,即使普通矿烧结中加入部分钒钛铁精矿后,烧结矿的低温还原粉化率也会明显上升。

钒钛烧结矿的低温还原粉化率($RDI_{-3.15}$)高的原因如下:

(1)烧结矿中含有大量的钛赤铁矿(15%～50%),其中有相当一部分是以骸晶状菱形赤铁矿的形式存在,另外还有部分钛赤铁矿以网格状占据于钛铁矿的位置上。还原时,由于晶型转变所产生的应力方向、大小不同而引起膨胀粉化;

(2)烧结矿中 SiO_2 含量较低,起黏结作用的硅酸盐相少,加之不起黏结作用的钙钛矿的存在,它不仅本身性脆,而且还妨碍了钛赤铁矿与钛磁铁矿间的连晶作用,降低了烧结矿抗膨胀粉化的能力;

(3)钒钛烧结矿的物相组成复杂,不同的热膨胀性引起的内应力在低温还原阶段会导致大量微裂纹的形成,从而也降低了烧结矿强度。

虽然钒钛烧结矿低温还原粉化现象严重,但实际生产中,尚未因此而引起高炉上部块状带透气性恶化。小高炉冶炼钒钛烧结矿的解剖调查,所测得的烧结矿粒度组成也未发现异常。

提高烧结矿中 FeO 含量,可以减少再生赤铁矿的数量,降低低温还原粉化率,但 FeO 过高会引起烧结矿还原性的恶化。为此,采用喷洒卤化物水溶液的方式,可使烧结矿低温还原粉化现象得到大幅度改善。

d 钒钛烧结矿的还原性

钒钛烧结矿由于氧化度高而具有良好的还原性。影响钒钛烧结矿还原性的因素除与影响普通烧结矿的因素类似外,还受 TiO_2 含量的影响。随 TiO_2 含量的增加,烧结矿的还原度下降。一般认为,由于 TiO_2 含量的增加,势必会导致烧结矿中含铁矿物相(如钛赤铁矿、铁酸盐等)减少,而脉石矿物相(如钙钛矿、钛辉石等)增加,不利于还原气体的扩散。

e 钒钛烧结矿的软熔滴落性能

烧结矿的矿物组成决定了其软熔滴落性能。由于钒钛烧结矿高熔点矿物多,致使其软化温度高,同时又因高熔点矿物熔点差别大,因而熔滴区间宽,且滴落过程中渣铁分离差,渣中带铁多。影响钒钛烧结矿软熔滴落性能的主要因素有烧结矿的碱度、TiO_2含量等。

碱度对钒钛烧结矿软熔滴落性能的影响见表 10-14。随着碱度提高,烧结矿软化开始温度(T_a)、软化终了温度(熔化开始温度)(T_s)、开始滴落温度(T_m)上升,软化温度区间(ΔT_{s-a})和熔滴区间(T_c)变窄,压差陡升温度($T_{\Delta p}$)上升,最高压差(Δp_{max})减小,滴落带厚度(H)变薄。

TiO_2含量对钒钛烧结矿软熔滴落性能的影响见表 10-15。随着烧结矿 TiO_2 含量增加,开始滴落温度下降,压差陡升温度降低,最高压差减小,软熔温度区间变宽,滴落时间延长。

表 10-14　不同碱度钒钛烧结矿软熔滴落性能

试样碱度	软熔性能/℃			熔滴性能/℃				滴落带厚度/mm		
	T_a	T_s	ΔT_{s-a}	$T_{\Delta p}$	T_m	T_c	Δp_{max}/Pa	A	B	H
1.5	1060	1135	75	1138	1430	292	8820	31	75	44
1.7	1070	1140	70	1160	1435	275	8330	43	82	39
1.9	1075	1150	65	1200	1440	240	6076	43	76.5	33.5

注:$\Delta T_{s-a} = T_s - T_a$;$T_c = T_m - T_{\Delta p}$;$A$:$T_{\Delta p}$ 时试样的收缩量;B:T_m 时试样的收缩量;$H = B - A$。

表 10-15　TiO_2 含量对钒钛烧结矿软熔滴落性能的影响

烧结矿 w(TiO_2)/%	软化开始温度/℃	压差陡升温度/℃	开始滴落温度/℃	软熔温度区间/℃	最高压差/kPa	滴落状态
7.9	1040	1375	1440	65	4.25	一次
16.4	1050	1325	1400	75	3.55	时间长
17.7	1045	1280	1420	140	3.48	时间长

10.2.1.3　高炉冶炼高钛型钒钛磁铁矿合理炉料结构

A　攀钢高炉炉料结构变化情况

从攀钢高炉 1970 年投产到现在,高炉炉料结构大致可分为三

402

个阶段:全钒钛烧结矿阶段、高碱度钒钛烧结矿配加普通块矿发展阶段、高碱度钒钛烧结矿配加普通高硅块矿强化阶段。

    a   全钒钛烧结矿阶段

1970～1977 年为熟悉和掌握高炉冶炼高钛型钒钛磁铁矿规律阶段,由于未能从炉料结构方面解决"泡沫渣"问题,高炉冶炼困难,休风率高,技术经济指标低。

    b   高碱度钒钛烧结矿配加普通块矿发展阶段

1978～1994 年为合理炉料结构发展阶段,对高炉采用高碱度钒钛烧结矿配加部分普通块矿(块矿比例 6% ～7%)的炉料结构进行冶炼试验,基本消除了"泡沫渣"。随后又在烧结中配加部分富矿粉,并提高烧结矿碱度 R_0 至 1.7 左右,从而使烧结矿的强度得到提高,烧结矿粒度改善。采用这种炉料结构后,基本解决了"泡沫渣"现象,改善了炉渣性能,使高炉利用系数突破了设计水平。

    c   高碱度钒钛烧结矿配加普通高硅块矿强化阶段

1995 年至今,为合理炉料优化阶段。这一阶段为了强化高炉冶炼,开始逐项解决限制高炉冶炼进一步强化的技术问题。以提高烧结矿品位为目标,在烧结中添加高铁澳矿取代普通富矿粉、提高烧结矿碱度以提高烧结矿强度,同时在高炉配加含 SiO_2 高的普通块矿(块矿比例 8% 左右)并降低了入炉烧结矿粉末。通过一系列措施,使高炉综合入炉品位从 45.5% 提高到目前的 48.5% 左右,高炉利用系数也由 1995 年的 $1.696t/m^3 \cdot d$ 提高到 2001 年上半年的 $2.2\ t/m^3 \cdot d$ 以上,3 号高炉已经达到 2.5 $t/m^3 \cdot d$ 以上水平。炼铁生产规模也由设计的 300 万 t 提高到了 400 万 t 以上。

B 炉料结构特点与普通矿的区别

    a   冶炼高钛型钒钛磁铁矿的炉料结构特点

目前的炉料结构是为了解决钒钛矿冶炼中出现的"泡沫渣"而从生产实践中演变而来的,1992 年以来,钒钛烧结矿成分及高炉炉料结构见表 10-16。

表 10-16　1992～2001 年 1～6 月 炉料结构变化情况(%)

年　份	w (TFe)	w (SiO_2)	w (TiO_2)	w (V_2O_5)	R	w (TiO_2)炉渣	w [V]生铁	块矿比例	入炉品位
1992	45.86	6.19	10.03	0.42	1.71	23.00	0.344	5.89	45.54
1993	45.78	6.23	10.08	0.42	1.71	23.39	0.349	5.89	45.41
1994	45.57	6.34	9.99	0.42	1.69	23.04	0.352	6.01	45.40
1995	45.64	6.30	9.96	0.42	1.69	23.20	0.354	6.35	45.47
1996	46.01	6.27	9.90	0.42	1.67	22.30	0.340	6.53	45.79
1997	46.47	6.20	9.50	0.42	1.69	21.63	0.321	6.62	46.03
1998	46.70	6.18	9.10	0.40	1.69	22.15	0.320	6.77	46.57
1999	47.31	5.95	8.78	0.39	1.72	22.34	0.312	7.28	47.38
2000	47.86	5.72	8.62	0.41	1.76	22.13	0.307	8.10	47.97
2001 年 1～6 月	48.20	5.50	8.50	0.40	1.80	22.50	0.30	8.50	48.50

目前这种炉料结构对消除"泡沫渣"、提高冶炼强度起到很大的作用。它的主要特点为:

(1) 钒钛烧结矿含 SiO_2 含量必须控制在一定范围内(5%～7%)。由于钒钛烧结矿的低温黏结相主要是硅酸盐,所以对钒钛烧结矿来说 SiO_2 含量降低将影响烧结矿强度。而 SiO_2 升高虽然对烧结矿有利但将导致高炉的渣量增加而使焦比升高,影响高炉技术经济指标。同时在相同的烧结矿碱度及铁品位下,SiO_2 含量高的烧结矿配入高炉所需块矿用量少,熟料率高;反之则高炉所需的块矿量多,熟料率低。

(2) 钒钛烧结矿 TiO_2 含量控制在一定范围内,炉渣(TiO_2)含量在一定水平。以保证炉渣(TiO_2)含量维持在 21%～23%水平上有利于高炉操作和炉体保护。如对炉渣(TiO_2)要求过低将出现矿山投资效益降低、普通粉矿供应能力不够、生铁成本上升、生铁[V]含量下降、影响高炉本体寿命等一系列问题。从表10-16可知,随着钒钛烧结矿品位提高,烧结矿 TiO_2 含量下降,这是因为随着综合入炉矿品位的提高,渣量减少(据统计,渣量从900kg/t左右下降到700kg/t左右),要保持渣中(TiO_2)维持在22%左右,就必须降低烧结矿中加入的 TiO_2 量才是可行的。

(3)保持烧结矿 V_2O_5 含量稳定在0.4%以上可以增加或维持铁水[V]含量,这对炼钢的提钒非常有利,这也是炉料结构优化的目标之一。

(4)块矿比例7%~9%,块矿 SiO_2 含量达10%以上,铁品位小于55%。通过调整块矿用量保持适当的渣量,消除"泡沫渣",同时保证炉渣有一定的碱度和脱硫能力,但由于块矿用量也同时增加将导致生铁含钒量下降、炉渣碱度降低、熟料率下降、焦比升高。

b　与普通矿炉料结构的区别

与普通矿冶炼的炉料结构相比,高钛型钒钛磁铁矿冶炼的炉料结构要求有:

(1)适当的渣量来稀释炉渣中的(TiO_2)含量,从而抑制 TiO_2 过还原,而普通矿冶炼对渣量要求很小。

(2)普通烧结矿可以通过发展铁酸盐低温黏结相来降低烧结矿 SiO_2 含量,而钒钛烧结矿则比较困难。

(3)炉渣脱硫能力低,对炉料硫负荷要求严格,而普通矿则比较宽松。

(4)对块矿品位和其含硅量有要求,块矿品位在45%~55%之间比较合适,有一合适的含量比较好,而普通矿冶炼则要求品位高,杂质含量越低越好。

C　目前炉料结构的不足及未来发展趋势

目前的炉料结构虽然比较合理,但也存在以下问题:

(1)随着入炉矿品位提高,生铁钒含量下降,对提钒不利;

(2)入炉块矿量大且成分波动大,熟料率低,不利于降焦比。

随着炼钢、轧钢等后道工序对铁水量要求的增加，仅靠提高烧结矿品位和增加高硅块矿用量已不能满足要求，必须对炉料结构进一步调整和优化，才能使生产水平更上一层楼。

由于酸性氧化球团在普通矿冶炼中的大量使用，使人们认识到其优越性。酸性球团矿入炉可替代块矿，提高熟料率和综合入炉品位、降低焦比，而且其低温还原性高、高温还原性低，有利于降低直接还原度和维持高温软熔带滴落带比较高的氧势，抑制钛的还原。随着钒钛烧结矿碱度的提高，烧结矿强度、低温还原性和高温还原性都得到提高，也有利于降低直接还原度及降低焦比。因此高碱度钒钛烧结矿配加酸性氧化球团矿必将是钒钛磁铁矿冶炼炉料结构未来的发展方向。

10.2.2 钒钛矿冶炼

10.2.2.1 高炉冶炼钒钛磁铁矿的发展

高炉冶炼钒钛磁铁矿存在着泡沫渣和黏渣，生铁含硫质量差，铁损高和黏罐等问题，并且渣中(TiO_2)含量愈高冶炼难度愈大，生产技术经济指标亦愈低。为了解决高炉冶炼钒钛磁铁矿上述存在的问题，世界各国高炉工作者和科学技术人员，对钒钛矿的综合开发利用进行了大量的研究工作，但是其研究成果并不大。

我国从1958年开始对攀枝花钒钛磁铁矿进行小高炉冶炼试验，以后又先后在承德、西昌和首钢半工业性和工业性试验，基本解决了高钛渣冶炼钛渣变稠等技术问题，它不仅对我国，而且对世界钒钛磁铁矿的开发利用都有重大的意义。

攀钢1970年7月1日1号高炉投产，至今已有30余年。在采用过去冶炼试验总结出的操作方针基础上，并且在现有的冶炼条件下，经过多年的生产实践，又有很大的发展和提高。在烧结矿品位只有47.79%，焦炭灰分大于13%，渣中(TiO_2)含量为21%～23%的条件下，2000年高炉利用系数达到了2.242t/m³·d，焦比430kg/t，煤比140kg/t，高炉生产技术经济指标已经达到或超过使用高品位普通矿高炉生产水平。1995年以来，高炉主要技术经济指标见表10-17。

表 10-17　攀钢炼铁厂高炉主要技术经济指标情况

年　份	1995	1996	1997	1998	1999	2000
产量/万 t	306.36	327.77	334.41	296.18	380.27	406.23
利用系数/t·m^{-3}·d^{-1}	1.696	1.809	1.929	1.972	2.119	2.242
冶炼强度/t·m^{-3}·d^{-1}	1.035	1.083	1.075	1.058	1.027	0.976
综合冶炼强度/t·m^{-3}·d^{-1}	1.042	1.101	1.158	1.157	1.195	1.199
风温/℃	1025.0	1011.0	1014.0	1068	1105	1131
焦比/kg·t^{-1}	600.0	585.0	553.0	524	430.5	423.0
煤比/kg·t^{-1}	17.05	27.65	55.84	74.94	113.81	140.03
入炉矿 $w(TFe)$/%	45.47	45.79	46.03	46.57	47.38	47.97
富氧率/%	0.445	0.720	1.110	1.204	1.51	1.81
休风率/%	1.74	2.34	0.78	2.58	0.79	1.13
减风率/%	9.77	7.03	9.65	4.28	2.00	3.50

10.2.2.2　高炉内钛氧化物的还原

高炉冶炼普通矿的原理也适用钒钛磁铁矿,但钒钛磁铁矿中含有 TiO_2,在冶炼过程中,由于钛的过还原使炉渣变稠,这是高炉冶炼钒钛磁铁矿与冶炼普通矿最基本的不同之处。

钒钛磁铁矿中钛主要以二氧化钛存在于钛铁晶石(2FeO·TiO_2)和钛铁矿(FeO·TiO_2)中,而在钒钛烧结矿中,大部分 TiO_2 与 CaO 结合成钙钛矿(CaO·TiO_2),其余则与赤铁矿(Fe_2O_3)和磁铁矿(Fe_3O_4)形成钛赤铁矿($m\,Fe_2O_3·n\,FeO·TiO_2$)和钛磁铁矿[$m\,Fe_3O_4·n(2FeO·TiO_2)$]固熔体。上述含钛矿物在高炉冶炼过程中将有部分被还原,即由高级氧化物还原为低级氧化物和钛,最后形成的 TiC、TiN 和 Ti 共同进入生铁。

TiO_2 在高温还原条件下,还原为金属 Ti 和 TiC、TiN 及其形成固熔体 Ti(C、N)的机理,过去一直认为是按钛的氧化物逐级进行的,相似于铁氧化物的还原顺序:

$TiO_2 \rightarrow Ti_3O_5 \rightarrow Ti_2O_3 \rightarrow TiO \rightarrow Ti$ 或生成 TiC、TiN

然而,从化学反应热力学分析可知,由 $Ti_2O_3 \rightarrow TiO \rightarrow Ti$ 反应开始进行的温度,远高于高炉冶炼实际温度,所以上述反应是不能进行的。最近研究认为,TiO_2 被还原的过程应是:

$$TiO_2 \rightarrow Ti_3O_5 \rightarrow TiC_{0.67}O_{0.33} \rightarrow TiC_xO_y \rightarrow TiC$$

高炉冶炼实践证明,钛的还原受温度、还原气氛和 TiO_2 浓度影响,其中温度影响最大。温度升高,还原气氛增加及 TiO_2 浓度增加有利于钛的还原。

10.2.2.3　含钛炉渣高炉冶炼基本操作制度

含钛炉渣冶炼基本操作制度与冶炼普通矿基本相同,实行以"下部调剂为基础,上下部调剂相结合"的原则。

A　送风制度

含钛炉渣冶炼,选择送风制度的原则与普通炉渣冶炼基本相似,即根据高炉冶炼条件按冶炼强度确定适宜的鼓风动能,但由于钛渣冶炼的特性所决定,要求适宜的鼓风动能要大一些,以使初始煤气流合理分布,保证炉缸工作均匀活跃。

B　装料制度

含钛炉渣冶炼的主要原料是钒钛烧结矿,其主要特点是中小粒度组成比例大,且小于 5mm 粉末多。生产实践表明:无论是钟式炉顶或是无钟炉顶布料都与普通矿布料规律基本一致,例如,钟式炉顶装料制度中的不同品种原料的装入次序、料线的高低、批重的大小和布料器旋转角度等。但是装料程序确有一定的差异,经过长期高钛型钒钛矿冶炼实践探索,得出各种装料程序对布料规律影响如下:(O 表示矿;C 表示焦)

OCOC→OCCO→CCOO→OOCC→COOC→COCO→OC↓OC↓

边缘由重到轻

OOCC→CCOO→COOC→OCOC→OCCO→COCO→CO↓CO↓

中心由重到轻

408

实际生产中采用综合的装料程序,其程序组合可概括为三种形式:

(1)同装组合:MA+NB+LC。其中 A 程序为加重边缘的制度;B 程序则为减轻边缘的制度;而 C 程序可根据需要使用略加重边缘或略加重中心的制度。组合中 M、N、L 可根据实际冶炼情况采用适当比例。

(2)同、分装组合:MA+NB+L(W↓G↓)。其中 A 程序仍为加重边缘的制度;B 程序可根据需要使用略加重边缘或略加重中心的制度。为了适应扩大批重的需要,将一批料分两次开大钟装入炉内,即使用分装程序(W↓G↓),也是加重边缘的正装,如 W 为 OC 或 OO,G 可为 OCC。组合中 M、N、L 可据实际情况确定适宜比例。

(3)分装组合:(W↓G↓)。可以根据实际冶炼条件加大批重,以改善煤气利用达到降低焦比的目的。

C　热制度

高炉生产合理而稳定的热制度是高炉顺行的基础,对冶炼钒钛矿来讲,又是钛渣防稠的重要措施。

高炉冶炼生铁通常以其含 Si 的数量多少相对表示炉缸温度的高低,而在钛渣冶炼中则是以生铁含 Ti 量(Si 含量仅供参考)相对表示炉缸温度。而渣铁水的物理热才能真正反应炉缸温度。

在实际操作中选择热制度原则的依据是:首先,按渣中(TiO_2)含量选择合适的炉温,其次是在保证冶炼顺行前提下选择的炉温应有利于抑制钛的过还原,防止钛渣变稠,有良好的脱硫能力和较低的铁损,对于高钛渣还要考虑避免泡沫渣的形成。因此,钛渣冶炼选择适宜的炉温,这是保证高炉正常生产的关键。

D　造渣制度

高炉冶炼含钛炉渣中,低钛渣($TiO_2 < 10\%$)和中钛渣($TiO_2\ 10\% \sim 20\%$)的炉渣性能近似普通炉渣,造渣制度的选择与普通矿冶炼相似。高钛型炉渣($TiO_2 > 20\%$)冶金性质不仅取决于造渣主成分,还与冶炼工艺制度密切相关,从而使炉渣矿物组成发生较大变化,因而其冶金性质有特殊性,如熔化性温度、黏度及脱硫能力和产生泡沫渣等。

高钛型炉渣选择造渣制度的依据如下:

(1) 高钛型炉渣在高炉冶炼温度的条件下,熔化性温度低有良好的流动性和一定的脱硫能力,保证生铁质量和降低铁损。

(2) 选择合理的炉渣成分,保证有较好的冶炼操作适应性,主要表现在炉缸工作状态良好,均匀活跃,实现"较充沛物理热和较低化学热"的目标。

(3) 合理的造渣制度与适宜的炉温相结合,从而为抑制泡沫渣的生成和钛的过还原创造条件,可杜绝钛渣严重变稠和炉缸"热结"行程产生,使高炉冶炼高钛型炉渣实现稳定顺行,技术经济指标不断得到改善和优化。

(4) 温度对含钛炉渣变稠的影响十分明显,温度愈高,则提高温度对变稠影响愈大。当温度和碱度一定时,随渣中(TiO_2)含量增加炉渣变稠加剧。另外,实际生产表明,渣铁在炉内停留的时间长,也易使炉渣变稠。

10.2.2.4 含钛炉渣高炉冶炼特性和难点

高炉冶炼钒钛磁铁矿主要表现在炉渣变稠和产生泡沫渣、黏铁罐、炉渣脱硫能力低、铁损高等。

A 炉渣脱硫能力

含钛炉渣的脱硫能力远低于普通炉渣,含(TiO_2) 23%~25%的炉渣在适宜的炉温和碱度范围内,其脱硫系数仅为4~6,而普通渣则高达30~40。因此,含钒生铁含硫高于普通生铁。影响钛渣脱硫因素主要有:

(1) 渣中含(TiO_2),因此渣中含碱性氧化物浓度降低,且随(TiO_2)含量的增加脱硫能力不断减弱。

(2) 由冶炼钒钛矿的特殊性所决定,热制度要求较低炉温,促使炉渣的脱硫能力降低。

(3) 提高炉温还原生成Ti(C、N)和低价钛氧化物增加,引起炉渣变稠,恶化脱硫动力学条件。生产实践表明,当炉温升高,钛渣变稠,炉渣的脱硫效果反而下降,所以与冶炼普通正好相反,过分的提高炉温不是改善钛渣脱硫的有效措施。这也是炉温对含钛炉渣脱硫的影响与普通渣最大的区别。

含钛炉渣为短渣,温度对其影响比较敏感,冷却凝固较快,所以对炉渣的要求既要保证生铁低硫,又要高炉顺行、渣铁畅流。

B 钛渣高温还原变稠和热结

a 钛渣的高温还原变稠

在高炉炼铁高温和还原条件下,渣中(TiO_2)含量可以部分地被还原成低价钛的氧化物并生成 TiC、TiN 及其固熔体,这些化合物的熔点很高(TiC 为 3140℃,TiN 为 2950℃),并以固体微粒悬浮,弥散在渣中,使炉渣变稠,甚至达到不能流动的程度。

防止钛渣变稠的措施如下:

(1)根据渣中(TiO_2)含量高低,选择合适的热制度,控制稳定生铁含 Ti、Si 水平范围和相应适宜的炉渣碱度,以抑制钛的过还原和高熔点化合物的生成。

(2)在操作工艺上采取提高炉缸氧势气氛,使生成的 TiC、TiN 和 Ti(C、N)高熔点化合物再氧化,消除和减弱炉渣变稠。

(3)生产实践证明,增加出渣出铁次数,缩短渣铁在炉内的存留时间,也是防稠和消稠的手段。

(4)冶炼钒钛矿的高炉比冶炼普通矿要求较高的鼓风动能,不仅是送风制度的需要,而且也是活跃炉缸改善渣铁的流动性,消稠和防稠的措施。

b 热结

高炉冶炼钒钛磁铁矿炉缸热结是特性之一,热结的原因与高钛渣冶炼产生黏渣密切相关,具体原因主要是:

(1)由于长期操作炉温高或炉温热行走势大,钛的还原量增加,产生大量高熔点钛化物的固体颗粒,使炉渣变稠而失去流动性,并且向热波动的幅度愈大,热结愈厉害。

(2)在生铁中 Si、Ti 增高的情况下,炉渣碱度又高,则炉缸工作不正常,没有按时放渣出铁,使渣铁在炉内停留时间过长,有利于产生热结。

热结现象表现在：

（1）上渣黏稠不好放，渣量减少，渣中带铁多。

（2）出铁量减少，下渣极为黏稠，流至主沟、砂口或下渣沟易结壳凝固或糊死，渣流呈暗红色并带铁多。

（3）生铁中[Si]含量、[Ti]含量高，[S]含量低，炉渣中 CaO/SiO_2 含量高，(TiO_2) 含量低。

C　炉缸堆积

炉缸堆积是钒钛磁铁矿冶炼中较为常见的问题，它与高钛渣冶炼钛变稠和热结有一定的关系。

正如前述，在高炉内高温还原过程中，生成高熔点的碳化物 $TiC(3150℃)$、氮化物 $TiN(2950℃)$ 及其固熔体[碳氮化物（TiC、N）]，这些高熔点物质与渣铁形成的混合物，在炉缸周围和炉底极易变稠和沉积，使渣铁难以放出，造成炉缸堆积。当然造成炉缸堆积不是瞬间形成的，而是在高炉生产较长时间产生的。

当高炉炉缸堆积时有下列征兆：

（1）渣口放渣时难于打开渣口，渣中带铁多，并且上渣与下渣的渣温温差大。

（2）风口工作不均匀，个别风口涌渣，严重时出现排渣甚至逐渐被渣糊死。

（3）出渣出铁不均匀，风压升高而风量萎缩，出铁前后风压风量波动大。

D　泡沫渣

高钛型炉渣特别是下渣流入渣罐后，由于含 (TiO_2) 炉渣的特性所决定，产生大量气体使炉渣呈泡沫状沸腾上涨，渣罐盛渣量只有普通渣的一半，渣罐容积不能充分利用，炉前盛渣能力不足，往往影响高炉渣铁的正常排放，有时导致被迫减风甚至休风，最严重时造成炉渣溢出罐外烧坏铁道等事故。此外，在炉内生成泡沫渣，使高炉下部透气性恶化，压差升高，出渣出铁前后风量风压急剧波动，导致炉况失常，冶炼强度降低。

412

一般都认为,泡沫渣产生的原因是由于 Fe、Ti 氧化物在高温条件下,还原产生的气体所致。实际生产也得出,随渣中(TiO_2)含量增加,炉温偏高而渣流又大,则泡沫渣的危害愈严重,这也是高炉冶炼钒钛矿的一大难题之一。

关于高钛渣冶炼炉渣产生泡沫渣的原因和消除方法,经过大量的科学试验和长期的生产实践,1978 年攀钢高炉通过调整炉料结构,加部分普通块矿冶炼,把渣中(TiO_2)控制在合适的范围内,改变了炉渣成分,提高炉内高温区的氧势,从而抑制了渣中(TiO_2)的还原,有效地消除了泡沫渣。

E 铁水黏罐

铁水黏罐是冶炼钒钛磁铁矿的特有现象。含钒铁水与普通铁水在高温情况下凝固点相差不大,但随着温度下降,则黏度迅速增加。当 1400℃ 时,黏度相差 5 ~ 8 倍;1300℃ 则相差 15 倍;当 1200℃ 时,普通铁黏度仍然不高,而含钒铁水几乎不能流动,变成浆糊状,所以含钒铁水温度下降时,黏度急剧增加,并且生铁中含钛量越高,越容易黏罐。

铁水罐的黏结物中含有熔点高于铁水温度的钒钛氧化物,温度降低越结越厚,铁水罐使用寿命缩短。为提高铁罐寿命通常采用以下措施:

(1)吹氧化罐和氧燃枪化罐,熔化罐中的黏结物,翻净罐内残渣铁,红罐出铁,冷抠黏结物,铁罐喷涂和使用蜡石砖砌筑罐帽等。

(2)炉前焖砂口操作以减少过渣,铁水罐加蛭石保温。按时出铁,缩短铁流时间,及时调走重罐,以减少铁水温度降低太多。

(3)保持高炉稳定顺行,全风操作,保证铁水充沛的化学热和足够高温度的物理热。

F 冶炼钒钛矿铁损问题

高炉冶炼钒钛磁铁矿实践表明,铁损高达约 8%。普通矿冶炼渣中含铁 1% 以下,而且随渣中(TiO_2)含量愈高,铁损也愈增加。

a 铁损组成

钒钛磁铁矿高炉冶炼铁损的组成为：

(1) 渣中带铁为 5%～7%，占总铁损 80% 左右。上渣带铁少 (1.16%)，下渣带铁多(8.02%)，主沟渣最多(45.92%)。

(2) 由于黏罐物造成的铁损约为 1%。

(3) 炉前沟铁和铸铁产生的渣铁混合物的铁损。

b 炉渣中铁损存在的形式

(1) 渣中机械夹带的铁，在制样中可用磁铁分离出的颗粒比较大的磁性铁约占 80%～85%。

(2) 润湿铁，存在于渣中颗粒比较小而不能用磁铁分开，与非磁性物一起制样，分析出的 MFe 含量约占 10%～15%。

(3) 化合铁，即在渣中以(FeO)形态存在的铁约占 5%。

c 含钛炉渣产生铁损的因素

(1) 温度与铁损的关系。炉温是含钛渣冶炼极其敏感的问题，涉及炉渣变稠，亦是影响铁损的主要因素之一。众所周知，含钛炉渣在高温还原条件下，渣中(TiO_2)被强烈还原而产生 Ti(C, N)和 Ti 的低价氧化物及其固熔体，使炉渣变稠而渣铁难于分离，促进渣中带铁起到恶劣的作用。

(2) 渣中(TiO_2)与铁损的关系。由于渣中(TiO_2)增加，炉渣熔化性温度升高，结晶提前恶化了钛渣的流动性，并且实际生产中也得出，提高(TiO_2)含量，操作难度大，要求控制炉温范围更窄，更容易产生黏罐，增加放渣出铁时渣中的带铁量。

(3) 高炉行程与铁损的关系。

高炉生产稳定顺行，炉缸工作均匀活跃，冶炼强度高，都有利于改善炉渣的流动性，从而减少渣中带铁，降低铁损。

总之，含钛炉渣带铁多，铁损高，主要是炉渣容易变稠所引起的，所以凡是能够防止钛渣变稠和消除变稠的措施都能减少渣中带铁。

10.2.2.5 高炉使用含钛物料冶炼护炉

高炉一代寿命是高炉生产重要指标之一，其寿命的长短主要由炉缸和炉底破损的情况来决定。国内外高炉生产实践证明，冶

414

炼钒钛矿或炉料中加入含钛物料发现,有些钛的碳氮化物沉积于炉缸起到护炉、补炉的作用,延长一代高炉的寿命。

A 含钛沉积物护炉原理

高炉冶炼钒钛磁铁矿或在炉料中加入含钛矿物,在软熔带以下的高温区形成含(TiO_2)的初渣,(TiO_2)与焦炭中的碳和煤气中的氮反应生成 TiC 和 TiN,即

$$(TiO_2) + 3C = TiC + 2CO$$

$$(TiO_2) + 2C + 1/2N_2 = TiN + 2CO$$

随着初渣的下降,进入炉缸形成终渣中的(TiO_2)又与生铁中的$[C]$反应也生成 TiC,即:

$$(TiO_2) + 3[C] = TiC + 2CO$$

当$[Ti]$的浓度低于铁水中 Ti 饱和溶解度时,$Ti(C、N)$将以颗粒状弥散于铁水中。由于钛的碳氮化物熔点很高,因此在炉缸低温区域,铁水含$[Ti]$量高于其溶解度,将以 TiC、TiN 固熔体结晶析出,沉积在炉缸内,并且炉缸砖衬受侵蚀愈严重,冷却壁与铁水接近,TiC 和 TiN 析出愈多,形成的难熔保护层愈厚。

B 加入含钛物料护炉

(1) 含钛物料种类很多,主要有含钛天然矿、含钛铁精矿和钛精矿(配加烧结矿中)、含钛炉渣等。

从高炉加入含钛物的要求来看,应采用 TiO_2 含量高,价格又比较低的护炉料合适。为此选择含钛天然矿和钒钛炉渣直接入炉比较好。但就合理利用资源而言,将含钛铁精矿配加烧结料使用最好,既能达到护炉的目的,又不能影响到高炉的生产指标。

(2) 铁水中的$[Ti]$含量升高,有利于 TiC、TiN 的生成,促使护炉层加厚,但$[Ti]$含量过高又不利于高炉顺行,因此要保持适当的渣中(TiO_2)含量和炉温,使得高炉在顺稳的情况下起到护炉作用。但各高炉冶炼条件不同,选择的热制度亦有差异。生产实践证明,铁水中含$[Ti] > 0.08\%$,便能起到护炉作用。首钢的经验$[Ti]$在 $0.08\% \sim 0.15\%$ 范围内,每吨铁配入 TiO_2 $3 \sim 10kg$,就可以防止炉缸、炉底烧穿,达到护炉目的。

生铁中的含 Ti 量除了决定炉温高低外,还与渣中(TiO_2)的浓度有关。根据经验,渣中含有 $1.5\% \sim 2.0\%$ 的 TiO_2,就能保证生成足够的 $Ti(C、N)$ 形成稳定的保护层,起到保护炉缸、炉底砖衬的作用。

10.2.3 攀钢钒钛矿冶炼的技术进步

攀钢高炉冶炼钒钛磁铁矿,其冶炼难度较大。自 1971 年高炉投产到 1995 年全厂高炉平均利用系数没有突破 $1.70t/m^3 \cdot d$。1995 年后炼铁系统加大技术改造,改进和完善工艺的力度,新建了喷煤车间,不断采用新技术,坚持进行技术攻关,生产水平逐年提高。各项技术经济指标不断刷新历史记录。1999 年和 2000 年全厂高炉利用系数分别达到 $2.119t/m^3 \cdot d$ 和 $2.242t/m^3 \cdot d$,达到国内重点冶金企业先进水平。

10.2.3.1 改善和提高原料质量

A 合理配矿,提高烧结矿品位

攀钢高炉入炉矿品位较低,1997 年以前低于 46%。近年来进行了合理配矿,提高烧结矿品位的研究和试验,用企业自己加工的粉矿和周边地区的普通粉矿及含钒铁精矿代替部分进口的澳矿,加大矿山技术改造,努力提高铁精矿品位(已从 51% 提高到 52.50%),使高炉入炉矿品位逐渐提高,现已达到 48.50% 左右。

B 努力提高烧结矿产量

攀钢 4 座高炉配有 6 座 $130m^2$ 的烧结机,高炉的熟料率一般为 94% 左右,随着高炉生产提高,对烧结矿的产量要求也相应提高。1996 年烧结矿的产量为 675.6713 万 t,1997 年烧结矿的产量为 679.3796 万 t,为了提高烧结矿产量,满足高炉生产需要,烧结采用配加消石灰、生石灰、富氧点火、蒸汽预热(提高混合料温 10～20℃)、改进松料器、强化制粒(延长制粒时间)等技术;改进烧结工艺,由原来的薄铺快转变为厚铺慢转(6 号烧结机料层厚度达540mm 以上)。另外,及时更换损坏的台车,降低漏风率,加强设备维护,努力提高烧结机的作业率。1998 年以来烧结产量大幅度提高,为高炉生产提供了可靠保证。

C 提高烧结矿的成品率

多年来,攀钢烧结矿的成品率都低于50%,返矿率较高。降低烧结矿返矿率可有效提高成品率,相应提高产量。为了提高烧结矿的成品率,对烧结机的布料和点火器进行了调整,提高了烧结矿的强度;对部分皮带进行改造,减少烧结矿的粉化。烧结矿的成品率由51%左右提高到了73.0%左右。

D 稳定焦炭质量

攀钢煤化工公司所用的炼焦煤主要是本地洗精煤,少部分为贵州的煤。近年来,攀枝花地区的煤资源呈肥煤瘦化、瘦煤贫化的趋势。根据这种情况开展了合理配煤的研究,进行小焦炉配煤试验,优化配煤;焦炭反应性及热强度试验;严格控制来煤的灰分和水分,使焦炭的质量比较稳定,为高炉强化冶炼提供了保证。近几年焦炭主要指标见表10-18。

表 10-18 焦炭的主要指标(%)

年 份	灰 分	水 分	挥发分	$w(S)$	$w(M40)$	$w(M10)$
1998	12.76	3.12	1.34	0.49	80.21	7.65
1999	12.25	2.56	1.36	0.49	81.58	7.48
2000	12.01	2.32	1.33	0.49	82.40	7.32

10.2.3.2 强化高炉冶炼,促进生产发展

攀钢高炉在20世纪70年代冶炼强度小于$0.75t/m^3 \cdot d$,80年代冶炼强度为$1.05t/m^3 \cdot d$左右,近几年综合冶炼强度保持在$1.15t/m^3 \cdot d$以上,生产水平不断上新台阶。为了强化高炉冶炼,在各个方面做了大量的工作。

A 加强高炉槽下过筛,减少入炉烧结矿粉末

为了进一步强化高炉冶炼,1997年开始加强高炉槽下过筛的工作,减少入炉烧结矿粉末。1997年将入炉烧结矿小于5mm的量控制在5%以下,1999年以来控制在3%以下(表10-13)。

B 不断优化高炉炉料结构

攀钢高炉入炉料中烧结矿占 93%～94%,块矿占 6%～7%。为了强化高炉冶炼,不断进行高炉炉料结构的优化研究和试验,先后进行了入炉料配加萤石、铁锰矿、菱铁矿、硅石的工业性试验,并应用于生产。通过炉料结构的改进和优化,既合理利用了资源,又改善了炉渣性能,促进了生产发展。

C 高炉富氧喷煤

高炉富氧鼓风不仅可以提高冶炼强度,而且可以提高喷煤量。1996 年制粉能力为 30 万 t/年的新喷煤车间投产,攀钢炼铁厂实现了 4 座高炉都喷煤。近年来,为满足高炉提高喷煤量的需要,改进和完善了新喷煤车间的设备和工艺,提高煤粉质量,调整煤粉的粒度组成。高炉喷煤量提高到 140kg/t,降低了焦比,为增产、节能、降耗做出了贡献。

D 研究、应用新技术

攀钢炼铁系统非常重视研究、应用新技术,促进了生产发展。攀钢 1 号、4 号高炉为无钟炉顶,为发挥无钟炉顶的布料优势,在 4 号高炉进行了多环布料、中心加焦的试验研究,试验获得了成功,并在 1 号高炉应用,取得了良好的效果。通过对砂口泥的研究、试验,成功地实现了高炉焖砂口,大大减少了铁罐进渣量,铁罐装铁量由 85t/罐左右提高到 117t/罐左右,使炼铁、炼钢生产实现了良性循环。通过对炮泥的研究、试验,高炉使用新型炮泥后,铁口工作状态稳定,有利于高炉出净渣、铁,有利于活跃炉缸。为提高高炉内料柱的透气性和增产、降耗,研究、试验和应用了入炉烧结矿中混加焦丁技术。喷煤系统进行了单管路加分配器的高压直吹试验,获得了成功,并应用于 1 号、2 号高炉。为活跃炉缸、保护炉衬,在 3 号高炉进行了加长小风口的试验,获得成功后已应用于其他几座高炉。除了进行试验、研究外,还不断引进新技术,如 4 号高炉引进日本的高炉余压发电技术;2 号高炉 1997 年大修时热风炉引进了荷兰霍戈文新型燃烧器等,都取得了很好的效果。

为了进一步提高高炉喷煤量,1997 年开展了高炉喷吹混合煤的试验室试验、研究,1998 年 8 月在高炉进行了工业性试验,试验成功后,立即转入生产应用。

E 提高风温

攀钢 1 号、2 号、3 号高炉的热风炉为内燃式热风炉,4 号高炉的热风炉为外燃式热风炉。近几年的风温使用情况见表 10-17。1 号高炉自 1990 年 6 月投产以来已连续生产 11 年,热风炉能力下降,1997 年对 2 号热风炉进行了大修,1998 年又对 1 号热风炉进行了大修,使 1 号高炉的风温提高到了 1100℃。2 号高炉 1997年大修后,对加强热风炉燃烧制度的优化操作攻关,实现了快速燃烧和提高煤气化学燃烧强度,使热风炉拱顶温度提高 15~20℃。4 号高炉虽然已连续生产近 12 年,但外燃式热风炉情况较好,针对热风炉热管预热器工质水局部漏损泄压情况,采取月加两次除盐水等措施,稳定了换热效果,提高了助燃空气和煤气温度,风温提高了 30℃,现该炉的使用风温在全厂最高,达 1185℃ 左右。较高的风温为高炉强化冶炼和提高喷煤量提供了可靠的保证。

F 加强高炉操作管理

近年来,进一步加强了高炉操作管理,加强了高炉操作调剂,使高炉稳定、顺行、优质、高产,获得较好的效果,高炉利用系数创历史最好水平。

a 重视上下部调剂

为使高炉稳定、顺行,各高炉十分重视上下部调剂。上部调剂主要采用适当加重边缘开放中心的料制,1 号高炉和 4 号高炉为无钟炉顶,采用中心加焦和多环布料技术,各高炉在实践中摸索出一套配合大喷煤量的行之有效的料线、批重、料制。一般情况下,班与班之间的料批只相差 1~2 批料。下部调剂主要以调剂进风面积,增加鼓风动能为主,各高炉的鼓风动能都有较大幅度增加。

b 控制适宜的炉温,减小炉温波动

近年来由于原料条件改善,高炉操作中非常重视控制适宜的炉温,使炉温的波动范围减小,近年来炉温合格率保持在 80% 左右。高炉炉温波动减小后,炉缸热储备充足,铁水温度由原来的1380～1410℃提高到1400～1430℃,不仅提高了高炉抵御突发事故的能力,而且为提高喷煤量创造了条件。

c 稳定炉渣碱度

高炉冶炼钒钛磁铁矿,如果炉渣碱度过高,炉渣流动性差,不利于高炉出净渣、铁,不利于高炉炉况的稳定、顺行;炉渣碱度过低,生铁质量难于保证。高炉操作中将炉渣碱度控制在1.10～1.15的范围内,既使炉渣的流动性较好,又保证产品质量。近几年碱度合格率为85%左右。

d 固定风温,调节喷煤量

风温是提高喷煤的基础。在高炉全风操作,炉况稳定、顺行时各高炉固定风温,调剂喷煤量,根据炉温情况及时调剂喷煤量。采取此项措施有利于减小炉温波动,促进了喷煤量的提高,为增产、节焦做出了贡献。

e 加强炉前操作管理

高炉炉前以放好渣,出好铁为目标。炉前精心处理铁口,维护好设备,铁口合格率保持98%左右,正点出铁率大于95%,为高炉稳产高产创造了条件。

10.2.4 炉体长寿工作

10.2.4.1 炉身部位

高炉炉体、炉衬蚀损调查情况表明:攀钢高炉炉体内衬的薄弱环节是炉顶上部钢砖下沿2～3m的砖衬及炉身中下部。例如2001年7月,在4号高炉空料线停炉检修时,对炉衬进行检查,4号高炉炉身上部钢砖完好,钢砖下沿近1m高度上的砖衬蚀损较轻,往下2～3m的高度上砖衬凹陷,尤以东面凹陷最深,在整个炉身上部形成环行蚀损圈,在此范围内2000年8月的喷补层已经蚀损完。4号高炉从第1～第12层铜冷却板(炉身中下部),高度为5544mm的范围内所有的冷却板全部蚀损,炉皮裸露于炉内。炉身中下部(1～10层铜冷却板之间)局部炉皮变形、开裂较严重,具体情况见表10-19。

表 10-19　4 号高炉炉皮开裂情况

部　位	裂纹形式	长×宽 /mm×mm	变形情况	备注
25～28 串,4～5 层冷却板之间	横斜向裂纹	3100×5	凹陷	
32～36 串,4～5 层冷却板之间	横向裂纹	2400×15	局部蚀损	
36 串,第 5 层冷却板上方	横向开裂	100×5		
36～2 串,第 5 层冷却板之间		1000×500	局部变形	
7 串第 5～6 层冷却板之间		500×200	熔蚀	
9 串,第 6 层冷却板下沿	斜裂	100×5		
13～14 串,6～7 层冷却板之间	斜裂	1200×10		
15～16 串,1 层冷却板下沿	横向开裂	500×10		
16～18 串,6 层冷却板下沿	斜裂	2100×5		
21～24 串,1 层冷却板下沿		1250×800	开裂、变形	
23 串,第 4 层冷却板下沿	斜裂	500×10		
34～35 串,2～3 层冷却板之间	斜裂	1500×200	变形	
3 串,第 4 层冷却板右侧		500×200	变形	
6～8 串,5～6 层冷却板之间		1200×500	开裂、变形	
17 号风口上方第 6 段冷却壁处		1250×800	开裂、变形	

　　为保高炉安全生产,开展了高炉内衬修补技术的应用研究。1998 年元月、2 月利用 3 号高炉换大钟和 4 号高炉换气密箱的机会对 3 号高炉、4 号高炉实施较大面积炉衬修补。4 号高炉实施炉衬修补后没有出现炉皮发红的现象。4～10 月高炉利用系数连续突破 2.0t/m³·d,创该炉历史最好水平。1998 年 8 月对 1 号高炉炉身上部实施了喷补,使炉身上部修补部位的炉皮的表面温度由 200～400℃ 降到 100～200℃,平均降低了 150℃,高炉炉身上部喷补后布料和煤气流分布恢复正常,高炉生产迈上了新台阶,9 月以后高炉利用系数达到 2.0t/m³·d 以上。2000 年先后对 4 号高炉、1 号高炉实施了空料线全内衬喷补,高炉炉衬修补技术的应用,为高炉强化冶炼和长寿提供了保证。

10.2.4.2　炉缸炉底部位

攀钢高炉冶炼钒钛磁铁矿,在20世纪70、80年代的冶炼条件下,炉内生成较多的TiC(N),TiC(N)沉积在炉底,对炉底起到了保护作用。进入90年代以后,攀钢高炉的炉料结构不断发生变化;高炉富氧量增加,炉缸氧势增加;近几年一直保持较高的冶炼强度,在风口区域产生的TiC(N)到了炉缸一部分被再氧化,炉缸内的TiC(N)相对减少(2号高炉的破损调查发现炉底沉积的TiC(N)较少),TiC(N)沉积减少对炉底的保护作用减弱,使炉底也成为了薄弱环节,成了高炉长寿的关键影响因素。自1999年以来,高炉炉底温度不断升高,成为生产中的一大隐患。为了延长炉底炉缸寿命,2号、3号高炉改为炭砖综合炉底;对于炉缸炉底只使用高铝砖和黏土砖的高炉,采用炉底钻孔安装水冷管通水冷却技术;在今后大修时进一步完善炉缸炉底结构,如在综合炉底材质上选用优质耐火材料、采用水冷炉底、增加炉底死铁层高度等。

10.2.5　提高和发展钒钛磁铁矿高炉冶炼技术

30多年来攀钢高炉冶炼钒钛矿,成功地引进和开发一系列强化冶炼技术,包括合理的炉料结构,提高含钒生铁质量的措施,选择适宜的热制度、造渣制度和送风制度(鼓风动能)钟式炉顶综合装料制度和无钟炉顶多环布料与中心加焦,以确定合理的上下部调剂方法,此外在富氧鼓风、喷吹煤粉和氧煤混喷以及炉前焖砂口操作技术等有很大的进步。

但是,由于资源的特殊性,冶炼高钛型钒钛矿还有很多难题有待研究。

(1) 实现全钒钛磁铁矿冶炼,在渣中(TiO_2)含量为30%～35%的条件下,消除黏渣和不产生泡沫渣,不出现黏罐现象,保证高炉正常生产,提高炉渣脱硫能力,生铁含硫和铁损降至冶炼普通生铁的水平。

(2) 冶炼钒钛矿技术措施之一是实现所谓的化学"凉"(低[Si、Ti])和物理热(铁水温度高)。但实际上高炉冶炼出的含钒生铁的物理温度均处于中等偏下水平,这给后续工序带来很多困难,今后,将进一步研究如何提高含钒铁水温度。

参 考 文 献

1 包钢(集团)公司.包头特殊矿高炉冶炼技术,包钢第三代烧结矿研究与应用,2000 年;包钢带式球团无氟生产技术攻关,2001 年

2 包钢白云鄂博矿矿冶工艺学编辑委员会.包钢白云鄂博矿矿冶工艺学(炼铁卷)

11 炼铁烟尘治理

11.1 炼铁生产搞好环保工作的重要性

炼铁厂主要污染源是高炉冶炼中排渣出铁产生的烟尘和冶炼用原、燃料在仓储、筛分、转运过程中的粉尘。烟尘浓度为 $16\sim30g/m^3$，粉尘浓度为 $1\sim6g/m^3$。国家标准为:冶金企业现有污染源的有组织排放浓度为不大于 $150mg/m^3$，新建设施的有组织排放浓度为不大于 $120mg/m^3$。另外，国家工业卫生标准对岗位粉尘浓度要求不大于 $10mg/m^3$。高浓度的烟尘和粉尘对厂区大气环境形成严重污染，同时直接危害职工的身体健康。因此，从企业生存和发展的战略高度认识炼铁生产环境保护工作的重要性和特殊性，应自觉、认真地贯彻"可持续发展战略"，坚决执行环保"三同时"的方针，坚持经营生产与治理环境污染并重的原则。环境保护是人类共同的主题，是我国的基本国策，利在当代、功盖千秋。在发展炼铁生产的同时治理环境是炼铁职工的责任。国内外炼铁企业都已开始注重污染源的治理。

11.2 炼铁生产控制大气污染的技术和措施

11.2.1 开展高炉清洁生产工艺审计工作

目前，我国经济发展基本上仍然沿用着以大量消耗资源和粗放经营为特征的传统发展模式，这种模式不仅会造成对环境的极大损坏，而且使发展本身难以持续。清洁生产是可持续发展的具体实践。推行清洁生产是改变单一的末端污染治理，实行工业污染的全过程控制，开创工业污染防治新局面的战略性措施。通过开展高炉清洁生产工艺审计工作，查明企业实施清洁生产的潜力和机会，实现生产全过程污染的控制，以清洁生产推动技术进步，实现炼铁生产技术改造，达到节能、降耗、减污、增效的目标。特别是新建或改造的炼铁企业，开展好这一工作尤为重要。

11.2.2 炼铁生产的尘源控制与治理

11.2.2.1 高炉出铁场烟尘污染的控制与治理

A 烟尘的捕集

在高炉出铁出渣过程中,渣铁从铁口流出以及流经渣铁沟时都会有烟尘产生,大量的烟尘不仅损害生产操作人员的身体健康,而且污染环境。为改善出铁场劳动条件以及附近区域环境,防止烟尘对周围大气污染,在高炉出铁场设置消烟除尘设施。主要是在出铁口、主铁沟、支铁沟、砂口(即小坑或撇渣器)、下渣沟、铁水罐(或铁水摆动溜槽)等部位设除尘罩。主铁沟、支铁沟、砂口除尘罩结构形式如图 11-1、图 11-2 所示。

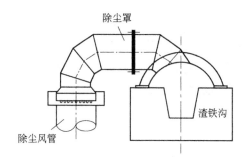

图 11-1　渣铁沟除尘罩

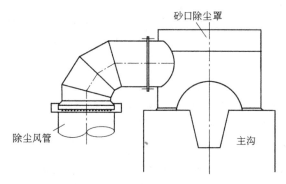

图 11-2　主沟除尘罩

高炉每生产1t铁水即在出铁场平均可散发出约2.5kg烟尘,其中正常出铁时上述各个产尘点合计产生烟尘约2.15kg,占烟尘总量的86%,此部分烟尘即为"一次烟尘"。在高炉开、堵铁口时所产生的烟尘量约为0.35kg,占总烟尘量的14%,此部分烟尘即为"二次烟尘"。目前,国内绝大部分高炉的出铁场除尘系统都只做一次除尘,而不做二次除尘。一次除尘系统采用引风机加布袋除尘器设备。含尘烟气通过出铁场除尘风管道进入布袋除尘器内进行净化,净化后气体含尘量小于$50mg/m^3$排入大气。出铁场一次除尘采用引风机加电除尘器系统在武钢新3号高炉上应用成功。

出铁场二次除尘"垂幕"技术在首钢2号高炉上于1979年大修时在国内首次投入生产运行,并取得了一定的经验。在1985年宝钢新1号高炉上也应用了此技术,并取得了一定的生产效果。但是,由于二次除尘"垂幕"技术还存在升降频繁、幕帘烧毁、工作区劳动条件恶劣、投资高等弊病,因此,此技术未在国内高炉上推广应用。

B 烟尘净化

高炉出铁场烟尘净化主要采用布袋除尘器或电除尘器。除尘器入口管道与出铁场各尘源点烟尘捕集罩联通。含尘气体经除尘器净化后排入大气。

根据高炉容积及出铁口数量需合理配置出铁场除尘设施,两个以上铁口,一次除尘一般按一个铁口出铁考虑除尘风量,在各除尘系统主管道安装倒切风量切换阀。同时,除尘风机采用耦合器或变频调速,达到经济运行的目的。

以首钢2号高炉为例,出铁场各尘源点风量分配见表11-1。

11.2.2.2 高炉原料系统粉尘控制与治理

A 粉尘的捕集

高炉原料系统主要包括原、燃料储存料仓,运料皮带机,原燃料筛分振动筛。针对原、燃料仓储、转运、筛分过程中产生的尘源点,目前主要采用以下尘源点密封捕集措施:

表 11-1　首钢 2 号高炉出铁场尘源点除尘风量分配

项　目	尘源点	点数	同时工作点	风量分配/万 m³·h⁻¹
一次除尘	出铁口侧吸罩	4	2	20
	撇渣器	2	1	6
	铁沟	4	2	3
	渣沟	2	1	1
	摆动溜槽	4	2	18
	合计	16	8	48
二次除尘	主沟顶吸罩	2	2	14
	炉顶皮带	2	2	4
	合计	4	4	18

（1）移动卸料车向仓内卸料尘源捕集，一般采用移动式通风口除尘或仓内抽风除尘方式。

（2）料仓仓口采用Ⅱ型皮带密封方式，但前提是在仓内需安装料位计。解决仓口密封后观察仓内存料情况的难题。

（3）皮带机机头采用工艺密封加吸尘罩的捕集方式。

（4）皮带机机尾受料点采用单层(见图 11-3)或双层(见图 11-4)工艺密封罩的捕集方式。

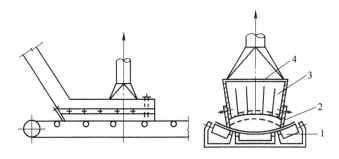

图 11-3　皮带机受料点单层密闭罩
1—托辊；2—橡胶板；3—遮尘帘；4—导料槽

427

（5）振动筛采用全封闭式和局部工艺密封加吸尘罩的捕集方式（见图 11-5）。

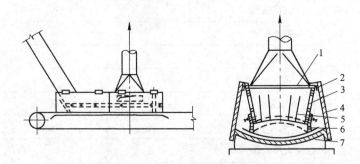

图 11-4　皮带机受料点双层密闭罩

1—导料槽；2—折页；3—空气回流孔；4—外罩；5—遮尘帘；

6—橡胶板；7—托板

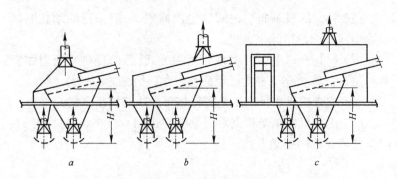

图 11-5　振动筛密闭形式

a—局部密闭；b—整体密闭；c—大容积密闭

B　粉尘净化

实践证明，净化原、燃料转运中产生的粉尘选择电除尘器、袋式除尘器均可达到净化效果。比较而言，电除尘器系统阻力低、阻损小，利于除尘系统风量的稳定，而且故障率低，日常维护量小；缺点是极线尖端易结球，而且不易清除，若产生电晕封闭现象会使除尘效果降低。袋式除尘器按目前发展趋势一般选用长袋低压脉冲除尘器，除尘效率高，在保证脉冲清灰设备正常运行的情况下，除尘器阻力一般可维持在 1200～1400Pa 之间，可基本保证设备稳定运行。在除尘器排放浓度标准高的地区，最好选用袋式除尘器。

高炉原料系统因尘源点数量多，从便于管理、维护，利于节能降耗考虑，一般采用集中除尘的方式。根据各厂生产工艺的特点，可将除尘管网分成若干系统，在各系统管道加装风量切换阀，可降低风量，利于经济运行。缺点是切换阀门发生故障，处理不及时会产生部分除尘管道风速低、管道积灰，而另一部分除尘管道风速高，出现管道磨漏的问题。

如生产工艺不具备划分除尘系统的条件，一般采用各吸尘管道及支管安装风量调节阀，投产后对各除尘系统风量进行综合平衡，可保持系统管网长期稳定运行，较好地解决了管道积灰或磨漏的问题，有利于保证除尘效果。以首钢炼铁厂 4 号高炉料仓除尘为例，原料系统尘源点风量分配见表 11-2。

表 11-2　首钢 4 号高炉料仓除尘风量分配

尘 源 点	点数	每点风量/万 m³·h⁻¹	总风量/万 m³·h⁻¹
卸料车道风槽	4	4	16
皮带机机头	8	0.5	4
皮带机机尾受料点	55	0.3	16.5
振动筛	26	0.7	18.2
称量罐闸口	8	0.5	4
称量罐	8	0.2	1.6
料 仓	16	0.5	8
小 计	125		68.3

11.3 除尘设备的操作与维护

除尘系统的主要设备有除尘器和除尘风机,这些除尘设备长期稳定运行,并与生产工艺设备同步运行率达到 100%,是保证除尘效果的基础。因此,必须要正确操作使用设备,维护和管理好设备。

11.3.1 布袋除尘器设备操作与维护

布袋除尘器有多种形式和结构,现以广泛使用的长袋低压脉冲除尘器为例叙述如下。

11.3.1.1 长袋低压脉冲除尘器的结构

长袋低压脉冲除尘器的结构见图 11-6。

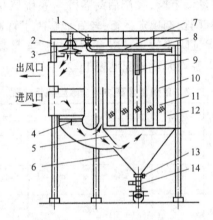

图 11-6　长袋低压脉冲除尘器的结构

1—脉冲阀;2—上箱体;3—气缸;4—手动蝶阀;5—挡风板;
6—下箱体;7—喷吹管;8—清灰系统;9—滤袋框架;10—滤袋;
11—滤袋室;12—中箱体;13—手动插板阀;14—卸灰阀

11.3.1.2 长袋低压脉冲除尘器的工作原理

含尘气体由进风总管进入到滤袋室下部的灰斗。灰斗内设有挡风板,其作用一方面将气流中的大颗粒阻挡下来,一方面使气流均匀分布通过滤袋。含尘气体经过滤袋后,粉尘被阻留在滤袋外表面。经过净化的气体经上箱体、气动停风阀和出风总管进入除尘风机,由烟囱排入大气。

当滤袋表面的粉尘不断增加,使设备达到设定值(如阻力达到1500Pa)时,除尘器开始清灰。清灰采用定时、定压差两种方式。

11.3.1.3 操作使用说明

开机操作方法如下:

(1)开机前应对设备进行检查,压缩空气压力应保持额定压力,泄去风包、储气罐中的凝结水,确认各设备无误后,方可开机。

(2)将清灰方式置于定压差方式,检查脉冲间隔是否在正常设定值上。

(3)启动除尘系统风机。

停机操作方法如下:

(1)生产设备停机一段时间后(如首钢为 20min),才能停除尘系统风机。

(2)将清灰方式置于定时方式,使除尘器每个仓清灰一遍。

(3)启动螺旋输送机和刚性叶轮给料机,将除尘器灰斗内的粉尘卸入中间灰仓。

除尘器维护方法如下:

(1)在运行过程中,经常检查喷吹系统的工作情况,当脉冲阀膜片、电磁阀等零件损坏时,应及时更换。更换时应关闭稳压气包进口处的球阀,排出稳压气包内的压缩空气,防止发生意外。

(2)经常检查除尘器进出口压差,出现异常应及时查明原因,排除故障。

(3)定期观察烟囱的排放情况,若发现排放浓度明显增大,应及时检查处理。

(4)减速机应定期注油。

(5)除尘器投入运行后,应有专人管理。管理人员应熟悉除尘器的工作原理及性能,掌握调试维修方法,建立运行记录。

常见故障及排除方法见表 11-3。

表 11-3　布袋除尘器常见故障及排除方法

项目	故障现象	原　因	排除方法
1	气动停风阀不能动作或常闭	(1) 压缩空气压力小,低于额定值; (2) 阀杆被卡死; (3) 二位五通滑阀的电磁阀损坏; (4) 二位五通阀不动作	(1) 提高空气压力; (2) 重新调整轴套; (3) 更换电磁阀; (4) 清洗滑阀内滑块
2	脉冲阀常开	(1) 电磁阀不能关闭; (2) 小节流孔完全堵塞; (3) 膜片上的垫片松脱漏气	检查或更换电磁阀,清除节流孔污物重新安装脉冲阀,装好垫片,更换失效弹簧
3	脉冲阀常闭	(1) 控制系统无信号; (2) 电磁阀失灵或排气孔被堵; (3) 膜片破损	(1) 检查控制系统; (2) 检查或更换电磁阀; (3) 更换膜片
4	脉冲阀喷吹无力	(1) 大膜片上节流孔过大或膜片上有砂眼; (2) 电磁阀排气孔部分被堵; (3) 控制系统输出脉冲宽度过窄	(1) 更换膜片; (2) 疏通排气孔; (3) 调整脉冲宽度
5	电磁阀不动作或漏气	(1) 接触不良或线圈断路; (2) 阀内有脏物; (3) 弹簧橡胶件失去作用或损坏	(1) 调换线圈; (2) 清洗脉冲阀; (3) 更换弹簧或橡胶件
6	刚性叶轮给料机电机被烧毁	(1) 灰斗积灰过多; (2) 叶轮被异物卡住; (3) 减速机故障	(1) 及时排除灰斗内的积灰; (2) 清除叶片内的异物; (3) 排除减速机故障
7	风机排出口浓度显著增加	(1) 滤袋破损; (2) 滤袋口与花板之间漏气	(1) 更换滤袋; (2) 重新安装滤袋

11.3.2　电除尘器的操作与维护

电除尘器也有多种结构形式,现以应用最广泛的板卧式电除尘器为例叙述如下。

11.3.2.1　电除尘器的结构

电除尘器的结构见图 11-7。

11.3.2.2　电除尘工作原理

在高压电场中,气体受电场力作用发生电离,电离后的气体存在着大量电子和离子。当含尘气体通过高压电场时,电子和离子与尘粒结合使粉尘粒荷电,在电场力的作用下荷电粉尘分别向不同极性的电极运动,附着在阳极板和阴极线上。当粉尘积累到一定厚度时,通过振打装置的振动力,粉尘从极板、极线表面剥落下来,储存于灰斗中。过滤后的净气通过除尘器出风口或排风口进入除尘风机,由烟囱排入大气。

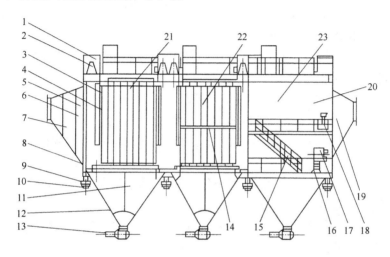

图 11-7　电除尘器的结构

1—绝缘子室;2—阴极吊挂装置;3—阴极大框架;4—集尘极部件;5—气流分布板;
6—分布板振打装置;7—进口变径管;8—内部分走道;9—支座接头;10—支座;
11—灰斗阻流板;12—灰斗;13—星形卸灰阀或拉链输灰机;14—电晕极振打部件;
15—梯子平台;16—集尘极振打;17—检修门;18—电晕极振打;19—出口变径管;
20—壳体;21~23——一、二、三电场

11.3.2.3　操作使用说明

电除尘器开机步骤如下:

(1)将各电场高压隔离开关放在正确位置;

(2)给高压整流变压器低压侧送电;

(3)开启操作盘电源柜;

(4)将电压调节旋钮调至零位并按启动按钮;

(5)逐渐将电压调整旋钮向"上压"方向转动,使电压升至最

佳值；

（6）按烟气性质及工作情况调整"上升率"、"下降率"、"灵敏度"、"电流极限"等各旋钮至最佳值；

（7）将振打电机旋钮调整到周期振打位置；

（8）检查振打情况是否良好，振打周期是否符合要求；

（9）检查各部温度控制是否在规定的范围内；

（10）启动除尘风机

电除尘器停机步骤如下：

（1）将电压调节旋钮转向"降"处，待输出电压降至零后，再按停止按钮；

（2）切开空气开关及低压电源闸刀；

（3）操作盘电源柜转向"断"位置；

（4）将高压隔离开关拨在接地位置，并在高压输出端接地线。

电除尘器使用维护说明如下：

（1）绝缘子室和阴极保温箱的温度要高于露点 $20\sim30℃$，变压器油温不得大于 $70℃$；

（2）阴、阳极振打，槽型极板振打工作是否正常，与设定的振打周期是否一致；

（3）检查机、电设备润滑情况，有无异常；

（4）根据电场工况调整运行电压"上升率"、"下降率"、"电流极限"等旋钮，使电场工作在最佳状态；

（5）注意观察电场变压器一、二次电压和电流的变化，如电流降低幅度较大时，应停机进入电场检查极板、极线挂灰情况，如挂灰较多时应清理积灰，保持电场的除尘效率；

（6）注意观察除尘器排放口，发现冒烟要及时查清原因，排除故障，保证除尘器排放浓度不超标。

由于各种原因而造成电除尘器运行中的各种故障，致使电压下降，除尘效率降低，有的甚至造成电除尘器停运。对发生的故障必须及时处理，才能确保安全运行。表 11-4 对电除尘器的常见故障作简单分析，并提出处理方法，供操作运行人员参考。

表 11-4　电除尘器常见故障及排除方法

项目	故障现象	可能的原因	处理方法
1	一次电压较低,二次电流过大	(1) 高压部分绝缘不良; (2) 阴极、阳极之间距局部变小; (3) 电场内金属或非金属异物; (4) 保温箱或阴极轴绝缘部位温度不够而造成绝缘性降低; (5) 电缆或终端盒严重泄漏	(1) 用摇表测; (2) 调整阴、阳极间距; (3) 清除异物; (4) 检查电加热器或漏风情况,将积灰擦干净; (5) 改善电缆与终端盒的绝缘情况
2	二次电流指向最高,二次电压接近零	(1) 阴极线断线,造成阴阳极短路; (2) 电场内有金属异物; (3) 高压电缆或电缆终端盒对地击穿短路; (4) 绝缘瓷瓶破损,对地短路	(1) 将已断阴极线剪掉; (2) 清除异物; (3) 修换损坏的绝缘瓷瓶或电缆
3	二次电流周期性波动	(1) 放电极支持网振动; (2) 电晕线折断后,残余线断在电晕线框架上晃动	(1) 消除波动; (2) 剪掉残余线
4	二次电流不规则波动	(1) 放电极、电晕极变形; (2) 尘粒黏附于极板或极线上,造成间距变小产生电火花	(1) 消除变形; (2) 将积灰振落
5	二次电流激烈振动	(1) 高压电缆对地击穿; (2) 电极弯曲,造成局部短路	(1) 处理击穿部位; (2) 校正弯曲电极
6	整流电压正常,而整流电流很小,毫安表比往日大大下降	(1) 沉淀极板或电晕极上积灰太多; (2) 阴极或阳极振打装置未开或部分失灵; (3) 电晕极肥大,放电不良	(1) 清除积灰; (2) 启动或修复振打装置; (3) 找出肥大原因并予以解决
7	整流电压和一次电流正常,二次电流的毫安表无读数	(1) 与毫安表并联的保险器击穿,造成短路; (2) 变压器至毫安表在某处断线; (3) 毫安表指针卡住	查出原因,消除故障
8	振打电机转动,振打轴转动	(1) 保险片断裂; (2) 链条断裂	更换损坏件
9	保险片经常被拉断	(1) 振打轴安装不同心; (2) 转运一段时间后,轴承耐磨套磨损严重,造成振打轴不同心; (3) 振打锤头卡死; (4) 保险片安装不正确; (5) 停炉时间长,锤头转动部位锈死	分析原因,排除故障。每次开炉前先检查有无卡死现象

项目	故障现象	可能的原因	处理方法
10	电压突然从较高变成较低	(1) 阴极线断线,但尚未短路; (2) 阳极板排定销轴断裂,板排移位; (3) 阴极振打轴处的聚四氟乙烯板表面积灰并灰结露; (4) 阴极小框架移位	(1) 剪除断线; (2) 将阳极板排重新定位,焊定位销; (3) 可能是电加热失灵引起,也可能是严重漏风引起,分析原因,排除故障
11	进出口温差大	(1) 保温层脱落过多; (2) 人孔门等部位漏风严重	(1) 加强保温; (2) 消除漏风
12	卸灰器卡死	(1) 卸灰器及其电动机本身损坏; (2) 灰中含有异物(振打零件、极线、锤头等); (3) 停机前灰斗有余灰	分析原因,排除故障

11.3.3 除尘风机操作与维护

11.3.3.1 操作标准

操作标准如下:

(1) 风机电机的运行电流不许超过电机额定电流值,电机定子温升不超过标准温升;

(2) 不允许带负荷启动风机;

(3) 风机轴承温度小于 60℃。

11.3.3.2 技术操作方法

开机前的检查与准备工作如下:

(1) 检查除尘器运行应正常。

(2) 清除转运设备周围的障碍物。

(3) 检查风机、耦合器、电机各部仪表应良好。

(4) 检查风机和耦合器轴承箱内的润滑油是否在规定的油面位置。

(5) 检查风机风量调节阀门执行器和耦合器是否在零位。

(6) 打开风机冷却水阀门,检查水的流动情况,将水压控制在 0.08~0.15MPa。

开机操作步骤如下:

436

（1）开机前与高压主电室联系送电。

（2）得到高压主电室"可以开机"通知后，确认风机允许合闸指示灯和风机停机指示灯同时亮后，按顺时针方向旋转风机转换开关。

（3）风机启动后检查风机和电机有无异常现象。

（4）打开风机入口风量调节阀门，或将耦合器调高速将阀门调至设定的角度。调节方法包括：

1）自动调节：将执行器开关转向"开"的位置；

2）手动调节：将执行器手轮拔出，按逆时针方向旋转。

停机操作步骤如下：

（1）安装耦合器的除尘风机先将耦合器调置低速。

（2）按逆时针方向旋转风机转换开关。

（3）将风机入口风量调节阀调至 0°。

（4）关闭风机冷却水阀门。

运行中的注意事项有：

（1）风机运转中对风机及电机的运行情况每小时检查一次，并填写运行记录。

（2）风机运转中遇到下列情况可紧急停机并通知有关岗位：

1）风机或电机剧烈振动有杂音；

2）电机电流突然升高或超过额定电流；

3）风机或电动轴承温度急剧上升或超过允许值；

4）风机轴承箱严重漏油或漏水；

5）风机冷却水突然停水造成轴承温度升高；

6）风机叶轮与机壳碰撞及发出其他不正常的噪声。

（3）风机电机不能启动，应立即向工段汇报并通知电工检查处理。

（4）风机电动机不允许反复连续启动，间隔时间不少于30min。

炉前除尘设施的维护要求如下：

（1）渣铁沟上的沟盖都要有专人负责，码齐并盖严，发现问题及时处理。

(2) 主沟吊盖机和摆动沟除尘罩设专人按时按班加油维护、清扫,保证设备正常运转。

(3) 坚持"出铁不冒烟,冒烟不出铁"的原则,出铁前各除尘设备必须正常运转,沟盖必须盖严。

(4) 吸尘点箅子上的黏结物要定期清理,保证除尘管道畅通。

(5) 修垫沟及撇渣器等工作完成后应立即将打开的沟盖重新盖好盖严。

(6) 交接班时,除尘系统未达标不能接班。

除尘风机维护与保养要求如下:

(1) 风机首次投运 3 个月应分别更换轴承箱和联轴器内的机械油,以后每隔 6 个月更换一次机械油。

(2) 正常情况下每隔一年安排一次风机检修,项目如下:

1) 打开机壳检修门进入机壳内部检查叶轮转子与机壳各部位间隙,并清除附着在叶轮、风量调节阀叶片和机壳内的污垢;

2) 检查进风口与机壳侧板连接面螺栓,螺母有无磨损或松动,如有问题则进行更换和紧固;

3) 检查风量调节阀叶片有无松动或叶片间不同步的现象,翻转是否灵活,如发现异常情况应予修理;

4) 检查轴承箱内耐油冷却水管和接头处 O 形密封圈(对滑动轴承而言)有无老化、变形或损坏,否则需更换;

5) 检查滑动轴承油膜间隙并与最初状态相比较,结合实际情况确定是否需要采取刮研复位等措施,若采用滚动轴承则检查辊子磨损情况,如油隙过大而影响正常使用则需更换;

6) 检查调试温度、温度传感器(热电偶)、压力等仪表显示是否准确无误。

7) 检查电动执行器及风量调节阀门驱动杆定位、同步等工作状态是否良好。

常见故障及排除方法如表 11-5 所示。

表 11-5　除尘风机常见故障及排除方法

项目	故障现象	产 生 原 因	处 理 方 法
1	振动	主轴未对中,轴承间隙过大; 地脚螺栓或轴承箱中分面螺栓松动; 转子不平衡; 联轴器齿面磨损	调整找正风机与电机同轴度、垂直度; 检修间隙或更换; 紧固螺栓; 重新做动平衡; 调整检修齿面
2	轴承温度过高	冷却水量不足; 轴承箱内冷却水管或接头等处渗漏; 动油环卡死; 润滑油量不足; 轴承内有杂物	检查水的流动,酌情增加水量; 检查渗漏处; 打磨动油环与轴承本体结合面; 检查润滑油位是否适当,酌情予以补充; 清洗轴承内部
3	声音异常	旋转件与静止件接触; 调节门叶片失控; 气流喘振; 机壳破损; 异物进入	调整检修; 调整叶片及传动杆; 检查进口管道阻力,适当开大调节门叶片角度; 补焊整修; 清除异物
4	轴承异常	两端漏油; 轴承温度显示失常	在轴封或盖板端加垫耐油石棉板; 调整密封齿与主轴间隙; 调整温度计插入深度
5	电动机异常	电流值过大; 温升过高	关小调节门叶片开度; 检查是否输入电压过低或单相电源断电; 是否受轴承箱剧烈振动影响,设法减小振动

参 考 文 献

1　钢铁企业采暖通风设计参考资料.北京:冶金工业出版社,1979

附　录

一、常用计算公式

1. 工艺计算

(1) 风口标准风速:

$$v_{标} = \frac{Q}{F \times 60}$$

式中　$v_{标}$——风口标准风速,m/s;

　　　Q——风量,m^3/min;

　　　F——风口送风总面积,m^2。

(2) 风口实际风速:

$$v_{实} = \frac{v_{标} \times (T + 273) \times 0.1013}{(0.1013 + p) \times (273 + 20)}$$

式中　$v_{实}$——风口实际风速,m/s;

　　　$v_{标}$——标准风速,m/s;

　　　T——风温,℃;

　　　p——鼓风压力,MPa。

(3) 鼓风动能:

$$E = 0.412 \times \frac{1}{n} \times \frac{Q^3}{F^2} \times \frac{(T + 273)^2}{(p + p_0)^2}$$

式中　E——鼓风动能,J/s;

　　　Q——风量,m^3/min;

　　　n——风口数目,个;

　　　F——风口总截面积,m^2;

　　　T——热风温度,℃;

　　　p——热风压力,Pa;

　　　p_0——标准大气压,等于101325Pa。

(4) 富氧率:

440

1) 氧气兑入口在冷风管道孔板前面,即富氧量流经流量孔板,考虑鼓风湿度时富氧率公式为:

$$B = \left[\frac{(Q_风 - Q_氧) \times (0.21 + 0.29f) + Q_氧 b}{Q_风} - 0.21 \right] \times 100\%$$

不考虑鼓风湿度时富氧率公式为:

$$B = \frac{(b - 0.21)Q_氧}{Q_风} \times 100\%$$

2) 氧气兑入口在冷风管道孔板后面,即富氧量未流经流量孔板,考虑鼓风湿度时富氧率公式为:

$$B = \left[\frac{Q_风 \times (0.21 + 0.29f) + Q_氧 b}{Q_风 + Q_氧} - 0.21 \right] \times 100\%$$

不考虑鼓风湿度时富氧率公式为:

$$B = \frac{(b - 0.21) \times Q_氧}{Q_风 + Q_氧} \times 100\%$$

式中　B——富氧率,%;

$Q_风$——风量(冷风流量孔板显示值),m^3/min;

$Q_氧$——富氧量,m^3/min;

0.21——鼓风中含氧率;

b——氧气中含氧率,%;

f——鼓风湿度,%。

(5) 冶炼周期:

$$t = \frac{24V'}{nV(1-c)}$$

式中　t——冶炼周期,h;

V'——由料线到风口中心线的容积,m^3;

n——每天料批数,批;

V——每批料体积,$m^3/批$;

c——炉料在高炉内压缩率,一般为12%～15%。

(6) 焦炭负荷:

$$P = \frac{Q_矿}{Q_焦}$$

式中 P——焦炭负荷；

$Q_矿$——矿石批重，废铁一般按 1/3 质量计入，kg；

$Q_焦$——焦炭（干基）批重，kg。

(7) 冷却壁热流强度：

$$q = 0.278 \times \frac{c \Delta t Q}{S}$$

式中 q——冷却壁热流强度，W/m^2；

c——冷却水质量热容，$kJ/(kg \cdot ℃)$；

Q——冷却壁通水量，kg/h；

Δt——冷却壁进出水温差，℃；

S——冷却壁面积，m^2。

(8) 风口前理论燃烧温度：

$$t_理 = \frac{Q_碳 + Q_风 + Q_燃 - Q_水 - Q_喷}{CV}$$

式中 $t_理$——风口前理论燃烧温度，℃；

$Q_碳$——风口前碳燃烧成 CO 放出热量，kJ；

$Q_风$——鼓风带入热量，kJ；

$Q_燃$——炽热焦炭带入热量，kJ；

$Q_水$——鼓风和喷吹物中水分解吸热，kJ；

$Q_喷$——喷吹物分解热，kJ；

C——炉缸煤气热容，$kJ/(m^3 \cdot ℃)$；

V——炉缸煤气量，m^3。

(9) 脱硫公式：

$$[S] = \frac{S_料 - S_挥}{1 + nL_S} \times 100\%$$

式中 $S_料$——硫负荷（冶炼每吨铁炉料带入硫量），kg/t；

$S_挥$——挥发硫（一般炼钢铁按硫负荷 10% 计算，铸造铁按硫负荷 15% 计算），kg/t；

n——渣铁比；

L_S——硫分配系数，$L_S = [S]_渣 / [S]_铁$。

442

2. 高炉炼铁经济技术指标计算

(1) 高炉利用系数:

$$\eta = \frac{PA}{V_\mu}$$

式中　η——高炉利用系数,$t/(m^3 \cdot d)$;

　　　P——日合格生铁产量,t/d;

　　　A——生铁折合炼钢生铁系数(见表6);

　　　V_μ——高炉有效容积,m^3。

(2) 冶炼强度:

$$I_焦 = \frac{Q_K}{V_\mu}$$

式中　$I_焦$——冶炼强度,$t/(m^3 \cdot d)$;

　　　Q_K——日干焦用量,t/d;

　　　V_μ——高炉有效容积,m^3。

(3) 综合冶炼强度:

$$I_综 = \frac{Q_K + Q_喷 B}{V_\mu}$$

式中　$I_综$——综合冶炼强度,$t/(m^3 \cdot d)$;

　　　Q_K——日干焦用量,t/d;

　　　$Q_喷$——日喷吹燃料量,t/d;

　　　B——喷吹燃料折干焦系数。

(4) 休风率:

$$\mu = \frac{t}{T} \times 100\%$$

式中　μ——休风率,%;

　　　t——高炉休风停产时间,min;

　　　T——规定日历作业时间(日历时间减去计划大中修时间),min。

(5) 生铁合格率:

$$h = \frac{P}{P_总} \times 100\%$$

443

式中 h——生铁合格率,%;

P——合格生铁产量,t;

$P_总$——生铁总产量,t。

(6) 焦比:

$$K = \frac{Q_K}{P}$$

式中 K——焦比,kg/t;

Q_K——干焦用量,kg;

P——合格生铁产量,t。

(7) 折算焦比:

$$K_折 = \frac{Q_K}{PA}$$

式中 $K_折$——折算焦比,kg/t;

Q_K——干焦用量,kg;

P——合格生铁产量,t;

A——生铁折合炼钢生铁系数(见表6)。

(8) 喷煤比:

$$Y = \frac{Q_M}{P}$$

式中 Y——喷煤比,kg/t;

Q_M——喷吹煤量,kg;

P——合格生铁产量,t。

(9)综合燃料比:

$$R_综 = \frac{Q_K + Q_R}{P}$$

式中 $R_综$——综合燃料比,kg/t;

Q_K——干焦用量,kg;

Q_R——喷吹燃料(煤、油量等),kg;

P——合格生铁产量,t。

(10) 综合焦比:

444

$$K_{综} = \frac{Q_K + Q_R B}{P}$$

式中　$K_{综}$——综合焦比，kg/t；

　　　　Q_K——干焦用量，kg；

　　　　Q_R——喷吹燃料(煤、油量等)，kg；

　　　　B——喷吹燃料折干焦系数；

　　　　P——合格生铁产量，t。

（11）综合折算焦比：

$$K_{综折} = \frac{Q_K + Q_R B}{PA}$$

式中　$K_{综折}$——综合折算焦比，kg/t；

　　　　Q_K——干焦用量，kg；

　　　　Q_R——喷吹燃料(煤、油量等)，kg；

　　　　B——喷吹燃料 折干焦系数；

　　　　P——合格生铁产量，t；

　　　　A——生铁折合炼钢生铁系数(见表6)。

二、炉渣碱度校核

（1）计算每批料出铁量：

$$Fe_{批} = \frac{K w(Fe)_{矿} \times 0.995}{[Fe]}$$

式中　$Fe_{批}$——每批料出铁量，kg；

　　　　K——每批炉料矿石量，kg；

　　$w(Fe)_{矿}$——矿石中铁的质量分数，%；

　　0.995——进入生铁中的铁量(其余0.005进入炉渣)；

　　　$[Fe]$——生铁中含铁(扣除生铁含碳、硅等元素，一般为

　　　　　　　　94%～95%)，%。

（2）计算每批料 CaO 量：

$$CaO_{料} = CaO_{矿} + CaO_{焦} + CaO_{煤} + CaO_{灰} + CaO_{熔}$$

式中　$CaO_{料}$——每批料 CaO 量，kg；

　　　$CaO_{矿}$——矿石带入 CaO 量，kg；

$CaO_焦$——焦炭带入 CaO 量，一般按焦炭灰分的 5% 计算,kg;

$CaO_煤$——煤粉带入 CaO 量，一般按煤粉灰分的 5% 计算（每批料喷煤量按单位时间喷煤总量除以下料总批数计算）,kg;

$CaO_灰$——灰石中有效 CaO（一般为灰石质量的 40% ~ 45%）,kg,其中:

$$CaO_{有效} = CaO_{灰石} - SiO_{2灰石} \times CaO_渣 / SiO_{2渣}$$

$CaO_熔$——其他熔剂带入 CaO 量,kg。

(3) 计算每批料中 SiO_2 量:

$$SiO_{2料} = SiO_{2矿} + SiO_{2焦} + SiO_{2煤} + SiO_{2熔}$$

式中　$SiO_{2料}$——每批料中 SiO_2 量,kg;

$SiO_{2矿}$——矿石带入 SiO_2 量,kg;

$SiO_{2焦}$——焦炭带入 SiO_2 量，一般按焦炭灰分的 45% 计算,kg;

$SiO_{2煤}$——煤粉带入 SiO_2 量，一般按煤粉灰分的 45% 计算,kg;

$SiO_{2熔}$——其他熔剂带入 SiO_2 量,kg。

(4) 计算炉料中还原成[Si]消耗的 SiO_2:

$$SiO_{2铁} = Fe_批 \times [Si] \times 2.14$$

式中　$SiO_{2铁}$——炉料中还原成[Si]消耗的 SiO_2,kg;

[Si]——生铁含硅,%。

(5) 计算碱度:

$$R = \frac{CaO_料}{SiO_{2料} - SiO_{2铁}}$$

(6) 计算渣量:

$$Q_渣 = \frac{CaO_料}{w(CaO)_渣}$$

式中　$Q_渣$——渣量,kg/批;

$w(\text{CaO})_渣$——炉渣中 CaO 的质量分数,%。

三、高炉炼铁有关技术标准

附表 1 铸造用生铁化学成分标准(GB718—82)

			牌　号	铸 34	铸 30	铸 26	铸 22	铸 18	铸 14
			代　号	z34	z30	z26	z22	z18	z14
化学成分（质量分数）/%			C	>3.3					
			Si	>3.20~3.60	>2.80~3.20	>2.40~2.80	>2.00~2.40	>1.60~2.00	>1.25~1.60
	Mn	1组		≤0.50					
		2组		>0.50~0.90					
		3组		>0.90~1.30					
	P	1级		≤0.06					
		2级		>0.06~0.10					
		3级		>0.10~0.20					
		4级		>0.20~0.40					
		5级		>0.40~0.90					
	S	1类		≤0.03				≤0.04	
		2类		≤0.04				≤0.05	
		3类		≤0.05					

附表 2 球墨铸铁化学成分标准(GB1412—85)

			牌　号	球 10	球 13	球 18
			代　号	Q10	Q13	Q18
化学成分（质量分数）/%			C	≥3.40		
			Si	≤1.00	>1.00~1.50	>1.50~2.00
	Mn	一组		≤0.30		
		二组		>0.30~0.50		
		三组		>0.50~0.80		
	P	一级		≤0.06		
		二级		>0.06~0.08		
		三级		>0.08~0.10		
	S	一类		≤0.03		
		二类		≤0.04		
		三类		≤0.045		
			Cr	≤0.030		

447

附表 3 炼钢用生铁化学成分标准(GB/T 717—1998)

牌　　号		L04	L08	L10
化学成分（质量分数）/%	C	$\geqslant 3.5$		
	Si	$\leqslant 0.45$	$>0.45\sim0.85$	$>0.85\sim1.25$
	Mn 一组	$\leqslant 0.40$		
	Mn 二组	$>0.40\sim1.00$		
	Mn 三组	$>1.00\sim2.00$		
	P 特级	$\leqslant 0.100$		
	P 一级	$>0.100\sim0.150$		
	P 二级	$>0.150\sim0.250$		
	P 三级	$>0.250\sim0.400$		
	S 特类	$\leqslant 0.020$		
	S 一类	$>0.020\sim0.030$		
	S 二类	$>0.030\sim0.050$		
	S 三类	$>0.050\sim0.070$		

附表 4 球团矿技术标准(YB/T 005—91)

品　级		一级品	二级品	一级品	二级品
项目名称		指标		允许波动范围	
化学成分（质量分数）/%	TFe			±0.5	±1.0
	FeO	<1.0	<2.0		
	碱度 $R=CaO/SiO_2$			±0.05	±0.10
	S	<0.05	<0.08		
物理性能	每个球的抗压强度/N	$\geqslant2000$	$\geqslant1500$		
	转鼓指数(+6.3mm)	$\geqslant90$	$\geqslant86$		
	抗磨指数(-0.5mm)	<6	<8		
	筛分指数(-5mm)	<5	<5		
冶金性能	膨胀率	<15	<20		
	还原度指数 RI	$\geqslant65$	$\geqslant65$		

448

附表 5　烧结矿技术标准（YB/T 421—92）

类　别		碱度 1.50～2.50		碱度 1.00～1.50	
品　级		一级品	二级品	一级品	二级品
化学成分（质量分数）/%	TFe 波动范围	±0.5	±1.0	±0.5	±1.0
	CaO/SiO$_2$ 波动范围	±0.08	±0.12	±0.05	±0.10
	FeO	≤12.0	≤14.0	≤13.0	≤15.0
	S	≤0.08	≤0.12	≤0.06	≤0.08
物理性能	转鼓指数（+6.3mm）	≥66.0	≥63.0	≥62.0	≥59.0
	抗磨指数（-0.5mm）	<7.0	<8.0	<8.0	<9.0
	筛分指数（-5mm）	<7.0	<9.0	<9.0	<11.0
冶金性能	低温还原粉化指数 RDI（+3.15mm）	≥60	≥58	≥62	≥60
	还原度指数 RI	≥65	≥62	≥61	≥50

附表 6　各牌号生铁折合炼钢生铁系数

生铁种类	铁　号	折合产量系数
炼钢生铁	各号	1.00
铸造生铁	铸 14	1.14
	铸 18	1.18
	铸 22	1.22
	铸 26	1.26
	铸 30	1.30
	铸 34	1.34
球墨铸铁用生铁	球 10	1.00
	球 13	1.13
	球 18	1.18
	球 20	1.20
含钒生铁	w(V)>0.2%各号	1.05
含钒钛生铁	w(V)>0.2%、w(Ti)>0.1%各号	1.10

燃 料 名 称		计 算 单 位	折合干焦系数
焦炭(干焦)		kg/kg	1.0
焦丁		kg/kg	0.9
重油(包括原油)		kg/kg	1.2
喷吹用煤粉	灰分≤10%	kg/kg	1.0
	10%＜灰分≤12%	kg/kg	0.9
	12%＜灰分≤15%	kg/kg	0.8
	15%＜灰分≤20%	kg/kg	0.7
	灰分＞20%	kg/kg	0.6
沥青煤焦油		kg/kg	1.0
天然气		kg/m³	1.1
焦炉煤气		kg/m³	0.5
木炭、石油焦		kg/kg	1.0
型焦或硫焦		kg/kg	0.8

四、高炉主要用燃料参考发热值

附表 8　高炉主要用燃料参考发热值

燃料名称	发热值/$kJ \cdot kg^{-1}$	燃料名称	发热值/$kJ \cdot m^{-3}$
标准煤	29310	焦炉煤气	16330～17580
烟煤	29310～35170	高炉煤气	2900～3800
褐煤	20930～30140	天然气	33490～41870
无烟煤煤粉	25000～31000		
焦炭	29000～34000		
重油	40610～41870		
石油	41870～46050		

五、法定计量单位及单位换算

附表9 法定计量单位及单位换算

名称	法定单位	单位符号	与其他单位换算	
长度	米 厘米 毫米 微米 千米	m cm mm μm km	1米=3市尺 1米=3.28084英尺 1米=1.09361码 1米=39.37008英吋	1海里=1851.85米 1公里=1000米 1英里=1609.35米
面积	平方米	m²	1平方米=0.3025坪 1英亩=4046.86平方米 1公亩=100平方米	1亩=666.67平方米 1公顷=10000平方米
容积	立方米 升	m³ L	1m³=1000升 1升=0.2642美加仑 1升=0.22英加仑 1升=33.815美盎司	1升=2.1134美品脱 1升=1.0567美夸脱 1升=0.0284蒲式耳
质量	千克 克 毫克 微克 吨	kg g mg μg t	1千克=5000克拉 1千克=35.274盎司 1千克=2.2046磅	1美吨=907.185千克 1吨=1000千克
力	牛顿	N	1kgf=9.80665N(牛顿)	
时间	秒 分 时 天	s min h d		
温度	开度 度	K ℃	F(华氏)=9/5℃+32 K(开氏)=℃+273.15	F=9/5K-459.67
压力 压强 应力	帕(斯卡) 千帕 兆帕	Pa(= N/m²) kPa MPa	1大气压=760毫米汞柱 1大气压=10.34米水柱 1大气压=101324.75帕	1千克力/cm²(工程大 气压)=98066.5帕 1bar=10⁵Pa

名 称	法定单位	单位符号	与其他单位换算	
功率 热流量	瓦(特) 千瓦	W kW	1 马力 = 735. 499 瓦	1 千瓦 = 102 千 克力米/秒
能量 热量	焦耳 千焦	J = W·s kJ	1 千卡 = 4186. 8 焦 耳 1 千瓦时 = 859. 84 千卡	1 千卡 = 426. 6 千克力米 1J = 1W·s
速度	米每秒	m/s		
加速度	米每平方秒	m/s^2		
频率	赫(兹)	Hz		
声压级	分贝	DB		
力矩	牛顿米	N·m		
密度	千克每立方米	kg/m^3		
重度	牛顿每立方米	N/m^3		
热流密度	瓦(特)每平方米	W/m^2	1kcal/(m^2·h) = 1. 163W/m^2	
导热系数	瓦(特)每米 开(尔文)	W/(m·K)	1cal/(cm·s·℃) = 418. 68W/(m·℃)	
传热系数	瓦(特)每平 方米开(尔文)	W/(m^2·K)	1cal/(cm^2·s·℃) = 4. 1868 × 10^{4}W/ (m^2·℃)	
热容	焦(耳)每 开(尔文)	J/K		
质量热容	焦(耳)每千 克开(尔文)	J/(kg·K)	1kcal/(kg·℃) = 4. 1868 × 10^{3}J/(kg ·℃)	
运动黏度	平方米每秒	m^2/s		
动力黏度	帕·秒	Pa·s	1泊 = 0. 1Pa·s	
电流	安培	A		
电荷	库仑	C		

六、影响燃耗和产量的因素与数值

附表10 影响燃耗和影响产量的因素与数值

序号	因素	变动量	数据来源	影响量/% 焦比	影响量/% 产量	推荐数值/% 焦比	推荐数值/% 产量	备注
1	矿石铁分(TFe)(质量分数)	1%	鞍钢1955年条件(烧结矿50%,TFe49%~53%)	1.9		1~1.5	2~2.5	适用于天然矿多、矿石品位低的条件
			鞍钢1976~1983年数据统计分析	1~1.5				
			首钢条件(TFe>55%)	1.5	1.5			
			本钢	1.5~1.6	2~2.5			
			大钢、梅山、包钢	1.5				
			前苏联	1~1.5	2~2.5			适用于一般条件,高炉操作方针偏重降低焦比时,取推荐焦比较大值及产量较小值,否则相反
2	烧结矿FeO(质量分数)	1%	鞍钢1964年高炉冶炼试验(烧结矿 FeO18%→15%)	1~2	1.5	1~1.5	1~1.5	保持烧结矿品位和质量不变,而降低FeO含量
			首钢、杭钢、济钢	1.5				
			本钢	0.7~0.9				
			济钢、梅山	1				
			包钢	2				
			日本低FeO,低SiO_2烧结矿	0.6~0.8				
3	烧结矿碱度 CaO/SiO_2,自熔性以下	0.1	鞍钢1955年条件(烧结矿率50%,碱度0.6~1.0)	3.5~3.8		3~3.5	3~3.5	烧结矿约100%
			本钢1958年条件(烧结矿率100%)	3.8				
			太钢	3.3				
			阳泉钢铁厂	3				

453

续附表 10

序号	因素	变动量	数据来源和影响量/% 数据来源	焦比	产量	推荐数值/% 焦比	产量	备注
4	烧结矿率	10%	鞍钢1950~1958年资料	4~4.5		2~3	2~3	烧结矿与品位相近的天然矿互相置换
			首钢,太钢,济钢	2				
			济钢,包钢	3				
			日本(70%为基准)	10kg				
5	烧结矿小于5mm含量	1%	首钢	0.2		0.5	0.5~1.0	
			本钢	0.12	0.6~0.8			
			前苏联	0.5	0.5~1			
			日本	4~7kg				
6	矿石金属化率	10%	日本1965年648m³高炉试验	5	7	5~6	5~6	
			前苏联	5~6	5~6			
7	焦炭灰分(全焦冶炼)	1%	鞍钢20世纪50年代(条件:灰分12.58%~14.58%)	1.76~1.9		2	3	喷吹燃料时按下式修正系数:入炉焦比/(入炉焦比+喷吹量×置换比)
			鞍钢经验数据	15kg	3			
			首钢	1.5	1.5			
			杭钢,济钢,太钢,梅山,包钢	2	3			
			加拿大	15kg				
			德国	5~10kg				
			日本(灰分10%)	10kg				
8	煤粉灰分	1%	首钢	1.5		煤粉量×2%		
			煤粉灰分对焦比的影响相当于焦炭灰分对焦比的影响,影响焦比=喷煤量×2%					

454

序号	因 素	变动量	数据来源和影响量/% 数据来源	焦比	产量	推荐数值/% 焦比	产量	备 注
9	焦炭含硫（质量分数）	0.1%	分析计算	1.2~2	>2	1.5~2	1.5~2	
			梅山	1.6~2				
			杭钢、济钢	1~2				
			包钢	1.5				
10	焦炭强度		日本君津 4063m³ 高炉,DI_{15}^{150} 降低 1%	3	3.3			
			日本 DI_{15}^{30} 变化 1%	3	6.8			
			德国 M10 变化 1%	8kg				
			美国内陆公司,ASTM 稳定性 $w(S)$ 变化 1%		2			
			加拿大,ASTM 稳定性 $w(S)$ 变化 1%	8kg	1			
11	石灰石	100kg	分析计算（只考虑分解和 CO_2）	30kg		6~7	6~7	
			分析计算（包括上项及渣量影响）	40kg				
			首钢,梅山,包钢	25kg				
			加拿大	15kg				
			前苏联	25kg				
12	碎 铁	100kg	分析数据,碎铁 $w(Fe) \leqslant 60\%$	20kg	3	20~40kg	3~7	按碎铁质量选取
			分析数据,碎铁 $w(Fe) > 60\% \sim 80\%$	30kg	5			
			分析数据,碎铁 $w(Fe) > 80\%$	40kg	7			
			首钢	22kg				
			日本（以零为基准,碎铁 1kg）	0.3kg				

序号	因素	变动量	数据来源和影响量/% 数据来源	焦比	产量	推荐数值/% 焦比	推荐数值/% 产量	备注
13	干风温	100℃	综合经验数据 风温范围/℃ 700~800 800~900 900~1000 >1000 焦比/% 5~6 4~5 3.5~4.5 2.5~3.5 产量/% 5~6 4~5 3.5~4.5 2.5~3.5			按综合经验数据	按综合经验数据	
			梅山、本钢(900~1000℃)	20kg				
			包钢(1000~1100℃)	25~30kg				
			杭钢(950~1030℃)	12~14kg				
			首钢(>800℃)	17kg				
			加拿大	22.5kg				
			前苏联 风温范围/℃ 500~800 800~1000 1000~1200 900~1200 焦比/% 4.8 3.3 2.8 2~3 产量/% 1.5~2.5					
			日本(900~1250℃)	8~20kg				
			日本(以1050℃为基准,10℃风温)	1kg				
14	鼓风湿度	1g/m³	首钢	1kg		1kg	0.1~0.5	
			日本(以25g/m³为基准)	1kg				
			一般数据(变动量10g/m³)	7~8kg				
			前苏联数据(变动量10g/m³)	2	1~1.5			

续附表 10

序号	因素	变动量	数据来源和影响量/% 数据来源	焦比	产量	推荐数值/% 焦比	推荐数值/% 产量	备注
15	富氧	1%	鞍钢 2 号高炉（900m³）富氧 21%～28.4%，喷煤 73～170kg/t 试验	0.5	2.5～3	0.5	2.5～3	
			前苏联某钢厂 1965 年高炉试验		3.7～4.3			
			前苏联（喷吹天然气，鼓风含氧<35%）		2～3			
			美国威尔顿 1 号高炉（1783m³），2 号高炉（1334m³），1967～1968 年		5.4～7.1			
			1970 年日本新厂 2924m³ 高炉富氧 3.3%		3.15			
			首钢		4			
16	喷吹天然气	1m³	前苏联	0.8～1.1kg				
			加拿大	1kg				
17	喷吹焦油	1kg	北美	1kg				
18	喷吹重油	1kg	鞍钢 1971 年总结 喷油量/kg·t⁻¹ <40 40～60 60～80 >80 置换比(焦/油)/kg·kg⁻¹ 1.25～1.35 1.15～1.25 1.10～1.15 1.00～1.10			鞍钢总结数据	鞍钢总结数据	
			首钢	1.2kg				
			前苏联	0.9～1.5kg				
			前苏联（油量 40～80kg/h）	1.0～1.4kg				
			日本（吨铁油量 40～60kg/t，富氧 2%～3%）	1.2～1.5kg				

457

续附表 10

序号	因素	变动量	数据来源和影响量/%			推荐数值/%		备注
			数据来源	焦比	产量	焦比	产量	
19	喷吹煤粉	1kg	鞍钢1971年总结(阳泉煤，$A \leqslant 15\%$) 喷煤量/kg·t⁻¹　<40　40~60　60~80　>80 置换比(焦/煤)　0.85~　0.80~　0.75~　0.70~ /kg·kg⁻¹　　　0.90　0.85　0.80　0.80			无烟煤可采取鞍钢数据		数据中，前3项为无烟煤，后4项为烟煤
			首钢、梅山	0.8kg		喷吹烟煤 0.8~ 1.2kg		视喷煤量及煤粉质量而定
			前苏联(喷煤量 60~100kg/t)	0.8~ 0.9kg				
			美国阿什兰厂(115kg/t，$V34\% \sim 38\%$)	0.75~ 0.94kg				
			首钢试验($V36.76\%$)	0.95~ 1.0kg				
			马钢($V26\% \sim 33\%$)	0.87~ 0.98kg				
			日本大分厂($V32.5\%$，$A7.5\%$，吨铁 52kg/t)	1.03~ 1.21kg				
20	喷吹焦炉煤气	1m³	前苏联	0.4~ 0.6kg				

序号	因 素	变动量	数据来源和影响量/%			推荐数值/%		备 注
			数据来源	焦比	产量	焦比	产量	
21	生铁含硅（质量分数）	0.1%	经验数据 [Si]<0.6%	4kg	0.7	4~5kg	1%~1.5%	适于炼钢生铁及低标号铸造生铁,渣碱度低者选低值
			太钢 [Si]≤1.5%	4kg	4			
			[Si]>1.5%~2.5%	6kg		5~8kg	1.5%~2%	适于铸造生铁,标号高者选高值
			[Si]>2.5%	8.5kg				
			梅山 [Si]0.5%~1.5%	5kg				
			杭钢 [Si]0.2%~1.5%	7.5kg				
			加拿大	6.5kg				
			日本 [Si]=0.65%为基准	7.5kg				
			前苏联	5~7kg	1~1.5			
22	生铁含锰（质量分数）	0.1%	分析计算	2kg		1.5~2kg	0.3%	
			太钢	1.4kg				
			加拿大	1kg	0.3			
23	生铁含磷（质量分数）	0.01%	加拿大	0.1kg				
24	渣 量	100kg	分析计算（只考虑渣的熔化热）	20kg	3	3~3.5	4~5	适于自熔性烧结矿率高时
			分析计算（包括上项及熔剂分解热和 CO_2 影响）	50kg	8	7~8	8	适于用石灰石调渣量,碱度引起的渣量变化
			加拿大	25kg				
			日本（渣量<350kg/t）	15~25kg				
			前苏联（只考虑炉渣带走热量）	10~15kg	2~3			

序号	因素	变动量	数据来源和影响量/%			推荐数值/%		备注
			数据来源	焦比	产量	焦比	产量	
24	渣量	100kg	前苏联(综合考虑炉渣带走热量及原料含铁量的全效果)	15~20kg	6~7			视吨铁渣量而定
25	炉渣碱度 CaO/SiO₂	0.1	鞍钢1955年条件(碱度1.0~1.25) 沸钢	18kg 20kg		2.5~3.5	2.5~3.5	
26	直接还原度 r_d	0.1	鞍钢1955年条件,$r_d=0.4\sim0.6$	8~9		8~9	8~9	r_d低时取上限,r_d高时取下限
27	炉顶压力	0.01MPa	经验数据(<0.098MPa) 日本(<0.196MPa) 前苏联	0.5 1.7kg	2~3 2 1	0.3~0.5	1~3	随顶压提高增产节焦效果递减
28	冶炼强度	0.1	鞍钢、本钢	1			1	
29	矿石整粒		鞍钢1952年4号高炉烧结矿80%,磁铁矿20%,磁铁矿粒度10~70mm改为6~50mm	-3.6%				
			首钢1962年2号高炉粒度>60mm天然矿由0增加到22.8%	+7.3%	6.4			
			首钢试验炉冶炼结果: 矿石粒度由8~75mm改为8~30mm 矿石粒度由8~45mm改为8~30mm	-9.5% -8.6%				
			日本天然块矿30%~40%: 矿石粒度由8~40mm改为8~30mm 矿石粒度由8~30mm改为8~25mm	-10~13kg/t -5~7kg/t				

注:本表摘自《高炉炼铁工艺及计算》,成兰伯主编,冶金工业出版社1994年4月出版。

冶金工业出版社部分书目简介